U0812197

吉米多维奇

Борис Павлович Демидович

数学分析习题集题解

总主编 郭柏灵 张天德
主 编 刘 波

（第5版）

6

山东科学技术出版社
·济南·

图书在版编目（CIP）数据

吉米多维奇数学分析习题集题解. 6 / 刘波主编. 5 版. -- 济南 : 山东科学技术出版社, 2024. 7.
ISBN 978-7-5723-2104-7

Ⅰ. 017-44

中国国家版本馆 CIP 数据核字第 20247N9W85 号

吉米多维奇数学分析习题集题解 6

JIMIDUOWEIQI SHUXUE FENXI XITIJI TI JIE 6

责任编辑：段 琰 王炳花
装帧设计：孙 佳

主管单位：山东出版传媒股份有限公司
出 版 者：山东科学技术出版社
地址：济南市市中区舜耕路517号
邮编：250003 电话：（0531）82098088
网址：www.lkj.com.cn
电子邮件：sdkj@sdcbcm.com
发 行 者：山东科学技术出版社
地址：济南市市中区舜耕路517号
邮编：250003 电话：（0531）82098067
印 刷 者：山东华立印务有限公司
地址：山东省济南市莱芜高新区钱塘江街019号
邮编：271100 电话：（0531）76216033

规格： 16开（184 mm × 260 mm）
印张： 16.5 **字数：** 410千
版次： 2024年7月第5版 **印次：** 2024年7月第19次印刷
定价： 28.00元

序

在数学的广袤天地中，数学分析占据着举足轻重的地位。它是数学专业的基础课程之一，对于学习后续课程如复变函数、实变函数与泛函分析、微分方程、微分几何、计算方法、概率论与数理统计发挥着重要的基础作用。它更是深入研究工程力学、物理、经济等众多学科不可或缺的工具。在科研方面，数学和其他许多相关学科的新思想和新应用都源于对数学分析的深入研究。因此，数学分析不仅是数学研究的重要基础，也是其他自然科学领域研究的关键工具。

众所周知，学好数学需要通过不断的练习和思考，才能真正掌握其精髓。科学地做题不仅节省时间，而且能事半功倍。在这样一个背景下，一本优质的数学分析习题集就显得尤为重要。

我读大学时，全国的数学系学生做《吉米多维奇数学分析习题集》蔚然成风。这本书对培养人的数学思维功不可没，甚至可以说不亚于当年数学专业学生几乎人手一套的多卷本课外参考书、苏联数学家菲赫金哥尔茨的《微积分学教程》。在大学4年里，我做了逾2万道题，其中就包含了《吉米多维奇数学分析习题集》全部的4462道题。至今我仍清楚地记得，书中约有四分之一的题难度相当大，我和我的同窗们也正是通过攻下这些难题而逐步练就出解决数学分析难题的真功夫，为以后从事数学研究打下坚实的基础。如今我已经从教40年，在我的学生当中有被誉为“北京大学数学黄金一代”的80后数学家，也有新近在国际数学界脱颖而出的90后数学家，他们很多人都做过《吉米多维奇数学分析习题集》，可见理解和做完这本习题集中题目的价值和作用。

1980年，《吉米多维奇数学分析习题集题解》首版由山东科学技术出版社出版，当时是国内第一次对《吉米多维奇数学分析习题集》中的全部习题进行了一一解答。历经40余年，这套图书仍受到大家的喜爱，很令人欣喜。得知出版社近期对这套图书做了改版，增加了新的内容，希望能赋予这套图书新的活力，更好地适应现在的教育教学模式。

我衷心地希望各位读者能够从本书中受益，并在攀登数学分析这座山峰的旅途中取得更好的成绩和更大的进步！

中国科学院院士

2024年7月于北京大学怀宁园

第5版前言

《吉米多维奇数学分析习题集》是国内外高校最为经典的数学分析习题集之一，作者是白俄罗斯籍数学家吉米多维奇（Б.П.ДЕМИДОВИЧ）。本书自20世纪50年代引进以来，对我国数学分析、高等数学和微积分的教与学产生了重大影响。从事高等数学教学的教师，常以该书中的习题，作为检验学生是否掌握高等数学基本知识和基本技能的一项重要手段。长久以来，该书只有习题，没有解答，让不少初学者望而却步。

山东科学技术出版社于1980年策划出版了《吉米多维奇数学分析习题集题解》，对《吉米多维奇数学分析习题集》中的4462道习题逐一进行解答，成为国内第一套数学分析题解类图书，受到了广大读者的喜爱，先后于1999年、2005年和2012年三次再版，陪伴数以百万计的数学爱好者走过了四十余载春秋。从《吉米多维奇数学分析习题集》到《吉米多维奇数学分析习题集题解》，虽然只有两字之差，但后者包含了一代代数学大师们无数的心血，也让该书在数学分析、高等数学和微积分领域牢牢占据一席之地。

加强基础研究是建设科技强国和教育强国的关键要素。2023年4月，教育部启动了包括数学在内的基础学科“101计划”。为响应国家号召，助力核心课程建设，加之《吉米多维奇数学分析习题集题解》第4版出版距今已十余年，书中不少解题方法已不适用于现代教学，为此，山东科学技术出版社启动《吉米多维奇数学分析习题集题解》再版工作。

在多位专家的悉心指导和广大读者的热情支持下，第5版的再版工作得以顺利完成。我们深知，每一次更新迭代都是对知识深度和广度的双重挑战，因此，我们始终秉承对知识的敬畏和对读者的承诺，在再版过程中倾注大量心血，不断精益求精，力求将最完美的解答过程和最容易让读者理解的解题方法，呈现给热爱数学的读者，确保本书能够继续作为数学分析学习的黄金标准。

今天，我们荣幸地推出《吉米多维奇数学分析习题集题解》第5版，这不仅是对经典的传承，更是对未来的展望。根据读者反馈和实际教学中发现的问题，本书较第4版改动较大，主要体现在以下几个方面：

1. 对全书4462道习题进行了重新验算和解答，答题步骤、方法更贴合日常教学和考研标准，并在部分题目中增加了一题多解、方法总结等有助于读者发散思维的点拨。

2. 每章增加了本章概括和知识图谱，以帮助读者更好地把握整章知识脉络，在更高的维度上理解知识的前后逻辑关系。

3. 每节增加了知识点预览和知识拓展。知识点预览介绍本节知识点对应的题目序号，能够让读者快速检索题目所在的位置；知识拓展则可以帮助读者回忆类型题目所用到的公式、定理，为解题打下良好基础。

4. 题目按知识点模块化。将原有题目顺序进行微调，按照知识点重新分类，将同类题目模块化，有助于读者更清晰地了解每个知识点的考查方式和难易程度，更准确地查找相应题目进行练习，从而更有效地进行教学和复习。

5. 题目和解答字号大小有别。题目字号适当放大，解答字号则保持不变，使题目和解答可以明显区分开来，这样的改动方便读者先看题目、自己验算，再对照解答进行验证、勘误。

6. 每册图书最后增加各高校考研真题和解析，方便读者进行过关检测，在夯实知识的同时，保证学以致用、学有所得。

本书不仅适用于数学专业数学分析的学习，也同样适用于非数学专业理工科学生学习高等数学及微积分等科目。在历届大学生数学竞赛、硕士研究生招生入学考试中不乏出现本书原题，比如2019年全国硕士研究生入学招生考试数学一中第17题，即为本书第2410题的原题复现。

华东交通大学费定晖教授、山东大学周学圣教授对前4版的编写做出了突出贡献，对此深表感谢。清华大学邹文明教授，中国科学院数学与系统科学研究院丁彦恒研究员，中国科学技术大学李平教授，曲阜师范大学栾世霞教授、孙钦福副教授，海军航空大学刘波副教授为本书再版工作倾注了很多心血，在此一并表示感谢。感谢许多阅读了本书，并向我们分享见解的读者们，以及为本书付出努力的审稿专家和编辑们，谢谢你们！

本书虽然历经40余年的反复修订，但因规模庞大，编者水平有限，书中难免有错误和不当之处，敬请各位专家、同仁和广大读者批评指正，不胜感激。

中国科学院院士 郭柏灵

山东大学数学学院教授 张天德

2024年6月

第4版前言

本书自1980年出版发行以来，历经30多个春秋，一直畅销不衰，深得读者厚爱。在郭大钧教授的帮助和指导下，我们本着对读者高度负责的态度，对全书不断进行修订和补充，力求本书一直保持其先进性、完整性和准确性。读者通过学习本书，在掌握数学分析的基本知识、基础理论和基本技能方面，感到获益匪浅，赞誉其为学习数学分析“不可替代”之图书，对此我们倍感欣慰，鞭策我们为读者做出更多的奉献。

这次受山东科学技术出版社的邀请，并在郭大钧教授的大力支持下，我们进行本书第4版的改版工作，主要包括以下几方面：

第一，为全书4462题中的近三成的习题，根据题型的不同，在原题解的前面或给出提示，或给出解题思路，或给出证明思路。希望能启发读者怎样分析该题，怎样下手求解；启发读者怎样总结解题的规律；启发读者怎样正确使用有关的数学公式、概念和理论，开拓视野，活跃思路；帮助读者逐步解决学习中的困难，为他们在学习过程中提供一个良师益友。这是本次改版的主要工作。

第二，根据当前的语言习惯，对全书的文字做了较多的润色，使其表述更加准确，更加简洁。

第三，改正了第3版中的个别印刷错误，修正了函数图像中的个别问题和个别习题的答案。

第四，根据国家相关标准，规范了有关术语和数学公式的表达，并对全书使用的外国人名按照现行标准或通用译法重新翻译。

第五，对全书的版面和开本进行了调整，使其更富有时代的色彩。

我们殷切期望使用本书的读者，懂得只有通过个人的独立思考，加上勤学苦练才能取得成功。读者使用本书最好是不要先看题解，而是自己先对照教材中的有关概念、公式和理论独立进行思考，必要时可参照书中的提示、解题思路或证明思路独立完成解题，然后再查看书中是怎样解答的，比较自己的解答和书中解答的异同，从中找出差距，找出自己的问题所在，甚至找出书中解答的错误和不足之处，进而找到更为简洁的解答。只有这样才能提高自己的思维能力和创造才能，任何削弱独立思考的做法都是违背我们出版本书的初衷的。

山东科学技术出版社颜秀锦、宋德万、胡新蓉等老一代资深编辑为本书前三版的出版和发行付出了艰辛努力，责任编辑宋涛为本书第4版怎样提高质量倾注了不少心血，在此我们一并表示感谢。同时感谢山东大学、华东交通大学、山东师范大学等兄弟学校对本书出版的支持。感谢社会各界同仁对本书的支持。虽然历经30余年的反复修订，面对如此庞大的图书，限于作者水平，书中难免有错误和不当之处，敬请各位专家、同仁和广大读者批评指正，不胜感激。

编者

2012年5月

第3版前言

这套书自1980年出版发行以来，20余年一直畅销不衰，读者称其为学习数学分析“不可替代”之图书，我们对此倍感欣慰。

本次改版主要做了如下改动：

第一，修正了部分题目的解法，使其更加注重科学性、规范性和简明性。

第二，改正了第2版的个别印刷错误。

第三，在文字上进行了些润色，力求文字更加准确。

第四，对版面和开本进行了调整，突出了时代感。

本次改版得到山东科学技术出版社的大力支持，责任编辑宋德万、胡新蓉等对该书的再版付出了艰辛的劳动，在此深表感谢。

在第3版修改过程中由费定晖逐章逐题予以校阅，不当之处恳请指正。

编者

2005年1月

第2版前言

《吉米多维奇数学分析习题集》一书内容丰富，覆盖面广泛，是数学分析的经典之作。从事数学分析教学的老师也常以《吉米多维奇数学分析习题集》中的题目，作为检验学生掌握数学分析基本知识和基本技能的一项重要手段。

《吉米多维奇数学分析习题集》共4462道题目，涵盖了数学分析的全部主题，为了适应我国广大数学爱好者学习，我们将全书4462道题目一一解答，编写了《吉米多维奇数学分析习题集题解》，分六册出版。本书自1980年出版以来，一直畅销不衰，读者称其为学习数学分析“不可替代”之图书，我们对此倍感欣慰。

第2版较第1版主要做了如下改动：

第一，修正了部分题目的解法，使其更加注重了科学性、规范性和简明性。

第二，改正了个别印刷错误。

第三，在文字上进行润色，力求表述更加准确。

本次再版得到山东科学技术出版社的大力支持，在此深表感谢。

编者

1999年3月

首版前言

吉米多维奇（Б.П.ДЕМИДОВИЧ）著《数学分析习题集》一书的中译本，自五十年代初在我国翻译出版以来，引起了全国各大专院校广大师生的巨大反响。凡从事数学分析教学的师生，常以试解该习题集中的习题，作为检验掌握数学分析基本知识和基本技能的一项重要手段。二十多年来，对我国数学分析的教学工作是甚为有益的。

该书四千多道习题，数量多，内容丰富，由浅入深，部分题目难度大。涉及的内容有函数与极限，单变量函数的微分学，不定积分，定积分，级数，多变量函数的微分学，带参变量积分以及重积分与曲线积分、曲面积分等等，概括了数学分析的全部主题。当前，我国广大读者，特别是肯于刻苦自学的广大数学爱好者，在为四个现代化而勤奋学习的热潮中，迫切需要对一些疑难习题有一个较明确的回答。有鉴于此，我们特约作者，将全书4 462题的所有解答汇辑成书，共分六册出版。本书可以作为高等院校的教学参考用书，同时也可作为广大读者在自学微积分过程中的参考用书。

众所周知，原习题集，题多难度大，其中不少习题如果认真习作的话，既可以深刻地巩固我们所学到的基本概念，又可以有效地提高我们的运算能力，特别是有些难题还可以逼使我们学会综合分析的思维方法。正由于这样，我们殷切期望初学数学分析的青年读者，一定要刻苦钻研，千万不要轻易查抄本书的解答，因为任何削弱独立思索的作法，都是违背我们出版此书的本意。何况所作解答并非一定标准，仅作参考而已。如有某些误解、差错也在所难免，一经发觉，恳请指正，不胜感谢。

本书蒙潘承洞教授对部分难题进行了审校。特请郭大钧教授、邵品琮副教授对全书作了重要仔细的审校。其中相当数量的难度大的题，都是郭大钧、邵品琮亲自作的解答。

参加本册审校工作的还有楼世拓、姚琦、陈兆宽同志。参加编演工作的还有黄春朝同志。本书在编审过程中，还得到山东大学、山东工学院、山东师范学院和曲阜师范学院的领导和同志们的大力支持，特在此一并致谢。

编者

1979年4月

目录

第8章　重积分和线面积分

第8章 重积分和线面积分

本章概括

本章为重积分与线面积分，包括《吉米多维奇数学分析习题集》中相关的562道习题，涵盖了二重积分、三重积分、重积分的应用、曲线积分、曲面积分、线面积分的应用、格林公式、斯托克斯公式、高斯公式、场论初步等内容.

多元函数的重积分与一元函数的定积分是平行的，基本思想都是分割、近似、求和、取极限. 重积分的各种计算方法，本质是对于微元的取法不同，如平行于坐标轴的直线分割构成了二重积分的直角坐标积分法；平行于坐标面的平面分割构成了三重积分的直角坐标积分法；过原点的射线与以原点为中心的扇形分法构成了二重积分的极坐标积分法；过原点的射线与以原点为中心的空间意义上的扇形分法构成了三重积分的球坐标积分法等.

把积分范围推广到曲线和曲面上，即为曲线积分和曲面积分. 在这两类积分的基础上，将重点讨论格林公式、高斯公式、斯托克斯公式、场论初步等内容.

知识图谱

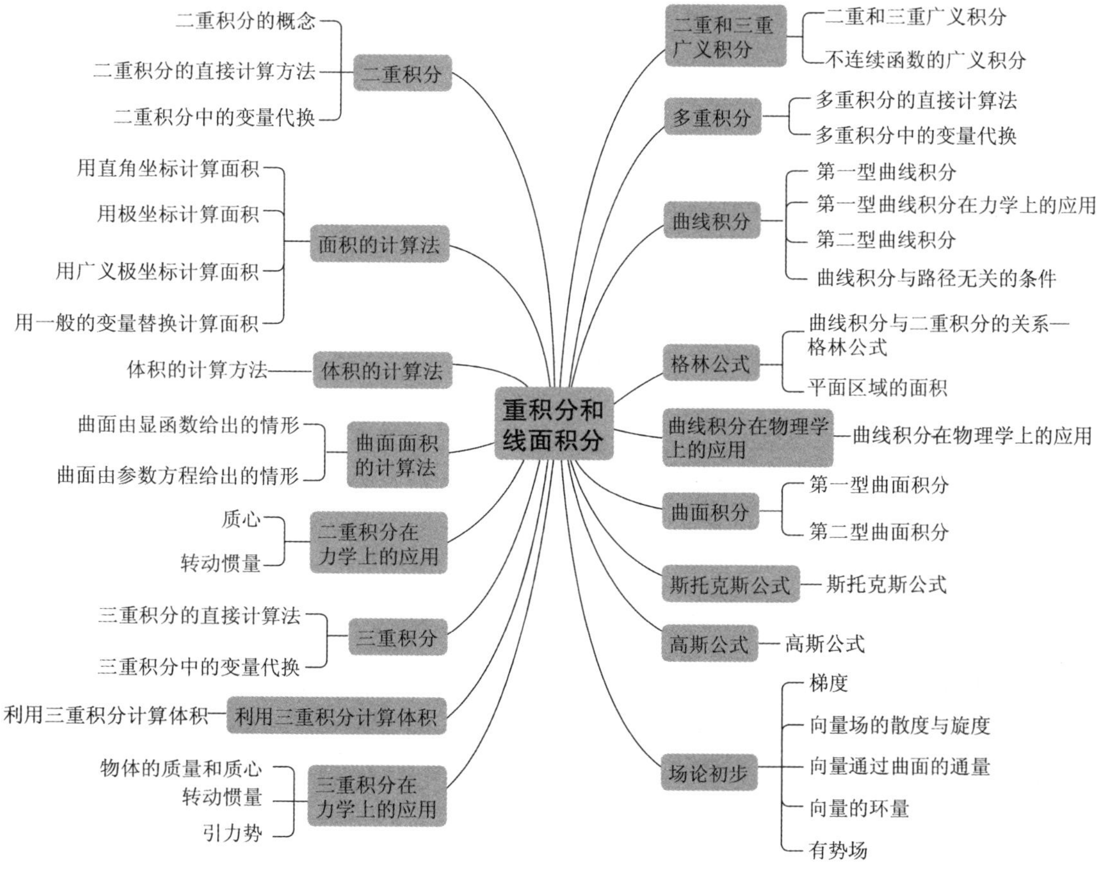

第1节 二重积分（习题3910—3983）

知识点预览

序号	知识点	题目序号	所在页码
1	二重积分的概念	3910—3915	P2
2	二重积分的直接计算方法	3916—3936	P8
3	二重积分中的变量代换	3937—3983	P13

知识点 1 二重积分的概念

定义 所谓连续函数 $f(x,y)$ 在有限封闭可求面积二维区域 D 上的二重积分，指的是

$$\iint\limits_{D} f(x,y)\mathrm{d}x\mathrm{d}y = \lim_{\|T\|\to 0}\sum_{i=1}^{n} f(x_i,y_i)\Delta\sigma_i,$$

其中 $\|T\| = \max\limits_{1\leqslant i\leqslant n}\{d_i\}$，$d_i$ 为小区域 σ_i 的直径，$\Delta\sigma_i$ 为小区域 σ_i 的面积.

习题 3910—3905 利用定义计算二重积分

【3901】 把积分 $\iint\limits_{\substack{0\leqslant x\leqslant 1\\0\leqslant y\leqslant 1}} xy\mathrm{d}x\mathrm{d}y$ 当作积分和的极限，用直线

$$x = \frac{i}{n}, y = \frac{j}{n}(i,j = 1,2,\cdots,n-1)$$

把积分域分为许多正方形，并选取被积函数在这些正方形的右顶点的值，计算此积分.

解 由于

$$\sum_{i=1}^{n}\sum_{j=1}^{n}\left(\frac{i}{n}\cdot\frac{j}{n}\cdot\frac{1}{n^2}\right) = \frac{n^2(n+1)^2}{4n^4}\to\frac{1}{4}(n\to\infty),$$

其中

$$\sum_{i=1}^{n} i = \frac{n(n+1)}{2}, \sum_{j=1}^{n} j = \frac{n(n+1)}{2};$$

故 $\iint\limits_{\substack{0\leqslant x\leqslant 1\\0\leqslant y\leqslant 1}} xy\mathrm{d}x\mathrm{d}y = \frac{1}{4}$.

【3902】 用直线 $x = 1+\frac{i}{n}, y = 1+\frac{2j}{n}(i,j = 0,1,\cdots,n)$ 把区域 $1\leqslant x\leqslant 2, 1\leqslant y\leqslant 3$ 分为许多矩形. 作出函数 $f(x,y) = x^2+y^2$ 在此区域内的下积分和 $\underline{S}$ 与上积分和 $\overline{S}$. 当 $n\to\infty$ 时，上积分和与下积分和的极限等于什么？

解 下积分和

$$\underline{S} = \sum_{i=0}^{n-1}\sum_{j=0}^{n-1}\left\{\left[\left(1+\frac{i}{n}\right)^2+\left(1+\frac{2j}{n}\right)^2\right]\cdot\frac{1}{n}\cdot\frac{2}{n}\right\}$$

$$= \frac{2n}{n^2}\left[n + \frac{2}{n}\sum_{i=0}^{n-1} i + \frac{1}{n^2}\sum_{i=0}^{n-1} i^2 + n + \frac{4}{n}\sum_{j=0}^{n-1} j + \frac{4}{n^2}\sum_{j=0}^{n-1} j^2\right]$$

$$= \frac{40}{3} - \frac{11}{n} + \frac{5}{3n^2},$$

其中$\sum_{i=0}^{n-1} i^2 = \frac{(n-1)n(2n-1)}{6}$，$\sum_{j=0}^{n-1} j^2 = \frac{(n-1)n(2n-1)}{6}$.

上积分和

$$\overline{S} = \sum_{i=1}^{n}\sum_{j=1}^{n}\left\{\left[\left(1+\frac{i}{n}\right)^2 + \left(1+\frac{2j}{n}\right)^2\right]\cdot\frac{1}{n}\cdot\frac{2}{n}\right\}$$

$$= \frac{2n}{n^2}\left[n + \frac{2}{n}\sum_{i=1}^{n} i + \frac{1}{n^2}\sum_{i=1}^{n} i^2 + n + \frac{4}{n}\sum_{j=1}^{n} j + \frac{4}{n^2}\sum_{j=1}^{n} j^2\right]$$

$$= \frac{40}{3} + \frac{11}{n} + \frac{5}{3n^2}.$$

当 $n \to \infty$ 时，$\underline{S}$ 与 $\overline{S}$ 的极限均等于$\frac{40}{3}$.

【3903】 用一组顶点 A_{ij} 位于整数点的正方形作为积分域的近似域，并取被积函数在每个正方形距原点最远的顶点之值，近似地计算积分 $\iint\limits_{x^2+y^2\leqslant 25} \frac{\mathrm{d}x\mathrm{d}y}{\sqrt{24+x^2+y^2}}$，并与精确值加以比较.

解 由题意知，应取的正方形顶点为(1,1)，(1,2)，(1,3)，(1,4)，(2,1)，(2,2)，(2,3)，(2,4)，(3,1)，(3,2)，(3,3)，(3,4)，(4,1)，(4,2)，(4,3)，故利用对称性知

$$\frac{1}{4}\iint\limits_{x^2+y^2\leqslant 25} \frac{\mathrm{d}x\mathrm{d}y}{\sqrt{24+x^2+y^2}}$$

$$\approx \frac{1}{\sqrt{26}} + \frac{2}{\sqrt{29}} + \frac{2}{\sqrt{34}} + \frac{2}{\sqrt{41}} + \frac{1}{\sqrt{32}} + \frac{2}{\sqrt{37}} + \frac{2}{\sqrt{44}} + \frac{1}{\sqrt{42}} + \frac{2}{\sqrt{49}}$$

$$\approx 0.196 + 0.371 + 0.343 + 0.312 + 0.177 + 0.329 + 0.302 + 0.154 + 0.285 \approx 2.470,$$

即 $\iint\limits_{x^2+y^2\leqslant 25} \frac{\mathrm{d}x\mathrm{d}y}{\sqrt{24+x^2+y^2}} \approx 9.880.$

下面计算积分的精确值：

$$\iint\limits_{x^2+y^2\leqslant 25} \frac{\mathrm{d}x\mathrm{d}y}{\sqrt{24+x^2+y^2}} = 4\int_0^5 \ln(y + \sqrt{24+x^2+y^2})\Big|_0^{\sqrt{25-x^2}} \mathrm{d}x$$

$$= 4\int_0^5 \ln(\sqrt{25-x^2}+7)\mathrm{d}x - 2\int_0^5 \ln(24+x^2)\mathrm{d}x.$$

由于

$$\int \ln(24+x^2)\mathrm{d}x = x\ln(24+x^2) - \int \frac{2x^2}{24+x^2}\mathrm{d}x$$

$$= x\ln(24+x^2) - 2x + \frac{24}{\sqrt{6}}\arctan\frac{x}{\sqrt{24}} + C,$$

从而

$$2\int_0^5 \ln(24+x^2)\mathrm{d}x = \left[2x\ln(24+x^2) - 4x + \frac{48}{\sqrt{6}}\arctan\frac{x}{\sqrt{24}}\right]\Big|_0^5$$

$$= 20\ln 7 - 20 + 8\sqrt{6}\arctan\frac{5}{\sqrt{24}}.$$

又

$$4\int_0^5 \ln(\sqrt{25-x^2}+7)\mathrm{d}x = 4[x\ln(\sqrt{25-x^2}+7)]\Big|_0^5 + 4\int_0^5 \frac{x^2\mathrm{d}x}{(\sqrt{25-x^2}+7)\sqrt{25-x^2}}$$

$$= 20\ln 7 + 4\int_0^5 \frac{x^2\,dx}{(\sqrt{25-x^2}+7)\sqrt{25-x^2}}.$$

再令 $x = 5\sin t$，有

$$\int_0^5 \frac{x^2\,dx}{(\sqrt{25-x^2}+7)\sqrt{25-x^2}} = \int_0^{\frac{\pi}{2}} \frac{-25\cos^2 t + 25}{5\cos t + 7}dt$$

$$= -\int_0^{\frac{\pi}{2}} (5\cos t - 7)dt - \int_0^{\frac{\pi}{2}} \frac{24}{5\cos t + 7}dt$$

$$= (7t - 5\sin t)\Big|_0^{\frac{\pi}{2}} - 24\left[\frac{1}{\sqrt{6}}\arctan\left(\frac{1}{\sqrt{6}}\tan\frac{t}{2}\right)\right]\Big|_0^{\frac{\pi}{2}}$$

$$= \frac{7\pi}{2} - 5 - 4\sqrt{6}\arctan\frac{2}{\sqrt{24}}.$$

从而

$$4\int_0^5 \ln(\sqrt{25-x^2}+7)dx = 20\ln 7 + 14\pi - 20 - 16\sqrt{6}\arctan\frac{2}{\sqrt{24}}.$$

注意到

$$2\arctan\frac{2}{\sqrt{24}} + \arctan\frac{5}{\sqrt{24}} = \frac{\pi}{2},$$

最后便得

$$\iint\limits_{x^2+y^2\leqslant 25} \frac{dxdy}{\sqrt{24+x^2+y^2}} = 14\pi - 4\sqrt{24}\left(2\arctan\frac{2}{\sqrt{24}} + \arctan\frac{5}{\sqrt{24}}\right) = 2\pi(7-\sqrt{24}) \approx 13.19.$$

将精确值与近似值作比较，显见误差较大，其原因在于有不少不是正方形的区域都被忽略，因而产生较大的绝对误差 4.31 及较大的相对误差 $\frac{4.31}{13.19} \approx 32.7\%$.

注 求 $\iint\limits_{x^2+y^2\leqslant 25} \frac{dxdy}{\sqrt{24+x^2+y^2}}$ 的精确值若采用极坐标则较为简单：

$$\iint\limits_{x^2+y^2\leqslant 25} \frac{dxdy}{\sqrt{24+x^2+y^2}} = \int_0^{2\pi} d\theta \int_0^5 \frac{rdr}{\sqrt{24+r^2}} = 2\pi(7-\sqrt{24}).$$

但按原习题集的安排，应在 3937 题以后才开始使用极坐标，故本题仍用直角坐标进行计算.

【3904】 用直线 $x=$ 常数，$y=$ 常数，$x+y=$ 常数把积分域 D 分为四个相同的三角形，并取被积函数在每个三角形的质心之值，近似地计算积分

$$\iint\limits_D \sqrt{x+y}\,d\sigma,$$

其中 D 是以直线 $x=0$，$y=0$ 及 $x+y=1$ 为边的三角形.

解 只须以 $x=\frac{1}{2}$，$y=\frac{1}{2}$ 及 $x+y=\frac{1}{2}$ 分割积分域 D，即得四个相同的三角形，面积均为$\frac{1}{8}$，质心为$\left(\frac{1}{6},\frac{1}{6}\right)$，$\left(\frac{1}{3},\frac{1}{3}\right)$，$\left(\frac{2}{3},\frac{1}{6}\right)$及$\left(\frac{1}{6},\frac{2}{3}\right)$，于是，得此积分的近似值为

$$\iint\limits_D \sqrt{x+y}\,d\sigma \approx \frac{1}{8}\left(\sqrt{\frac{1}{6}+\frac{1}{6}} + \sqrt{\frac{1}{3}+\frac{1}{3}} + 2\sqrt{\frac{2}{3}+\frac{1}{6}}\right) \approx \frac{1}{8}(0.577 + 0.816 + 2\cdot 0.912)$$

$$\approx 0.402.$$

其精确值为

$$\iint\limits_D \sqrt{x+y}\,d\sigma = \int_0^1 dx\int_0^{1-x} \sqrt{x+y}\,dy = \frac{2}{3}\int_0^1 (1-x^{\frac{3}{2}})dx = \frac{2}{5}.$$

【3905】 把积分域 $D=\{(x,y)\mid x^2+y^2\leqslant 1\}$ 分为有限个直径小于 δ 的可求面积的子区域 $\sigma_i(i=1,2,\cdots,n)$，δ 取怎样的值能保证不等式

$$\left|\iint_D \sin(x+y)\mathrm{d}\sigma-\sum_{i=1}^{n}\sin(x_i+y_i)\Delta\sigma_i\right|<0.001$$

成立？其中 $(x_i,y_i)\in\sigma_i$.

解 记函数 $\sin(x+y)$ 在 σ_i 中的振幅为 ω_i，则

$$\begin{aligned}\left|\iint_D \sin(x+y)\mathrm{d}\sigma-\sum_{i=1}^{n}\sin(x_i+y_i)\Delta\sigma_i\right| &= \left|\sum_{i=1}^{n}\iint_{\sigma_i}[\sin(x+y)-\sin(x_i+y_i)]\mathrm{d}\sigma\right| \\ &\leqslant \left|\sum_{i=1}^{n}\iint_{\sigma_i}\mid\sin(x+y)-\sin(x_i+y_i)\mid\mathrm{d}\sigma\right| \\ &\leqslant \left|\sum_{i=1}^{n}\iint_{\sigma_i}\omega_i\mathrm{d}\sigma\right|=\sum_{i=1}^{n}\omega_i\Delta\sigma_i.\end{aligned}$$

由于积分域 $D=\{(x,y)\mid x^2+y^2\leqslant 1\}$ 的面积等于 π，故只要 $\omega_i<\dfrac{0.001}{\pi}$，便能满足原不等式的要求. 但因为

$$\begin{aligned}\omega_i &= \sup_{\substack{(x_i,y_i)\in\sigma_i\\(x'_i,y'_i)\in\sigma_i}}\mid\sin(x'_i+y'_i)-\sin(x_i+y_i)\mid\leqslant\sup_{\substack{(x_i,y_i)\in\sigma_i\\(x'_i,y'_i)\in\sigma_i}}\mid(x'_i+y'_i)-(x_i+y_i)\mid \\ &\leqslant\sup_{\substack{(x_i,y_i)\in\sigma_i\\(x'_i,y'_i)\in\sigma_i}}[\mid x'_i-x_i\mid+\mid y'_i-y_i\mid]\leqslant\sup_{\substack{(x_i,y_i)\in\sigma_i\\(x'_i,y'_i)\in\sigma_i}}\sqrt{2[(x'_i-x_i)^2+(y'_i-y_i)^2]}=\sqrt{2}\delta,\end{aligned}$$

故只要取

$$\delta<\frac{1}{\sqrt{2}\pi}\times 0.001\approx 0.000\,22,$$

即有

$$\left|\iint_D \sin(x+y)\mathrm{d}\sigma-\sum_{i=1}^{n}\sin(x_i+y_i)\Delta\sigma_i\right|<0.001.$$

> **注** 本题用到结论：对于任意非负实数 a,b 有
> $$2ab\leqslant a^2+b^2\ 或\ (a+b)^2\leqslant 2(a^2+b^2),$$
> 从而，$a+b\leqslant\sqrt{2(a^2+b^2)}$.

习题 3906—3911 二重积分的直接计算

【计算下列二重积分（3906—3908）】

【3906】 $\int_0^1\mathrm{d}x\int_0^1(x+y)\mathrm{d}y$.

解 $\int_0^1\mathrm{d}x\int_0^1(x+y)\mathrm{d}y=\int_0^1\left(x+\dfrac{1}{2}\right)\mathrm{d}x=1.$

【3907】 $\int_0^1\mathrm{d}x\int_{x^2}^{x}xy^2\mathrm{d}y$.

解 $\int_0^1\mathrm{d}x\int_{x^2}^{x}xy^2\mathrm{d}y=\int_0^1\left(\dfrac{x^4}{3}-\dfrac{x^7}{3}\right)\mathrm{d}x=\dfrac{1}{15}-\dfrac{1}{24}=\dfrac{1}{40}.$

【3908】 $\int_0^{2\pi}\mathrm{d}\theta\int_0^a r^2\sin^2\theta\mathrm{d}r$.

解 $\int_0^{2\pi}\mathrm{d}\theta\int_0^a r^2\sin^2\theta\mathrm{d}r=\frac{a^3}{3}\int_0^{2\pi}\sin^2\theta\mathrm{d}\theta=\frac{a^3}{3}\left(\frac{\theta}{2}-\frac{1}{4}\sin 2\theta\right)\Big|_0^{2\pi}=\frac{\pi a^3}{3}.$

【3909】 设 R 表示矩形 $a\leqslant x\leqslant A,b\leqslant y\leqslant B$，函数 $X(x)$ 和 $Y(y)$ 在相应区间上连续，证明等式：

$$\iint\limits_R X(x)Y(y)\mathrm{d}x\mathrm{d}y=\int_a^A X(x)\mathrm{d}x\int_b^B Y(y)\mathrm{d}y.$$

证 根据在矩形域的情况下化二重积分为逐次积分的计算方法，不妨先对 y 后对 x 积分，即得

$$\iint\limits_R X(x)Y(y)\mathrm{d}x\mathrm{d}y=\int_a^A\mathrm{d}x\int_b^B X(x)Y(y)\mathrm{d}y=\int_a^A X(x)\mathrm{d}x\int_b^B Y(y)\mathrm{d}y.$$

【3910】 设 $f(x,y)=F''_{xy}(x,y)$，计算 $I=\int_a^A\mathrm{d}x\int_b^B f(x,y)\mathrm{d}y.$

解 不妨按先对 y 后对 x 积分的顺序计算，即得

$$\begin{aligned}I&=\int_a^A[F'_x(x,B)-F'_x(x,b)]\mathrm{d}x=F(x,B)\,|_a^A-F(x,b)\,|_a^A\\&=F(A,B)-F(a,B)-F(A,b)+F(a,b).\end{aligned}$$

【3911】 设 $f(x)$ 为闭区间 $[a,b]$ 上的连续函数，证明不等式：

$$\left[\int_a^b f(x)\mathrm{d}x\right]^2\leqslant(b-a)\int_a^b f^2(x)\mathrm{d}x,$$

当且仅当 $f(x)=$ 常数时等号成立.

证 因为

$$\begin{aligned}0&\leqslant\int_a^b\mathrm{d}x\int_a^b[f(x)-f(y)]^2\mathrm{d}y\\&=(b-a)\int_a^b f^2(x)\mathrm{d}x-2\left[\int_a^b f(x)\mathrm{d}x\right]^2+(b-a)\int_a^b f^2(y)\mathrm{d}y\\&=2(b-a)\int_a^b f^2(x)\mathrm{d}x-2\left[\int_a^b f(x)\mathrm{d}x\right]^2,\end{aligned}$$

故有 $\left[\int_a^b f(x)\mathrm{d}x\right]^2\leqslant(b-a)\int_a^b f^2(x)\mathrm{d}x.$

当 $f(x)=$ 常数时，显然上式中等号成立. 反之，设上式中等号成立，则有

$$\int_a^b\mathrm{d}x\int_a^b[f(x)-f(y)]^2\mathrm{d}y=0.$$

由于函数 $F(x)=\int_a^b[f(x)-f(y)]^2\mathrm{d}y$ 是 $[a,b]$ 上的非负连续函数，故 $F(x)\equiv 0(a\leqslant x\leqslant b)$. 特别 $F(a)=0$，即 $\int_a^b[f(a)-f(y)]^2\mathrm{d}y=0$. 又由于函数 $G(y)=[f(a)-f(y)]^2$ 是 $[a,b]$ 上的非负连续函数，故 $G(y)\equiv 0(a\leqslant y\leqslant b)$. 因此 $f(y)\equiv f(a)(a\leqslant y\leqslant b)$，即 $f(x)=$ 常数.

习题 3912—3915 二重积分的性质

【3912】 判断下列积分的符号：

(1) $\iint\limits_{|x|+|y|\leqslant 1}\ln(x^2+y^2)\mathrm{d}x\mathrm{d}y$；　(2) $\iint\limits_{x^2+y^2\leqslant 4}\sqrt[3]{1-x^2-y^2}\,\mathrm{d}x\mathrm{d}y$；

(3) $\iint\limits_{\substack{0\leqslant x\leqslant 1\\-1\leqslant y\leqslant 1-x}}\arcsin(x+y)\mathrm{d}x\mathrm{d}y.$

解 (1) 由于 $0<x^2+y^2\leqslant(|x|+|y|)^2\leqslant 1$ 及 $\ln(x^2+y^2)\leqslant\ln 1=0$，且当 $|x|+|y|<1$ 时

$\ln(x^2+y^2)<0$,故

$$\iint\limits_{|x|+|y|\leqslant 1}\ln(x^2+y^2)\mathrm{d}x\mathrm{d}y<0.$$

(2) $\iint\limits_{x^2+y^2\leqslant 4}\sqrt[3]{1-x^2-y^2}\mathrm{d}x\mathrm{d}y=I_1-I_2-I_3$,其中

$$I_1=\iint\limits_{x^2+y^2\leqslant 1}\sqrt[3]{1-x^2-y^2}\mathrm{d}x\mathrm{d}y,I_2=\iint\limits_{1\leqslant x^2+y^2\leqslant 2}\sqrt[3]{x^2+y^2-1}\mathrm{d}x\mathrm{d}y,I_3=\iint\limits_{2\leqslant x^2+y^2\leqslant 4}\sqrt[3]{x^2+y^2-1}\mathrm{d}x\mathrm{d}y.$$

显然

$$0<I_1<\iint\limits_{x^2+y^2\leqslant 1}\mathrm{d}x\mathrm{d}y=\pi,I_2>0,I_3>\iint\limits_{2\leqslant x^2+y^2\leqslant 4}\mathrm{d}x\mathrm{d}y=2\pi,$$

故 $\iint\limits_{x^2+y^2\leqslant 4}\sqrt[3]{1-x^2-y^2}\mathrm{d}x\mathrm{d}y<0.$

(3) **方法一**

$$\iint\limits_{\substack{0\leqslant x\leqslant 1\\-1\leqslant y\leqslant 1-x}}\arcsin(x+y)\mathrm{d}x\mathrm{d}y=\iint\limits_{\substack{0\leqslant x\leqslant 1\\-1\leqslant y\leqslant 0}}\arcsin(x+y)\mathrm{d}x\mathrm{d}y+\iint\limits_{\substack{0\leqslant x\leqslant 1\\0\leqslant y\leqslant 1-x}}\arcsin(x+y)\mathrm{d}x\mathrm{d}y=I_1+I_2.$$

上式右端第一个积分

$$\begin{aligned}I_1&=\iint\limits_{\substack{0\leqslant x\leqslant 1\\-1\leqslant y\leqslant 0}}\arcsin(x+y)\mathrm{d}x\mathrm{d}y=\int_0^1\mathrm{d}x\int_{-1}^0\arcsin(x+y)\mathrm{d}y\\&=\int_0^1\mathrm{d}x\int_0^1\arcsin(x-u)\mathrm{d}u=\int_0^1\mathrm{d}x\int_0^1\arcsin(x-y)\mathrm{d}y,\end{aligned}$$

由于二重积分$\int_0^1\mathrm{d}x\int_0^1\arcsin(x-y)\mathrm{d}y$的积分区域关于直线$y=x$对称,因而有

$$\int_0^1\mathrm{d}x\int_0^1\arcsin(x-y)\mathrm{d}y=\int_0^1\mathrm{d}x\int_0^1\arcsin(y-x)\mathrm{d}y=-\int_0^1\mathrm{d}x\int_0^1\arcsin(x-y)\mathrm{d}y,$$

从而有

$$I_1=\int_0^1\mathrm{d}x\int_0^1\arcsin(x-y)\mathrm{d}y=0.$$

第二个积分因被积函数在积分域上为非负不恒为零的连续函数,因而$I_2>0$.于是

$$\iint\limits_{\substack{0\leqslant x\leqslant 1\\-1\leqslant y\leqslant 1-x}}\arcsin(x+y)\mathrm{d}x\mathrm{d}y>0.$$

方法二 直接计算得

$$\begin{aligned}\iint\limits_{\substack{0\leqslant x\leqslant 1\\-1\leqslant y\leqslant 1-x}}\arcsin(x+y)\mathrm{d}x\mathrm{d}y&=\int_0^1\mathrm{d}x\int_{-1}^{1-x}\arcsin(x+y)\mathrm{d}y=\int_0^1\mathrm{d}x\int_{x-1}^1\arcsin t\mathrm{d}t\\&=\int_0^1\left[\frac{\pi}{2}-(x-1)\arcsin(x-1)-\sqrt{1-(x-1)^2}\right]\mathrm{d}x\\&=\frac{\pi}{2}-\int_{-1}^0(u\arcsin u+\sqrt{1-u^2})\mathrm{d}u=\frac{\pi}{2}-\left(\frac{\pi}{8}+\frac{\pi}{4}\right)=\frac{\pi}{8}>0.\end{aligned}$$

【3913】 求函数$f(x,y)=\sin^2x\sin^2y$在正方形$0\leqslant x\leqslant\pi,0\leqslant y\leqslant\pi$内的平均值.

解 平均值

$$\begin{aligned}I_0&=\frac{1}{\pi^2}\iint\limits_{\substack{0\leqslant x\leqslant\pi\\0\leqslant y\leqslant\pi}}\sin^2x\sin^2y\mathrm{d}x\mathrm{d}y=\frac{1}{\pi^2}\left[\int_0^\pi\sin^2x\mathrm{d}x\right]^2\\&=\frac{1}{\pi^2}\left[\left(\frac{x}{2}-\frac{1}{4}\sin 2x\right)\Big|_0^\pi\right]^2=\frac{1}{4}.\end{aligned}$$

【3914】 利用中值定理估计积分$I=\iint\limits_{|x|+|y|\leqslant 10}\dfrac{\mathrm{d}x\mathrm{d}y}{100+\cos^2x+\cos^2y}$.

解 由于积分域的面积为 200，故由积分中值定理知

$$I=\frac{1}{100+\cos^2\xi+\cos^2\eta}\cdot 200=\frac{200}{100+\cos^2\xi+\cos^2\eta},\qquad ①$$

具中(ξ,η)为区域$|x|+|y|\leqslant 10$中的某点.

显然$0\leqslant\cos^2\xi+\cos^2\eta\leqslant 2$，下证必有

$$0<\cos^2\xi+\cos^2\eta<2.\qquad ②$$

由于函数$\cos^2x+\cos^2y$在$\{(x,y)\mid |x|+|y|\leqslant 10\}$上的最大值为 2，最小值为 0. 从而，连续函数$\dfrac{1}{100+\cos^2x+\cos^2y}$在$\{(x,y)\mid |x|+|y|\leqslant 10\}$上的最小值为$\dfrac{1}{102}$，最大值为$\dfrac{1}{100}$. 如果$\cos^2\xi+\cos^2\eta=2$，则由 ① 式知

$$\iint\limits_{|x|+|y|\leqslant 10}\left(\frac{1}{100+\cos^2x+\cos^2y}-\frac{1}{102}\right)dxdy=I-I=0.$$

但$f(x,y)=\dfrac{1}{100+\cos^2x+\cos^2y}-\dfrac{1}{102}$是非负连续函数，从而在$\{(x,y)\mid |x|+|y|\leqslant 10\}$上必有$f(x,y)\equiv 0$，即在$\{(x,y)\mid |x|+|y|\leqslant 10\}$上$\cos^2x+\cos^2y\equiv 2$. 这显然是错误的. 故$\cos^2\xi+\cos^2\eta<2$. 同理可证$\cos^2\xi+\cos^2\eta>0$. 于是 ② 式成立. 从而

$$\frac{200}{102}<I<\frac{200}{100}, \text{即}\frac{100}{51}<I<2.$$

【3915】 求圆$(x-a)^2+(y-b)^2\leqslant R^2$上的点到原点距离的平方的平均值.

解 平均值$I_0=\dfrac{1}{\pi R^2}\displaystyle\iint\limits_{(x-a)^2+(y-b)^2\leqslant R^2}(x^2+y^2)dxdy$. 由于

$$\begin{aligned}\frac{1}{\pi R^2}\iint\limits_{(x-a)^2+(y-b)^2\leqslant R^2}y^2dxdy&=\frac{1}{\pi R^2}\int_{a-R}^{a+R}dx\int_{b-\sqrt{R^2-(x-a)^2}}^{b+\sqrt{R^2-(x-a)^2}}y^2dy\\&=\frac{1}{3\pi R^2}\left\{6b^2\int_{a-R}^{a+R}\sqrt{R^2-(x-a)^2}dx+2\int_{a-R}^{a+R}[R^2-(x-a)^2]^{\frac{3}{2}}dx\right\}\\&=\frac{2b^2}{\pi R^2}\left[\frac{x-a}{2}\sqrt{R^2-(x-a)^2}+\frac{R^2}{2}\arcsin\frac{x-a}{R}\right]\Bigg|_{a-R}^{a+R}\\&\quad+\frac{2}{3\pi R^2}\left\{\frac{x-a}{8}[5R^2-2(x-a)^2]\sqrt{R^2-(x-a)^2}+\frac{3R^4}{8}\arcsin\frac{x-a}{R}\right\}\Bigg|_{a-R}^{a+R}\\&=\frac{2b^2}{\pi R^2}\cdot\frac{\pi R^2}{2}+\frac{2}{3\pi R^2}\cdot\frac{3\pi R^4}{8}=b^2+\frac{R^2}{4}.\end{aligned}$$

同理，有

$$\frac{1}{\pi R^2}\iint\limits_{(x-a)^2+(y-b)^2\leqslant R^2}x^2dxdy=a^2+\frac{R^2}{4}.$$

于是$I_0=a^2+b^2+\dfrac{R^2}{2}$.

知识点 2 二重积分的直接计算方法

1. 情形一 若区域 D 由以下不等式给出：

$$a\leqslant x\leqslant b, y_1(x)\leqslant y\leqslant y_2(x),$$

其中$y_1(x)$和$y_2(x)$为$[a,b]$上的连续函数，则相应的二重积分可按以下公式来计算：

$$\iint\limits_D f(x,y)dxdy=\int_a^b dx\int_{y_1(x)}^{y_2(x)}f(x,y)dy.$$

2. 情形二 若区域 D 由以下不等式给出：

$$c \leqslant y \leqslant d, x_1(y) \leqslant x \leqslant x_2(y),$$

其中 $x_1(y)$ 和 $x_2(y)$ 为$[c,d]$上的连续函数，则相应的二重积分可按以下公式来计算：

$$\iint_D f(x,y)\mathrm{d}x\mathrm{d}y = \int_c^d \mathrm{d}y\int_{x_1(y)}^{x_2(y)} f(x,y)\mathrm{d}x.$$

习题 3916—3931 交换积分顺序

【对二重积分$\iint_D f(x,y)\mathrm{d}x\mathrm{d}y$ 按所给区域 D 依两个不同的顺序安置积分的上下限(3916—3922)】

【3916】 D 为以 $O(0,0)$，$A(1,0)$，$B(1,1)$ 为顶点的三角形.

解 为方便起见，记二重积分 $I=\iint_D f(x,y)\mathrm{d}x\mathrm{d}y$. 于是

$$I=\int_0^1 \mathrm{d}x\int_0^x f(x,y)\mathrm{d}y = \int_0^1 \mathrm{d}y\int_y^1 f(x,y)\mathrm{d}x.$$

【3917】 D 为以 $O(0,0)$，$A(2,1)$，$B(-2,1)$ 为顶点的三角形.

解 如图 8.1 所示，OA 的方程为 $y=\frac{1}{2}x$，OB 的方程为 $y=-\frac{1}{2}x$，AB 的方程为 $y=1$. 于是

$$I=\int_0^1 \mathrm{d}y\int_{-2y}^{2y} f(x,y)\mathrm{d}x = \int_{-2}^0 \mathrm{d}x\int_{-\frac{1}{2}x}^1 f(x,y)\mathrm{d}y + \int_0^2 \mathrm{d}x\int_{\frac{1}{2}x}^1 f(x,y)\mathrm{d}y$$
$$=\int_{-2}^2 \mathrm{d}x\int_{\frac{1}{2}|x|}^1 f(x,y)\mathrm{d}y.$$

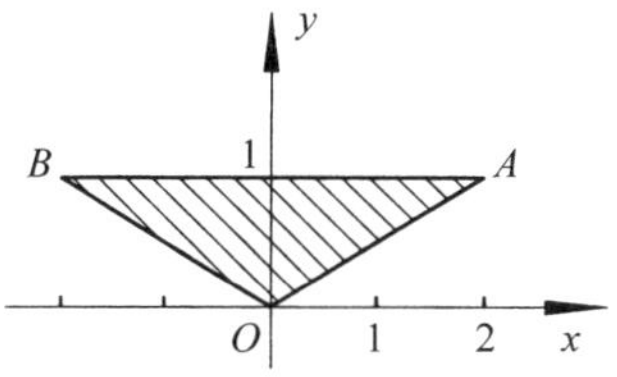

图 8.1

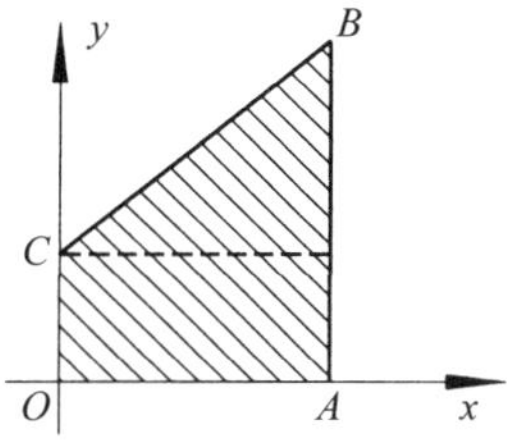

图 8.2

【3918】 D 为以 $O(0,0)$，$A(1,0)$，$B(1,2)$，$C(0,1)$ 为顶点的梯形.

解 如图 8.2 所示，BC 的方程为 $y-1=x$. 于是

$$I=\int_0^1 \mathrm{d}x\int_0^{1+x} f(x,y)\mathrm{d}y = \int_0^1 \mathrm{d}y\int_0^1 f(x,y)\mathrm{d}x + \int_1^2 \mathrm{d}y\int_{y-1}^1 f(x,y)\mathrm{d}x.$$

【3919】 D 为圆 $x^2+y^2 \leqslant 1$.

解 $I=\int_{-1}^1 \mathrm{d}x\int_{-\sqrt{1-x^2}}^{\sqrt{1-x^2}} f(x,y)\mathrm{d}y = \int_{-1}^1 \mathrm{d}y\int_{-\sqrt{1-y^2}}^{\sqrt{1-y^2}} f(x,y)\mathrm{d}x.$

【3920】 D 为圆 $x^2+y^2 \leqslant y$.

解 如图 8.3 所示. 积分域 D 为 $x^2+\left(y-\frac{1}{2}\right)^2 \leqslant \left(\frac{1}{2}\right)^2$，其围线为

$$x^2+\left(y-\frac{1}{2}\right)^2 = \left(\frac{1}{2}\right)^2.$$

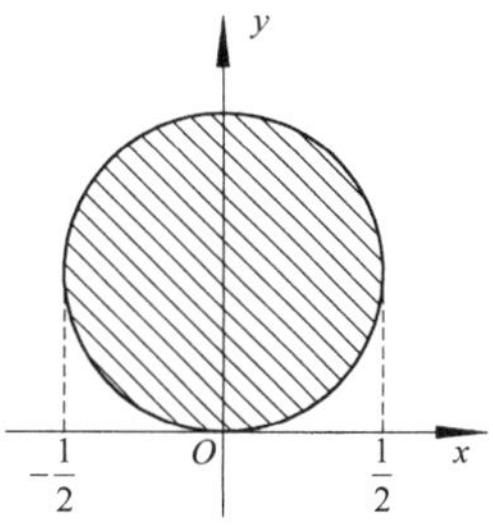

图 8.3

于是 $I=\int_{-\frac{1}{2}}^{\frac{1}{2}} \mathrm{d}x\int_{\frac{1}{2}-\sqrt{\frac{1}{4}-x^2}}^{\frac{1}{2}+\sqrt{\frac{1}{4}-x^2}} f(x,y)\mathrm{d}y = \int_0^1 \mathrm{d}y\int_{-\sqrt{y-y^2}}^{\sqrt{y-y^2}} f(x,y)\mathrm{d}x.$

【3921】 D 为曲线 $y=x^2$ 和直线 $y=1$ 所包围的区域.

解 曲线 $y=x^2$ 及 $y=1$ 的交点为$(1,-1)$,$(1,1)$. 于是

$$I=\int_{-1}^{1}\mathrm{d}x\int_{x^2}^{1}f(x,y)\mathrm{d}y=\int_{0}^{1}\mathrm{d}y\int_{-\sqrt{y}}^{\sqrt{y}}f(x,y)\mathrm{d}x.$$

【3922】 D 为圆环 $1\leqslant x^2+y^2\leqslant 4$.

解 如图 8.4 所示. 若先对 y 后对 x 积分,则

$$I=\int_{-2}^{-1}\mathrm{d}x\int_{-\sqrt{4-x^2}}^{\sqrt{4-x^2}}f(x,y)\mathrm{d}y+\int_{-1}^{1}\mathrm{d}x\int_{-\sqrt{4-x^2}}^{-\sqrt{1-x^2}}f(x,y)\mathrm{d}y+$$

$$\int_{-1}^{1}\mathrm{d}x\int_{\sqrt{1-x^2}}^{\sqrt{4-x^2}}f(x,y)\mathrm{d}y+\int_{1}^{2}\mathrm{d}x\int_{-\sqrt{4-x^2}}^{\sqrt{4-x^2}}f(x,y)\mathrm{d}y.$$

若先对 x 后对 y 积分,则

$$I=\int_{-2}^{-1}\mathrm{d}y\int_{-\sqrt{4-y^2}}^{\sqrt{4-y^2}}f(x,y)\mathrm{d}x+\int_{-1}^{1}\mathrm{d}y\int_{-\sqrt{4-y^2}}^{-\sqrt{1-y^2}}f(x,y)\mathrm{d}x+$$

$$\int_{-1}^{1}\mathrm{d}y\int_{\sqrt{1-y^2}}^{\sqrt{4-y^2}}f(x,y)\mathrm{d}x+\int_{1}^{2}\mathrm{d}y\int_{-\sqrt{4-y^2}}^{\sqrt{4-y^2}}f(x,y)\mathrm{d}x.$$

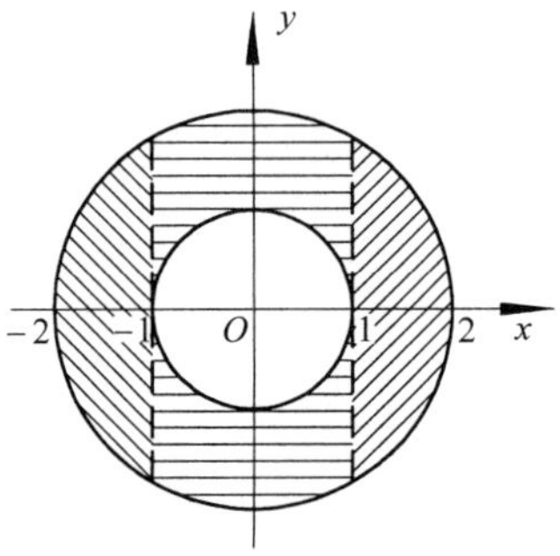

图 8.4

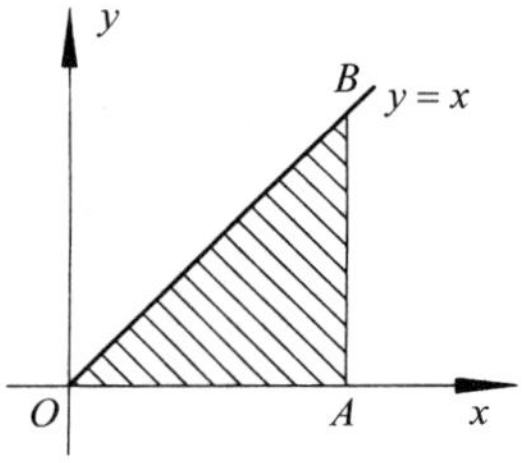

图 8.5

【3923】 证明狄利克雷公式:

$$\int_{0}^{a}\mathrm{d}x\int_{0}^{x}f(x,y)\mathrm{d}y=\int_{0}^{a}\mathrm{d}y\int_{y}^{a}f(x,y)\mathrm{d}x\,(a>0).$$

证 公式左端的逐次积分等于积分$\iint\limits_{D}f(x,y)\mathrm{d}x\mathrm{d}y$,其中 D 为三角形区域 OAB(图 8.5):$O(0,0)$,$A(a,0)$,$B(a,a)$. 对于该积分,若化为先对 x 后对 y 的逐次积分,即为公式的右端. 于是,本题获证.

【将下列积分改变积分顺序(3924—3931)】

【3924】 $\int_{0}^{2}\mathrm{d}x\int_{x}^{2x}f(x,y)\mathrm{d}y.$

解 积分域的围线为:$y=x$,$y=2x$ 及 $x=2$,如图 8.6 所示. 改变积分的顺序,即得

$$\int_{0}^{2}\mathrm{d}x\int_{x}^{2x}f(x,y)\mathrm{d}y=\int_{0}^{2}\mathrm{d}y\int_{\frac{y}{2}}^{y}f(x,y)\mathrm{d}x+\int_{2}^{4}\mathrm{d}y\int_{\frac{y}{2}}^{2}f(x,y)\mathrm{d}x.$$

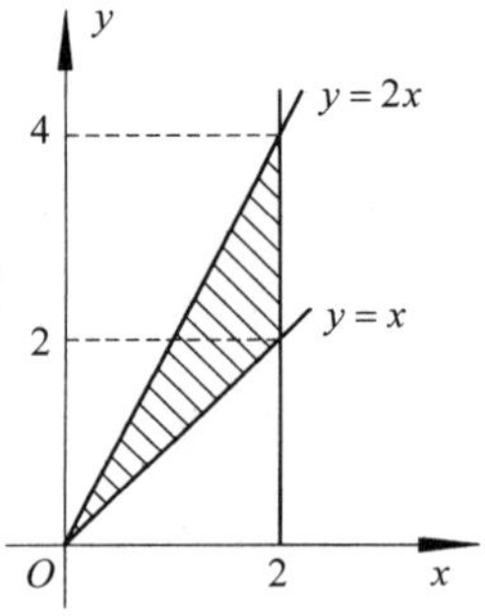

图 8.6

【3925】 $\int_{-6}^{2}\mathrm{d}x\int_{\frac{x^2}{4}-1}^{2-x}f(x,y)\mathrm{d}y.$

解 积分域的围线为:$y=2-x$ 及 $y+1=\dfrac{x^2}{4}$,其交点为$(2,0)$,$(-6,8)$,如图 8.7 所示. 改变积分的顺序,即得

$$\int_{-6}^{2}\mathrm{d}x\int_{\frac{x^2}{4}-1}^{2-x}f(x,y)\mathrm{d}y=\int_{-1}^{0}\mathrm{d}y\int_{-2\sqrt{1+y}}^{2\sqrt{1+y}}f(x,y)\mathrm{d}x+\int_{0}^{8}\mathrm{d}y\int_{-2\sqrt{1+y}}^{2-y}f(x,y)\mathrm{d}x.$$

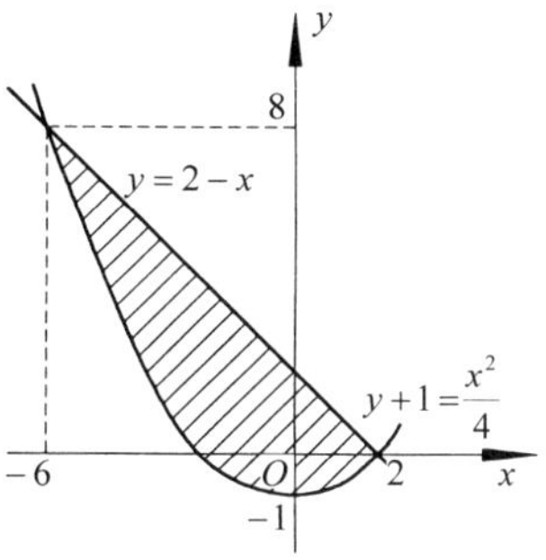

图 8.7

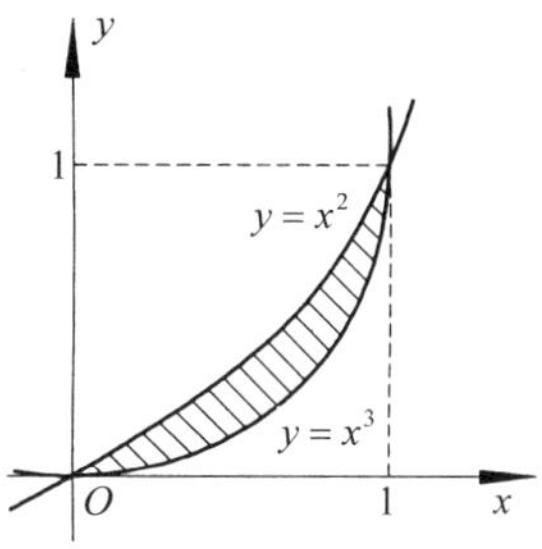

图 8.8

【3926】 $\int_{0}^{1}\mathrm{d}x\int_{x^3}^{x^2}f(x,y)\mathrm{d}y$.

解 积分域的围线 $y=x^2$ 及 $y=x^3$，其交点为(0,0)，(1,1)，如图 8.8 所示. 改变积分的顺序，即得

$$\int_{0}^{1}\mathrm{d}x\int_{x^3}^{x^2}f(x,y)\mathrm{d}y=\int_{0}^{1}\mathrm{d}y\int_{\sqrt{y}}^{\sqrt[3]{y}}f(x,y)\mathrm{d}x.$$

【3927】 $\int_{-1}^{1}\mathrm{d}x\int_{-\sqrt{1-x^2}}^{1-x^2}f(x,y)\mathrm{d}y$.

解 积分域的围线为圆 $x^2+y^2=1$ 的下半部分及抛物线 $y=1-x^2$，如图 8.9 所示. 改变积分的顺序，即得

$$\int_{-1}^{1}\mathrm{d}x\int_{-\sqrt{1-x^2}}^{1-x^2}f(x,y)\mathrm{d}y=\int_{-1}^{0}\mathrm{d}y\int_{-\sqrt{1-y^2}}^{\sqrt{1-y^2}}f(x,y)\mathrm{d}x+\int_{0}^{1}\mathrm{d}y\int_{-\sqrt{1-y}}^{\sqrt{1-y}}f(x,y)\mathrm{d}x.$$

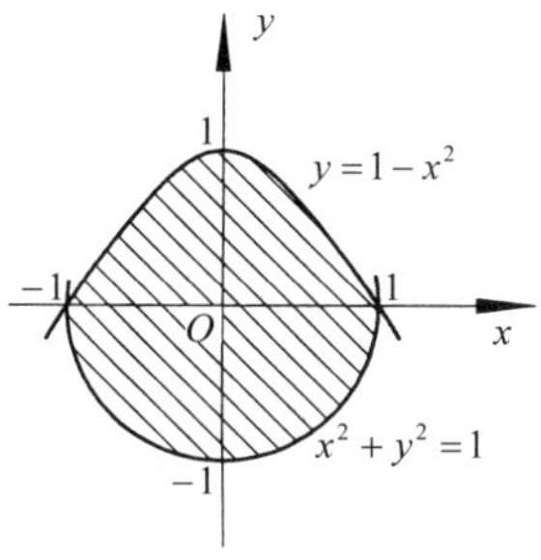

图 8.9

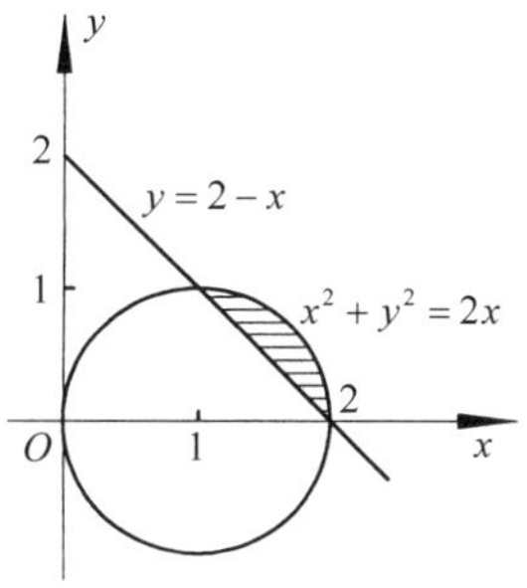

图 8.10

【3928】 $\int_{1}^{2}\mathrm{d}x\int_{2-x}^{\sqrt{2x-x^2}}f(x,y)\mathrm{d}y$.

解 积分域的围线为圆 $x^2+y^2=2x$ 及直线 $y=2-x$，其交点为(2,0)，(1,1)，如图 8.10 中阴影部分所示. 改变积分的顺序，即得

$$\int_{1}^{2}\mathrm{d}x\int_{2-x}^{\sqrt{2x-x^2}}f(x,y)\mathrm{d}y=\int_{0}^{1}\mathrm{d}y\int_{2-y}^{1+\sqrt{1-y^2}}f(x,y)\mathrm{d}x.$$

【3929】 $\int_{0}^{2a}\mathrm{d}x\int_{\sqrt{2ax-x^2}}^{\sqrt{2ax}}f(x,y)\mathrm{d}y(a>0)$.

解 积分域由围线 $(x-a)^2+y^2=a^2(y\geqslant0)$，$y^2=2ax(y\geqslant0)$ 及 $x=2a$ 组成. 如图 8.11 中阴影部分所示. 改变积分的顺序，即得

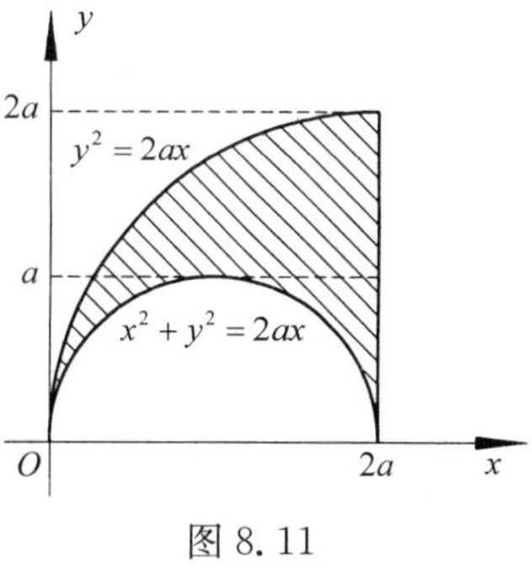

图 8.11

$$\int_0^{2a}dx\int_{\sqrt{2ax-x^2}}^{\sqrt{2ax}}f(x,y)dy=\int_0^a dy\int_{\frac{y^2}{2a}}^{a-\sqrt{a^2-y^2}}f(x,y)dx+\int_0^a dy\int_{a+\sqrt{a^2-y^2}}^{2a}f(x,y)dx+\int_a^{2a}dy\int_{\frac{y^2}{2a}}^{2a}f(x,y)dx.$$

【3930】 $\int_1^e dx\int_0^{\ln x}f(x,y)dy.$

解 积分域如图 8.12 中阴影部分所示. 改变积分的顺序,即得

$$\int_1^e dx\int_0^{\ln x}f(x,y)dy=\int_0^1 dy\int_{e^y}^{e}f(x,y)dx.$$

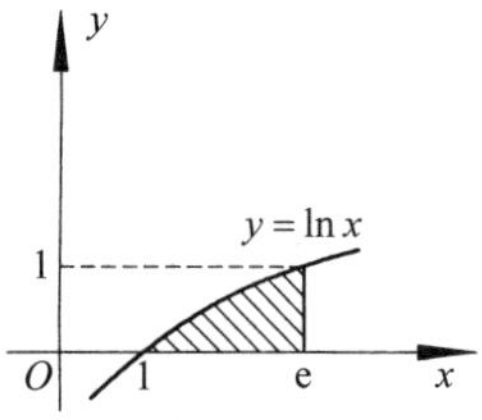

图 8.12

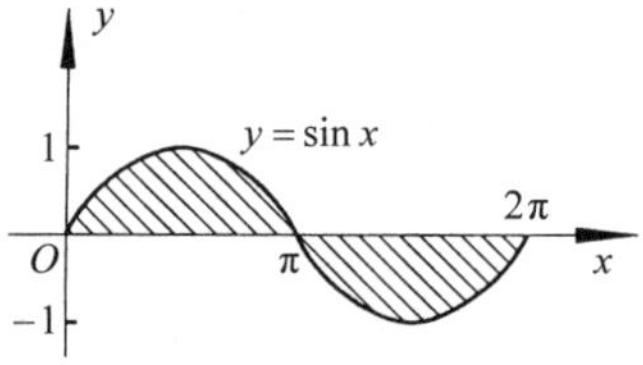

图 8.13

【3931】 $\int_0^{2\pi}dx\int_0^{\sin x}f(x,y)dy.$

解 积分域如图 8.13 中阴影部分所示. 由于 $y=\sin x$ 的反函数当 y 从 0 变到 1 时为 $x=\arcsin y$,当 y 从 1 变到 -1 时 $x=\pi-\arcsin y$,当 y 从 -1 变到 0 时为 $x=2\pi+\arcsin y$,故改变积分的顺序,即得

$$\int_0^{2\pi}dx\int_0^{\sin x}f(x,y)dy=\int_0^1 dy\int_{\arcsin y}^{\pi-\arcsin y}f(x,y)dx-\int_{-1}^0 dy\int_{\pi-\arcsin y}^{2\pi+\arcsin y}f(x,y)dx.$$

习题 3932—3936 直接计算二重积分

【计算下列二重积分(3932—3936)】

【3932】 $\iint_D xy^2dxdy$,设 D 是由抛物线 $y^2=2px$ 和直线 $x=\frac{p}{2}(p>0)$ 所包围的区域.

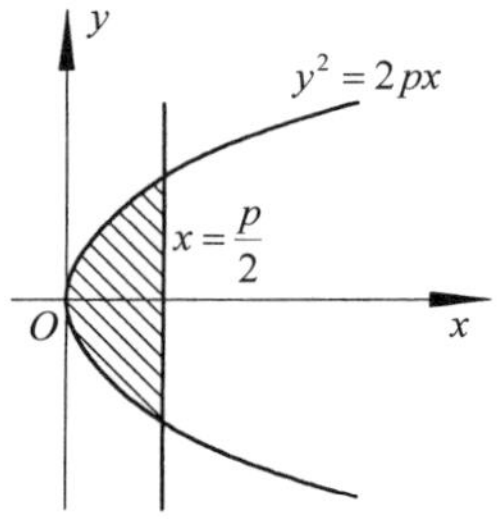

图 8.14

解 积分域如图 8.14 所示. 于是

$$\iint_D xy^2dxdy=\int_0^{\frac{p}{2}}dx\int_{-\sqrt{2px}}^{\sqrt{2px}}xy^2dy=\int_0^{\frac{p}{2}}\frac{2}{3}x\sqrt{(2px)^3}dx=\frac{p^5}{21}.$$

【3933】 $\iint_D\frac{dxdy}{\sqrt{2a-x}}(a>0)$,其中 D 是以圆心为(a,a)、半径为 a 的圆周(它与坐标轴相切)的较短弧和坐标轴为界的区域.

解 如图 8.15 所示. 当 x 从 0 变到 a 时,对于每一固定的 x,y 从 0 变到 $a-\sqrt{2ax-x^2}$. 于是

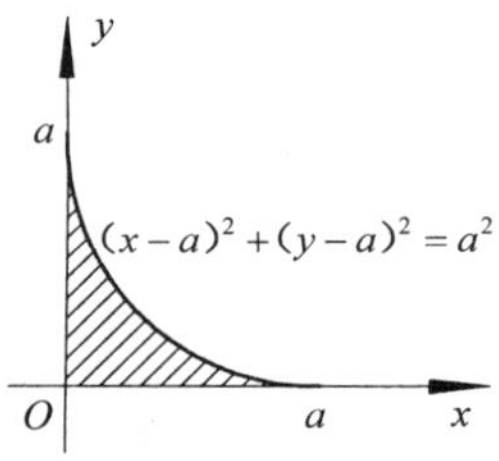

图 8.15

$$\iint_D\frac{dxdy}{\sqrt{2a-x}}=\int_0^a\frac{dx}{\sqrt{2a-x}}\int_0^{a-\sqrt{2ax-x^2}}dy$$

$$=\int_0^a\frac{adx}{\sqrt{2a-x}}-\int_0^a\sqrt{x}dx=\left(2\sqrt{2}-\frac{8}{3}\right)a\sqrt{a}.$$

【3934】 $\iint\limits_D |xy|\,dxdy$，其中 D 是以 a 为半径、坐标原点为圆心的圆.

解 **方法一** $\iint\limits_D |xy|\,dxdy=\int_{-a}^{a}dx\int_{-\sqrt{a^2-x^2}}^{\sqrt{a^2-x^2}}|xy|\,dy=\int_{-a}^{a}(a^2-x^2)|x|\,dx$

$$=2\int_0^a(a^2-x^2)x\,dx=\frac{a^4}{2}.$$

方法二 利用极坐标变换，令 $x=r\cos\theta, y=r\sin\theta$，则

$$\iint\limits_D |xy|\,dxdy=\int_0^{2\pi}d\theta\int_0^a r^3|\sin\theta\cos\theta|\,dr=\int_0^{2\pi}|\sin\theta\cos\theta|\,d\theta\int_0^a r^3\,dr=\frac{a^4}{2}.$$

【3935】 $\iint\limits_D (x^2+y^2)\,dxdy$，其中 D 是以 $y=x, y=x+a$，$y=a$ 和 $y=3a(a>0)$ 为边的平行四边形.

解 如图8.16所示. 当 y 从 a 变到 $3a$ 时，对于每一固定的 y，x 从 $y-a$ 变到 y. 于是

$$\iint\limits_D (x^2+y^2)\,dxdy=\int_a^{3a}dy\int_{y-a}^{y}(x^2+y^2)\,dx$$

$$=\int_a^{3a}\left[\frac{y^3}{3}+ay^2-\frac{(y-a)^3}{3}\right]dy=14a^4.$$

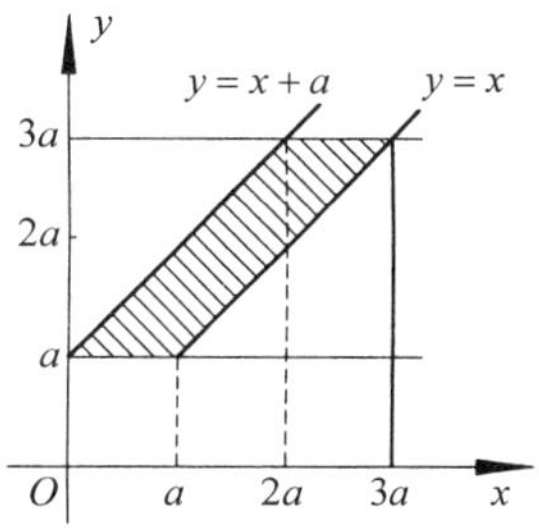

图 8.16

【3936】 $\iint\limits_D y^2\,dxdy$，其中 D 是由 x 轴和摆线

$$x=a(t-\sin t), y=a(1-\cos t)\ (0\leqslant t\leqslant 2\pi)$$

的第一拱所包围的区域.

解 $\iint\limits_D y^2\,dxdy=\int_0^{2\pi a}dx\int_0^{y(x)}y^2\,dy=\frac{1}{3}\int_0^{2\pi a}y^3(x)\,dx\xlongequal[y=a(1-\cos t)]{x=a(t-\sin t)}\frac{a^4}{3}\int_0^{2\pi}(1-\cos t)^4\,dt$

$$=\frac{2^4a^4}{3}\int_0^{2\pi}\sin^8\frac{t}{2}\,dt=\frac{32a^4}{3}\int_0^{\pi}\sin^8u\,du=\frac{64a^4}{3}\int_0^{\frac{\pi}{2}}\sin^8u\,du$$

$$=\frac{64a^4}{3}\cdot\frac{1}{2}\cdot\frac{3}{4}\cdot\frac{5}{6}\cdot\frac{7}{8}\cdot\frac{\pi}{2}=\frac{35}{12}\pi a^4.$$

知识点3 二重积分中的变量代换

定理 若连续可微函数 $x=x(u,v), y=y(u,v)$ 给出平面 xOy 上的有限闭区域 D 与平面 uOv 上的区域 D' 之间的一一映射，且雅可比行列式

$$J=\frac{D(x,y)}{D(u,v)}$$

的符号在 D 内保持不变（可能在零测度集上有例外），则

$$\iint\limits_D f(x,y)\,dxdy=\iint\limits_{D'}f[x(u,v),y(u,v)]\,|J|\,dudv.$$

特别地，利用极坐标变换 $x=r\cos\theta, y=r\sin\theta$，有

$$\iint\limits_D f(x,y)\,dxdy=\iint\limits_{D'}f(r\cos\theta,r\sin\theta)r\,dr\,d\theta.$$

习题 3937—3945 将直角坐标变换为极坐标

【利用极坐标变换配置二重积分的上下限(3937—3941)】

【3937】 D 为圆 $x^2+y^2\leqslant a^2$.

解 雅可比行列式 $J=r$,以下各题不再写出.θ 从 0 变到 2π,r 从 0 变到 a. 于是

$$\iint_D f(x,y)\mathrm{d}x\mathrm{d}y=\int_0^{2\pi}\mathrm{d}\theta\int_0^a f(r\cos\theta,r\sin\theta)r\mathrm{d}r.$$

【3938】 D 为圆 $x^2+y^2\leqslant ax\ (a>0)$.

解 圆 $x^2+y^2\leqslant ax$ 即 $\left(x-\frac{a}{2}\right)^2+y^2\leqslant\left(\frac{a}{2}\right)^2$,其围线的极坐标方程为 $r=a\cos\theta$. 当 θ 从 $-\frac{\pi}{2}$ 变到 $\frac{\pi}{2}$ 时,对于每一固定的 θ,r 从 0 变到 $a\cos\theta$. 于是

$$\iint_D f(x,y)\mathrm{d}x\mathrm{d}y=\int_{-\frac{\pi}{2}}^{\frac{\pi}{2}}\mathrm{d}\theta\int_0^{a\cos\theta}f(r\cos\theta,r\sin\theta)r\mathrm{d}r.$$

【3939】 D 为环 $a^2\leqslant x^2+y^2\leqslant b^2$.

解 θ 从 0 变到 2π,r 从 $|a|$ 变到 $|b|$. 于是

$$\iint_D f(x,y)\mathrm{d}x\mathrm{d}y=\int_0^{2\pi}\mathrm{d}\theta\int_{|a|}^{|b|}f(r\cos\theta,r\sin\theta)r\mathrm{d}r.$$

【3940】 D 为三角形 $0\leqslant x\leqslant 1,0\leqslant y\leqslant 1-x$.

解 由于直线 $x+y=1$ 的极坐标方程为

$$r=\frac{1}{\sin\theta+\cos\theta}.$$

因而当 θ 从 0 变到 $\frac{\pi}{2}$ 时,对于每一固定的 θ,r 从 0 变到 $\frac{1}{\sin\theta+\cos\theta}$. 于是

$$\iint_D f(x,y)\mathrm{d}x\mathrm{d}y=\int_0^{\frac{\pi}{2}}\mathrm{d}\theta\int_0^{\frac{1}{\sin\theta+\cos\theta}}f(r\cos\theta,r\sin\theta)r\mathrm{d}r.$$

【3941】 D 为区域 $-a\leqslant x\leqslant a,\frac{x^2}{a}\leqslant y\leqslant a$.

解 如图 8.17 所示. 区域 D 可分为三部分:

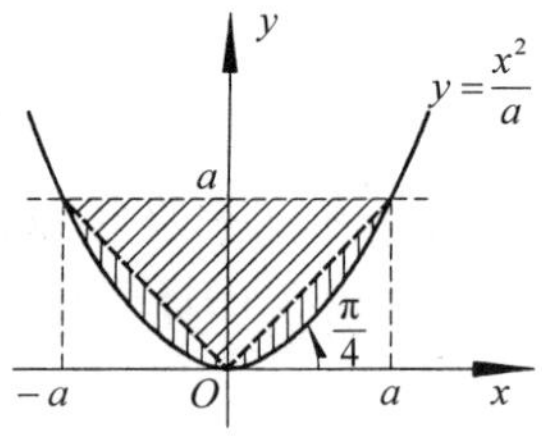

图 8.17

(1) 当 θ 从 0 变到 $\frac{\pi}{4}$ 时,对于每一固定的 θ,r 从 0 变到 $\frac{a\sin\theta}{\cos^2\theta}$,其中 $r=\frac{a\sin\theta}{\cos^2\theta}$ 为抛物线 $y=\frac{x^2}{a}$ 的极坐标方程;

(2) 当 θ 从 $\frac{\pi}{4}$ 变到 $\frac{3\pi}{4}$ 时,对于每一固定的 θ,r 从 0 变到 $\frac{a}{\sin\theta}$;

(3) 当 θ 从 $\frac{3\pi}{4}$ 变到 π 时,对于每一固定的 θ,r 从 0 变到 $\frac{a\sin\theta}{\cos^2\theta}$.

于是

$$\iint_D f(x,y)\mathrm{d}x\mathrm{d}y=\int_0^{\frac{\pi}{4}}\mathrm{d}\theta\int_0^{\frac{a\sin\theta}{\cos^2\theta}}f(r\cos\theta,r\sin\theta)r\mathrm{d}r+$$
$$\int_{\frac{\pi}{4}}^{\frac{3\pi}{4}}\mathrm{d}\theta\int_0^{\frac{a}{\sin\theta}}f(r\cos\theta,r\cos\theta)r\mathrm{d}r+\int_{\frac{3\pi}{4}}^{\pi}\mathrm{d}\theta\int_0^{\frac{a\sin\theta}{\cos^2\theta}}f(r\cos\theta,r\sin\theta)r\mathrm{d}r.$$

【3942】 在怎样的情况下，当变换为极坐标之后，积分的上下限是常数？

解 若变换为极坐标，积分

$$\iint_D f(x,y)\mathrm{d}x\mathrm{d}y=\int_\alpha^\beta \mathrm{d}\theta\int_a^b f(r\cos\theta,r\sin\theta)r\mathrm{d}r,$$

其中 α、β、a、b 为常数，则表明积分域 D 为 $a\leqslant r\leqslant b,\alpha\leqslant\theta\leqslant\beta$，表示圆环面 $a\leqslant r\leqslant b$ 被射线 $\theta=\alpha,\theta=\beta$ 截出的部分，且只有积分域是这种情况时，变换为极坐标后积分的上下限才是常数. 如 3937 题及 3939 题即为其特例.

【利用极坐标，把二重积分化为定积分(3943—3945)】

【3943】 $\displaystyle\iint\limits_{x^2+y^2\leqslant 1} f(\sqrt{x^2+y^2})\mathrm{d}x\mathrm{d}y.$

解 $\displaystyle\iint\limits_{x^2+y^2\leqslant 1} f(\sqrt{x^2+y^2})\mathrm{d}x\mathrm{d}y=\int_0^{2\pi}\mathrm{d}\theta\int_0^1 f(r)r\mathrm{d}r=2\pi\int_0^1 rf(r)\mathrm{d}r.$

【3944】 $\displaystyle\iint_D f(\sqrt{x^2+y^2})\mathrm{d}x\mathrm{d}y$，其中 $D=\{(x,y)\mid |y|\leqslant|x|,|x|\leqslant 1\}$.

解 积分域 D 如图 8.18 所示. 对第一象限内的阴影部分，先对 θ 积分，则当 r 从 0 变到 1 时，θ 从 0 变到 $\frac{\pi}{4}$；当 r 从 1 变到 $\sqrt{2}$ 时，对于每一固定的 r，θ 从 $\arccos\frac{1}{r}$ 变到 $\frac{\pi}{4}$. 于是

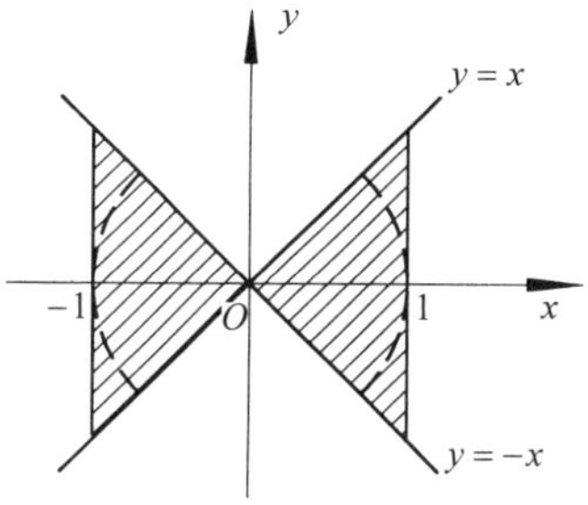

图 8.18

$$\begin{aligned}\iint_D f(\sqrt{x^2+y^2})\mathrm{d}x\mathrm{d}y&=4\int_0^{\frac{\pi}{4}}\mathrm{d}\theta\int_0^{\frac{1}{\cos\theta}} rf(r)\mathrm{d}r\\&=4\int_0^1 rf(r)\mathrm{d}r\int_0^{\frac{\pi}{4}}\mathrm{d}\theta+4\int_1^{\sqrt{2}} rf(r)\mathrm{d}r\int_{\arccos\frac{1}{r}}^{\frac{\pi}{4}}\mathrm{d}\theta\\&=\pi\int_0^1 rf(r)\mathrm{d}r+\int_1^{\sqrt{2}}\left(\pi-4\arccos\frac{1}{r}\right)rf(r)\mathrm{d}r.\end{aligned}$$

【3945】 $\displaystyle\iint\limits_{x^2+y^2\leqslant x} f\left(\frac{y}{x}\right)\mathrm{d}x\mathrm{d}y.$

解 $\displaystyle\iint\limits_{x^2+y^2\leqslant x} f\left(\frac{y}{x}\right)\mathrm{d}x\mathrm{d}y=\int_{-\frac{\pi}{2}}^{\frac{\pi}{2}}\mathrm{d}\theta\int_0^{\cos\theta} f(\tan\theta)r\mathrm{d}r=\frac{1}{2}\int_{-\frac{\pi}{2}}^{\frac{\pi}{2}} f(\tan\theta)\cos^2\theta\mathrm{d}\theta.$

习题 3746—3950 变换为极坐标并交换积分限

【将下列积分变换为极坐标，并依两种不同的顺序配置积分的上下限(3946—3950)】

【3946】 $\displaystyle\int_0^1\mathrm{d}x\int_0^1 f(x,y)\mathrm{d}y.$

解 如图 8.19 所示. 若先对 r 积分，则当 θ 从 0 变到 $\frac{\pi}{4}$ 时，对于每一固定的 θ，r 从 0 变到 $\frac{1}{\cos\theta}$；当 θ 从 $\frac{\pi}{4}$ 变到 $\frac{\pi}{2}$ 时，对于每一固定的 θ，r 从 0 变到 $\frac{1}{\sin\theta}$.

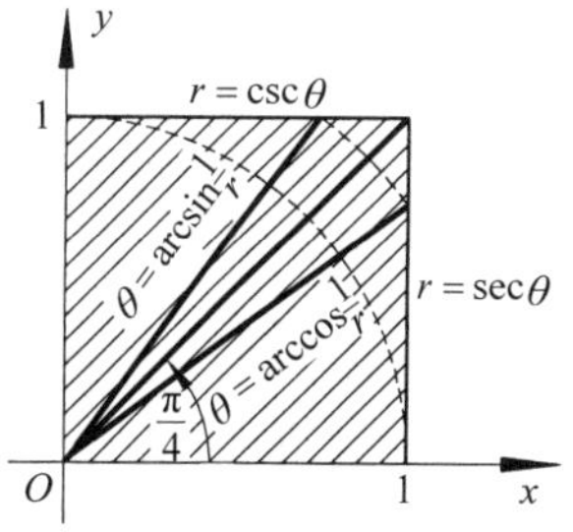

图 8.19

若先对 θ 积分，则当 r 从 0 变到 1 时，θ 从 0 变到 $\frac{\pi}{2}$；当 r 从 1 变到 $\sqrt{2}$ 时，对于每一固定的 r，θ 从 $\arccos\frac{1}{r}$ 变到 $\arcsin\frac{1}{r}$. 于是

$$\int_0^1 dx\int_0^1 f(x,y)dy$$
$$=\int_0^{\frac{\pi}{4}} d\theta\int_0^{\frac{1}{\cos\theta}} f(r\cos\theta,r\sin\theta)rdr+\int_{\frac{\pi}{4}}^{\frac{\pi}{2}} d\theta\int_0^{\frac{1}{\sin\theta}} f(r\cos\theta,r\sin\theta)rdr$$
$$=\int_0^1 rdr\int_0^{\frac{\pi}{2}} f(r\cos\theta,r\sin\theta)d\theta+\int_1^{\sqrt{2}} rdr\int_{\arccos\frac{1}{r}}^{\arcsin\frac{1}{r}} f(r\cos\theta,r\sin\theta)d\theta.$$

注 下面的 3947－3950 题均可仿照本题的思路来求解.

【3947】 $\int_0^1 dx\int_{1-x}^{\sqrt{1-x^2}} f(x,y)dy.$

解 如图 8.20 所示.

若先对 r 积分,则当 θ 从 0 变到 $\frac{\pi}{2}$ 时,对于每一固定的 θ,r 从 $\frac{1}{\sqrt{2}}\csc\left(\theta+\frac{\pi}{4}\right)$ 变到 1.

若先对 θ 积分,则当 r 从 $\frac{1}{\sqrt{2}}$ 变到 1 时,对于每一固定的 r,有 θ 从 $\frac{\pi}{4}-\arccos\frac{1}{\sqrt{2}r}$ 变到 $\frac{\pi}{4}+\arccos\frac{1}{\sqrt{2}r}$,其中直线 $x+y=1$ 的极坐标方程为 $r\sin\left(\theta+\frac{\pi}{4}\right)=\frac{1}{\sqrt{2}}$,即 $\cos\left(\frac{\pi}{4}-\theta\right)=\frac{1}{\sqrt{2}r}$ 或 $\frac{\pi}{4}-\theta=\pm\arccos\frac{1}{\sqrt{2}r}$. 于是

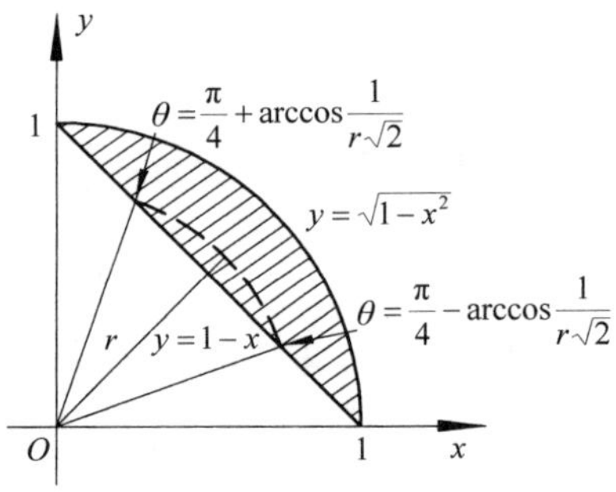

图 8.20

$$\int_0^1 dx\int_{1-x}^{\sqrt{1-x^2}} f(x,y)dy=\int_0^{\frac{\pi}{2}} d\theta\int_{\frac{1}{\sqrt{2}}\csc(\theta+\frac{\pi}{4})}^1 f(r\cos\theta,r\sin\theta)rdr$$
$$=\int_{\frac{1}{\sqrt{2}}}^1 rdr\int_{\frac{\pi}{4}-\arccos\frac{1}{\sqrt{2}r}}^{\frac{\pi}{4}+\arccos\frac{1}{\sqrt{2}r}} f(r\cos\theta,r\sin\theta)d\theta.$$

【3948】 $\int_0^2 dx\int_x^{\sqrt{3}x} f(\sqrt{x^2+y^2})dy.$

解 如图 8.21 所示.

若先对 r 积分,则当 θ 从 $\frac{\pi}{4}$ 变到 $\frac{\pi}{3}$ 时,对于固定的 θ,r 从 0 变到 $\frac{2}{\cos\theta}$.

若先对 θ 积分,则当 r 从 0 变到 $2\sqrt{2}$ 时,θ 从 $\frac{\pi}{4}$ 变到 $\frac{\pi}{3}$;当 r 从 $2\sqrt{2}$ 变到 4 时,对于每一固定的 r,θ 从 $\arccos\frac{2}{r}$ 变到 $\frac{\pi}{3}$. 于是

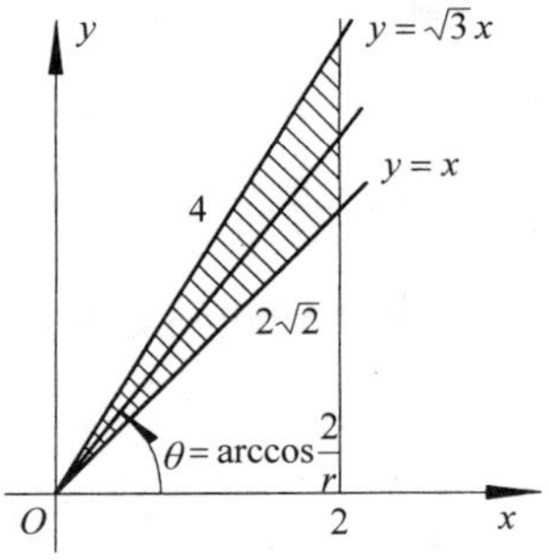

图 8.21

$$\int_0^2 dx\int_x^{\sqrt{3}x} f(\sqrt{x^2+y^2})dy=\int_{\frac{\pi}{4}}^{\frac{\pi}{3}} d\theta\int_0^{\frac{2}{\cos\theta}} f(r)rdr$$
$$=\frac{\pi}{12}\int_0^{2\sqrt{2}} f(r)rdr+\int_{2\sqrt{2}}^4\left(\frac{\pi}{3}-\arccos\frac{2}{r}\right)f(r)rdr.$$

【3949】 $\int_0^1 dx\int_0^{x^2} f(x,y)dy.$

解 如图 8.22 所示.

若先对 r 积分，则当 θ 从 0 变到 $\frac{\pi}{4}$ 时，对于每一固定的 θ，r 从 $\frac{\sin\theta}{\cos^2\theta}$ 变到 $\frac{1}{\cos\theta}$，其中 $r=\frac{\sin\theta}{\cos^2\theta}$ 为抛物线 $y=x^2$ 的极坐标方程.

若先对 θ 积分，则当 r 从 0 变到 1 时，对于每一固定的 r，θ 从 0 变到 $\arcsin\frac{\sqrt{1+4r^2}-1}{2r}$（由 $r=\frac{\sin\theta}{\cos^2\theta}$ 解出 θ）；当 r 从 1 变到 $\sqrt{2}$ 时，对于每一固定的 r，θ 从 $\arccos\frac{1}{r}$ 变到 $\arcsin\frac{\sqrt{1+4r^2}-1}{2r}$. 于是

$$\int_0^1 dx\int_0^{x^2} f(x,y)dy=\int_0^{\frac{\pi}{4}} d\theta\int_{\frac{\sin\theta}{\cos^2\theta}}^{\frac{1}{\cos\theta}} f(r\cos\theta,r\sin\theta)rdr$$

$$=\int_0^1 rdr\int_0^{\arcsin\frac{\sqrt{1+4r^2}-1}{2r}} f(r\cos\theta,r\sin\theta)d\theta+\int_1^{\sqrt{2}} rdr\int_{\arccos\frac{1}{r}}^{\arcsin\frac{\sqrt{1+4r^2}-1}{2r}} f(r\cos\theta,r\sin\theta)d\theta.$$

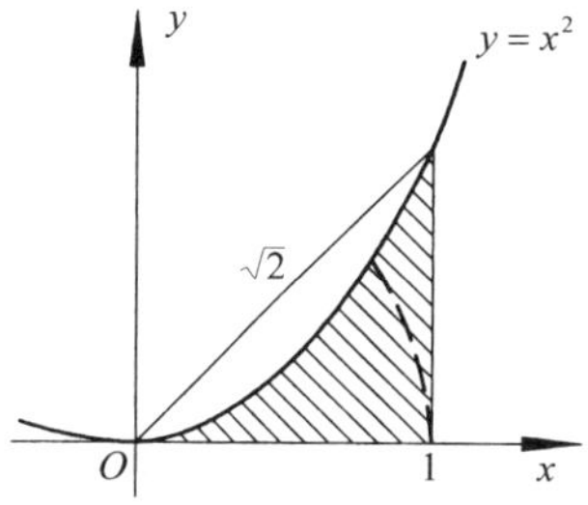

图 8.22

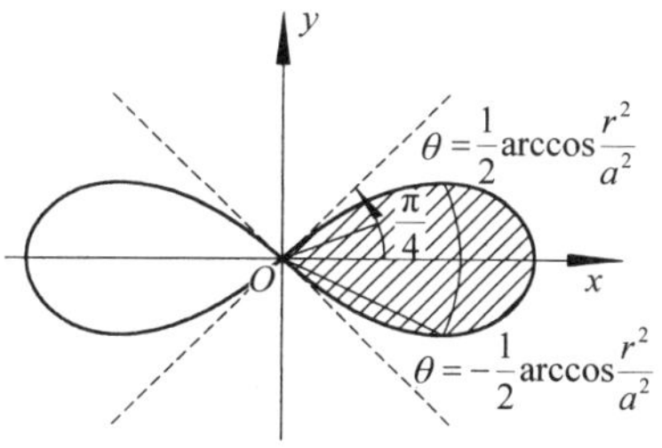

图 8.23

【3950】 $\iint\limits_D f(x,y)dxdy$，其中区域 D 由曲线 $(x^2+y^2)^2=a^2(x^2-y^2)(x\geqslant 0)$ 围成.

解 令 $x=r\cos\theta, y=r\sin\theta$，则 $(x^2+y^2)^2=a^2(x^2-y^2)(x\geqslant 0)$ 的极坐标方程为 $r^2=a^2\cos 2\theta$，其图像是双纽线的右半部分，如图 8.23 所示.

若先对 r 积分，则当 θ 从 $-\frac{\pi}{4}$ 变到 $\frac{\pi}{4}$ 时，对于每一固定的 θ，r 从 0 变到 $a\sqrt{\cos 2\theta}$.

若先对 θ 积分，则当 r 从 0 变到 a 时，对于每一固定的 r，θ 从 $-\frac{1}{2}\arccos\frac{r^2}{a^2}$ 变到 $\frac{1}{2}\arccos\frac{r^2}{a^2}$. 于是

$$\iint\limits_D f(x,y)dxdy=\int_0^a rdr\int_{-\frac{1}{2}\arccos\frac{r^2}{a^2}}^{\frac{1}{2}\arccos\frac{r^2}{a^2}} f(r\cos\theta,r\sin\theta)d\theta=\int_{-\frac{\pi}{4}}^{\frac{\pi}{4}} d\theta\int_0^{a\sqrt{\cos 2\theta}} f(r\cos\theta,r\sin\theta)rdr.$$

习题 3951—3953 在极坐标系下变换积分限

【令 r 和 θ 为极坐标，在下列积分中交换积分的顺序(3951—3953)**】**

【3951】 $\int_{-\frac{\pi}{2}}^{\frac{\pi}{2}} d\theta\int_0^{a\cos\theta} f(\theta,r)dr(x\geqslant 0)$.

解 积分域为由圆 $r=a\cos\theta$ 即 $\left(x-\frac{a}{2}\right)^2+y^2=\left(\frac{a}{2}\right)^2$ 所围成的圆域.

若先对 θ 积分，则当 r 从 0 变到 a 时，对于每一固定的 r，θ 从 $-\arccos\frac{r}{a}$ 变到 $\arccos\frac{r}{a}$（图 8.24）. 于是

$$\int_{-\frac{\pi}{2}}^{\frac{\pi}{2}} d\theta\int_0^{a\cos\theta} f(\theta,r)dr=\int_0^a dr\int_{-\arccos\frac{r}{a}}^{\arccos\frac{r}{a}} f(\theta,r)d\theta.$$

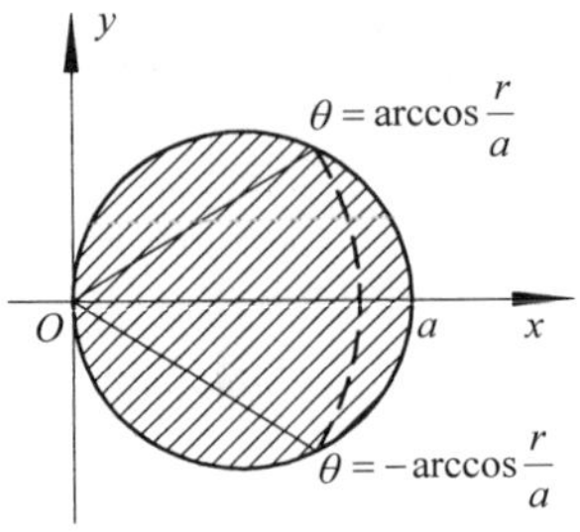

图 8.24

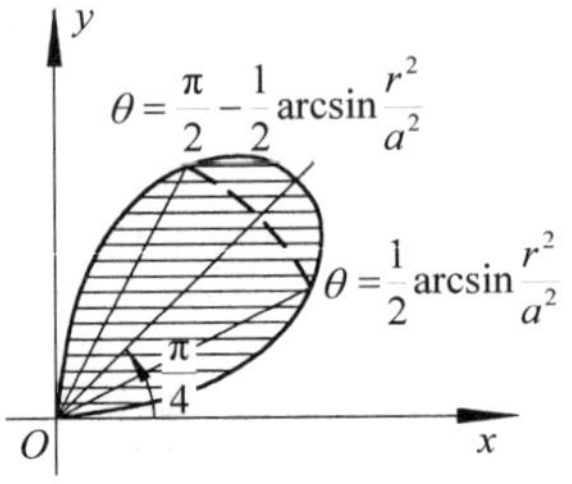

图 8.25

【3952】 $\int_0^{\frac{\pi}{2}} d\theta \int_0^{a\sqrt{\sin 2\theta}} f(\theta, r) dr (a > 0)$.

解 积分域由双纽线 $r^2 = a^2 \sin 2\theta$ 的右上部分围成(图 8.25).

若先对 θ 积分,则当 r 从 0 变到 a 时,对于每一固定的 r,θ 从 $\frac{1}{2}\arcsin\frac{r^2}{a^2}$ 变到 $\frac{\pi}{2} - \frac{1}{2}\arcsin\frac{r^2}{a^2}$. 于是

$$\int_0^{\frac{\pi}{2}} d\theta \int_0^{\sqrt{\sin 2\theta}a} f(\theta, r) dr = \int_0^a dr \int_{\frac{1}{2}\arcsin\frac{r^2}{a^2}}^{\frac{\pi}{2}-\frac{1}{2}\arcsin\frac{r^2}{a^2}} f(\theta, r) d\theta.$$

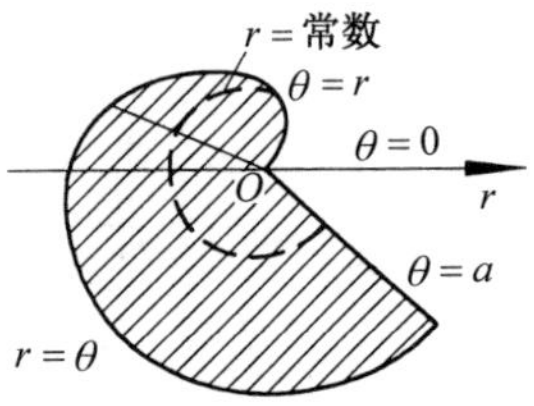

图 8.26

【3953】 $\int_0^a d\theta \int_0^\theta f(\theta, r) dr \ (0 < a < 2\pi)$.

解 积分域由曲线 $r = \theta$(阿基米德螺线)与射线 $\theta = a$ 围成(图 8.26). 改变积分顺序,即得

$$\int_0^a d\theta \int_0^\theta f(\theta, r) dr = \int_0^a dr \int_r^a f(\theta, r) d\theta.$$

习题 3954—3955 利用极坐标变换计算二重积分

【利用极坐标变换计算下列二重积分(3954—3955)】

【3954】 $\iint\limits_{x^2+y^2 \leqslant a^2} \sqrt{x^2+y^2} \, dx dy$.

解 $\iint\limits_{x^2+y^2 \leqslant a^2} \sqrt{x^2+y^2} \, dx dy = \int_0^{2\pi} d\theta \int_0^a r \cdot r dr = \frac{2\pi a^3}{3}$.

【3955】 $\iint\limits_{\pi^2 \leqslant x^2+y^2 \leqslant 4\pi^2} \sin\sqrt{x^2+y^2} \, dx dy$.

解 $\iint\limits_{\pi^2 \leqslant x^2+y^2 \leqslant 4\pi^2} \sin\sqrt{x^2+y^2} \, dx dy = \int_0^{2\pi} d\theta \int_\pi^{2\pi} r\sin r dr = 2\pi \int_\pi^{2\pi} r\sin r dr = -6\pi^2$.

习题 3956—3964 引入适当的变量替换简化积分区域

【3956】 利用函数组

$$u = \frac{y^2}{x}, v = \sqrt{xy},$$

把正方形 $\Omega = \{(x,y) \mid a < x < a+h, b < y < b+h\} (a > 0, b > 0)$ 变换为区域 Ω'. 求 Ω' 与 Ω 的面积之比. 当 $h \to 0$ 时,此比值的极限等于什么?

解 所给函数组将正方形的四边 $y=b,x=a+h,y=b+h,x=a$ 变换为 uOv 平面上的四条曲线，即

$$A'B':u=\frac{b^3}{v^2};\ B'C':u=\frac{v^4}{(a+h)^3};\ C'D':u=\frac{(b+h)^3}{v^2};\ D'A':u=\frac{v^4}{a^3}.$$

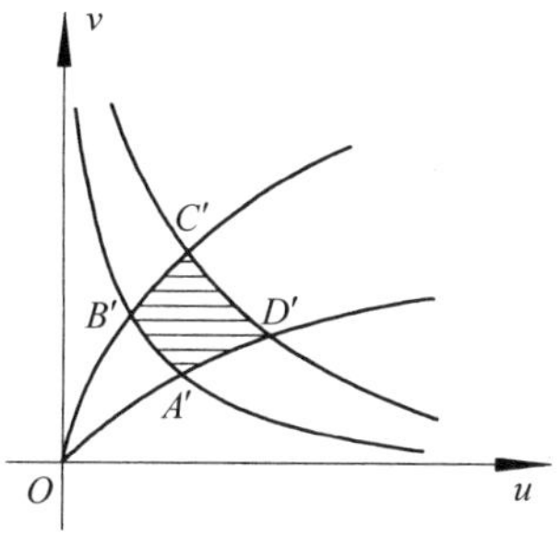

图 8.27

由这四条曲线围成的区域即为 Ω'(图 8.27).

在变换 $u=\dfrac{y^2}{x},v=\sqrt{xy}$ 下，将区域 Ω' 变为 Ω，变换的雅可比行列式为

$$J=-\frac{3}{2}\left(\frac{y}{x}\right)^{\frac{3}{2}}.$$

故 Ω' 的面积为

$$S(\Omega')=\iint\limits_{\Omega'}\mathrm{d}u\mathrm{d}v=\iint\limits_{\Omega}|J|\mathrm{d}x\mathrm{d}y=\frac{3}{2}\int_a^{a+h}x^{-\frac{3}{2}}\mathrm{d}x\int_b^{b+h}y^{\frac{3}{2}}\mathrm{d}y$$

$$=\frac{6}{5}\left(\frac{1}{\sqrt{a}}-\frac{1}{\sqrt{a+h}}\right)\left[\sqrt{(b+h)^5}-\sqrt{b^5}\right].$$

从而，区域 Ω' 的面积与区域 Ω 的面积之比为

$$\frac{S(\Omega')}{S(\Omega)}=\frac{6}{5h^2}\left[\sqrt{(b+h)^5}-\sqrt{b^5}\right]\left[\frac{1}{\sqrt{a}}-\frac{1}{\sqrt{a+h}}\right]$$

$$=\frac{6}{5}\cdot\frac{\left[\sqrt{(b+h)^5}-\sqrt{b^5}\right](\sqrt{a+h}-\sqrt{a})}{h^2\sqrt{a(a+h)}}$$

$$=\frac{6}{5}\cdot\frac{\sqrt{(b+h)^5}-\sqrt{b^5}}{\sqrt{a(a+h)}(\sqrt{a+h}+\sqrt{a})(\sqrt{b+h}+\sqrt{b})(\sqrt{b+h}-\sqrt{b})}$$

$$=\frac{6}{5}\cdot\frac{b^2+b(b+h)+(b+h)^2+(2b+h)\sqrt{b(b+h)}}{\sqrt{a(a+h)}(\sqrt{a+h}+\sqrt{a})(\sqrt{b+h}+\sqrt{b})}.$$

上述比式是 h 的函数，并且在 $h=0$ 点连续. 于是

$$\lim_{h\to0}\frac{S(\Omega')}{S(\Omega)}=\frac{6}{5}\cdot\frac{5b^2}{4\sqrt{a^3}\cdot\sqrt{b}}=\frac{3}{2}\left(\frac{b}{a}\right)^{\frac{3}{2}}.$$

事实上，应用洛必达法则求此极限更简单些，这是因为

$$\lim_{h\to0}\frac{\sqrt{(b+h)^5}-\sqrt{b^5}}{h}=\lim_{h\to0}\frac{5}{2}\sqrt{(b+h)^3}=\frac{5}{2}b^{\frac{3}{2}},$$

$$\lim_{h\to0}\frac{\dfrac{1}{\sqrt{a}}-\dfrac{1}{\sqrt{a+h}}}{h}=\lim_{h\to0}\frac{1}{2}(a+h)^{-\frac{3}{2}}=\frac{1}{2}a^{-\frac{3}{2}}.$$

于是 $\lim\limits_{h\to0}\dfrac{S(\Omega')}{S(\Omega)}=\dfrac{6}{5}\cdot\dfrac{5}{2}b^{\frac{3}{2}}\cdot\dfrac{1}{2}a^{-\frac{3}{2}}=\dfrac{3}{2}\left(\dfrac{b}{a}\right)^{\frac{3}{2}}$.

【引入新的变量 u,v 代替 x,y 确定下列二重积分中的积分限(3957—3959)】

【3957】 $\int_a^b\mathrm{d}x\int_{\alpha x}^{\beta x}f(x,y)\mathrm{d}y\ (0<a<b;0<\alpha<\beta)$，令 $u=x,v=\dfrac{y}{x}$.

解 在变换 $u=x,v=\dfrac{y}{x}$ 下，区域 $D=\{(x,y)\mid a\leqslant x\leqslant b,\alpha x\leqslant y\leqslant\beta x\}$ 变为

$$D'=\{(u,v)\mid a\leqslant u\leqslant b,\alpha\leqslant v\leqslant\beta\}.$$

变换的雅可比行列式

$$J=\frac{D(x,y)}{D(u,v)}=\begin{vmatrix}1&0\\v&u\end{vmatrix}=u>0.$$

于是 $\int_a^b\mathrm{d}x\int_{\alpha x}^{\beta x}f(x,y)\mathrm{d}y=\int_a^b u\mathrm{d}u\int_\alpha^\beta f(u,uv)\mathrm{d}v$.

【3958】 $\int_0^2 dx\int_{1-x}^{2-x} f(x,y)dy$,令 $u=x+y, v=x-y$.

解 在变换 $u=x+y, v=x-y$ 下,区域 $D=\{(x,y)\mid 0\leqslant x\leqslant 2, 1-x\leqslant y\leqslant 2-x\}$ 变为区域

$$D'=\{(u,v)\mid 1\leqslant u\leqslant 2, -u\leqslant v\leqslant 4-u\}.$$

事实上,$u+v=2x, u-v=2y$,故 $0\leqslant u+v\leqslant 4$,即 $-u\leqslant v\leqslant 4-u$. 变换的雅可比行列式 $J=-\frac{1}{2}$,从而 $|J|=\frac{1}{2}$,且 $x=\frac{u+v}{2}, y=\frac{u-v}{2}$. 于是

$$\int_0^2 dx\int_{1-x}^{2-x} f(x,y)dy=\frac{1}{2}\int_1^2 du\int_{-u}^{4-u} f\left(\frac{u+v}{2},\frac{u-v}{2}\right)dv.$$

【3959】 $\iint\limits_D f(x,y)dxdy$,其中 D 是由曲线 $\sqrt{x}+\sqrt{y}=\sqrt{a}, x=0, y=0(a>0)$ 所包围的区域,令

$$x=u\cos^4 v, y=u\sin^4 v.$$

解 对于广义极坐标变换 $x=u\cos^4 v, y=u\sin^4 v$,有 $|J|=4|u\cos^3 v\sin^3 v|$,且区域 D 变为

$$D'=\left\{(u,v)\mid 0\leqslant u\leqslant a, 0\leqslant v\leqslant \frac{\pi}{2}\right\}.$$

于是

$$\iint\limits_D f(x,y)dxdy=4\int_0^a u du\int_0^{\frac{\pi}{2}}\cos^3 v\sin^3 v f(u\cos^4 v, v\sin^4 v)dv$$
$$=4\int_0^{\frac{\pi}{2}}\cos^3 v\sin^3 v dv\int_0^a u f(u\cos^4 v, u\sin^4 v)du.$$

【3960】 证明:变量代换 $x+y=\xi, y=\xi\eta$ 把三角形区域$\{(x,y)\mid 0\leqslant x\leqslant 1, 0\leqslant y\leqslant 1-x\}$ 变为正方形区域$\{(\xi,\eta)\mid 0\leqslant\xi\leqslant 1, 0\leqslant\eta\leqslant 1\}$.

证 三角形区域$\{(x,y)\mid 0\leqslant x\leqslant 1, 0\leqslant y\leqslant 1-x\}$ 为由直线 $x+y=0, x+y=1, x=0, y=0$ 所围成的图形. 由 $x+y=\xi$ 可得,直线 $x+y=0$ 对应 $\xi=0$,直线 $x+y=1$ 对应 $\xi=1$. 又 $\eta=\frac{y}{x+y}$,直线 $y=0$ 对应 $\eta=0$,直线 $x=0$ 对应 $\eta=1$.

因此,三角形区域$\{(x,y)\mid 0\leqslant x\leqslant 1, 0\leqslant y\leqslant 1-x\}$ 变为正方形区域$\{(\xi,\eta)\mid 0\leqslant\xi\leqslant 1, 0\leqslant\eta\leqslant 1\}$.

【3961】 在怎样的变量代换下,由曲线 $xy=1, xy=2, x-y+1=0, x-y-1=0(x>0, y>0)$ 围成的曲线四边形变换成矩形,且其边平行于坐标轴?

解 原四条曲线为 $xy=1, xy=2, x-y+1=0, x-y-1=0(x>0, y>0)$,故显然应作变换 $xy=u, x-y=v$. 这时 u 从 1 变到 2,v 从 -1 变到 1. 故原积分区域变为

$$\{(u,v)\mid 1\leqslant u\leqslant 2, -1\leqslant v\leqslant 1\}.$$

【进行适当的变量代换,把二重积分化为定积分(3962—3964)】

【3962】 $\iint\limits_{|x|+|y|\leqslant 1} f(x+y)dxdy$.

解 作变换 $x+y=u, x-y=v$ 或 $x=\frac{u+v}{2}, y=\frac{u-v}{2}$,则 $|J|=\frac{1}{2}$,且 u 从 -1 变到 1,v 从 -1 变到 1. 于是

$$\iint\limits_{|x|+|y|\leqslant 1} f(x+y)dxdy=\frac{1}{2}\int_{-1}^1 dv\int_{-1}^1 f(u)du=\int_{-1}^1 f(u)du.$$

【3963】 $\iint\limits_{x^2+y^2\leqslant 1} f(ax+by+c)\mathrm{d}x\mathrm{d}y(a^2+b^2\neq 0)$.

解 令 $u=\dfrac{ax+by}{\sqrt{a^2+b^2}},v=\dfrac{bx-ay}{\sqrt{a^2+b^2}}$，则 $x=\dfrac{au+bv}{\sqrt{a^2+b^2}},y=\dfrac{bu-av}{\sqrt{a^2+b^2}},x^2+y^2=u^2+v^2\leqslant 1$，故区域 $\{(x,y)\mid x^2+y^2\leqslant 1\}$ 变为 $\{(u,v)\mid u^2+v^2\leqslant 1\}$，且 $|J|=1$. 于是

$$\begin{aligned}\iint\limits_{x^2+y^2\leqslant 1} f(ax+by+c)\mathrm{d}x\mathrm{d}y&=\iint\limits_{u^2+v^2\leqslant 1} f(\sqrt{a^2+b^2}u+c)\mathrm{d}u\mathrm{d}v\\&=\int_{-1}^{1}\mathrm{d}u\int_{-\sqrt{1-u^2}}^{\sqrt{1-u^2}} f(\sqrt{a^2+b^2}u+c)\mathrm{d}v\\&=\int_{-1}^{1} f(\sqrt{a^2+b^2}u+c)\mathrm{d}u\int_{-\sqrt{1-u^2}}^{\sqrt{1-u^2}}\mathrm{d}v\\&=2\int_{-1}^{1}\sqrt{1-u^2}f(\sqrt{a^2+b^2}u+c)\mathrm{d}u.\end{aligned}$$

【3964】 $\iint\limits_{D} f(xy)\mathrm{d}x\mathrm{d}y$，其中 D 由曲线 $xy=1,xy=2,y=x,y=4x(x>0,y>0)$ 围成.

解 作变换 $xy=u,\dfrac{y}{x}=v$，则区域 D 变为区域 $D'=\{(u,v)\mid 1\leqslant u\leqslant 2,1\leqslant v\leqslant 4\}$，且 $|J|=\dfrac{1}{2v}$. 于是

$$\iint\limits_{D} f(xy)\mathrm{d}x\mathrm{d}y=\int_1^4\frac{\mathrm{d}v}{2v}\int_1^2 f(u)\mathrm{d}u=\ln 2\cdot\int_1^2 f(u)\mathrm{d}u.$$

习题 3965—3976 用适当的方法计算二重积分

【计算下列二重积分(3965—3976)】

【3965】 $\iint\limits_{D}(x+y)\mathrm{d}x\mathrm{d}y$，其中区域 D 由曲线 $x^2+y^2=x+y$ 围成.

解 区域 D 即圆 $\left(x-\dfrac{1}{2}\right)^2+\left(y-\dfrac{1}{2}\right)^2\leqslant\left(\dfrac{1}{\sqrt{2}}\right)^2$. 作变换 $x=\dfrac{1}{2}+r\cos\theta,y=\dfrac{1}{2}+r\sin\theta$，则区域 D 变为区域 $D'=\left\{(\theta,r)\mid 0\leqslant\theta\leqslant 2\pi,0\leqslant r\leqslant\dfrac{1}{\sqrt{2}}\right\}$，且 $|J|=r$. 于是

$$\iint\limits_{D}(x+y)\mathrm{d}x\mathrm{d}y=\int_0^{2\pi}\mathrm{d}\theta\int_0^{\frac{1}{\sqrt{2}}}[r+r^2(\sin\theta+\cos\theta)]\mathrm{d}r=\frac{\pi}{2}.$$

【3966】 $\iint\limits_{|x|+|y|\leqslant 1}(|x|+|y|)\mathrm{d}x\mathrm{d}y$.

提示 注意积分区域的对称性.

解 $\iint\limits_{|x|+|y|\leqslant 1}(|x|+|y|)\mathrm{d}x\mathrm{d}y=4\int_0^1\mathrm{d}x\int_0^{1-x}(x+y)\mathrm{d}y=\dfrac{4}{3}$.

【3967】 $\iint\limits_{D}\sqrt{1-\dfrac{x^2}{a^2}-\dfrac{y^2}{b^2}}\mathrm{d}x\mathrm{d}y$，其积分域 D 是椭圆区域 $\dfrac{x^2}{a^2}+\dfrac{y^2}{b^2}\leqslant 1$.

解 作变换 $x=ar\cos\theta,y=br\sin\theta$，则区域 D 变为区域 $D'=\{(r,\theta)\mid 0\leqslant r\leqslant 1,0\leqslant\theta\leqslant 2\pi\}$，且 $|J|=abr$. 于是

$$\iint\limits_{D}\sqrt{1-\frac{x^2}{a^2}-\frac{y^2}{b^2}}\mathrm{d}x\mathrm{d}y=\int_0^{2\pi}\mathrm{d}\theta\int_0^1 ab\sqrt{1-r^2}\,r\mathrm{d}r=2\pi ab\int_0^1\sqrt{1-r^2}\,r\mathrm{d}r=\frac{2\pi ab}{3}.$$

【3968】 $\iint\limits_{x^4+y^4\leqslant 1}(x^2+y^2)\mathrm{d}x\mathrm{d}y.$

解 作变换 $x=r\cos\theta, y=r\sin\theta$,并利用对称性,则有

$$\iint\limits_{x^4+y^4\leqslant 1}(x^2+y^2)\mathrm{d}x\mathrm{d}y=8\int_0^{\frac{\pi}{4}}\mathrm{d}\theta\int_0^{\left(\frac{1}{\cos^4\theta+\sin^4\theta}\right)^{\frac{1}{4}}}r^3\mathrm{d}r=2\int_0^{\frac{\pi}{4}}\frac{\mathrm{d}\theta}{\cos^4\theta+\sin^4\theta}$$

$$=2\int_0^{\frac{\pi}{4}}\frac{\sec^2\theta\mathrm{d}\tan\theta}{1+\tan^4\theta}=2\int_0^1\frac{1+t^2}{1+t^4}\mathrm{d}t=\frac{2}{\sqrt{2}}\arctan\frac{t^2-1}{\sqrt{2}t}\Bigg|_0^1=\frac{\pi}{\sqrt{2}}.$$

注 本题用到1712题的结果.

【3969】 $\iint\limits_{D}(x+y)\mathrm{d}x\mathrm{d}y$,其积分域 Ω 由曲线 $y^2=2x, x+y=4, x+y=12$ 围成.

解 由方程组 $\begin{cases}x+y=4,\\ y^2=2x\end{cases}$ 及 $\begin{cases}x+y=12,\\ y^2=2x\end{cases}$ 求得两条直线与抛物线的交点为 $A(2,2)$,$B(8,4)$,$C(18,-6)$,$D(8,-4)$(图8.28).于是

$$\iint\limits_{\Omega}(x+y)\mathrm{d}x\mathrm{d}y=\int_{-6}^{-4}\mathrm{d}y\int_{\frac{y^2}{2}}^{12-y}(x+y)\mathrm{d}x+\int_{-4}^{2}\mathrm{d}y\int_{4-y}^{12-y}(x+y)\mathrm{d}x+$$

$$\int_2^4\mathrm{d}y\int_{\frac{y^2}{2}}^{12-y}(x+y)\mathrm{d}x$$

$$=79\frac{13}{15}+384+79\frac{13}{15}$$

$$=\frac{8156}{15}.$$

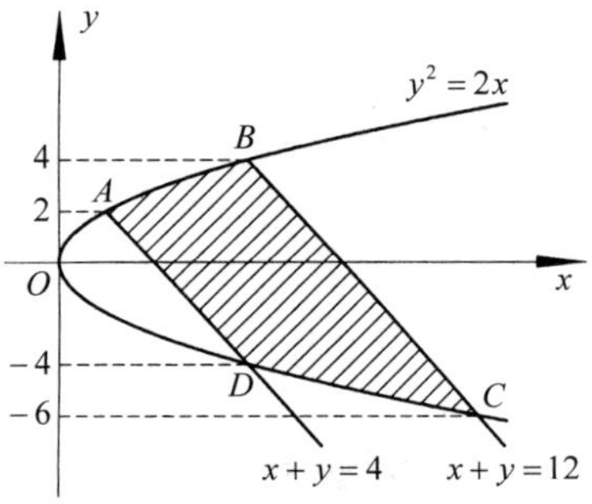

图 8.28

【3970】 $\iint\limits_{D}xy\mathrm{d}x\mathrm{d}y$,其中 D 是由曲线 $xy=1, x+y=\frac{5}{2}$ 围成的区域.

解 曲线 $xy=1$ 与直线 $x+y=\frac{5}{2}$ 的交点为 $\left(\frac{1}{2},2\right)$,$\left(2,\frac{1}{2}\right)$.于是

$$\iint\limits_{D}xy\mathrm{d}x\mathrm{d}y=\int_{\frac{1}{2}}^{2}x\mathrm{d}x\int_{\frac{1}{x}}^{\frac{5}{2}-x}y\mathrm{d}y=\frac{1}{2}\int_{\frac{1}{2}}^{2}\left(\frac{25}{4}x-5x^2+x^3-\frac{1}{x}\right)\mathrm{d}x=\frac{165}{128}-\ln 2.$$

【3971】 $\iint\limits_{\substack{0\leqslant x\leqslant\pi\\0\leqslant y\leqslant\pi}}|\cos(x+y)|\mathrm{d}x\mathrm{d}y.$

解

$$\iint\limits_{\substack{0\leqslant x\leqslant\pi\\0\leqslant y\leqslant\pi}}|\cos(x+y)|\mathrm{d}x\mathrm{d}y=\int_0^{\pi}\mathrm{d}x\int_0^{\pi}|\cos(x+y)|\mathrm{d}y$$

$$=\int_0^{\frac{\pi}{2}}\mathrm{d}x\int_0^{\pi}|\cos(x+y)|\mathrm{d}y+\int_{\frac{\pi}{2}}^{\pi}\mathrm{d}x\int_0^{\pi}|\cos(x+y)|\mathrm{d}y$$

$$=\int_0^{\frac{\pi}{2}}\mathrm{d}x\int_0^{\frac{\pi}{2}-x}\cos(x+y)\mathrm{d}y-\int_0^{\frac{\pi}{2}}\mathrm{d}x\int_{\frac{\pi}{2}-x}^{\pi}\cos(x+y)\mathrm{d}y-$$

$$\int_{\frac{\pi}{2}}^{\pi}\mathrm{d}x\int_0^{\frac{3}{2}\pi-x}\cos(x+y)\mathrm{d}y+\int_{\frac{\pi}{2}}^{\pi}\mathrm{d}x\int_{\frac{3}{2}\pi-x}^{\pi}\cos(x+y)\mathrm{d}y$$

$$=\int_0^{\frac{\pi}{2}}\{(1-\sin x)-[\sin(x+\pi)-1]\}\mathrm{d}x+\int_{\frac{\pi}{2}}^{\pi}\{1+\sin x+[\sin(x+\pi)+1]\}\mathrm{d}x$$

$$=\int_0^{\frac{\pi}{2}}2\mathrm{d}x+\int_{\frac{\pi}{2}}^{\pi}2\mathrm{d}x=2\pi.$$

【3972】 $\displaystyle\iint\limits_{x^2+y^2\leqslant1}\left|\frac{x+y}{\sqrt2}-x^2-y^2\right|\mathrm{d}x\mathrm{d}y.$

解 积分域如图 8.29 所示，由 D_1,D_2,D_3 和 D_4 所组成，其中 D_1 为由圆 $\frac{x+y}{\sqrt2}-x^2-y^2=0$，即圆 $\left(x-\frac{1}{2\sqrt2}\right)^2+\left(y-\frac{1}{2\sqrt2}\right)^2=\frac14$ 围成的区域，该圆的极坐标方程为 $r=\sin\left(\theta+\frac{\pi}{4}\right)$，而圆 $x^2+y^2=1$ 的极坐标方程为 $r=1$. 于是，各区域分别为

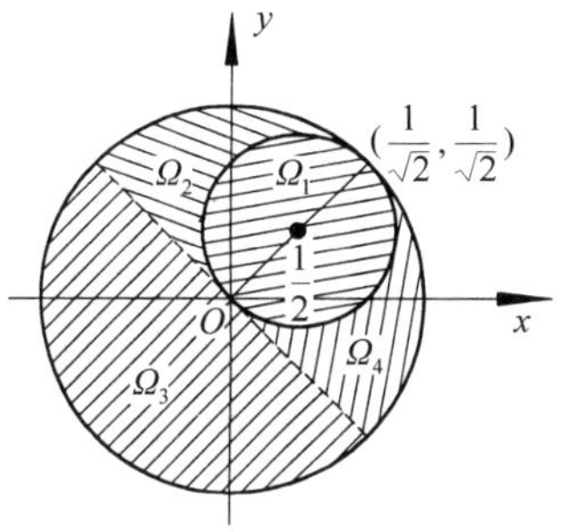

图 8.29

D_1：$-\frac{\pi}{4}\leqslant\theta\leqslant\frac{3\pi}{4},0\leqslant r\leqslant\sin\left(\theta+\frac{\pi}{4}\right)$；

D_2：$\frac{\pi}{4}\leqslant\theta\leqslant\frac{3\pi}{4},\sin\left(\theta+\frac{\pi}{4}\right)\leqslant r\leqslant1$；

D_3：$\frac{3\pi}{4}\leqslant\theta\leqslant\frac{7\pi}{4},0\leqslant r\leqslant1$；

D_4：$-\frac{\pi}{4}\leqslant\theta\leqslant\frac{\pi}{4},\sin\left(\theta+\frac{\pi}{4}\right)\leqslant r\leqslant1.$

当点在 D_1 中时，由于 $\left(x-\frac{1}{2\sqrt2}\right)^2+\left(y-\frac{1}{2\sqrt2}\right)^2\leqslant\frac14$，即 $\frac{x+y}{\sqrt2}-(x^2+y^2)\geqslant0$，故

$$\left|\frac{x+y}{\sqrt2}-x^2-y^2\right|=\frac{x+y}{\sqrt2}-x^2-y^2=r\sin\left(\theta+\frac{\pi}{4}\right)-r^2;$$

当点在 D_2,D_3 和 D_4 中时，

$$\left|\frac{x+y}{\sqrt2}-x^2-y^2\right|=x^2+y^2-\frac{x+y}{\sqrt2}=r^2-r\sin\left(\theta+\frac{\pi}{4}\right).$$

于是，利用对称性即得

$$\iint\limits_{x^2+y^2\leqslant1}\left|\frac{x+y}{\sqrt2}-x^2-y^2\right|\mathrm{d}x\mathrm{d}y$$

$$=2\int_{-\frac{\pi}{4}}^{\frac{\pi}{4}}\mathrm{d}\theta\int_0^{\sin(\theta+\frac{\pi}{4})}\left[r\sin\left(\theta+\frac{\pi}{4}\right)-r^2\right]r\mathrm{d}r+$$

$$2\int_{-\frac{\pi}{4}}^{\frac{\pi}{4}}\mathrm{d}\theta\int_{\sin(\theta+\frac{\pi}{4})}^{1}\left[r^2-r\sin\left(\theta+\frac{\pi}{4}\right)\right]r\mathrm{d}r+\int_{\frac{3\pi}{4}}^{\frac{7\pi}{4}}\mathrm{d}\theta\int_0^1\left[r^2-r\sin\left(\theta+\frac{\pi}{4}\right)\right]r\mathrm{d}r$$

$$=\frac16\int_{-\frac{\pi}{4}}^{\frac{\pi}{4}}\sin^4\left(\theta+\frac{\pi}{4}\right)\mathrm{d}\theta+\int_{-\frac{\pi}{4}}^{\frac{\pi}{4}}\left[\frac12-\frac23\sin\left(\theta+\frac{\pi}{4}\right)+\frac16\sin^4\left(\theta+\frac{\pi}{4}\right)\right]\mathrm{d}\theta+$$

$$\int_{\frac{3\pi}{4}}^{\frac{7\pi}{4}}\left[\frac14-\frac13\sin\left(\theta+\frac{\pi}{4}\right)\right]\mathrm{d}\theta$$

$$=\frac16\int_0^{\frac{\pi}{2}}\sin^4u\mathrm{d}u+\left(\frac{\pi}{4}-\frac23+\frac16\int_0^{\frac{\pi}{2}}\sin^4u\mathrm{d}u\right)+\left(\frac23+\frac{\pi}{4}\right)$$

$$=\frac{\pi}{32}+\left(\frac{\pi}{4}-\frac23+\frac{\pi}{32}\right)+\left(\frac23+\frac{\pi}{4}\right)=\frac{9\pi}{16}.$$

注 本题用到 2286 题的结果.

【3973】 $\iint\limits_{\substack{|x|\leqslant 1\\0\leqslant y\leqslant 2}} \sqrt{|y-x^2|}\,dxdy.$

解 $\iint\limits_{\substack{|x|\leqslant 1\\0\leqslant y\leqslant 2}} \sqrt{|y-x^2|}\,dxdy = \iint\limits_{\substack{|x|\leqslant 1\\0\leqslant y\leqslant x^2}} \sqrt{x^2-y}\,dxdy + \iint\limits_{\substack{|x|\leqslant 1\\x^2\leqslant y\leqslant 2}} \sqrt{y-x^2}\,dxdy$

$$= \int_{-1}^{1} dx\int_0^{x^2} \sqrt{x^2-y}\,dy + \int_{-1}^{1} dx\int_{x^2}^{2} \sqrt{y-x^2}\,dy = \frac{4}{3}\int_0^1 x^3\,dx + \frac{4}{3}\int_0^1 (2-x^2)^{\frac{3}{2}}\,dx$$

$$= \frac{1}{3} + \frac{16}{3}\int_0^{\frac{\pi}{4}} \cos^4\theta d\theta = \frac{1}{3} + \frac{16}{3}\left(\frac{3\pi}{32}+\frac{1}{4}\right) = \frac{5}{3} + \frac{\pi}{2}.$$

注 本题用到 1750 题的结果.

【3974】 $\iint\limits_{x^2+y^2\leqslant 4} \operatorname{sgn}(x^2-y^2+2)\,dxdy.$

解 $y^2-x^2<2$ 时, $\operatorname{sgn}(x^2-y^2+2)=1$; $y^2-x^2>2$ 时, $\operatorname{sgn}(x^2-y^2+2)=-1$; $y^2-x^2=2$ 时, $\operatorname{sgn}(x^2-y^2+2)=0$.

将区域 $x^2+y^2\leqslant 4$ 分成 D_1, D_2, D_3, D_4, D_5 五部分,其界线分别为 $x^2+y^2=4$, $y^2-x^2=2$, $x=\pm 1$ (图 8.30). 当点在区域 D_1 和 D_5 中时, $y^2-x^2>2$, 故 $\operatorname{sgn}(x^2-y^2+2)=-1$; 当点在 D_2, D_3 和 D_4 中时, $y^2-x^2<2$, 故 $\operatorname{sgn}(x^2-y^2+2)=1$. 于是

$$\iint\limits_{x^2+y^2\leqslant 4} \operatorname{sgn}(x^2-y^2+2)\,dxdy = -\iint\limits_{D_1} dxdy - \iint\limits_{D_5} dxdy + \iint\limits_{D_2} dxdy + \iint\limits_{D_3} dxdy + \iint\limits_{D_4} dxdy$$

$$= -4\int_0^1 dx\int_{\sqrt{2+x^2}}^{\sqrt{4-x^2}} dy + 4\int_0^1 dx\int_0^{\sqrt{2+x^2}} dy + 4\int_1^2 dx\int_0^{\sqrt{4-x^2}} dy$$

$$= 8\int_0^1 \sqrt{2+x^2}\,dx + 4\left(\int_1^2 \sqrt{4-x^2}\,dx - \int_0^1 \sqrt{4-x^2}\,dx\right)$$

$$= \frac{4\pi}{3} + 8\ln\frac{1+\sqrt{3}}{\sqrt{2}}.$$

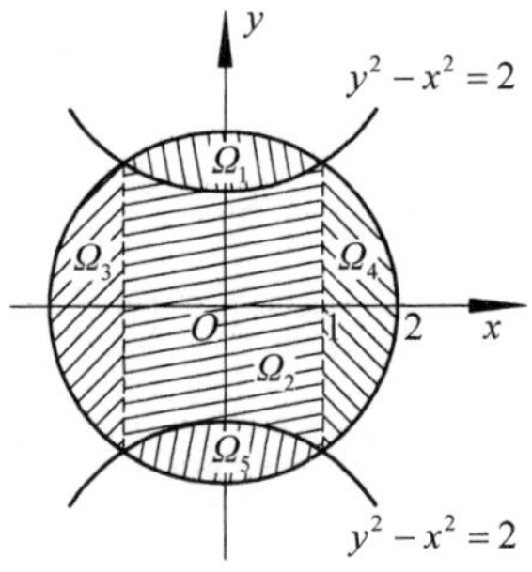

图 8.30

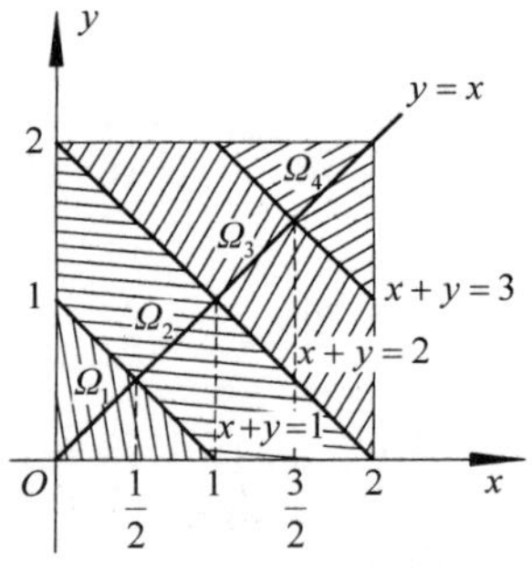

图 8.31

【3975】 $\iint\limits_{\substack{0\leqslant x\leqslant 2\\0\leqslant y\leqslant 2}} [x+y]\,dxdy.$

解 当 $0\leqslant x+y<1$ 时, $[x+y]=0$; 当 $1\leqslant x+y<2$ 时, $[x+y]=1$;
当 $2\leqslant x+y<3$ 时, $[x+y]=2$; 当 $3\leqslant x+y<4$ 时, $[x+y]=3$;
当 $x+y=4$ 时, $[x+y]=4$.
如图 8.31 所示,区域 $D=\{(x,y)\mid 0\leqslant x\leqslant 2, 0\leqslant y\leqslant 2\}$ 可分为下列四部分:

$$D_1: x+y\leqslant 1, x\geqslant 0, y\geqslant 0;\qquad D_2: 1\leqslant x+y\leqslant 2, x=0, y=0;$$
$$D_3: 2\leqslant x+y\leqslant 3, x=2, y=2;\quad D_4: x+y\geqslant 3, x=2, y=2.$$

当点属于 D_1 的内部时，$[x+y]=0$；当点属于 D_2 的内部时，$[x+y]=1$；

当点属于 D_3 的内部时，$[x+y]=2$；当点属于 D_4 的内部时，$[x+y]=3$.

方法一 $\displaystyle\iint\limits_{\substack{0\leqslant x\leqslant 2\\0\leqslant y\leqslant 2}}[x+y]\mathrm{d}x\mathrm{d}y=\iint\limits_{D_2}\mathrm{d}x\mathrm{d}y+2\iint\limits_{D_3}\mathrm{d}x\mathrm{d}y+3\iint\limits_{D_4}\mathrm{d}x\mathrm{d}y$

$$=2\left[\int_{\frac{1}{2}}^{1}\mathrm{d}x\int_{1-x}^{x}\mathrm{d}y+\int_{1}^{2}\mathrm{d}x\int_{0}^{2-x}\mathrm{d}y\right]+4\left[\int_{1}^{\frac{3}{2}}\mathrm{d}x\int_{2-x}^{x}\mathrm{d}y+\int_{\frac{3}{2}}^{2}\mathrm{d}x\int_{2-x}^{3-x}\mathrm{d}y\right]+6\int_{\frac{3}{2}}^{2}\mathrm{d}x\int_{3-x}^{x}\mathrm{d}y$$

$$=2\left[\int_{\frac{1}{2}}^{1}(2x-1)\mathrm{d}x+\int_{1}^{2}(2-x)\mathrm{d}x\right]+4\left[\int_{1}^{\frac{3}{2}}(2x-2)\mathrm{d}x+\int_{\frac{3}{2}}^{2}\mathrm{d}x\right]+6\int_{\frac{3}{2}}^{2}(2x-3)\mathrm{d}x=6.$$

方法二 $\displaystyle\iint\limits_{\substack{0\leqslant x\leqslant 2\\0\leqslant y\leqslant 2}}[x+y]\mathrm{d}x\mathrm{d}y=\iint\limits_{D_2}\mathrm{d}x\mathrm{d}y+2\iint\limits_{D_3}\mathrm{d}x\mathrm{d}y+3\iint\limits_{D_4}\mathrm{d}x\mathrm{d}y$

$$=S_{D_2}+2S_{D_3}+3S_{D_4}=S_{D_1}+S_{D_2}+2S_{D_3}+2S_{D_4}=\frac{3}{2}S_D=6.$$

【3976】 $\displaystyle\iint\limits_{x^2\leqslant y\leqslant 4}\sqrt{[y-x^2]}\mathrm{d}x\mathrm{d}y.$

解 如图 8.32 所示.

当 $x^2\leqslant y<x^2+1$ 时，$[y-x^2]=0$；

当 $1+x^2\leqslant y<x^2+2$ 时，$[y-x^2]=1$；

当 $2+x^2\leqslant y<x^2+3$ 时，$[y-x^2]=2$；

当 $3+x^2\leqslant y<4$ 时，$[y-x^2]=3$.

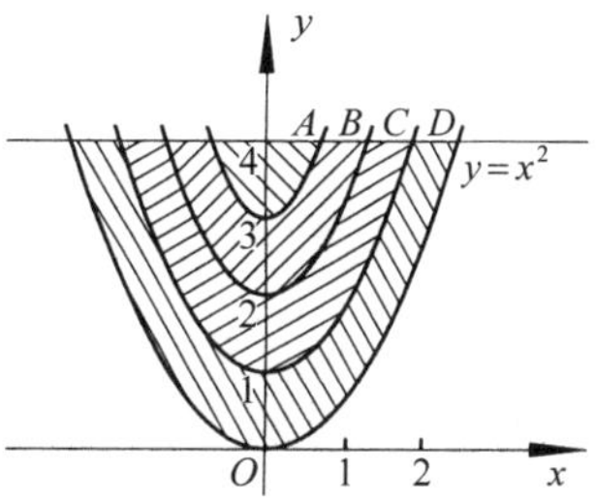

图 8.32

抛物线 $y=x^2+3$，$y=x^2+2$，$y=x^2+1$ 及 $y=x^2$ 与直线 $y=4$ 在第一象限内的交点分别为 $A(1,4)$，$B(\sqrt{2},4)$，$C(\sqrt{3},4)$ 及 $D(2,4)$，与 Oy 轴对称的位置还有四个交点. 于是

$$\iint\limits_{x^2\leqslant y\leqslant 4}\sqrt{[y-x^2]}\mathrm{d}x\mathrm{d}y$$

$$=2\left(\int_{0}^{\sqrt{2}}\mathrm{d}x\int_{x^2+1}^{x^2+2}\mathrm{d}y+\int_{\sqrt{2}}^{\sqrt{3}}\mathrm{d}x\int_{x^2+1}^{4}\mathrm{d}y\right)+2\sqrt{2}\left(\int_{0}^{1}\mathrm{d}x\int_{x^2+2}^{x^2+3}\mathrm{d}y+\int_{1}^{\sqrt{2}}\mathrm{d}x\int_{x^2+2}^{4}\mathrm{d}y\right)+2\sqrt{3}\int_{0}^{1}\mathrm{d}x\int_{x^2+3}^{4}\mathrm{d}y$$

$$=2\sqrt{2}+2\int_{\sqrt{2}}^{\sqrt{3}}(3-x^2)\mathrm{d}x+2\sqrt{2}+2\sqrt{2}\int_{1}^{\sqrt{2}}(2-x^2)\mathrm{d}x+2\sqrt{3}\int_{0}^{1}(1-x^2)\mathrm{d}x$$

$$=\frac{4}{3}(4+4\sqrt{3}-3\sqrt{2}).$$

习题 3977—3983 二重积分的综合应用

【3977】 设 m 及 n 为正整数，且其中至少有一个是奇数，证明：

$$\iint\limits_{x^2+y^2\leqslant a^2}x^my^n\mathrm{d}x\mathrm{d}y=0.$$

证 不妨设 n 为奇数，作变换 $x=r\cos\theta$，$y=r\sin\theta$，则得

$$\iint\limits_{x^2+y^2\leqslant a^2}x^my^n\mathrm{d}x\mathrm{d}y=0=\iint\limits_{\substack{0\leqslant\theta\leqslant 2\pi\\0\leqslant r\leqslant a}}r^{m+n+1}\cos^m\theta\sin^n\theta\mathrm{d}r\mathrm{d}\theta=\frac{a^{m+n+2}}{m+n+2}\int_{0}^{2\pi}\cos^m\theta\sin^n\theta\mathrm{d}\theta$$

$$=\frac{a^{m+n+2}}{m+n+2}\int_{-\pi}^{\pi}\cos^m\theta\sin^n\theta\mathrm{d}\theta=0,$$

其中用到被积函数在对称区间$[-\pi,\pi]$上为奇函数，故积分为零.

【3978】 求$\lim\limits_{\rho\to 0}\dfrac{1}{\pi\rho^2}\iint\limits_{x^2+y^2\leqslant\rho^2} f(x,y)\mathrm{d}x\mathrm{d}y$，其中$f(x,y)$为连续函数.

解 利用积分中值定理，即得

$$\iint\limits_{x^2+y^2\leqslant\rho^2} f(x,y)\mathrm{d}x\mathrm{d}y = f(\xi,\eta)\iint\limits_{x^2+y^2\leqslant\rho^2}\mathrm{d}x\mathrm{d}y = \pi\rho^2 f(\xi,\eta),$$

其中点(ξ,η)为圆域$x^2+y^2\leqslant\rho^2$内的一点. 显然，当$\rho\to 0$时，点$(\xi,\eta)\to(0,0)$. 于是，根据函数$f(x,y)$的连续性知

$$\lim_{\rho\to 0}\frac{1}{\pi\rho^2}\iint\limits_{x^2+y^2\leqslant\rho^2} f(x,y)\mathrm{d}x\mathrm{d}y = \lim_{\rho\to 0} f(\xi,\eta) = f(0,0).$$

【3979】 设$F(t)=\iint\limits_{\substack{0\leqslant x\leqslant t\\0\leqslant y\leqslant t}} \mathrm{e}^{-\frac{tx}{y^2}}\mathrm{d}x\mathrm{d}y$，求$F'(t)$.

解 令$x=ut$，$y=vt$，则$F(t)=t^2\iint\limits_{\substack{0\leqslant u\leqslant 1\\0\leqslant v\leqslant 1}}\mathrm{e}^{-\frac{u}{v^2}}\mathrm{d}u\mathrm{d}v$，从而右端积分收敛(实际上可视为常义积分). 故

$$F'(t)=2t\iint\limits_{\substack{0\leqslant u\leqslant 1\\0\leqslant v\leqslant 1}}\mathrm{e}^{-\frac{u}{v^2}}\mathrm{d}u\mathrm{d}v=\frac{2}{t}F(t)\ (t>0).$$

注 本题原为$F(t)=\iint\limits_{\substack{0\leqslant x\leqslant t\\0\leqslant y\leqslant t}}\mathrm{e}^{\frac{tx}{y^2}}\mathrm{d}x\mathrm{d}y$，这里的二重积分是广义二重积分. 当$t>0$时，在$x>0$，$y=0$上被积函数为无穷大，而且这个广义二重积分是发散的，所以将原题做了修改.

【3980】 设$F(t)=\iint\limits_{(x-t)^2+(y-t)^2\leqslant 1}\sqrt{x^2+y^2}\,\mathrm{d}x\mathrm{d}y$，求$F'(t)$.

解 作变量代换$x=u+t$，$y=v+t$(t固定)，则

$$F(t)=\iint\limits_{u^2+v^2\leqslant 1}\sqrt{(u+t)^2+(v+t)^2}\,\mathrm{d}u\mathrm{d}v. \qquad ①$$

在积分号下求导数，得

$$F'(t)=\iint\limits_{u^2+v^2\leqslant 1}\frac{u+t+v+t}{\sqrt{(u+t)^2+(v+t)^2}}\mathrm{d}u\mathrm{d}v=\iint\limits_{(x-t)^2+(y-t)^2\leqslant 1}\frac{x+y}{\sqrt{x^2+y^2}}\mathrm{d}x\mathrm{d}y\ (-\infty<t<+\infty).$$

当$(u,v)=(-t,-t)$时，易知$f_t'(u,v,t)$不存在，但右导数存在且等于$\sqrt{2}$，左导数也存在且等于$-\sqrt{2}$. 由于对任何数a,b，有$a^2+b^2\geqslant 2ab$，故$2(a^2+b^2)\geqslant(a+b)^2$，从而$\dfrac{|a+b|}{\sqrt{a^2+b^2}}\leqslant\sqrt{2}$. 于是

$$|f_t'(u,v,t)|\leqslant\sqrt{2}\ ((u,v)\neq(-t,-t)). \qquad ②$$

若$|t|>\dfrac{1}{\sqrt{2}}$，这时$f(u,v,t)$，$f_t'(u,v,t)$(t固定)都是区域$u^2+v^2\leqslant 1$上的连续函数，当然可在积分号下求导数，得

$$F'(t)=\iint\limits_{u^2+v^2\leqslant 1}f_t'(u,v,t)\mathrm{d}u\mathrm{d}v. \qquad ③$$

若$|t|\leqslant\dfrac{1}{\sqrt{2}}$，则③式右端积分的被积函数$f_t'(u,v,t)$在积分域$u^2+v^2\leqslant 1$中的点$(u,v)=(-t,-t)$不连续. 因此，不能立即断定③式的正确性. 下面不论t为何值$(-\infty<t<+\infty)$，直接证明③式成立，令

$$g(t)=\iint\limits_{u^2+v^2\leqslant 1} f'_t(u,v,t)\mathrm{d}u\mathrm{d}v(-\infty<t<+\infty). \qquad ④$$

由 ② 式知$f'_t(u,v,t)$有界，且在区域$u^2+v^2\leqslant 1$上至多有一个不连续点（t固定），故 ④ 式右端的积分存在. 实际上，利用 ② 式以及$f'_t(u,v,t)$当$(u,v)\neq(-t,-t)$时的连续性，用（必要时，即$|t|\leqslant\dfrac{1}{\sqrt{2}}$时）挖掉以点$(-t,-t)$为中心的小圆域的方法，不难证明$g(t)$是$(-\infty,+\infty)$上的连续函数（详细证明留给读者）. 令

$$G(t)=\int_0^t g(s)\mathrm{d}s(-\infty<t<+\infty),$$

则

$$G'(t)=g(t)(-\infty<t<+\infty). \qquad ⑤$$

但

$$\begin{aligned}G(t)&=\int_0^x \mathrm{d}s\iint\limits_{u^2+v^2\leqslant 1} f'_t(u,v,s)\mathrm{d}u\mathrm{d}v\\&=\iiint\limits_{\substack{u^2+v^2\leqslant 1\\0\leqslant s\leqslant t}} f'_t(u,v,s)\mathrm{d}u\mathrm{d}v\mathrm{d}s=\iint\limits_{u^2+v^2\leqslant 1}\mathrm{d}u\mathrm{d}v\int_0^t f'_t(u,v,s)\mathrm{d}s.\end{aligned} \qquad ⑥$$

注意，⑥ 式中的运算是合理的，因为三维区域$u^2+v^2\leqslant 1,0\leqslant s\leqslant t$（$t$固定）中，三元函数$f'_t(u,v,t)$有界且只在直线$u=v=-s$的一段上不连续，从而 ⑥ 式中的三重积分及两个累次积分都存在，故它们相等.

下证恒有

$$\int_0^t f'_t(u,v,s)\mathrm{d}s=f(u,v,t)-f(u,v,0). \qquad ⑦$$

事实上，若$(u,v)\neq(-t_1,-t_1)$（$t_1\in[0,t]$），则$f'_t(u,v,t)$是$0\leqslant s\leqslant t$上的连续函数（u,v固定），从而 ⑦ 式成立；若$(u,v)=(-t_1,-t_1)$（t_1是属于$[0,t]$中的某数），则由$f(u,v,s)$对任何u,v,s的连续性，有

$$\begin{aligned}\int_0^t f'_t(u,v,s)\mathrm{d}s&=\lim_{\varepsilon\to 0^+}\int_0^{t_1-\varepsilon} f'_t(u,v,s)\mathrm{d}s+\lim_{\varepsilon_1\to 0^+}\int_{t_1+\varepsilon_1}^t f'_t(u,v,s)\mathrm{d}s\\&=\lim_{\varepsilon\to 0^+}[f(u,v,t_1-\varepsilon)-f(u,v,0)]+\lim_{\varepsilon_1\to 0^+}[f(u,v,t)-f(u,v,t_1+\varepsilon_1)]\\&=f(u,v,t_1)-f(u,v,0)+f(u,v,t)-f(u,v,t_1)\\&=f(u,v,t)-f(u,v,0).\end{aligned}$$

故 ⑦ 式恒成立. 代入 ⑥ 式，得

$$G(t)=\iint\limits_{u^2+v^2\leqslant 1}[f(u,v,t)-f(u,v,0)]\mathrm{d}u\mathrm{d}v=F(t)-F(0)\ (-\infty<t<+\infty).$$

由此，再注意到 ⑤ 式，即知$F'(t)$存在，且

$$F'(t)=G'(t)=g(t)=\iint\limits_{u^2+v^2\leqslant 1} f'_t(u,v,t)\mathrm{d}u\mathrm{d}v\ (-\infty<t<+\infty),$$

即 ③ 式成立.

注 要注意积分号下求导数的合理性，证明如下：令

$$f(u,v,t)=\sqrt{(u+t)^2+(v+t)^2},$$

则

$$f'_t(u,v,t)=\frac{u+t+v+t}{\sqrt{(u+t)^2+(v+t)^2}}((u,v)\neq(-t,-t)).$$

【3981】 设$F(t)=\iint\limits_{x^2+y^2\leqslant t^2} f(x,y)\mathrm{d}x\mathrm{d}y\ (t>0)$，求$F'(t)$.

解 令 $x=r\cos\theta, y=r\sin\theta$，则

$$F(t)=\int_0^t \mathrm{d}r\int_0^{2\pi} f(r\cos\theta, r\sin\theta)r\mathrm{d}\theta,$$

故得

$$F'(t)=\int_0^{2\pi} f(t\cos\theta, t\sin\theta)t\mathrm{d}\theta.$$

注 此题应假定 $f(x,y)$ 是连续函数.

【3982】 证明：若 $f(x,y)$ 连续，则函数

$$u(x,y)=\frac{1}{2}\int_0^x \mathrm{d}\xi\int_{\xi-x+y}^{x+y-\xi} f(\xi,\eta)\mathrm{d}\eta$$

满足方程$\dfrac{\partial^2 u}{\partial x^2}-\dfrac{\partial^2 u}{\partial y^2}=f(x,y)$.

证 利用含参变量的常义积分求导数的公式，得

$$\frac{\partial u}{\partial x}=\frac{1}{2}\int_0^x[f(\xi,x+y-\xi)-(-1)f(\xi,\xi-x+y)]\mathrm{d}\xi+\frac{1}{2}\int_{x-x+y}^{x+y-x} f(x,\eta)d\eta$$

$$=\frac{1}{2}\int_0^x[f(\xi,x+y-\xi)+f(\xi,\xi-x+y)]\mathrm{d}\xi,$$

$$\frac{\partial^2 u}{\partial x^2}=\frac{1}{2}\int_0^x[f'_y(\xi,x+y-\xi)-f'_y(\xi,\xi-x+y)]\mathrm{d}\xi+f(x,y).$$

同理，有

$$\frac{\partial u}{\partial y}=\frac{1}{2}\int_0^x[f(\xi,x+y-\xi)-f(\xi,\xi-x+y)]\mathrm{d}\xi,$$

$$\frac{\partial^2 u}{\partial y^2}=\frac{1}{2}\int_0^x[f'_y(\xi,x+y-\xi)-f'_y(\xi,\xi-x+y)]\mathrm{d}\xi.$$

于是，得$\dfrac{\partial^2 u}{\partial x^2}-\dfrac{\partial^2 u}{\partial y^2}=f(x,y)$.

注 显然本题还应假定 $f'_y(x,y)$ 存在且连续.

【3983】 设 $f(x,y)$ 的等值线是简单封闭曲线，区域 $S(v_1,v_2)$ 由曲线 $f(x,y)=v_1$ 及 $f(x,y)=v_2$ 围成. 证明：

$$\iint\limits_{S(v_1,v_2)} f(x,y)\mathrm{d}x\mathrm{d}y=\int_{v_1}^{v_2} vF'(v)\mathrm{d}v,$$

其中 $F(v)$ 为曲线 $f(x,y)=v_1$ 与 $f(x,y)=v_2$ 所包围的面积.

证 作$[v_1,v_2]$的任一分划 $T: v_1=v'_0<v'_1<\cdots<v'_i<\cdots<v'_n=v_2$. 令 $\mathrm{d}(T)=\max\limits_{1\leqslant i\leqslant n}\Delta v_i$，这里 $\Delta v_i=v'_i-v'_{i-1}(i=1,2,\cdots,n)$. 于是，由积分中值定理（这里假定了 $f(x,y)$ 在 $S(v_1,v_2)$ 上连续）知

$$\iint\limits_{S(v_1,v_2)} f(x,y)\mathrm{d}x\mathrm{d}y=\sum_{i=1}^n\iint\limits_{S(v'_{i-1},v'_i)} f(x,y)\mathrm{d}x\mathrm{d}y=\sum_{i=1}^n f(\bar{x}_i,\bar{y}_i)\Delta S_i,$$

其中 ΔS_i 表小环形域 $S(v'_{i-1},v'_i)$（如图 8.33 阴影部分所示）的面积，$\bar{P}(\bar{x}_i,\bar{y}_i)\in S(v'_{i-1},v'_i)$.

令 $v_i^*=f(\bar{x}_i,\bar{y}_i)$，则$v'_{i-1}\leqslant v_i^*\leqslant v'_i$. 又显然（利用微分中值定理）有

$$\Delta S_i=F(v'_i)-F(v'_{i-1})=F'(\bar{v}_i)(v'_i-v'_{i-1})$$

$$=F'(\bar{v}_i)\Delta v_i(i=1,2,\cdots,n),$$

其中$v'_{i-1} \leqslant \bar{v}_i \leqslant v'_i$. 这里假定$F'(v)$在$[v_1, v_2]$上存在且可积，于是它有界，即

$$|F'(v)| \leqslant M = \text{常数}(v_1 \leqslant v \leqslant v_2). \quad ①$$

从而有

$$\iint_{S(v_1,v_2)} f(x,y)\mathrm{d}x\mathrm{d}y = \sum_{i=1}^{n} v_i^* F'(\bar{v}_i)\Delta v_i = I_1 + I_2, \quad ②$$

其中$I_1 = \sum_{i=1}^{n} \bar{v}_i F'(\bar{v}_i)\Delta v_i$，$I_2 = \sum_{i=1}^{n} (v_i^* - \bar{v}_i)F'(\bar{v}_i)\Delta v_i$.

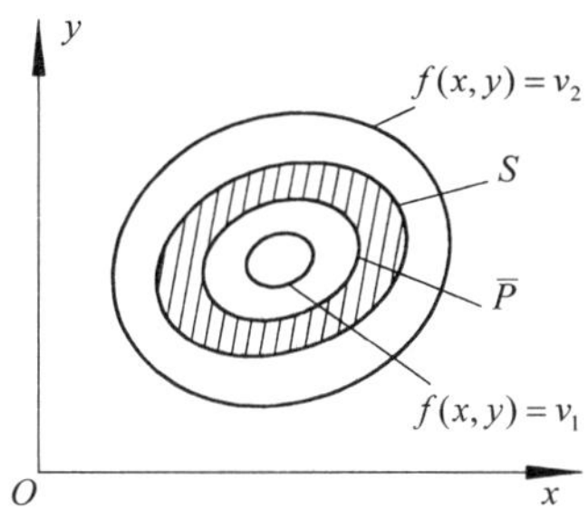

图 8.33

由于$F'(v)$在$[v_1, v_2]$上可积，故$vF'(v)$也在$[v_1, v_2]$上可积. 因此

$$\lim_{d(T)\to 0} I_1 = \lim_{d(T)\to 0} \sum_{i=1}^{n} \bar{v}_i F'(\bar{v}_i)\Delta v_i = \int_{v_1}^{v_2} vF'(v)\mathrm{d}v. \quad ③$$

另一方面，由①式知

$$|I_2| \leqslant M\mathrm{d}(T)\sum_{i=1}^{n}\Delta v_i = M(v_2 - v_1)\mathrm{d}(T),$$

故

$$\lim_{d(T)\to 0} I_2 = 0. \quad ④$$

在②式两端令$\mathrm{d}(T) \to 0$取极限（注意②式左端是常数），并注意到③式与④式，即得

$$\iint_{S(v_1,v_2)} f(x,y)\mathrm{d}x\mathrm{d}y = \int_{v_1}^{v_2} vF'(v)\mathrm{d}v.$$

注 本题应假定$f(x,y)$在$S(v_1,v_2)$上连续，$F'(v)$在$[v_1,v_2]$上存在并且可积.

第2节 面积的计算法（习题3984—4004）

知识点预览

序号	知识点	题目序号	所在页码
1	用直角坐标计算面积	3984—3986	P29
2	用极坐标计算面积	3987—3990	P30
3	用广义极坐标计算面积	3991—3995	P33
4	用一般的变量替换计算面积	3996—4004	P36

知识点1 用直角坐标计算面积

定理 xOy平面上区域D的面积为：$S = \iint_D \mathrm{d}x\mathrm{d}y$.

习题 3984—3986 用直角坐标计算曲线所围区域的面积

【求下列曲线所围区域的面积(3984—3986)】

【3984】 $xy=a^2, x+y=\frac{5a}{2}(a>0)$.

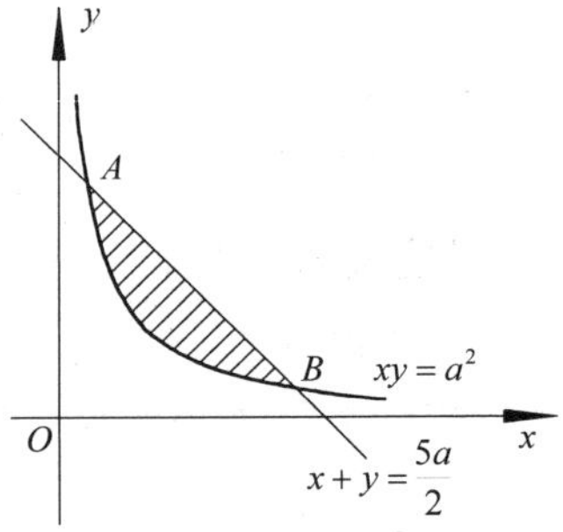

图 8.34

解 两曲线的交点为 $A\left(\frac{a}{2},2a\right)$ 和 $B\left(2a,\frac{a}{2}\right)$(图 8.34),故所求面积为

$$S=\int_{\frac{a}{2}}^{2a}\mathrm{d}x\int_{\frac{a^2}{x}}^{\frac{5a}{2}-x}\mathrm{d}y=\frac{15}{8}a^2-2a^2\ln 2.$$

【3985】 $y^2=2px+p^2, y^2=-2qx+q^2(p>0,q>0)$.

解 曲线的交点为 $A\left(\frac{q-p}{2},\sqrt{pq}\right)$ 和 $B\left(\frac{q-p}{2},-\sqrt{pq}\right)$(图 8.35),由对称性知,所求面积为

$$S=2\int_0^{\sqrt{pq}}\mathrm{d}y\int_{\frac{y^2-p^2}{2p}}^{\frac{q^2-y^2}{2q}}\mathrm{d}x=\frac{2}{3}(p+q)\sqrt{pq}.$$

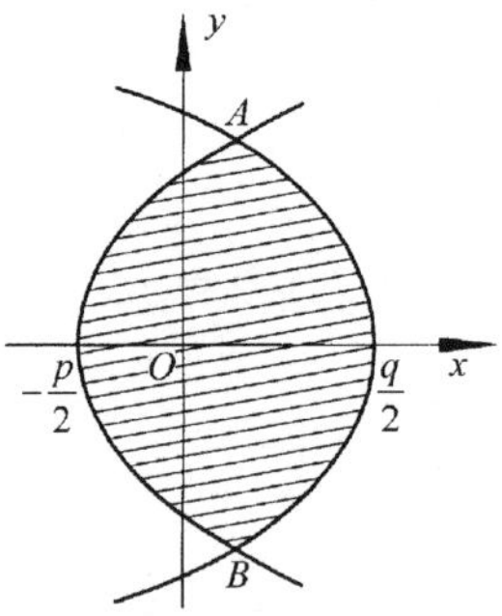

图 8.35

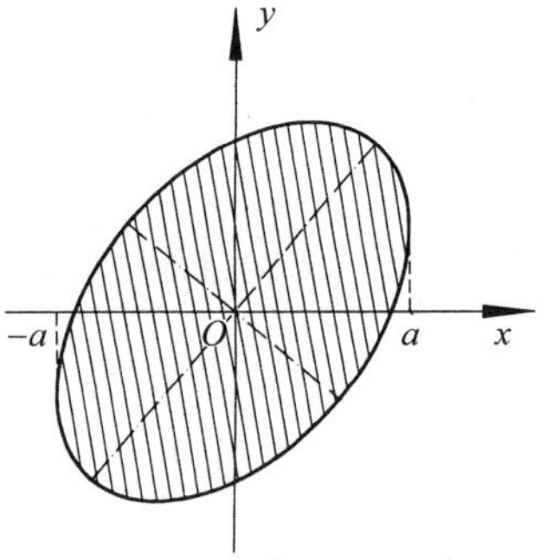

图 8.36

【3986】 $(x-y)^2+x^2=a^2(a>0)$.

解 如图 8.36 所示. 所求面积的区域为

$$-a\leqslant x\leqslant a, x-\sqrt{a^2-x^2}\leqslant y\leqslant x+\sqrt{a^2-x^2}.$$

于是,所求的面积为

$$S=\int_{-a}^{a}\mathrm{d}x\int_{x-\sqrt{a^2-x^2}}^{x+\sqrt{a^2-x^2}}\mathrm{d}y=4\int_0^a\sqrt{a^2-x^2}\,\mathrm{d}x=\pi a^2.$$

知识点 2 用极坐标计算面积

定理 当积分区域是圆域、圆域的一部分或者被积函数形式为 $f(x^2+y^2)$、$f\left(\frac{y}{x}\right)$、$f\left(\frac{x}{y}\right)$ 时,常采用极坐标变换

$$T:\begin{cases}x=r\cos\theta,\\ y=r\sin\theta,\end{cases}0\leqslant r<+\infty, 0\leqslant\theta\leqslant 2\pi,$$

于是

$$|J|=r,\quad S=\iint\limits_{D}\mathrm{d}x\mathrm{d}y=\iint\limits_{D'}r\mathrm{d}r\mathrm{d}\theta.$$

习题 3987—3990 用极坐标计算曲线所围区域的面积

【变换为极坐标，计算下列曲线所围区域的面积(3987—3990)】

【3987】 $(x^2+y^2)^2=2a^2(x^2-y^2),x^2+y^2\geqslant a^2.$

解 第一条曲线的极坐标方程为 $r^2=2a^2\cos 2\theta,r\geqslant a$. 两条曲线在第一象限内的交点为 $\left(a,\frac{\pi}{6}\right)$(极坐标下)，如图 8.37 所示. 利用对称性，得所求面积为

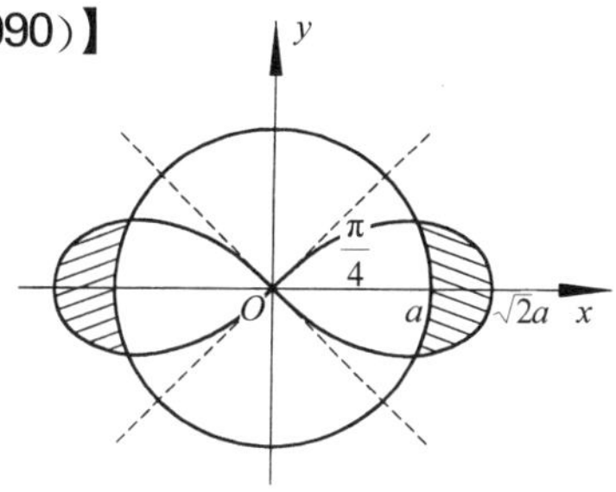

图 8.37

$$S=4\int_0^{\frac{\pi}{6}}\mathrm{d}\theta\int_a^{\sqrt{2a^2\cos 2\theta}}r\mathrm{d}r=2\int_0^{\frac{\pi}{6}}(2a^2\cos 2\theta-a^2)\mathrm{d}\theta=\frac{3\sqrt{3}-\pi}{3}a^2.$$

【3988】 $(x^3+y^3)^2=x^2+y^2,x\geqslant 0,y\geqslant 0.$

解 将方程化为极坐标方程，得 $(r^3\cos^3\theta+r^3\sin^3\theta)^2=r^2$，即

$$r^2=\frac{1}{\cos^3\theta+\sin^3\theta}\left(0\leqslant\theta\leqslant\frac{\pi}{2}\right).$$

曲线所围的面积为

$$S=\iint\limits_{D}r\mathrm{d}r\mathrm{d}\theta=\int_0^{\frac{\pi}{2}}\mathrm{d}\theta\int_0^{\sqrt{\frac{1}{\cos^3\theta+\sin^3\theta}}}r\mathrm{d}r=\frac{1}{2}\int_0^{\frac{\pi}{2}}\frac{\mathrm{d}\theta}{\cos^3\theta+\sin^3\theta},$$

由于

$$\frac{1}{\cos^3\theta+\sin^3\theta}=\frac{1}{3}\left(\frac{2}{\sin\theta+\cos\theta}+\frac{\sin\theta+\cos\theta}{1-\sin\theta\cos\theta}\right),$$

又

$$\int_0^{\frac{\pi}{2}}\frac{\mathrm{d}\theta}{\sin\theta+\cos\theta}=\frac{1}{\sqrt{2}}\int_0^{\frac{\pi}{2}}\frac{\mathrm{d}\theta}{\sin\left(\theta+\frac{\pi}{4}\right)}=\frac{1}{\sqrt{2}}\ln\tan\frac{\theta+\frac{\pi}{4}}{2}\Bigg|_0^{\frac{\pi}{2}}$$

$$=\frac{1}{\sqrt{2}}\left(\ln\tan\frac{3\pi}{8}-\ln\tan\frac{\pi}{8}\right)=\frac{1}{\sqrt{2}}\left(\ln\sqrt{\frac{\sqrt{2}+1}{\sqrt{2}-1}}-\ln\sqrt{\frac{\sqrt{2}-1}{\sqrt{2}+1}}\right)$$

$$=\sqrt{2}\ln(1+\sqrt{2}),$$

$$\int_0^{\frac{\pi}{2}}\frac{\sin\theta+\cos\theta}{1-\sin\theta\cos\theta}\mathrm{d}\theta=2\int_0^{\frac{\pi}{2}}\frac{\mathrm{d}\left(\frac{1}{2}\sin\theta-\frac{1}{2}\cos\theta\right)}{2\left(\frac{1}{2}\sin\theta-\frac{1}{2}\cos\theta\right)^2+\frac{1}{2}}$$

$$=2\arctan(\sin\theta-\cos\theta)\Big|_0^{\frac{\pi}{2}}=\pi,$$

于是，所求的面积为

$$S=\frac{1}{3}\int_0^{\frac{\pi}{2}}\frac{\mathrm{d}\theta}{\sin\theta+\cos\theta}+\frac{1}{6}\int_0^{\frac{\pi}{2}}\frac{\sin\theta+\cos\theta}{1-\sin\theta\cos\theta}\mathrm{d}\theta=\frac{\sqrt{2}}{3}\ln(1+\sqrt{2})+\frac{\pi}{6}.$$

【3989】 $(x^2+y^2)^2=a(x^3-3xy^2)(a>0).$

解 显然曲线关于 Ox 轴对称，故只要求出 $y\geqslant 0$ 的部分. 化为极坐标，方程为

$$r=a\cos\theta(4\cos^2\theta-3).$$

由于必须有 $x^3-3xy\geqslant 0$，故 $\cos\theta(4\cos^2\theta-3)\geqslant 0$，解得 $\cos\theta\geqslant\frac{\sqrt{3}}{2}$ 或 $-\frac{\sqrt{3}}{2}\leqslant\cos\theta\leqslant 0$，即

$$-\frac{\pi}{6}\leqslant\theta\leqslant\frac{\pi}{6},\ \frac{\pi}{2}\leqslant\theta\leqslant\frac{5\pi}{6},\ -\frac{5\pi}{6}\leqslant\theta\leqslant-\frac{\pi}{2}.$$

于是，在 Ox 轴的上方部分($y\geqslant 0$)为 $0\leqslant\theta\leqslant\frac{\pi}{6}$ 和 $\frac{\pi}{2}\leqslant\theta\leqslant\frac{5\pi}{6}$. 由此可知

$$\begin{aligned}S&=\iint\limits_D r\,\mathrm{d}r\mathrm{d}\theta=2\left(\frac{1}{2}\int_0^{\frac{\pi}{6}}r^2\,\mathrm{d}\theta+\frac{1}{2}\int_{\frac{\pi}{2}}^{\frac{5\pi}{6}}r^2\,\mathrm{d}\theta\right)\\&=\int_0^{\frac{\pi}{6}}a^2\cos^2\theta(4\cos^2\theta-3)^2\,\mathrm{d}\theta+\int_{\frac{\pi}{2}}^{\frac{5\pi}{6}}a^2\cos^2\theta(4\cos^2\theta-3)^2\,\mathrm{d}\theta.\end{aligned}$$

将上式右端第二个积分中作代换 $\theta=\pi-\varphi$，则

$$\int_{\frac{\pi}{2}}^{\frac{5\pi}{6}}a^2\cos^2\theta(4\cos^2\theta-3)^2\,\mathrm{d}\theta=\int_{\frac{\pi}{6}}^{\frac{\pi}{2}}a^2\cos^2\theta(4\cos^2\theta-3)^2\,\mathrm{d}\theta.$$

故

$$\begin{aligned}S&=\int_0^{\frac{\pi}{2}}a^2\cos^2\theta(4\cos^2\theta-3)^2\,\mathrm{d}\theta=a^2\int_0^{\frac{\pi}{2}}(16\cos^6\theta-24\cos^4\theta+9\cos^2\theta)\,\mathrm{d}\theta\\&=a^2\left(16\cdot\frac{5}{6}\cdot\frac{3}{4}\cdot\frac{1}{2}\cdot\frac{\pi}{2}-24\cdot\frac{3}{4}\cdot\frac{1}{2}\cdot\frac{\pi}{2}+9\cdot\frac{1}{2}\cdot\frac{\pi}{2}\right)=\frac{\pi a^2}{4}.\end{aligned}$$

【3990】 $(x^2+y^2)^2=8a^2xy,\ (x-a)^2+(y-a)^2\leqslant a^2\ (a>0)$.

解 将方程化为极坐标方程，得(双纽线)$r^4=8a^2r^2\cos\theta\sin\theta$，即 $r=2a\sqrt{\sin 2\theta}$；圆周 $(r\cos\theta-a)^2+(r\sin\theta-a)^2=a^2$，即 $r=a(\cos\theta+\sin\theta)\pm a\sqrt{\sin 2\theta}$.

显然，两条曲线关于射线 $\theta=\frac{\pi}{4}$ 是对称的. 令

$$2a\sqrt{\sin 2\theta}=a(\cos\theta+\sin\theta)-a\sqrt{\sin 2\theta},$$

解得交点的极角 $\theta=\frac{1}{2}\arcsin\frac{1}{8}$. 于是，所求的面积为

$$\begin{aligned}S&=\iint\limits_D r\,\mathrm{d}r\mathrm{d}\theta=\int_{\frac{1}{2}\arcsin\frac{1}{8}}^{\frac{\pi}{4}}\{(2a\sqrt{\sin 2\theta})^2-[a(\cos\theta+\sin\theta)-a\sqrt{\sin 2\theta}]^2\}\,\mathrm{d}\theta\\&=\int_{\frac{1}{2}\arcsin\frac{1}{8}}^{\frac{\pi}{4}}[2a^2\sin 2\theta+2a^2(\sin\theta+\cos\theta)\sqrt{\sin 2\theta}-a^2]\,\mathrm{d}\theta.\end{aligned}$$

注意到

$$\begin{aligned}\int(\sin\theta+\cos\theta)\sqrt{\sin 2\theta}\,\mathrm{d}\theta&=\int\sqrt{1-(\sin\theta-\cos\theta)^2}\,\mathrm{d}(\sin\theta-\cos\theta)\\&=\frac{1}{2}(\sin\theta-\cos\theta)\sqrt{\sin 2\theta}+\frac{1}{2}\arcsin(\sin\theta-\cos\theta)+C,\end{aligned}$$

即得

$$\begin{aligned}S&=a^2[-\cos 2\theta+(\sin\theta-\cos\theta)\sqrt{\sin 2\theta}+\arcsin(\sin\theta-\cos\theta)-\theta]\Big|_{\frac{1}{2}\arcsin\frac{1}{8}}^{\frac{\pi}{4}}\\&=a^2\left(-\frac{\pi}{4}+\frac{3\sqrt{7}}{8}+\frac{\sqrt{14}}{4}\sqrt{\frac{1}{8}}+\arcsin\frac{\sqrt{14}}{4}+\frac{1}{2}\arcsin\frac{1}{8}\right)\\&=a^2\left(\frac{\sqrt{7}}{2}+\arcsin\frac{\sqrt{14}}{4}-\frac{1}{2}\arccos\frac{1}{8}\right)=a^2\left(\frac{\sqrt{7}}{2}+\arcsin\frac{\sqrt{14}}{8}\right).\end{aligned}$$

容易证明：$\arcsin\frac{\sqrt{14}}{4}-\frac{1}{2}\arccos\frac{1}{8}=\arcsin\frac{\sqrt{14}}{8}$. 事实上

$$\sin\left(\arcsin\frac{\sqrt{14}}{8}+\frac{1}{2}\arccos\frac{1}{8}\right)=\frac{3\sqrt{14}}{32}+\frac{5\sqrt{14}}{32}=\frac{\sqrt{14}}{4}.$$

知识点3 用广义极坐标计算面积

定理1 与极坐标类似，可以作广义极坐标变换

$$T:\begin{cases}x = ar\cos\theta,\\ y = br\sin\theta,\end{cases} 0 \leqslant r < +\infty, 0 \leqslant \theta \leqslant 2\pi,$$

于是

$$|J| = abr, S = \iint_D \mathrm{d}x\mathrm{d}y = \iint_{D'} abr\,\mathrm{d}r\mathrm{d}\theta.$$

定理2 若引入广义极坐标

$$\begin{cases}x = ar\cos^{\alpha}\theta,\\ y = br\sin^{\alpha}\theta,\end{cases}$$

其中 $0 \leqslant r \leqslant +\infty, 0 < \theta < 2\pi, \alpha$ 为适当的常数，则

$$\frac{D(x,y)}{D(r,\theta)} = \alpha abr\cos^{\alpha-1}\theta\sin^{\alpha-1}\theta.$$

习题 3991—3995 用广义极坐标计算曲线所围区域的面积

【利用广义极坐标变换，求由下列曲线所围区域的面积(3991—3995)】

【3991】 $\dfrac{x^2}{a^2} + \dfrac{y^2}{b^2} = \dfrac{x}{h} + \dfrac{y}{k}$.

解 不失一般性，设 $k > 0, h > 0$. 令 $x = ar\cos\theta, y = br\sin\theta$，则方程化为

$$r = \frac{a}{h}\cos\theta + \frac{b}{k}\sin\theta.$$

由于 $r \geqslant 0$，故有 $\dfrac{a}{h}\cos\theta + \dfrac{b}{k}\sin\theta \geqslant 0$，因此，必有 $-\dfrac{\pi}{2} \leqslant \theta \leqslant \pi$. 同时，应有 $\cos\theta \geqslant 0$ 且 $\tan\theta \geqslant -\dfrac{ak}{bh}$ 或者 $\cos\theta < 0$ 且 $\tan\theta \leqslant -\dfrac{ak}{bh}$. 从而，极角 θ 应满足不等式 $-\arctan\dfrac{ak}{bh} \leqslant \theta \leqslant \pi - \arctan\dfrac{ak}{bh}$. 于是，曲线所围的面积为

$$\begin{aligned}S &= \iint_D abr\,\mathrm{d}r\mathrm{d}\theta = \frac{ab}{2}\int_{-\arctan\frac{ak}{bh}}^{\pi-\arctan\frac{ak}{bh}} \left(\frac{a}{h}\cos\theta + \frac{b}{k}\sin\theta\right)^2 \mathrm{d}\theta \\ &= \frac{ab}{2}\left(\frac{a^2}{h^2} + \frac{b^2}{k^2}\right)\int_{-\arctan\frac{ak}{bh}}^{\pi-\arctan\frac{ak}{bh}} \sin^2(\theta + \alpha_0)\mathrm{d}\theta,\end{aligned}$$

其中 $\alpha_0 = \arctan\dfrac{ak}{bh}$. 从而有

$$\begin{aligned}S &= \frac{ab}{2}\left(\frac{a^2}{h^2} + \frac{b^2}{k^2}\right)\left[\frac{\theta + \alpha_0}{2} - \frac{1}{4}\sin 2(\theta + \alpha_0)\right]\Bigg|_{-\arctan\frac{ab}{an}}^{\pi-\arctan\frac{ak}{bh}} \\ &= \frac{ab}{2}\left(\frac{a^2}{h^2} + \frac{b^2}{k^2}\right)\frac{\pi}{2} = \frac{\pi ab}{4}\left(\frac{a^2}{h^2} + \frac{b^2}{k^2}\right).\end{aligned}$$

【3992】 $\dfrac{x^3}{a^3} + \dfrac{y^3}{b^3} = \dfrac{x^2}{h^2} + \dfrac{y^2}{k^2}, x = 0, y = 0$.

解 令 $x = ar\cos\theta, y = br\sin\theta$，则方程化为

$$r = \frac{\left(\frac{a}{h}\right)^2\cos^2\theta + \left(\frac{b}{k}\right)^2\sin^2\theta}{\cos^3\theta + \sin^3\theta}.$$

于是,曲线所围的面积为

$$S=\iint\limits_{D}abr\,\mathrm{d}r\mathrm{d}\theta=\frac{ab}{2}\int_0^{\frac{\pi}{2}}r^2\mathrm{d}\theta$$

$$=\frac{ab}{2}\int_0^{\frac{\pi}{2}}\frac{\left(\frac{a}{h}\right)^4\cos^4\theta+\left(\frac{b}{k}\right)^4\sin^4\theta+2\left(\frac{a}{h}\right)^2\left(\frac{b}{k}\right)^2\cos^2\theta\sin^2\theta}{(\cos^3\theta+\sin^3\theta)^2}\mathrm{d}\theta.$$

根据 *И. М.* 雷日克、*И. С.* 格拉德什坦编著的《函数表与积分表》2. 125、2. 126 知:

$$\int\frac{\cos^4\theta\mathrm{d}\theta}{(\cos^3\theta+\sin^3\theta)^2}=\int\frac{1}{(1+\tan^3\theta)^2}\mathrm{d}(\tan\theta)$$

$$=\frac{\tan\theta}{3(1+\tan^3\theta)}+\frac{2}{9}\left[\frac{1}{2}\ln\frac{(\tan\theta+1)^2}{\tan^2\theta-\tan\theta+1}+\sqrt{3}\arctan\frac{2\tan\theta-1}{\sqrt{3}}\right]+C.$$

从而

$$\frac{ab}{2}\int_0^{\frac{\pi}{2}}\frac{\left(\frac{a}{h}\right)^4\cos^4\theta}{(\cos^3\theta+\sin^3\theta)^2}\mathrm{d}\theta$$

$$=\frac{ab}{2}\left(\frac{a}{h}\right)^4\Bigg|_0^{\frac{\pi}{2}-}\left\{\frac{\tan\theta}{3(1+\tan^3\theta)}+\frac{2}{9}\left[\frac{1}{2}\ln\frac{(\tan\theta+1)^2}{\tan^2\theta-\tan\theta+1}+\sqrt{3}\arctan\frac{2\tan\theta-1}{\sqrt{3}}\right]\right\}\Bigg|_0^{\frac{\pi}{2}-}$$

$$=\frac{ab}{2}\left(\frac{a}{h}\right)^4\cdot\frac{2\sqrt{3}}{9}\left(\frac{\pi}{2}+\frac{\pi}{6}\right)=\frac{2\pi ab}{9\sqrt{3}}\left(\frac{a}{h}\right)^4.$$

又

$$\int\frac{\sin^4\theta}{(\cos^3\theta+\sin^3\theta)^2}\mathrm{d}\theta=\int\frac{\tan^4\theta}{(1+\tan^3\theta)^2}\mathrm{d}(\tan\theta)=\frac{\tan^5\theta}{3(1+\tan^3\theta)}-\frac{2}{3}\int\frac{\tan^4\theta}{1+\tan^3\theta}\mathrm{d}(\tan\theta)$$

$$=\frac{\tan^5\theta}{3(1+\tan^3\theta)}-\frac{2}{3}\left\{\frac{\tan^2\theta}{2}+\frac{1}{3}\left[\frac{1}{2}\ln\frac{(\tan\theta+1)^2}{\tan^2\theta-\tan\theta+1}-\sqrt{3}\arctan\frac{2\tan\theta-1}{\sqrt{3}}\right]\right\}+C,$$

从而

$$\frac{ab}{2}\int_0^{\frac{\pi}{2}}\frac{\left(\frac{b}{k}\right)^4\sin^4\theta}{(\cos^3\theta+\sin^3\theta)^2}\mathrm{d}\theta$$

$$=\frac{ab}{2}\left(\frac{b}{k}\right)^4\left\{\frac{\tan^5\theta}{3(1+\tan^3\theta)}-\frac{\tan^2\theta}{3}-\frac{2}{9}\left[\frac{1}{2}\ln\frac{(\tan\theta+1)^2}{\tan^2\theta-\tan\theta+1}-\sqrt{3}\arctan\frac{2\tan\theta-1}{\sqrt{3}}\right]\right\}\Bigg|_0^{\frac{\pi}{2}-}$$

$$=\frac{ab}{2}\left(\frac{b}{k}\right)^4\cdot\frac{2\sqrt{3}}{9}\left(\frac{\pi}{2}+\frac{\pi}{6}\right)=\frac{2\pi ab}{9\sqrt{3}}\left(\frac{b}{k}\right)^4.$$

此外,还有

$$\int\frac{\cos^2\theta\sin^2\theta}{(\cos^3\theta+\sin^3\theta)^2}\mathrm{d}\theta=\int\frac{\tan^2\theta}{(1+\tan^3\theta)^2}\mathrm{d}(\tan\theta)=-\frac{1}{3(1+\tan^3\theta)}+C,$$

从而

$$\frac{ab}{2}\int_0^{\frac{\pi}{2}}\frac{2\left(\frac{a}{h}\right)^2\left(\frac{b}{k}\right)^2\cos^2\theta\sin^2\theta}{(\cos^3\theta+\sin^3\theta)^2}\mathrm{d}\theta=ab\left(\frac{a}{h}\right)^2\left(\frac{b}{k}\right)^2\left[-\frac{1}{3(1+\tan^3\theta)}\right]\Bigg|_0^{\frac{\pi}{2}-}=\frac{ab}{3}\left(\frac{a}{h}\right)^2\left(\frac{b}{k}\right)^2.$$

于是,曲线所围的面积为

$$S=\frac{2\pi ab}{9\sqrt{3}}\left(\frac{a}{h}\right)^4+\frac{2\pi ab}{9\sqrt{3}}\left(\frac{b}{k}\right)^4+\frac{ab}{3}\left(\frac{a}{h}\right)^2\left(\frac{b}{k}\right)^2=\frac{ab}{3}\left[\frac{2\pi}{3\sqrt{3}}\left(\frac{a^4}{h^4}+\frac{b^4}{k^4}\right)+\frac{a^2b^2}{h^2k^2}\right].$$

【3993】 $\left(\frac{x}{a}+\frac{y}{b}\right)^4=\frac{x^2}{h^2}+\frac{y^2}{k^2}\,(x>0,y>0)$.

解　方法一　令 $x=ar\cos\theta,y=br\sin\theta$,则方程化为

$$r^2=\frac{\left(\frac{a}{h}\right)^2\cos^2\theta+\left(\frac{b}{k}\right)^2\sin^2\theta}{(\cos\theta+\sin\theta)^4}\left(0\leqslant\theta\leqslant\frac{\pi}{2}\right).$$

于是,曲线所围的面积为

$$S=\iint_D abr\,\mathrm{d}r\mathrm{d}\theta=\frac{ab}{2}\int_0^{\frac{\pi}{2}}\frac{\left(\frac{a}{h}\right)^2\cos^2\theta+\left(\frac{b}{k}\right)^2\sin^2\theta}{(\cos\theta+\sin\theta)^4}\mathrm{d}\theta.$$

注意到

$$\int\frac{\cos^2\theta}{(\cos\theta+\sin\theta)^4}\mathrm{d}\theta=\int\frac{1}{(1+\tan\theta)^4}\mathrm{d}(\tan\theta)=-\frac{1}{3(1+\tan\theta)^3}+C,$$

$$\int\frac{\sin^2\theta}{(\cos\theta+\sin\theta)^4}\mathrm{d}\theta=\int\frac{\tan^2\theta}{(1+\tan\theta)^4}\mathrm{d}(\tan\theta)=\int\frac{(\tan\theta-1)(\tan\theta+1)+1}{(1+\tan\theta)^4}\mathrm{d}(\tan\theta)$$

$$=\int\frac{1}{(1+\tan\theta)^2}\mathrm{d}(\tan\theta)-2\int\frac{1}{(1+\tan\theta)^3}\mathrm{d}(\tan\theta)+\int\frac{1}{(1+\tan\theta)^4}\mathrm{d}(\tan\theta)$$

$$=-\frac{1}{1+\tan\theta}+\frac{1}{(1+\tan\theta)^2}-\frac{1}{3}\frac{1}{(1+\tan\theta)^3}+C,$$

于是,所求的面积为

$$S=\frac{ab}{2}\left(\frac{a}{h}\right)^2\left[-\frac{1}{3(1+\tan\theta)^3}\right]\Bigg|_0^{\frac{\pi}{2}-}+\frac{ab}{2}\left(\frac{b}{k}\right)^2\left[-\frac{1}{1+\tan\theta}+\frac{1}{(1+\tan\theta)^2}-\frac{1}{3(1+\tan\theta)^3}\right]\Bigg|_0^{\frac{\pi}{2}-}$$

$$=\frac{ab}{6}\left(\frac{a^2}{h^2}+\frac{b^2}{k^2}\right).$$

方法二 令 $x=hr\cos\theta, y=kr\sin\theta$,则方程化为

$$r^2=\frac{1}{\left(\frac{h}{a}\cos\theta+\frac{k}{b}\sin\theta\right)}=\left[\frac{a^2b^2}{(hb)^2+(ka)^2}\right]^2\frac{1}{\sin^4(\theta+\alpha)}\left(0\leqslant\theta\leqslant\frac{\pi}{2}\right),$$

其中 $\tan\alpha=\frac{hb}{ka}$. 于是,由 2016 题的结果,曲线所围的面积为

$$S=\iint_D hkr\,\mathrm{d}r\mathrm{d}\theta=\frac{hka^4b^4}{[(hb)^2+(ka)^2]^2}\cdot\frac{1}{2}\int_0^{\frac{\pi}{2}}\frac{1}{\sin^4(\theta+\alpha)}\mathrm{d}\theta$$

$$=\frac{hka^4b^4}{[(hb)^2+(ka)^2]^2}\left[-\frac{1}{6}\frac{\cos(\theta+\alpha)}{\sin(\theta+\alpha)}-\frac{1}{3}\frac{\cos(\theta+\alpha)}{\sin(\theta+\alpha)}\right]\Bigg|_0^{\frac{\pi}{2}}$$

$$=\frac{hka^4b^4}{[(hb)^2+(ka)^2]^2}\left[\frac{1}{6}\left(\frac{\sin\alpha}{\cos^3\alpha}+\frac{\cos\alpha}{\sin^3\alpha}\right)+\frac{1}{3}(\tan\alpha+\cot\alpha)\right]$$

$$=\frac{hka^4b^4}{[(hb)^2+(ka)^2]^2}\cdot\frac{1}{6}\frac{[(hb)^2+(ka)^2]^3}{(hbka)^3}=\frac{ab}{6}\left(\frac{a^2}{h^2}+\frac{b^2}{k^2}\right).$$

注 由 $\tan\alpha=\frac{hb}{ka}$ 知:$\cot\alpha=\frac{ka}{hb}$, $\sin\alpha=\frac{hb}{\sqrt{(hb)^2+(ka)^2}}$, $\cos\alpha=\frac{ka}{\sqrt{(hb)^2+(ka)^2}}$.

【3994】 $\left(\frac{x}{a}+\frac{y}{b}\right)^4=\frac{x^2}{h^2}-\frac{y^2}{k^2}(x>0,y>0)$.

解 令 $x=ar\cos\theta, y=br\sin\theta$,则方程化为

$$r^2=\frac{\left(\frac{a}{h}\right)^2\cos^2\theta-\left(\frac{b}{k}\right)^2\sin^2\theta}{(\cos\theta-\sin\theta)^4}.$$

由于

$$\left(\frac{a}{h}\right)^2\cos^2\theta-\left(\frac{b}{k}\right)^2\sin^2\theta\geqslant0, \left(\frac{ak}{bh}\right)^2\geqslant\tan^2\theta,$$

注意到 $0\leqslant\theta\leqslant\frac{\pi}{2}$,可知极角的变化区间为 $0\leqslant\theta\leqslant\arctan\frac{ak}{bh}$.

于是,注意利用上题中两个不定积分的结果,即得曲线所围的面积为

$$S=\iint_D abr\,\mathrm{d}r\mathrm{d}\theta=\frac{ab}{2}\int_0^{\arctan\frac{ak}{bh}} r^2\,\mathrm{d}\theta$$

$$=\frac{ab}{2}\left(\frac{a}{h}\right)^2\int_0^{\arctan\frac{ab}{bh}}\frac{\cos^2\theta}{(\cos\theta+\sin\theta)^4}\mathrm{d}\theta-\frac{ab}{2}\left(\frac{b}{k}\right)^2\int_0^{\arctan\frac{ak}{bk}}\frac{\sin^2\theta}{(\cos\theta+\sin\theta)^4}\mathrm{d}\theta$$

$$=\frac{ab}{2}\left(\frac{a}{h}\right)^2\left[-\frac{1}{3(1+\tan\theta)^3}\right]\Bigg|_0^{\arctan\frac{ak}{ah}}-\frac{ab}{2}\left(\frac{b}{k}\right)^2\left[-\frac{3\tan^2\theta+3\tan\theta+1}{3(1+\tan\theta)^3}\right]\Bigg|_0^{\arctan\frac{ak}{ak}}$$

$$=\frac{ab}{6}\left(\frac{a}{h}\right)^2\left[\frac{-1}{\left(1+\frac{ak}{bh}\right)^3}+1\right]+\frac{ab}{6}\left(\frac{b}{k}\right)^2\left[\frac{3\left(\frac{ak}{bh}\right)^2+3\left(\frac{ak}{bh}\right)+1}{\left(1+\frac{ak}{bh}\right)^3}-1\right]$$

$$=\frac{ab}{6}\left(\frac{a}{h}\right)^2\frac{(ak)^3+3(ak)^2bh+3ak(bh)^2}{(ak+bh)^3}+\frac{ab}{6}\left(\frac{b}{k}\right)^2\frac{-(ak)^3}{(ak+bh)^3}$$

$$=\frac{a^4bk}{6h^2(ak+bh)^3}(a^2k^2+3akbh+2b^2h^2)=\frac{a^4bk(ak+2bh)}{6h^2(ak+bh)^2}.$$

【3995】 $\sqrt[4]{\frac{x}{a}}+\sqrt[4]{\frac{y}{b}}=1;x=0,y=0.$

解 令 $x=ar\cos^8\theta,y=br\sin^8\theta$,则方程化为

$$r=1\left(0\leqslant\theta\leqslant\frac{\pi}{2}\right).$$

于是,曲线所围的面积为

方法一

$$S=\iint_D 8abr\cos^7\theta\sin^7\theta\,\mathrm{d}r\mathrm{d}\theta=4ab\int_0^{\frac{\pi}{2}}\cos^7\theta\sin^7\theta\,\mathrm{d}\theta=4ab\int_0^1 u^7(1-u^2)^3\,\mathrm{d}u$$

$$=4ab\int_0^1(u^7-3u^9+3u^{11}-u^{13})\,\mathrm{d}u=4ab\left(\frac{1}{8}-\frac{3}{10}+\frac{1}{4}-\frac{1}{14}\right)=\frac{ab}{70}.$$

方法二

$$S=\iint_D 8abr\cos^7\theta\sin^7\theta\,\mathrm{d}r\mathrm{d}\theta=4ab\int_0^{\frac{\pi}{2}}\cos^7\theta\sin^7\theta\,\mathrm{d}\theta=2ab\cdot 2\int_0^{\frac{\pi}{2}}\cos^{2\times4-1}\theta\sin^{2\times4-1}\theta\,\mathrm{d}\theta=2ab\cdot\mathrm{B}(4,4)$$

$$=2ab\cdot\frac{\Gamma(4)\Gamma(4)}{\Gamma(8)}=2ab\cdot\frac{3!3!}{7!}=\frac{ab}{70}.$$

注 方法二利用了贝塔函数的另一种表示形式,以及贝塔函数与伽玛函数之间的关系.

知识点 4 用一般的变量替换计算面积

根据所给曲线的方程,选择适当的变量替换,从而简化积分区域或被积函数.

习题 3996—4004 用其他变量替换计算曲线所围区域的面积

【进行适当的变量替换,求下列曲线所围的面积(3996—4000)】

【3996】 $x+y=a,x+y=b,y=\alpha x,y=\beta x(0<a<b;0<\alpha<\beta).$

解 作变换 $x+y=u,\frac{y}{x}=v$,则 $a\leqslant u\leqslant b,\alpha\leqslant v\leqslant\beta$,且有 $|J|=\frac{u}{(1+v)^2}$. 于是,所求面积为

$$S=\int_a^b u\,\mathrm{d}u\int_\alpha^\beta\frac{\mathrm{d}v}{(1+v)^2}=\frac{1}{2}\cdot\frac{(\beta-\alpha)(b^2-a^2)}{(1+\alpha)(1+\beta)}.$$

【3997】 $xy=a^2, xy=2a^2, y=x, y=2x (x>0, y>0)$.

解 作变换 $xy=u, \frac{y}{x}=v$,则 $a^2 \leqslant u \leqslant 2a^2, 1 \leqslant v \leqslant 2$,且 $|J|=\frac{1}{2v}$. 于是,所求的面积为

$$S=\frac{1}{2}\int_{a^2}^{2a^2} du \int_1^2 \frac{dv}{v}=\frac{1}{2}a^2 \ln 2.$$

【3998】 $y^2=2px, y^2=2qx, x^2=2ry, x^2=2sy (0<p<q, 0<r<s)$.

解 作变换 $\frac{y^2}{x}=u, \frac{x^2}{y}=v$,则 $2p \leqslant u \leqslant 2q, 2r \leqslant v \leqslant 2s$,且 $|J|=\frac{1}{3}$. 于是,所求面积为

$$S=\frac{1}{3}\int_{2p}^{2q} du \int_{2r}^{2s} dv=\frac{4}{3}(q-p)(s-r).$$

【3999】 $\sqrt{\frac{x}{a}}+\sqrt{\frac{y}{b}}=1, \sqrt{\frac{x}{a}}+\sqrt{\frac{y}{b}}=2, \frac{x}{a}=\frac{y}{b}, \frac{4x}{a}=\frac{y}{b} (a>0, b>0)$.

解 作变换 $\sqrt{\frac{x}{a}}+\sqrt{\frac{y}{b}}=u, \frac{x}{y}=v$,即

$$x=\frac{u^2 v}{\left(\sqrt{\frac{v}{a}}+\frac{1}{\sqrt{b}}\right)^2}, y=\frac{u^2}{\left(\sqrt{\frac{v}{a}}+\frac{1}{\sqrt{b}}\right)^2},$$

则 $1 \leqslant u \leqslant 2, \frac{a}{4b} \leqslant v \leqslant \frac{a}{b}$,且有

$$|J|=\frac{2u^3}{\left(\sqrt{\frac{v}{a}}+\frac{1}{\sqrt{b}}\right)^4}.$$

于是,所求的面积为

$$S=\int_1^2 2u^3 du \int_{\frac{a}{4b}}^{\frac{a}{b}} \frac{dv}{\left(\sqrt{\frac{v}{a}}+\frac{1}{\sqrt{b}}\right)^4} \xlongequal{v=at^2} \frac{15}{2}\int_{\frac{1}{2\sqrt{b}}}^{\frac{1}{\sqrt{b}}} \frac{2at\,dt}{\left(t+\frac{1}{\sqrt{b}}\right)^4}$$

$$=15a\int_{\frac{1}{2\sqrt{b}}}^{\frac{1}{\sqrt{b}}}\left[\frac{1}{\left(t+\frac{1}{\sqrt{b}}\right)^3}-\frac{1}{\sqrt{b}} \cdot \frac{1}{\left(\sqrt{\frac{1}{b}}+t\right)^4}\right]dt=15a\left(\frac{7b}{72}-\frac{37b}{648}\right)=\frac{65ab}{108}.$$

【4000】 $\frac{x^2}{\lambda}+\frac{y^2}{\lambda-c^2}=1$,其中 λ 取下列各值:

$$\frac{1}{3}c^2, \frac{2}{3}c^2, \frac{4}{3}c^2, \frac{5}{3}c^2, (x>0, y>0).$$

解 方程 $\frac{x^2}{\lambda}+\frac{y^2}{\lambda-c^2}=1$ 可变为 $\lambda^2-(x^2+y^2+c^2)\lambda+c^2x^2=0$.

将 λ 作为未知量解方程,不妨记方程的两个解为 λ 及 μ,则

$$\lambda=\frac{x^2+y^2+c^2+\sqrt{(x^2+y^2+c^2)^2-4c^2x^2}}{2},$$

$$\mu=\frac{x^2+y^2+c^2-\sqrt{(x^2+y^2+c^2)^2-4c^2x^2}}{2}.$$

按上式作变量代换,将 (x,y) 变为 (λ,μ),则

$$\left|\frac{D(\lambda,\mu)}{D(x,y)}\right|=\frac{4c^2xy}{\sqrt{(x^2+y^2+c^2)^2-4c^2x^2}}=\frac{4\sqrt{\lambda\mu(c^2-\mu)(\lambda-c^2)}}{\lambda-\mu},$$

从而

$$\frac{D(x,y)}{D(\lambda,\mu)}=\frac{1}{\frac{D(\lambda,\mu)}{D(x,y)}}=\frac{\lambda-\mu}{4\sqrt{\lambda\mu(c^2-\mu)(\lambda-c^2)}}.$$

于是，所求的面积为

$$S=\iint_D dxdy=\iint\limits_{\substack{\frac{4c^2}{3}\leqslant\lambda\leqslant\frac{5c^2}{3}\\ \frac{c^2}{3}\leqslant\mu\leqslant\frac{2c^2}{3}}}\frac{\lambda-\mu}{4\sqrt{\lambda\mu(c^2-\mu)(\lambda-c^2)}}d\lambda d\mu$$

$$=\frac{c^2}{4}\int_{\frac{4}{3}}^{\frac{5}{3}}\int_{\frac{1}{3}}^{\frac{2}{3}}\frac{u-v}{4\sqrt{uv(1-v)(u-1)}}dudv$$

$$=\frac{c^2}{4}\int_{\frac{1}{3}}^{\frac{5}{3}}\frac{\sqrt{u}\,du}{\sqrt{u-1}}\int_{\frac{1}{3}}^{\frac{2}{3}}\frac{dv}{\sqrt{v(1-v)}}-\frac{c^2}{4}\int_{\frac{4}{3}}^{\frac{5}{3}}\frac{du}{\sqrt{u(u-1)}}\int_{\frac{1}{3}}^{\frac{2}{3}}\frac{\sqrt{v}\,dv}{\sqrt{1-v}}.$$

由于

$$\int_{\frac{4}{3}}^{\frac{5}{3}}\frac{\sqrt{u}}{\sqrt{u-1}}du=\frac{\sqrt{10}}{3}-\frac{2}{3}+\lg\frac{\sqrt{5}-\sqrt{2}}{2-\sqrt{2}},$$

$$\int_{\frac{4}{3}}^{\frac{5}{3}}\frac{du}{\sqrt{u(u-1)}}=2\lg\frac{\sqrt{5}-\sqrt{2}}{2-\sqrt{2}},$$

$$\int_{\frac{1}{3}}^{\frac{2}{3}}\frac{dv}{\sqrt{v(1-v)}}=2\arcsin\sqrt{\frac{2}{3}}-2\arcsin\sqrt{\frac{1}{3}},$$

$$\int_{\frac{1}{3}}^{\frac{2}{3}}\frac{\sqrt{v}}{\sqrt{1-v}}dv=\arcsin\sqrt{\frac{2}{3}}-\arcsin\sqrt{\frac{1}{3}},$$

故

$$S=\frac{c^2}{4}\left[\left(\frac{\sqrt{10}}{3}-\frac{2}{3}+\lg\frac{\sqrt{5}-\sqrt{2}}{2-\sqrt{2}}\right)\left(2\arcsin\sqrt{\frac{2}{3}}-2\arcsin\sqrt{\frac{1}{3}}\right)\right]-$$

$$\frac{c^2}{4}\left[\left(2\lg\frac{\sqrt{5}-\sqrt{2}}{2-\sqrt{2}}\right)\cdot\left(\arcsin\sqrt{\frac{2}{3}}-\arcsin\sqrt{\frac{1}{3}}\right)\right]$$

$$=\frac{c^2}{6}(\sqrt{10}-2)\arcsin\frac{1}{3}.$$

【4001】 求椭圆$(a_1x+b_1y+c_1)^2+(a_2x+b_2y+c_2)^2=1$（其中$\delta=a_1b_2-a_2b_1\neq0$）的面积.

解 作变换$a_1x+b_1y+c_1=u,a_2x+b_2y+c_2=v$，则椭圆所围区域变为$u^2+v^2\leqslant1$，且$|J|=\frac{1}{|\delta|}$.

于是，所求的面积为

$$S=\frac{1}{|\delta|}\iint\limits_{u^2+v^2\leqslant1}dudv=\frac{\pi}{|\delta|}.$$

【4002】 求椭圆$\frac{x^2}{\operatorname{ch}^2u}+\frac{y^2}{\operatorname{sh}^2u}=c^2(u=u_1,u_2)$和双曲线$\frac{x^2}{\cos^2v}-\frac{y^2}{\sin^2v}=c^2(v=v_1,v_2)(0<u_1<u_2,0<v_1<v_2,x>0,y>0)$所围的面积.

解 作变换$x=c\operatorname{ch}u\cos v,y=c\operatorname{sh}u\sin v$，则$|J|=|c^2\operatorname{ch}^2u-c^2\cos^2v|$.

因为$\operatorname{ch}^2u\geqslant1\geqslant\cos^2v$，故所求的面积为

$$S=c^2\int_{u_1}^{u_2}\int_{v_1}^{v_2}(\operatorname{ch}^2u-\cos^2v)dudv=c^2\left[(v_2-v_1)\int_{u_1}^{u_2}\frac{1+\operatorname{ch}2u}{2}du-(u_2-u_1)\int_{v_1}^{v_2}\cos^2v\,dv\right]$$

$$=\frac{c^2}{4}[(v_2-v_1)(\operatorname{sh}2u_2-\operatorname{sh}2u_1)-(u_2-u_1)(\sin2v_2-\sin2v_1)].$$

【4003】 求平面$x+y+z=b$与曲面$x^2+y^2+z^2-xy-xz-yz=a^2$相截所得截断面的面积.

解 为简化平面和曲面的方程，作变量代换

$$x' = \frac{1}{\sqrt{2}}x - \frac{1}{\sqrt{2}}z, y' = \frac{1}{\sqrt{6}}x - \frac{2}{\sqrt{6}}y + \frac{1}{\sqrt{6}}z, z' = \frac{1}{\sqrt{3}}x + \frac{1}{\sqrt{3}}y + \frac{1}{\sqrt{3}}z,$$

这是一个正交变换，故 $Ox'y'z'$ 成为一新的直角坐标系. 在新的坐标系下，平面方程为

$$z' = \frac{1}{\sqrt{3}}(x+y+z) = \frac{b}{\sqrt{3}}.$$

由于 $x = \frac{1}{\sqrt{2}}x' + \frac{1}{\sqrt{6}}y' + \frac{1}{\sqrt{3}}z', y = -\frac{\sqrt{6}}{3}y' + \frac{1}{\sqrt{3}}z', z = -\frac{1}{\sqrt{2}}x' + \frac{1}{\sqrt{6}}y' + \frac{1}{\sqrt{3}}z'$，故有

$$x^2 + y^2 + z^2 - xy - xz - yz = \frac{1}{2}[(x-y)^2 + (y-z)^2 + (z-x)^2] = \frac{3}{2}(x'^2 + y'^2).$$

从而，曲面方程变为 $x'^2 + y'^2 = \frac{2}{3}a^2$. 于是，所求的面积为

$$S = \iint\limits_{x'^2+y'^2 \leqslant \frac{2}{3}a^2} dx'dy' = \frac{2}{3}\pi a^2.$$

【4004】 求平面 $z = 1 - 2(x+y)$ 与曲面 $\frac{1}{x} + \frac{1}{y} + \frac{1}{z} = 0$ 相截所得截断面的面积.

解 平面被曲面所截部分记为 E，它在 xOy 平面上的投影记为 D.

由于平面 $z = 1-2(x+y)$ 法线的方向余弦为 $\cos\alpha = \cos\beta = \frac{2}{3}, \cos\gamma = \frac{1}{3}$，故

$$S(D) = S(E)\cos\gamma = \frac{1}{3}S(E), \text{即 } S(E) = 3S(D).$$

显然 D 为 xOy 平面上由曲线 $\frac{1}{x} + \frac{1}{y} + \frac{1}{1-2(x+y)} = 0$（即 $2x^2 + 2y^2 + 3xy - x - y = 0$）所围的区域. 作变量代换

$$x = u + v + \frac{1}{7}, y = u - v + \frac{1}{7},$$

则 $\frac{D(x,y)}{D(u,v)} = -2$，且曲线 $2x^2 + 2y^2 + 3xy - x - y = 0$ 变为 $7u^2 + v^2 - \frac{1}{7} = 0$，这是一个椭圆（在 uOv 平面上）. 从而有

$$S(D) = \iint\limits_D dxdy = 2\iint\limits_{49u^2+7v^2 \leqslant 1} dudv = 2\pi\left(\frac{1}{7}\right)\left(\frac{1}{\sqrt{7}}\right) = \frac{2\pi}{7\sqrt{7}}.$$

由此，最后得

$$S(E) = 3S(D) = \frac{6\pi}{7\sqrt{7}}.$$

第3节 体积的计算法（习题4005—4035）

知识点预览

知识点	题目序号	所在页码
体积的计算方法	4005—4035	P39

知识点 体积的计算方法

定理 如图 8.38 所示，设柱体顶面位于连续曲面 $z = f(x,y) \geqslant 0$，底面位于平面 $z =$

0,侧面垂直于底面,且底面在平面 xOy 上所占区域 D 是可求积的,则柱体的体积等于

$$V=\iint\limits_{D} f(x,y)\mathrm{d}x\mathrm{d}y.$$

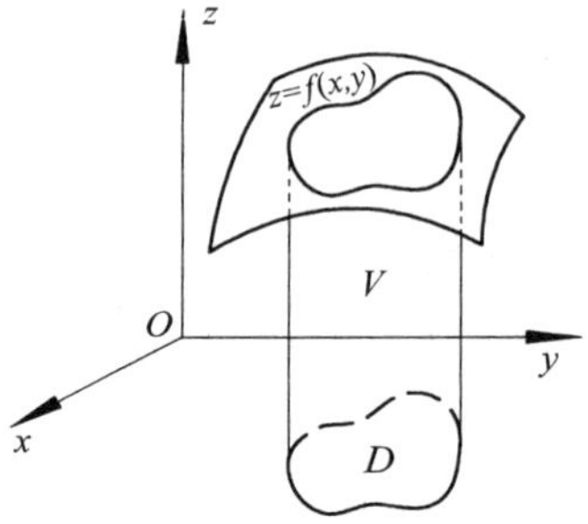

图 8.38

习题 4005—4006 根据体积公式描绘物体形状

【4005】 试绘出一物体,其体积等于积分

$$V=\int_0^1\mathrm{d}x\int_0^{1-x}(x^2+y^2)\mathrm{d}y.$$

解 积分域为三角形 $0\leqslant x\leqslant 1, 0\leqslant y\leqslant 1-x$,柱体上顶为旋转抛物面 $z=x^2+y^2$,物体的形状如图 8.39 所示.

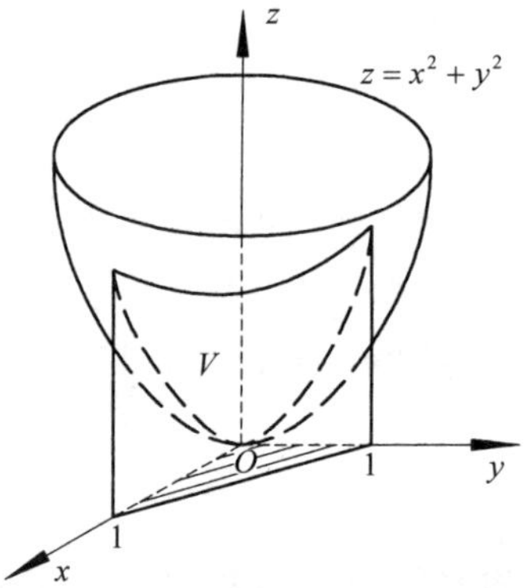

图 8.39

【4006】 绘出下列二重积分所表示的体积:

(1) $\displaystyle\iint\limits_{\substack{0\leqslant x+y\leqslant 1\\ x\geqslant 0,\, y\geqslant 0}}(x+y)\mathrm{d}x\mathrm{d}y$; (2) $\displaystyle\iint\limits_{\frac{x^2}{4}+\frac{y^2}{9}\leqslant 1}\sqrt{1-\frac{x^2}{4}-\frac{y^2}{9}}\,\mathrm{d}x\mathrm{d}y$;

(3) $\displaystyle\iint\limits_{|x|+|y|\leqslant 1}(x^2+y^2)\mathrm{d}x\mathrm{d}y$; (4) $\displaystyle\iint\limits_{x^2+y^2\leqslant x}\sqrt{x^2+y^2}\,\mathrm{d}x\mathrm{d}y$;

(5) $\displaystyle\iint\limits_{\substack{1\leqslant x\leqslant 2\\ x\leqslant y<2x}}\sqrt{xy}\,\mathrm{d}x\mathrm{d}y$; (6) $\displaystyle\iint\limits_{x^2+y^2\leqslant 1}\sin\left(\pi\sqrt{x^2+y^2}\right)\mathrm{d}x\mathrm{d}y$.

解 (1) 积分域为三角形 $0\leqslant x+y\leqslant 1, x\geqslant 0, y\geqslant 0$. 柱体的上顶为平面 $z=x+y$(图 8.40).

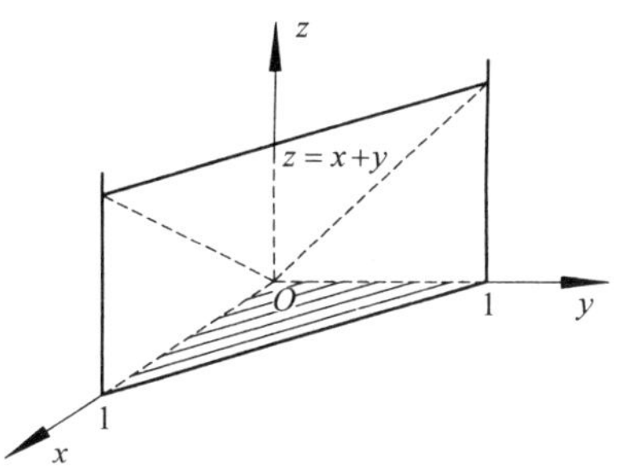

图 8.40

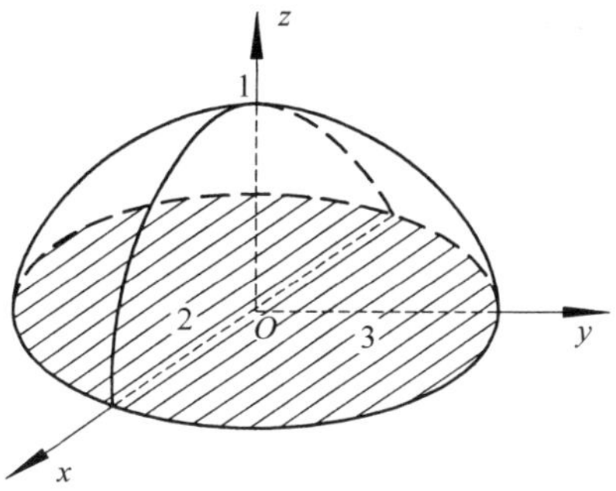

图 8.41

(2) 积分域为椭圆$\frac{x^2}{4}+\frac{y^2}{9}\leqslant 1$，此为立体的底面，顶面为椭球面 $z=\sqrt{1-\frac{x^2}{4}-\frac{y^2}{9}}$（图 8.41）.

(3) 积分域为由直线 $x+y=1, x+y=-1, x-y=1, y-x=1$ 围成的正方形. 柱体的顶面为旋转抛物面 $z=x^2+y^2$. 图 8.42 仅画了第一卦限部分的体积.

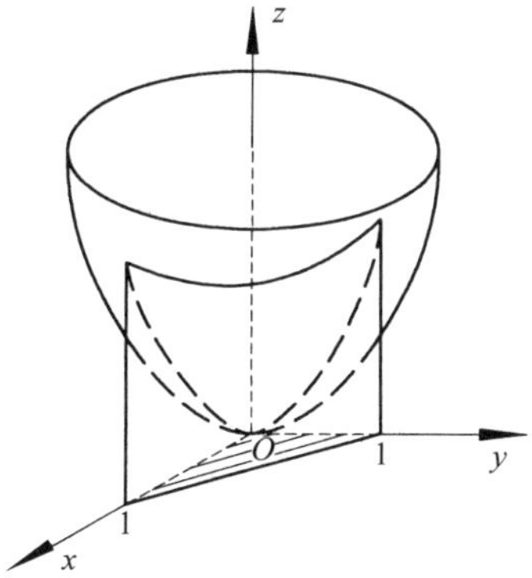

图 8.42

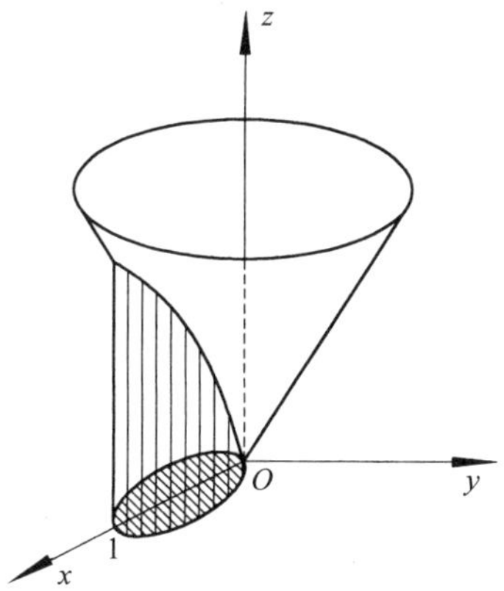

图 8.43

(4) 积分域为圆$\left(x-\frac{1}{2}\right)^2+y^2\leqslant\frac{1}{4}$. 柱体的顶面为圆锥面 $z=\sqrt{x^2+y^2}$（图 8.43）.

(5) 积分域为梯形 $1\leqslant x\leqslant 2, x\leqslant y\leqslant 2x$. 柱体的顶面为双曲抛物面 $z=\sqrt{xy}$（图 8.44）.

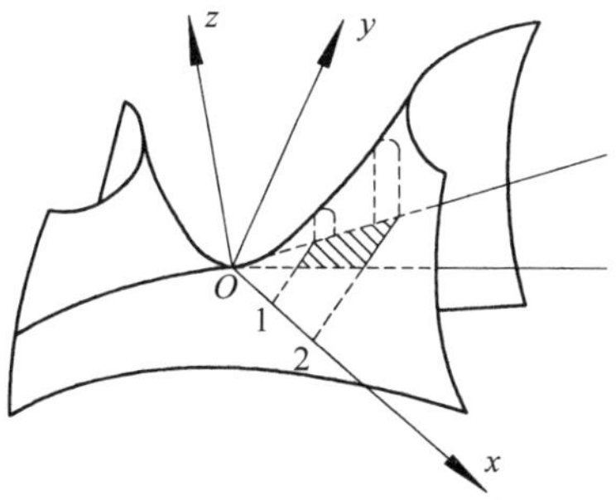

图 8.44

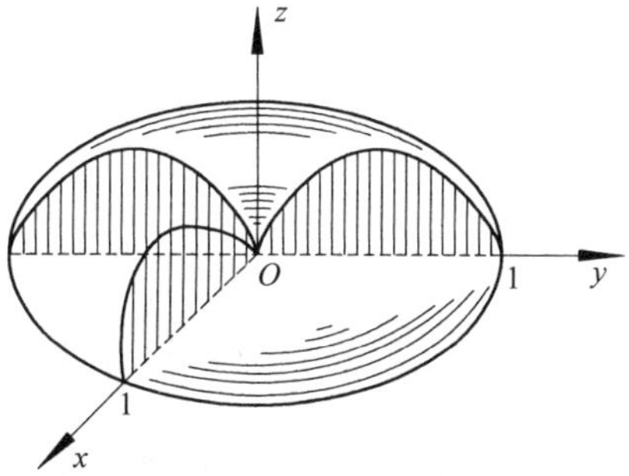

图 8.45

(6) 积分域为圆 $x^2+y^2\leqslant 1$，即立体的底面，顶面是由正弦曲线 $z=\sin\pi x$ 绕 Oz 轴旋转一周而得的旋转曲面（图 8.45）

习题 4007—4012 直接计算所围区域的体积

【求下列曲面所围区域的体积(4007—4012)】

【4007】 $z=1+x+y, z=0, x+y=1, x=0, y=0.$

解 $V=\int_0^1 dx\int_0^{1-x}(1+x+y)dy=\int_0^1\left(\frac{3}{2}-x-\frac{x^2}{2}\right)dx=\frac{5}{6}.$

【4008】 $x+y+z=a, x^2+y^2=R^2, x=0, y=0, z=0(a\geqslant\sqrt{2}R).$

解 $V=\int_0^R dx\int_0^{\sqrt{R^2-x^2}}(a-x-y)dy=\int_0^R\left[(a-x)\sqrt{R^2-x^2}-\frac{R^2-x^2}{2}\right]dx$

$=\int_0^R a\sqrt{R^2-x^2}\,dx-\int_0^R\left(x\sqrt{R^2-x^2}+\frac{R^2-x^2}{2}\right)dx=\frac{\pi aR^2}{4}-\frac{2R^3}{3}.$

【4009】 $z=x^2+y^2, y=x^2, y=1, z=0.$

解 $V=\int_{-1}^1 dx\int_{x^2}^1(x^2+y^2)dy=\frac{88}{105}.$

【4010】 $z=\cos x\cos y, z=0, |x+y|\leqslant\frac{\pi}{2}, |x-y|\leqslant\frac{\pi}{2}.$

解 因 $z=\cos x\cos y$ 的图像关于 yOz 平面对称，而积分域(图 8.46)关于 Oy 轴对称，故所求的体积为

$$V=2\int_0^{\frac{\pi}{2}}dx\int_{x-\frac{\pi}{2}}^{\frac{\pi}{2}-x}\cos x\cos y\,dy=4\int_0^{\frac{\pi}{2}}\cos^2 x\,dx=4\cdot\frac{1}{2}\cdot\frac{\pi}{2}=\pi.$$

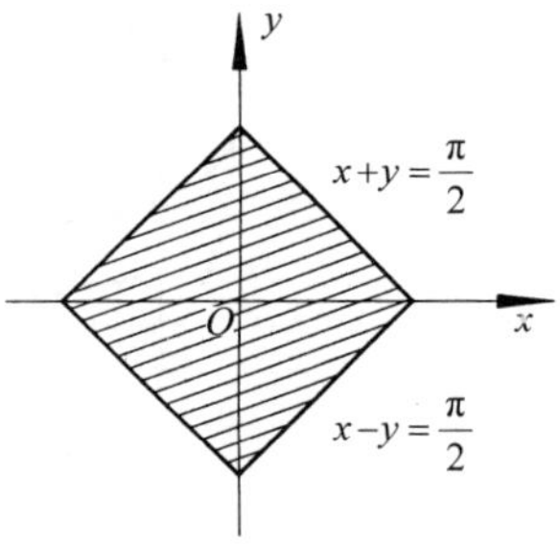

图 8.46

【4011】 $z=\sin\frac{\pi y}{2x}, z=0, y=x, y=0, x=\pi.$

解 $V=\int_0^\pi dx\int_0^x\sin\frac{\pi y}{2x}dy=\frac{2}{\pi}\int_0^\pi x\,dx=\pi.$

【4012】 $z=xy, x+y+z=1, z=0.$

解 体积 V 由两部分组成:

$V_1: 0\leqslant x\leqslant 1, 0\leqslant y\leqslant\frac{1-x}{1+x}, z=xy.$

$V_2: 0\leqslant x\leqslant 1, \frac{1-x}{1+x}\leqslant y\leqslant 1-x, z=1-x-y.$

它们在 xOy 平面上的投影域 D_1 及 D_2 如图 8.47 所示. 于是，所求的体积为

$$V=V_1+V_2=\int_0^1 x\,dx\int_0^{\frac{1-x}{1+x}}y\,dy+\int_0^1 dx\int_{\frac{1-x}{1+x}}^{1-x}(1-x-y)dy$$

$$=\left(-\frac{11}{4}+4\ln 2\right)+\left(\frac{25}{6}-6\ln 2\right)=\frac{17}{12}-2\ln 2.$$

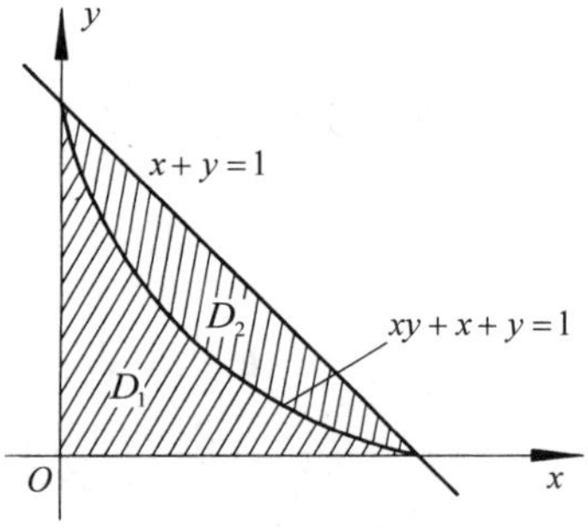

图 8.47

习题 4013—4020 用极坐标求所围区域的体积

【变换成极坐标，求下列曲面所围区域的体积(4013—4020)】

【4013】 $z^2=xy, x^2+y^2=a^2.$

解 因为 $z=\sqrt{xy}$，故所求的体积为

$$V=4\iint\limits_{\substack{x^2+y^2\leqslant a^2\\x\geqslant0,y\geqslant0}}\sqrt{xy}\,\mathrm{d}x\mathrm{d}y=4\int_0^a\mathrm{d}r\int_0^{\frac{\pi}{2}}\sqrt{\cos\theta\sin\theta}r^2\,\mathrm{d}\theta=\frac{4}{3}a^3\int_0^{\frac{\pi}{2}}\cos^{\frac{1}{2}}\theta\sin^{\frac{1}{2}}\theta\mathrm{d}\theta$$

$$=\frac{4}{3}a^3\ \frac{1}{2}\mathrm{B}\left(\frac{3}{4},\frac{3}{4}\right)=\frac{2}{3}a^3\ \frac{\Gamma^2\left(\frac{3}{4}\right)}{\Gamma\left(\frac{3}{2}\right)}=\frac{2}{3}a^3\ \frac{\Gamma^2\left(\frac{3}{4}\right)}{\frac{1}{2}\Gamma\left(\frac{1}{2}\right)}=\frac{4}{3}a^3\ \frac{\Gamma^2\left(\frac{3}{4}\right)}{\sqrt{\pi}}.$$

注 本题用到3856题的结果.

【4014】 $z=x+y,(x^2+y^2)^2=2xy,z=0(x>0,y>0)$.

解 令 $x=r\cos\theta,y=r\sin\theta$,则方程 $(x^2+y^2)^2=2xy$ 及 $z=x+y$ 变为

$$r^2=2\sin\theta\cos\theta=\sin2\theta\text{ 及 }z=r(\cos\theta+\sin\theta).$$

于是,所求的体积为

$$V=\iint\limits_D(x+y)\mathrm{d}x\mathrm{d}y=\int_0^{\frac{\pi}{2}}\mathrm{d}\theta\int_0^{\sqrt{\sin2\theta}}r^2(\cos\theta+\sin\theta)\mathrm{d}r$$

$$=\frac{2\sqrt{2}}{3}\int_0^{\frac{\pi}{2}}(\sin^{\frac{5}{2}}\theta\cos^{\frac{3}{2}}\theta+\cos^{\frac{5}{2}}\theta\sin^{\frac{1}{2}}\theta)\mathrm{d}\theta$$

$$=\frac{2\sqrt{2}}{3}\mathrm{B}\left(\frac{5}{4},\frac{7}{4}\right)=\frac{2\sqrt{2}}{3}\ \frac{\Gamma\left(\frac{5}{4}\right)\Gamma\left(\frac{7}{4}\right)}{\Gamma(3)}=\frac{2\sqrt{2}}{3}\ \frac{\frac{1}{4}\cdot\frac{3}{4}\Gamma\left(\frac{1}{4}\right)\Gamma\left(\frac{3}{4}\right)}{2!}$$

$$=\frac{\sqrt{2}}{16}\ \frac{\pi}{\sin\frac{\pi}{4}}=\frac{\pi}{8}.$$

注 本题用到3856题的结果以及余元公式 $\Gamma(p)\Gamma(1-p)=\dfrac{\pi}{\sin p\pi}\ (0<p<1)$.

【4015】 $z=x^2+y^2,x^2+y^2=x,x^2+y^2=2x,z=0$.

解 令 $x=r\cos\theta,y=r\sin\theta$,则方程 $x^2+y^2=x,x^2+y^2=2x$ 及 $z=x^2+y^2$ 变为

$$r=\cos\theta,r=2\cos\theta,z=r^2.$$

于是,所求的体积为

$$V=\iint\limits_D(x^2+y^2)\mathrm{d}x\mathrm{d}y=\int_{-\frac{\pi}{2}}^{\frac{\pi}{2}}\mathrm{d}\theta\int_{\cos\theta}^{2\cos\theta}r^3\,\mathrm{d}r$$

$$=\frac{2}{4}\int_0^{\frac{\pi}{2}}(16\cos^4\theta-\cos^4\theta)\mathrm{d}\theta=\frac{15}{2}\int_0^{\frac{\pi}{2}}\cos^4\theta\mathrm{d}\theta$$

$$=\frac{15}{2}\cdot\frac{3}{4}\cdot\frac{1}{2}\cdot\frac{\pi}{2}=\frac{45}{32}\pi.$$

【4016】 $x^2+y^2+z^2=a^2,x^2+y^2\geqslant a\mid x\mid(a>0)$.

解 只需计算由下列曲面所围区域的体积:

$$x^2+y^2+z^2=a^2,x^2+y^2\leqslant a\mid x\mid.$$

引用极坐标,则 $r^2+z^2=a^2,r\leqslant a\mid\cos\theta\mid$,其体积为

$$V_1=8\iint\limits_{\substack{x^2+y^2\leqslant ax\\x\geqslant0,y\geqslant0}}\sqrt{a^2-(x^2+y^2)}\,\mathrm{d}x\mathrm{d}y=8\int_0^{\frac{\pi}{2}}\mathrm{d}\theta\int_0^{a\cos\theta}r\sqrt{a^2-r^2}\,\mathrm{d}r$$

$$=-\frac{8}{3}\int_0^{\frac{\pi}{2}}\left[(a^2-r^2)^{\frac{3}{2}}\Big|_0^{a\cos\theta}\right]\mathrm{d}\theta=\frac{8a^3}{3}\int_0^{\frac{\pi}{2}}(1-\sin^3\theta)\mathrm{d}\theta=\frac{4\pi a^3}{3}-\frac{16a^3}{9}.$$

于是,所求的体积为

$$V=\frac{4\pi a^3}{3}-\left(\frac{4\pi a^3}{3}-\frac{16a^3}{9}\right)=\frac{16a^3}{9}.$$

【4017】 $x^2+y^2-az=0,(x^2+y^2)^2=a^2(x^2-y^2),z=0(a>0)$.

解 引用极坐标,有 $z=\dfrac{r^2}{a},r^2=a^2\cos 2\theta(a>0)$. 于是,利用对称性知,所求的体积为

$$V=4\iint\limits_D\frac{1}{a}(x^2+y^2)\mathrm{d}x\mathrm{d}y=4\int_0^{\frac{\pi}{4}}\mathrm{d}\theta\int_0^{a\sqrt{\cos 2\theta}}\frac{r^2}{a}r\mathrm{d}r=a^3\int_0^{\frac{\pi}{4}}\cos^2 2\theta\mathrm{d}\theta=\frac{\pi a^3}{8}.$$

【4018】 $z=\mathrm{e}^{-(x^2+y^2)},z=0,x^2+y^2=R^2$.

解 引用极坐标,有 $z=\mathrm{e}^{-r^2},r=R$. 利用对称性,得所求的体积为

$$V=4\iint\limits_{\substack{x^2+y^2\leqslant R^2\\x\geqslant 0,y\geqslant 0}}\mathrm{e}^{-(x^2+y^2)}\mathrm{d}x\mathrm{d}y=4\int_0^{\frac{\pi}{2}}\mathrm{d}\theta\int_0^R\mathrm{e}^{-r^2}r\mathrm{d}r=\pi(1-\mathrm{e}^{-R^2}).$$

【4019】 $z=c\cos\dfrac{\pi\sqrt{x^2+y^2}}{2a},x^2+y^2=a^2,y=x\tan\alpha,y=x\tan\beta(a>0,c>0,$ $0\leqslant\alpha<\beta\leqslant 2\pi)$.

解 引用极坐标,有 $z=c\cos\dfrac{r\pi}{2a},r=a,\theta=\alpha,\theta=\beta$. 所求的体积为

$$\begin{aligned}V&=\iint\limits_D c\cos\frac{\pi\sqrt{x^2+y^2}}{2a}\mathrm{d}x\mathrm{d}y=c\int_\alpha^\beta\mathrm{d}\theta\int_0^a r\cos\frac{\pi r}{2a}\mathrm{d}r\\&=c(\beta-\alpha)\left[\frac{2ar}{\pi}\sin\frac{\pi r}{2a}+\frac{4a^2}{\pi^2}\cos\frac{\pi r}{2a}\right]\Bigg|_0^a\\&=2a^2c(\beta-\alpha)\left(\frac{1}{\pi}-\frac{2}{\pi^2}\right)=\frac{2a^2c(\beta-\alpha)(\pi-2)}{\pi^2}.\end{aligned}$$

【4020】 $z=x^2+y^2,z=x+y$.

解 立体的投影域的围线为 $x^2+y^2=x+y$,即 $\left(x-\dfrac{1}{2}\right)^2+\left(y-\dfrac{1}{2}\right)^2=\dfrac{1}{2}$.

引用代换 $x=\dfrac{1}{2}+r\cos\theta,y=\dfrac{1}{2}+r\sin\theta$,则有

$$z=r^2+\frac{1}{2}+r(\cos\theta+\sin\theta),z=1+r(\cos\theta+\sin\theta)\left(0\leqslant\theta\leqslant 2\pi,0\leqslant r\leqslant\frac{1}{\sqrt{2}}\right).$$

于是,所求的体积为

$$\begin{aligned}V&=\iint\limits_{(x-\frac{1}{2})^2+(y-\frac{1}{2})^2\leqslant\frac{1}{2}}[(x+y)-(x^2+y^2)]\mathrm{d}x\mathrm{d}y\\&=\int_0^{2\pi}\mathrm{d}\theta\int_0^{\frac{1}{\sqrt{2}}}\left\{[1+r(\cos\theta+\sin\theta)]-\left[r^2+\frac{1}{2}+r(\cos\theta+\sin\theta)\right]\right\}r\mathrm{d}r\\&=\int_0^{2\pi}\mathrm{d}\theta\int_0^{\frac{1}{\sqrt{2}}}\left(\frac{1}{2}-r^2\right)r\mathrm{d}r=\frac{\pi}{8}.\end{aligned}$$

习题 4021—4026 用广义极坐标求所围区域的体积

【假定参数是正的,求下列曲面所围区域的体积(4021—4026)**】**

【4021】 $\dfrac{x^2}{a^2}+\dfrac{y^2}{b^2}+\dfrac{z^2}{c^2}=1,\dfrac{x^2}{a^2}+\dfrac{y^2}{b^2}=\dfrac{z^2}{c^2}(z>0)$.

解 两曲面的交线在 xOy 平面上的投影为椭圆 $\dfrac{x^2}{a^2}+\dfrac{y^2}{b^2}=\dfrac{1}{2}$. 令 $x=ar\cos\theta,y=br\sin\theta$,则方程化为

$$z=c\sqrt{1-r^2},z=cr\left(0\leqslant\theta\leqslant 2\pi,0\leqslant r\leqslant\frac{1}{\sqrt{2}}\right).$$

于是，曲面所围区域的体积为

$$V=\iint\limits_{D}\left[c\sqrt{1-\left(\frac{x^2}{a^2}+\frac{y^2}{b^2}\right)}-c\sqrt{\frac{x^2}{a^2}+\frac{y^2}{b^2}}\right]\mathrm{d}x\mathrm{d}y$$

$$=\int_0^{2\pi}\mathrm{d}\theta\int_0^{\frac{1}{\sqrt{2}}}abr(c\sqrt{1-r^2}-cr)\mathrm{d}r=abc\int_0^{2\pi}\mathrm{d}\theta\int_0^{\frac{1}{\sqrt{2}}}(r\sqrt{1-r^2}-r^2)\mathrm{d}r$$

$$=-\frac{1}{3}abc\int_0^{2\pi}\left[r^3+(1-r^2)^{\frac{3}{2}}\right]\Big|_0^{\frac{1}{\sqrt{2}}}\mathrm{d}\theta=\frac{1}{3}\pi abc(2-\sqrt{2}).$$

【4022】 $\frac{x^2}{a^2}+\frac{y^2}{b^2}-\frac{z^2}{c^2}=-1,\frac{x^2}{a^2}+\frac{y^2}{b^2}=1.$

解 若令 $x=ar\cos\theta,y=br\sin\theta$，则曲面方程化为

$$z=\pm c\sqrt{1+r^2}\,(0\leqslant\theta\leqslant2\pi,0\leqslant r\leqslant1).$$

于是，曲面所围区域的体积为

$$V=\iint\limits_{\frac{x^2}{a^2}+\frac{y^2}{b^2}\leqslant1}2c\sqrt{1+\frac{x^2}{a^2}+\frac{y^2}{b^2}}\mathrm{d}x\mathrm{d}y=\int_0^{2\pi}\mathrm{d}\theta\int_0^1 2abcr\sqrt{1+r^2}\,\mathrm{d}r$$

$$=2abc\int_0^{2\pi}\mathrm{d}\theta\int_0^1 r\sqrt{1+r^2}\,\mathrm{d}r=\frac{4\pi}{3}abc(2\sqrt{2}-1).$$

【4023】 $\frac{x^2}{a^2}+\frac{y^2}{b^2}=\frac{z}{c},\frac{x^2}{a^2}+\frac{y^2}{b^2}=\frac{x}{a}+\frac{y}{b},z=0.$

解 立体在 xOy 平面上的投影域的围线为椭圆$\frac{x^2}{a^2}+\frac{y^2}{b^2}=\frac{x}{a}+\frac{y}{b}$，即

$$\left(\frac{x}{a}-\frac{1}{2}\right)^2+\left(\frac{y}{b}-\frac{1}{2}\right)^2=\frac{1}{2}.$$

令$\frac{x}{a}=\frac{1}{2}+r\cos\theta,\frac{y}{b}=\frac{1}{2}+r\sin\theta$，则曲面方程化为

$$z=c\left[\frac{1}{2}+r(\cos\theta+\sin\theta)+r^2\right]\left(0\leqslant\theta\leqslant2\pi,0\leqslant r\leqslant\frac{1}{\sqrt{2}}\right).$$

于是，曲面所围区域的体积为

$$V=\iint\limits_{(\frac{x}{a}-\frac{1}{2})^2+(\frac{y}{b}-\frac{1}{2})^2\leqslant\frac{1}{2}}c\left(\frac{x^2}{a^2}+\frac{y^2}{b^2}\right)\mathrm{d}x\mathrm{d}y=abc\int_0^{2\pi}\mathrm{d}\theta\int_0^{\frac{1}{\sqrt{2}}}r\left[\frac{1}{2}+r(\cos\theta+\sin\theta)+r^2\right]\mathrm{d}r$$

$$=abc\int_0^{2\pi}\left[\frac{1}{8}+\frac{1}{6\sqrt{2}}(\cos\theta+\sin\theta)+\frac{1}{16}\right]\mathrm{d}\theta=abc\,\frac{3\cdot2\pi}{16}=\frac{3}{8}\pi abc.$$

【4024】 $\left(\frac{x^2}{a^2}+\frac{y^2}{b^2}\right)^2+\frac{z}{c}=1,z=0.$

解 令 $x=ar\cos\theta,y=br\sin\theta$，则曲面方程化为

$$z=c(1-r^4)\ (0\leqslant\theta\leqslant2\pi,0\leqslant r\leqslant1).$$

于是，曲面所围区域的体积为

$$V=\iint\limits_{\frac{x^2}{a^2}+\frac{y^2}{b^2}\leqslant1}c\left[1-\left(\frac{x^2}{a^2}+\frac{y^2}{b^2}\right)\right]\mathrm{d}x\mathrm{d}y=\int_0^{2\pi}\mathrm{d}\theta\int_0^1 abcr(1-r^4)\mathrm{d}r=\frac{2}{3}\pi abc.$$

【4025】 $\left(\frac{x}{a}+\frac{y}{b}\right)^2+\frac{z^2}{c^2}=1,x=0,y=0,z=0.$

解 下面计算位于第一卦限部分的体积. 令 $x=ar\cos^2\theta,y=br\sin^2\theta$，则曲面方程化为

$$z=c\sqrt{1-r^2}\ \left(0\leqslant\theta\leqslant\frac{\pi}{2},0\leqslant r\leqslant1\right).$$

于是，曲面所围区域的体积为

$$V=\iint\limits_D c\sqrt{1-\left(\frac{x}{a}+\frac{y}{b}\right)^2}\,dxdy=\int_0^{\frac{\pi}{2}}d\theta\int_0^1 abc\sin 2\theta\sqrt{1-r^2}\,rdr$$

$$=abc\int_0^{\frac{\pi}{2}}\sin 2\theta d\theta\int_0^1 r\sqrt{1-r^2}\,dr=\frac{abc}{3}.$$

【4026】 $\frac{x^2}{a^2}+\frac{y^2}{b^2}+\frac{z^2}{c^2}=1,\left(\frac{x^2}{a^2}+\frac{y^2}{b^2}\right)^2=\frac{x^2}{a^2}-\frac{y^2}{b^2}.$

解 令 $x=ar\cos\theta,y=br\sin\theta$，则方程化为

$$z=\pm c\sqrt{1-r^2},r^2=\cos^2\theta-\sin^2\theta=\cos 2\theta.$$

因 $r^2=\cos 2\theta\geqslant 0$，故 $-\frac{\pi}{4}\leqslant\theta\leqslant\frac{\pi}{4},\frac{3\pi}{4}\leqslant\theta\leqslant\frac{5\pi}{4}$. 于是，利用对称性，曲面所围区域的体积为

$$V=8c\iint\limits_D\sqrt{1-\frac{x^2}{a^2}-\frac{y^2}{b^2}}\,dxdy=8abc\int_0^{\frac{\pi}{4}}d\theta\int_0^{\sqrt{\cos 2\theta}}\sqrt{1-r^2}\,rdr$$

$$=8abc\int_0^{\frac{\pi}{4}}\frac{1}{3}(1-\sqrt{8}\sin^3\theta)d\theta=\frac{8abc}{3}\left(\theta+\sqrt{8}\cos\theta-\frac{\sqrt{8}}{3}\cos^3\theta\right)\Big|_0^{\frac{\pi}{4}}$$

$$=\frac{8abc}{3}\left(\frac{\pi}{4}+\frac{5}{3}-\frac{4\sqrt{2}}{3}\right)=\frac{2abc}{9}(3\pi+20-16\sqrt{2}).$$

习题 4027—4035 利用适当的变量替换求所围区域的体积

【利用适当的变量替换求所围区域的体积(4027—4035)】

【4027】 $z^2=xy,x+y=a,x+y=b(0<a<b).$

解 由于 $z=\pm\sqrt{xy}$，又所界立体在 xOy 平面上的投影域 D 由直线 $x+y=a,x+y=b,x=0$ 及 $y=0$ 围成. 利用对称性，曲面所围区域的体积为

$$V=2\iint\limits_D\sqrt{xy}\,dxdy=2\int_0^a dx\int_{a-x}^{b-x}\sqrt{xy}\,dy+2\int_a^b dx\int_0^{b-x}\sqrt{xy}\,dy$$

$$=\frac{4}{3}\int_0^a\left[\sqrt{x(b-x)^3}-\sqrt{x(a-x)^3}\right]dx+\frac{4}{3}\int_a^b\sqrt{x(b-x)^3}\,dx$$

$$=\frac{4}{3}\int_0^b(b-x)\sqrt{x(b-x)}\,dx-\frac{4}{3}\int_0^a(a-x)\sqrt{a(a-x)}\,dx.$$

令 $x=b\sin^2 t$，可得

$$\int_0^b(b-x)\sqrt{x(b-x)}\,dx=2b^3\int_0^{\frac{\pi}{2}}\cos^4 t\sin^2 t\,dt$$

$$=2b^3\left(\int_0^{\frac{\pi}{2}}\cos^4 t\,dt-\int_0^{\frac{\pi}{2}}\cos^6 t\,dt\right)=2b^3\left(\frac{3}{4}\cdot\frac{1}{2}-\frac{5}{6}\cdot\frac{3}{4}\cdot\frac{1}{2}\right)\frac{\pi}{2}=\frac{1}{16}\pi b^3.$$

同理，令 $x=a\sin^2 t$，可得

$$\int_0^a(a-x)\sqrt{x(a-x)}\,dx=2a^3\int_0^{\frac{\pi}{2}}\cos^4 t\sin^2 t\,dt$$

$$=2a^3\left(\int_0^{\frac{\pi}{2}}\cos^4 t\,dt-\int_0^{\frac{\pi}{2}}\cos^6 t\,dt\right)=2a^3\left(\frac{3}{4}\cdot\frac{1}{2}-\frac{5}{6}\cdot\frac{3}{4}\cdot\frac{1}{2}\right)\frac{\pi}{2}$$

$$=\frac{1}{16}\pi a^3.$$

故 $V=\frac{4}{3}\left(\frac{\pi b^3}{16}-\frac{\pi a^3}{16}\right)=\frac{\pi}{12}(b^3-a^3).$

【4028】 $z=x^2+y^2,xy=a^2,xy=2a^2,y=\frac{x}{2},y=2x,z=0.$

解 曲面所界的立体在 xOy 平面上的投影域 D 由曲线 $xy=a^2$,$xy=2a^2$ 和直线 $y=\frac{x}{2}$,$y=2x$ 围成. 利用对称性知,曲面所围区域的体积为

$$V=2\iint_D z\,\mathrm{d}x\mathrm{d}y=2\iint_D (x^2+y^2)\mathrm{d}x\mathrm{d}y.$$

作变量代换 $xy=ua^2$,$y=vx$,则积分域变为长方形域 $1\leqslant u\leqslant 2$,$\frac{1}{2}\leqslant v\leqslant 2$,且

$$|J|=\frac{a^2}{2v},z=x^2+y^2=a^2\left(\frac{u}{v}+uv\right).$$

于是,所求的体积为

$$V=2\iint_D (x^2+y^2)\mathrm{d}x\mathrm{d}y=2\iint_{\substack{1\leqslant u\leqslant 2\\ \frac{1}{2}\leqslant v\leqslant 2}} a^2\left(\frac{u}{v}+uv\right)\frac{a^2}{2v}\mathrm{d}u\mathrm{d}v=a^4\int_1^2 u\mathrm{d}u\int_{\frac{1}{2}}^2\left(1+\frac{1}{v^2}\right)\mathrm{d}v=\frac{9}{2}a^4.$$

【4029】 $z=xy$,$x^2=y$,$x^2=2y$,$y^2=x$,$y^2=2x$,$z=0$.

解 曲面所围立体在 xOy 平面上的投影域 D 由曲线 $x^2=y$,$x^2=2y$,$y^2=x$ 及 $y^2=2x$ 围成. 故

$$V=\iint_D z\,\mathrm{d}x\mathrm{d}y=\iint_D xy\,\mathrm{d}x\mathrm{d}y.$$

作变量代换

$$x=uy^2,y=vx^2,\text{或 } x=u^{-\frac{1}{3}}v^{-\frac{2}{3}},y=u^{-\frac{2}{3}}v^{-\frac{1}{3}},$$

则积分域 D 变为正方形域 $\frac{1}{2}\leqslant u\leqslant 1$,$\frac{1}{2}\leqslant v\leqslant 1$,且 $|J|=\frac{1}{3}u^{-2}v^{-2}$. 于是,曲面所围区域的体积为

$$V=\iint_D xy\,\mathrm{d}x\mathrm{d}y=\frac{1}{3}\int_{\frac{1}{2}}^1\int_{\frac{1}{2}}^1 u^{-3}v^{-3}\mathrm{d}u\mathrm{d}v=\frac{1}{3}\left(\int_{\frac{1}{2}}^1 u^{-3}\mathrm{d}u\right)^2=\frac{1}{3}\cdot\frac{9}{4}=\frac{3}{4}.$$

【4030】 $z=c\sin\frac{\pi xy}{a^2}$,$z=0$,$xy=a^2$,$y=\alpha x$,$y=\beta x(0<\alpha<\beta,x>0)$.

解 曲面所界的立体在 xOy 平面上的投影域 D 由曲线 $xy=a^2$ 和直线 $y=\alpha x$,$y=\beta x(x>0)$ 围成. 于是,曲面所围区域的体积为

$$V=\iint_D z\,\mathrm{d}x\mathrm{d}y=c\iint_D\sin\frac{\pi xy}{a^2}\mathrm{d}x\mathrm{d}y$$

方法一 作变量代换 $xy=u$,$\frac{x}{y}=v$,则 $|J|=\frac{1}{2v}$. 于是

$$V=\iint_D z\,\mathrm{d}x\mathrm{d}y=c\iint_D\sin\frac{\pi xy}{a^2}\mathrm{d}x\mathrm{d}y=c\int_0^{a^2}\mathrm{d}u\int_\alpha^\beta\sin\frac{\pi u}{a^2}\frac{1}{2v}\mathrm{d}v=\frac{a^2c}{\pi}\ln\frac{\beta}{\alpha}.$$

方法二 作变量代换 $x=ar\cos\theta$,$y=ar\sin\theta$,则 $|J|=a^2r$. 于是

$$V=\iint_D z\,\mathrm{d}x\mathrm{d}y=c\iint_D\sin\frac{\pi xy}{a^2}\mathrm{d}x\mathrm{d}y=a^2c\int_{\arctan\alpha}^{\arctan\beta}\mathrm{d}\theta\int_0^{\frac{1}{\sqrt{\sin\theta\cos\theta}}}\sin(\pi r^2\sin\theta\cos\theta)r\mathrm{d}r$$

$$=\frac{a^2c}{\pi}\int_{\arctan\alpha}^{\arctan\beta}\frac{1}{\sin\theta\cos\theta}\mathrm{d}\theta=\frac{a^2c}{\pi}\ln\tan\theta\Big|_{\arctan\alpha}^{\arctan\beta}=\frac{a^2c}{\pi}\ln\frac{\beta}{\alpha}.$$

【4031】 $z=x^{\frac{3}{2}}+y^{\frac{3}{2}}$,$z=0$,$x+y=1$,$x=0$,$y=0$.

解 曲面所界的立体在 xOy 平面上的投影域 D 由直线 $x+y=1$,$x=0$,$y=0$ 围成. 于是,曲面所围区域的体积为

$$V=\iint_D z\,\mathrm{d}x\mathrm{d}y=\iint_D(x^{\frac{3}{2}}+y^{\frac{3}{2}})\mathrm{d}x\mathrm{d}y=\int_0^1\int_0^{1-x}(x^{\frac{3}{2}}+y^{\frac{3}{2}})\mathrm{d}x\mathrm{d}y$$

$$=\int_0^1\left[x^{\frac{3}{2}}(1-x)+\frac{2}{5}(1-x)^{\frac{5}{2}}\right]\mathrm{d}x=\frac{5}{2}x^{\frac{5}{2}}\Big|_0^1-\frac{7}{2}x^{\frac{7}{2}}\Big|_0^1-\frac{4}{35}(1-x)^{\frac{7}{2}}\Big|_0^1$$

$$=\frac{2}{5}-\frac{2}{7}+\frac{4}{35}=\frac{8}{35}.$$

【4032】 $\dfrac{x^2}{a^2}+\dfrac{y^2}{b^2}+\dfrac{z}{c}=1,\left(\dfrac{x}{a}\right)^{\frac{2}{3}}+\left(\dfrac{y}{b}\right)^{\frac{2}{3}}=1,z=0.$

解 令 $x=ar\cos^3\theta,y=br\sin^3\theta$,则方程化为

$$z=c[1-r^2(\cos^6\theta+\sin^6\theta)],r=1(0\leqslant\theta\leqslant 2\pi,0\leqslant r\leqslant 1).$$

于是,利用对称性,曲面所围区域的体积为

$$\begin{aligned}V&=4\iint_D z\mathrm{d}x\mathrm{d}y=12abc\int_0^{\frac{\pi}{2}}\mathrm{d}\theta\int_0^1[1-r^2(\cos^6\theta+\sin^6\theta)]r\cos^2\theta\sin^2\theta\mathrm{d}r\\&=12abc\left[\int_0^{\frac{\pi}{2}}\frac{1}{2}\cos^2\theta\sin^2\theta\mathrm{d}\theta-\frac{1}{4}\int_0^{\frac{\pi}{2}}(\cos^6\theta+\sin^6\theta)\cos^2\theta\sin^2\theta\mathrm{d}\theta\right]\\&=6abc\left(\int_0^{\frac{\pi}{2}}\cos^2\theta\sin^2\theta\mathrm{d}\theta-\int_0^{\frac{\pi}{2}}\cos^6\theta\cos^2\theta\sin^2\theta\mathrm{d}\theta\right)\\&=6abc\left[\frac{\pi}{4}\left(1-\frac{3}{4}\right)-\frac{1}{10}\cdot\frac{7}{8}\cdot\frac{5}{6}\cdot\frac{3}{4}\cdot\frac{1}{2}\cdot\frac{\pi}{2}\right]\\&=\frac{3\pi abc}{2}\left(\frac{1}{4}-\frac{7}{128}\right)=\frac{75}{256}\pi abc.\end{aligned}$$

【4033】 $z=\arctan\dfrac{y}{x},z=0,\sqrt{x^2+y^2}=a\arctan\dfrac{y}{x}(y\geqslant 0).$

解 令 $x=r\cos\theta,y=r\sin\theta$,则方程化为 $z=c\theta,r=a\theta\left(0\leqslant\theta\leqslant\dfrac{\pi}{2}\right)$,故曲面所围区域的体积为

$$V=\iint_D z\mathrm{d}x\mathrm{d}y=\int_0^{\frac{\pi}{2}}\mathrm{d}\theta\int_0^{a\theta}c\theta r\mathrm{d}r=\frac{a^2c}{2}\int_0^{\frac{\pi}{2}}\theta^3\mathrm{d}\theta=\frac{\pi^4a^2c}{128}.$$

【4034】 $\dfrac{x^n}{a^n}+\dfrac{y^n}{b^n}+\dfrac{z^n}{c^n}=1,x=0,y=0,z=0(n>0).$

解 曲面方程可表示为

$$z=c\sqrt[n]{1-\left(\frac{x^n}{a^n}+\frac{y^n}{b^n}\right)}.$$

令 $x=ar\cos^{\frac{2}{n}}\theta,y=br\sin^{\frac{2}{n}}\theta\left(0\leqslant\theta\leqslant\dfrac{\pi}{2}\right)$,则曲面所围区域的体积为

$$V=c\iint_D\sqrt[n]{1-\left(\frac{x^n}{a^n}+\frac{y^n}{b^n}\right)}\mathrm{d}x\mathrm{d}y=\frac{2abc}{n}\int_0^1\sqrt[n]{1-r^n}r\mathrm{d}r\int_0^{\frac{\pi}{2}}\cos^{\frac{2-n}{n}}\theta\sin^{\frac{2-n}{n}}\theta\mathrm{d}\theta.$$

令 $r^n=t$ 可得

$$\int_0^1\sqrt[n]{1-r^n}r\mathrm{d}r=\int_0^1(1-t)^{\frac{1}{n}}t^{\frac{2}{n}-1}\mathrm{d}t=\mathrm{B}\left(\frac{1}{n}+1,\frac{2}{n}\right)=\frac{\Gamma\left(\frac{1}{n}+1\right)\Gamma\left(\frac{2}{n}\right)}{\Gamma\left(1+\frac{3}{n}\right)}=\frac{\Gamma\left(\frac{1}{n}\right)\Gamma\left(\frac{2}{n}\right)}{3\Gamma\left(\frac{3}{n}\right)}.$$

令 $\sin^2\theta=t$ 可得

$$\int_0^{\frac{\pi}{2}}\cos^{\frac{2-n}{n}}\theta\sin^{\frac{2-n}{n}}\theta\mathrm{d}\theta=\frac{1}{2n}\int_0^1(1-t)^{\frac{1}{n}-1}t^{\frac{1}{n}-1}\mathrm{d}t=\frac{1}{2n}\mathrm{B}\left(\frac{1}{n},\frac{1}{n}\right)=\frac{1}{2n}\frac{\Gamma^2\left(\frac{1}{n}\right)}{\Gamma\left(\frac{2}{n}\right)}.$$

于是,所求的体积为

$$V=\frac{abc}{n^2}\frac{\Gamma\left(\frac{1}{n}\right)\Gamma\left(\frac{2}{n}\right)}{3\Gamma\left(\frac{3}{n}\right)}\frac{\Gamma^2\left(\frac{1}{n}\right)}{\Gamma\left(\frac{2}{n}\right)}=\frac{abc}{3n^2}\frac{\Gamma^3\left(\frac{1}{n}\right)}{\Gamma\left(\frac{3}{n}\right)}.$$

【4035】 $\left(\dfrac{x}{a}+\dfrac{y}{b}\right)^n+\left(\dfrac{z}{c}\right)^m=1,x=0,y=0,z=0(n>0,m>0).$

解 令 $x = ar\cos^2\theta, y = br\sin^2\theta\left(0 \leqslant \theta \leqslant \frac{\pi}{2}\right)$，则曲面所围区域的体积为

$$V = c\iint_D \sqrt[m]{1-\left(\frac{x}{a}+\frac{y}{b}\right)^n}\mathrm{d}x\mathrm{d}y = 2abc\int_0^1 \sqrt[m]{1-r^n}\,r\mathrm{d}r\int_0^{\frac{\pi}{2}}\cos\theta\sin\theta\mathrm{d}\theta$$

$$= abc\int_0^1 \sqrt[m]{1-r^n}\,r\mathrm{d}r = \frac{abc}{n}\mathrm{B}\left(\frac{1}{m}+1,\frac{2}{n}\right)$$

$$= \frac{abc}{n}\frac{\Gamma\left(\frac{1}{m}+1\right)\Gamma\left(\frac{2}{n}\right)}{\Gamma\left(\frac{1}{m}+\frac{2}{n}+1\right)} = \frac{abc}{n+2m}\frac{\Gamma\left(\frac{1}{m}\right)\Gamma\left(\frac{2}{n}\right)}{\Gamma\left(\frac{1}{m}+\frac{2}{n}\right)}.$$

第4节 曲面面积的计算法（习题4036—4050）

知识点预览

序号	知识点	题目序号	所在页码
1	曲面由显函数给出的情形	4036—4046	P49
2	曲面由参数方程给出的情形	4047—4050	P53

知识点1 曲面由显函数给出的情形

光滑曲面 $z = z(x,y)$ 的面积可由以下积分表示：

$$S = \iint_D \sqrt{1+\left(\frac{\partial z}{\partial x}\right)^2+\left(\frac{\partial z}{\partial y}\right)^2}\mathrm{d}x\mathrm{d}y,$$

其中 D 为该曲面在 xOy 平面上的投影.

习题 4036—4046 由显函数给出的曲面面积

【4036】 求曲面 $az = xy$ 包含在圆柱 $x^2+y^2=a^2$ 内那部分的面积.

解 所求的面积为

$$S = \iint_{x^2+y^2\leqslant a^2}\sqrt{1+\left(\frac{y}{a}\right)^2+\left(\frac{x}{a}\right)^2}\mathrm{d}x\mathrm{d}y = \iint_{x^2+y^2\leqslant a^2}\sqrt{\frac{a^2+(x^2+y^2)}{a^2}}\mathrm{d}x\mathrm{d}y$$

$$= \frac{1}{a}\iint_{x^2+y^2\leqslant a^2}\sqrt{a^2+(x^2+y^2)}\mathrm{d}x\mathrm{d}y = \frac{4}{a}\int_0^{\frac{\pi}{2}}\mathrm{d}\theta\int_0^a r\sqrt{a^2+r^2}\,\mathrm{d}r = \frac{2\pi a^2}{3}(2\sqrt{2}-1).$$

【4037】 求以曲面 $x^2+z^2=a^2$ 和 $y^2+z^2=a^2$ 为界的物体的表面积.

解 如图 8.48 所示，两曲面的交线在 yOz 平面上的投影为圆

$$y^2+z^2=a^2, x=0.$$

于是，利用对称性知，所求的面积为

$$S=4\iint\limits_{z^2+y^2\leqslant a^2}\sqrt{1+\left(\frac{\partial x}{\partial y}\right)^2+\left(\frac{\partial x}{\partial z}\right)^2}\,\mathrm{d}y\mathrm{d}z$$

$$=4\cdot 4\int_0^a\mathrm{d}z\int_0^{\sqrt{a^2-z^2}}\sqrt{1+0^2+\left(-\frac{z}{x}\right)^2}\,\mathrm{d}y$$

$$=16\int_0^a\mathrm{d}z\int_0^{\sqrt{a^2-z^2}}\sqrt{\frac{x^2+z^2}{x^2}}\,\mathrm{d}y$$

$$=16a\int_0^a\mathrm{d}z\int_0^{\sqrt{a^2-z^2}}\frac{\mathrm{d}y}{\sqrt{a^2-z^2}}$$

$$=16a\int_0^a\frac{1}{\sqrt{a^2-z^2}}\sqrt{a^2-z^2}\,\mathrm{d}z=16a^2.$$

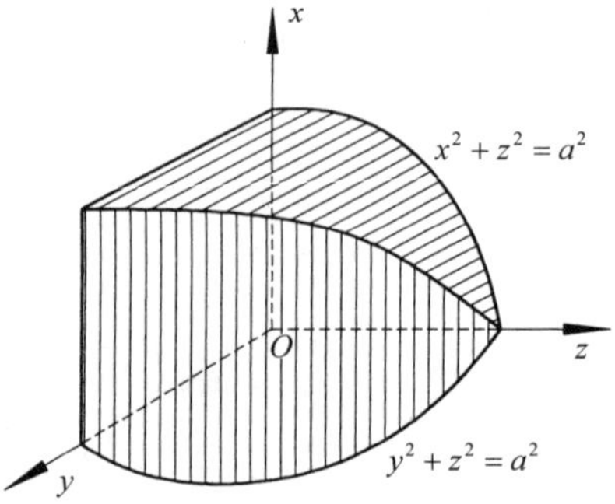

图 8.48

【4038】 求球面 $x^2+y^2+z^2=a^2$ 包含在柱面$\frac{x^2}{a^2}+\frac{y^2}{b^2}=1(b\leqslant a)$ 内那部分的面积.

解 因为

$$\sqrt{1+\left(\frac{\partial z}{\partial x}\right)^2+\left(\frac{\partial z}{\partial y}\right)^2}=\sqrt{1+\frac{x^2}{z^2}+\frac{y^2}{z^2}}=\sqrt{\frac{x^2+y^2+z^2}{z^2}}=\frac{a}{\sqrt{a^2-x^2-y^2}},$$

又积分域$\frac{x^2}{a^2}+\frac{y^2}{b^2}\leqslant 1$位于第一象限部分为 $0\leqslant x\leqslant a,0\leqslant y\leqslant\frac{b}{a}\sqrt{a^2-x^2}$,于是,利用对称性知,所求的面积为

$$S=2\cdot 4\int_0^a\mathrm{d}x\int_0^{\frac{b}{a}\sqrt{a^2-x^2}}\frac{a}{\sqrt{a^2-x^2-y^2}}\mathrm{d}y$$

$$=8a\int_0^a\arcsin\frac{y}{\sqrt{a^2-x^2}}\Bigg|_0^{\frac{b}{a}\sqrt{a^2-x^2}}\mathrm{d}x=8a^2\arcsin\frac{b}{a}.$$

【4039】 求曲面 $z^2=2xy$ 被平面 $x+y=1,x=0,y=0$ 所截部分的面积.

解 因为

$$\sqrt{1+\left(\frac{\partial z}{\partial x}\right)^2+\left(\frac{\partial z}{\partial y}\right)^2}=\sqrt{1+\frac{y^2}{z^2}+\frac{x^2}{z^2}}=\sqrt{\frac{x^2+y^2+2xy}{2xy}}=\frac{x+y}{\sqrt{2xy}},$$

于是,所求的面积为

$$S=\frac{2}{\sqrt{2}}\int_0^1\mathrm{d}x\int_0^{1-x}\frac{x+y}{\sqrt{xy}}\mathrm{d}y=\frac{2}{\sqrt{2}}\int_0^1\left[2\sqrt{x(1-x)}+\frac{2}{3\sqrt{x}}(1-x)\sqrt{1-x}\right]\mathrm{d}x$$

$$=\sqrt{2}\int_0^1\frac{2\sqrt{1-x}(1+2x)}{3\sqrt{x}}\mathrm{d}x=\frac{4\sqrt{2}}{3}\int_0^1\sqrt{1-x}(1+2x)\mathrm{d}(\sqrt{x})$$

$$=\frac{4\sqrt{2}}{3}\int_0^1\sqrt{1-t^2}(1+2t^2)\mathrm{d}t=\frac{4\sqrt{2}}{3}\left(\frac{\pi}{4}+\frac{\pi}{8}\right)=\frac{\pi}{\sqrt{2}}.$$

【4040】 求曲面 $x^2+y^2+z^2=a^2$ 在圆柱 $x^2+y^2=\pm ax$ 内那部分的面积(维维亚尼问题).

解 只需求出球面被圆柱面割出部分的面积. 因为

$$\sqrt{1+\left(\frac{\partial z}{\partial x}\right)^2+\left(\frac{\partial z}{\partial y}\right)^2}=\sqrt{1+\frac{x^2}{z^2}+\frac{y^2}{z^2}}=\frac{a}{\sqrt{a^2-x^2-y^2}},$$

于是,利用对称性知,割出部分的面积为

$$S=8\iint\limits_D\frac{a}{\sqrt{a^2-x^2-y^2}}\mathrm{d}x\mathrm{d}y=8\int_0^{\frac{\pi}{2}}\mathrm{d}\theta\int_0^{a\cos\theta}\frac{ar}{\sqrt{a^2-r^2}}\mathrm{d}r=8a^2\left(\frac{\pi}{2}-1\right).$$

于是,所求的面积为 $A=4\pi a^2-S=4\pi a^2-8a^2\left(\frac{\pi}{2}-1\right)=8a^2$.

【4041】 求曲面 $z=\sqrt{x^2+y^2}$ 包含在圆柱 $x^2+y^2=2x$ 内那部分的面积.

解 注意到

$$\sqrt{1+\left(\frac{\partial z}{\partial x}\right)^2+\left(\frac{\partial z}{\partial y}\right)^2}=\sqrt{1+\left(\frac{x}{\sqrt{x^2+y^2}}\right)^2+\left(\frac{y}{\sqrt{x^2+y^2}}\right)^2}=\sqrt{2},$$

又积分域为 $-\frac{\pi}{2}\leqslant\theta\leqslant\frac{\pi}{2}, 0\leqslant r\leqslant 2\cos\theta$. 于是，所求的面积为

$$S=\iint_D\sqrt{2}\,\mathrm{d}x\mathrm{d}y=\int_{-\frac{\pi}{2}}^{\frac{\pi}{2}}\mathrm{d}\theta\int_0^{2\cos\theta}\sqrt{2}\,r\mathrm{d}r=2\sqrt{2}\int_{-\frac{\pi}{2}}^{\frac{\pi}{2}}\cos^2\theta\mathrm{d}\theta=\sqrt{2}\,\pi.$$

【4042】 求曲面 $z=\sqrt{x^2-y^2}$ 包含在柱面 $(x^2+y^2)^2=a^2(x^2-y^2)$ 内那部分的面积.

解 注意到

$$\sqrt{1+\left(\frac{\partial z}{\partial x}\right)^2+\left(\frac{\partial z}{\partial y}\right)^2}=\sqrt{1+\left(\frac{x}{\sqrt{x^2-y^2}}\right)^2+\left(\frac{-y}{\sqrt{x^2-y^2}}\right)^2}=\frac{\sqrt{2}\,x}{\sqrt{x^2-y^2}},$$

又积分域由双纽线 $r^2=a^2\cos 2\theta$ 所围成. 于是，利用对称性知，所求的面积为

$$\begin{aligned}S&=\iint_D\frac{\sqrt{2}\,x}{\sqrt{x^2-y^2}}\mathrm{d}x\mathrm{d}y=4\int_0^{\frac{\pi}{4}}\mathrm{d}\theta\int_0^{a\sqrt{\cos 2\theta}}\sqrt{2}\,r\frac{r\cos\theta}{r\sqrt{\cos 2\theta}}\mathrm{d}r\\&=2\sqrt{2}\int_0^{\frac{\pi}{4}}a^2\cos\theta\sqrt{\cos 2\theta}\mathrm{d}\theta=2a^2\int_0^{\frac{\pi}{4}}\sqrt{1-2\sin^2\theta}\,\mathrm{d}(\sqrt{2}\sin\theta)\\&=2a^2\left[\frac{\sqrt{2}\sin\theta}{2}\sqrt{1-2\sin^2\theta}+\frac{1}{2}\arcsin(\sqrt{2}\sin\theta)\right]\Bigg|_0^{\frac{\pi}{4}}=\frac{\pi a^2}{2}.\end{aligned}$$

【4043】 求曲面 $z=\frac{1}{2}(x^2-y^2)$ 被平面 $x-y=\pm1, x+y=\pm1$ 所截部分的面积.

解 因为 $\sqrt{1+\left(\frac{\partial z}{\partial x}\right)^2+\left(\frac{\partial z}{\partial y}\right)^2}=\sqrt{1+x^2+y^2}$，故所求的面积为

$$S=\iint_D\sqrt{1+x^2+y^2}\,\mathrm{d}x\mathrm{d}y,$$

其中 D 为由直线 $x-y=\pm1, x+y=\pm1$ 围成的正方形域. 为便于计算，作变换

$$x=\frac{\sqrt{2}}{2}u-\frac{\sqrt{2}}{2}v, y=\frac{\sqrt{2}}{2}u+\frac{\sqrt{2}}{2}v,$$

从而积分域变为由 $u=\pm\frac{\sqrt{2}}{2}, v=\pm\frac{\sqrt{2}}{2}$ 围成的正方形，且 $J=1$. 于是，利用对称性，即得所求的面积为

$$\begin{aligned}S&=\iint_D\sqrt{1+x^2+y^2}\,\mathrm{d}x\mathrm{d}y=4\int_0^{\frac{\sqrt{2}}{2}}\mathrm{d}u\int_{-u}^{u}\sqrt{1+u^2+v^2}\,\mathrm{d}v\\&=4\int_0^{\frac{\sqrt{2}}{2}}\left\{u\sqrt{1+2u^2}+\frac{1+u^2}{2}\left[\ln(\sqrt{1+2u^2}+u)-\ln(\sqrt{1+2u^2}-u)\right]\right\}\mathrm{d}u\\&=\frac{2}{3}(1+2u^2)^{\frac{3}{2}}\Bigg|_0^{\frac{\sqrt{2}}{2}}+2\int_0^{\frac{\sqrt{2}}{2}}\left[\ln(\sqrt{1+2u^2}+u)-\ln(\sqrt{1+2u^2}-u)\right]\mathrm{d}\left(u+\frac{u^3}{3}\right)\\&=\frac{4\sqrt{2}}{3}-\frac{2}{3}+\frac{7\sqrt{2}}{6}\ln 3-\int_0^{\frac{\sqrt{2}}{2}}4\left(u+\frac{u^3}{3}\right)\frac{\mathrm{d}u}{\sqrt{1+2u^2}(1+u^2)}\\&=\frac{4\sqrt{2}}{3}-\frac{2}{3}+\frac{7\sqrt{2}}{6}\ln 3-\int_0^{\frac{\sqrt{2}}{2}}\frac{1+\frac{u^3}{3}}{1+u^2}\frac{\mathrm{d}(1+2u^2)}{\sqrt{1+2u^2}}\\&\xlongequal{1+2u^2=t^2}\frac{4\sqrt{2}}{3}-\frac{2}{3}+\frac{7\sqrt{2}}{6}\ln 3-\frac{2}{3}\int_1^{\sqrt{2}}\frac{t^2+5}{t^2+1}\mathrm{d}t\end{aligned}$$

$$= \frac{4\sqrt{2}}{3} - \frac{2}{3} + \frac{7\sqrt{2}}{6}\ln 3 - \frac{2}{3}(\sqrt{2}-1) - \frac{8}{3}\int_1^{\sqrt{2}} \frac{dt}{t^2+1}$$

$$= \frac{2\sqrt{2}}{3}\left(1+\frac{7}{4}\ln 3\right) + \frac{2\pi}{3} - \frac{8}{3}\arctan\sqrt{2}.$$

注 需作变换 $1+2u^2=t^2$.

【4044】 求曲面 $x^2+y^2=2az$ 包含在柱面 $(x^2+y^2)^2=2a^2xy$ 内那部分的面积.

解 注意到

$$\sqrt{1+\left(\frac{\partial z}{\partial x}\right)^2+\left(\frac{\partial z}{\partial y}\right)^2}=\sqrt{1+\left(\frac{x}{a}\right)^2+\left(\frac{y}{a}\right)^2}=\frac{1}{a}\sqrt{a^2+x^2+y^2},$$

又积分域由双纽线 $r^2=a^2\sin 2\theta$ 围成. 于是,利用对称性,即得所求的面积为

$$S=\iint_D \frac{1}{a}\sqrt{a^2+x^2+y^2}\,dxdy = 4\int_0^{\frac{\pi}{4}}d\theta\int_0^{a\sqrt{\sin 2\theta}}\frac{1}{a}\sqrt{a^2+r^2}\,rdr$$

$$=\frac{4}{3a}\int_0^{\frac{\pi}{4}}[a^3(1+\sin 2\theta)^{\frac{3}{2}}-a^3]d\theta=\frac{4a^2}{3}\int_0^{\frac{\pi}{4}}(1+\sin 2\theta)^{\frac{3}{2}}d\theta-\frac{\pi a^2}{3}.$$

由于

$$\int_0^{\frac{\pi}{4}}(1+\sin 2\theta)^{\frac{3}{2}}d\theta=\int_0^{\frac{\pi}{4}}\left[1+\cos 2\left(\frac{\pi}{4}-\theta\right)\right]^{\frac{3}{2}}d\theta=2\sqrt{2}\int_0^{\frac{\pi}{4}}\cos^3\left(\frac{\pi}{4}-\theta\right)d\theta$$

$$=2\sqrt{2}\int_0^{\frac{\pi}{4}}\cos^3 t\,dt=2\sqrt{2}\left(\sin t-\frac{\sin^3 t}{3}\right)\Big|_0^{\frac{\pi}{4}}=\frac{5}{3},$$

故 $S=\frac{4a^2}{3}\cdot\frac{5}{3}-\frac{\pi a^2}{3}=\frac{a^2}{9}(20-3\pi)$.

【4045】 求曲面 $x^2+y^2=a^2$ 被平面 $x+z=0, x-z=0\,(x>0, y>0)$ 所截部分的面积.

解 因为

$$\sqrt{1+\left(\frac{\partial y}{\partial x}\right)^2+\left(\frac{\partial y}{\partial z}\right)^2}=\sqrt{1+\left(\frac{x}{y}\right)^2}=\frac{a}{\sqrt{a^2-x^2}},$$

于是,所求的面积为

$$S=\iint_D\frac{a}{\sqrt{a^2-x^2}}dxdz=\int_0^a dx\int_{-x}^{x}\frac{a}{\sqrt{a^2-x^2}}dz=\int_0^a\frac{2ax}{\sqrt{a^2-x^2}}dx=2a^2.$$

【4046】 求以曲面 $x^2+y^2=\frac{1}{3}z^2$ 和 $x+y+z=2a\,(a>0)$ 为界的物体的表面积和体积.

解 曲面的交线在 xOy 平面上的投影为

$$3x^2+3y^2=(2a-x-y)^2, \text{即 } x^2+y^2-xy+2a(x+y)=2a^2.$$

令 $x=\frac{x'-y'}{\sqrt{2}}, y=\frac{x'+y'}{\sqrt{2}}$,则方程变为

$$\frac{\left(x'+\frac{4a}{\sqrt{2}}\right)^2}{(2\sqrt{3}a)^2}+\frac{y'^2}{(2a)^2}=1.$$

由此可见,曲面所界的物体在 xOy 平面上的投影域为以 $2a$ 为半短轴、$2\sqrt{3}a$ 为半长轴的椭圆.

物体的表面积由截面和截出的锥面两部分组成. 对于 $z=2a-x-y, z=\sqrt{3x^2+3y^2}$ 分别有

$$\sqrt{1+\left(\frac{\partial z}{\partial x}\right)^2+\left(\frac{\partial z}{\partial y}\right)^2}=\sqrt{3}, \sqrt{1+\left(\frac{\partial z}{\partial x}\right)^2+\left(\frac{\partial z}{\partial y}\right)^2}=2,$$

于是，物体的表面积

$$S=\iint_D \sqrt{3}\,dxdy+\iint_D 2dxdy=(\sqrt{3}+2)\cdot\pi\cdot 2a\cdot 2\sqrt{3}a=4\pi(3+2\sqrt{3})a^2.$$

又所截圆锥之高(即坐标原点到平面 $x+y+z=2a$ 的距离）为

$$H=\left|\frac{-2a}{\sqrt{1^2+1^2+1^2}}\right|=\frac{2a}{\sqrt{3}}.$$

于是，物体的体积为

$$V=\frac{1}{3}\cdot A\cdot\frac{2a}{\sqrt{3}},$$

其中 A 为截圆锥的底面积：$A=\iint_V \sqrt{3}\,dxdy=\sqrt{3}\cdot\pi\cdot 2a\cdot 2\sqrt{3}a=12\pi a^2$. 因此，所求物体的体积为

$$V=\frac{1}{3}\cdot 12\pi a^2\cdot\frac{2a}{\sqrt{3}}=\frac{8}{\sqrt{3}}\pi a^3.$$

知识点2 曲面由参数方程给出的情形

若曲面是由参数方程：

$$x=x(u,v),y=y(u,v),z=z(u,v),$$

给出的，其中$(u,v)\in D$，D 为封闭可求面积的有限区域，且函数 $x(u,v)$，$y(u,v)$ 和 $z(u,v)$ 在区域 D 内连续可微，则曲面的面积为

$$S=\iint_D \sqrt{EG-F^2}\,dudv,$$

其中

$$E=\left(\frac{\partial x}{\partial u}\right)^2+\left(\frac{\partial y}{\partial u}\right)^2+\left(\frac{\partial z}{\partial u}\right)^2,$$

$$G=\left(\frac{\partial x}{\partial v}\right)^2+\left(\frac{\partial y}{\partial v}\right)^2+\left(\frac{\partial z}{\partial v}\right)^2,$$

$$F=\frac{\partial x}{\partial u}\frac{\partial x}{\partial v}+\frac{\partial y}{\partial u}\frac{\partial y}{\partial v}+\frac{\partial z}{\partial u}\frac{\partial z}{\partial v}.$$

习题 4047—4050 由参数方程给出的曲面面积

【4047】 求球面在两条纬线和两条经线之间的部分的面积.

解 球面的参数方程为 $x=R\cos\theta\cos\varphi$，$y=R\sin\theta\cos\varphi$，$z=R\sin\varphi$，其中 R 为球的半径. 因

$$E=\left(\frac{\partial x}{\partial\theta}\right)^2+\left(\frac{\partial y}{\partial\theta}\right)^2+\left(\frac{\partial z}{\partial\theta}\right)^2=R^2\sin^2\theta\cos^2\varphi+R^2\cos^2\theta\cos^2\varphi+0=R^2\cos^2\varphi,$$

$$G=\left(\frac{\partial x}{\partial\varphi}\right)^2+\left(\frac{\partial y}{\partial\varphi}\right)^2+\left(\frac{\partial z}{\partial\varphi}\right)^2=R^2\cos^2\theta\sin^2\varphi+R^2\sin^2\theta\sin^2\varphi+R^2\cos^2\varphi=R^2,$$

$$F=\frac{\partial x}{\partial\theta}\frac{\partial x}{\partial\varphi}+\frac{\partial y}{\partial\theta}\frac{\partial y}{\partial\varphi}+\frac{\partial z}{\partial\theta}\frac{\partial z}{\partial\varphi}=R^2\sin\theta\cos\varphi\cos\theta\sin\varphi-R^2\cos\theta\cos\varphi\sin\theta\sin\varphi+0=0,$$

故 $\sqrt{EG-F^2}=R^2\cos\varphi$. 于是，所求的面积为

$$S=\int_{\theta_1}^{\theta_2}d\theta\int_{\varphi_1}^{\varphi_2}R^2\cos\varphi d\varphi=(\theta_2-\theta_1)(\sin\varphi_2-\sin\varphi_1)R^2,$$

其中 θ_1 及 θ_2 为经线的经度，φ_1 及 φ_2 为纬线的纬度.

【4048】 求螺旋面 $x=r\cos\theta, y=r\sin\theta, z=h\theta$ 在 $0<\theta<2\pi, 0<r<a$ 那部分的面积.

解 因为

$$E=\left(\frac{\partial x}{\partial r}\right)^2+\left(\frac{\partial y}{\partial r}\right)^2+\left(\frac{\partial z}{\partial r}\right)^2=1,$$

$$G=\left(\frac{\partial x}{\partial \theta}\right)^2+\left(\frac{\partial y}{\partial \theta}\right)^2+\left(\frac{\partial z}{\partial \theta}\right)^2=r^2+h^2,$$

$$F=\frac{\partial x}{\partial r}\frac{\partial x}{\partial \theta}+\frac{\partial y}{\partial r}\frac{\partial y}{\partial \theta}+\frac{\partial z}{\partial r}\frac{\partial z}{\partial \theta}=0,$$

故 $\sqrt{EG-F^2}=\sqrt{r^2+h^2}$. 于是,所求的面积为

$$S=\int_0^{2\pi}\mathrm{d}\theta\int_0^a\sqrt{r^2+h^2}\,\mathrm{d}r=2\pi\left[\frac{r}{2}\sqrt{r^2+h^2}+\frac{h^2}{2}\ln\left(r+\sqrt{r^2+h^2}\right)\right]\Bigg|_0^a$$

$$=\pi a\sqrt{a^2+h^2}+\pi h^2\ln\frac{a+\sqrt{a^2+h^2}}{h}.$$

【4049】 求环面 $x=(b+a\cos\varphi)\cos\theta, y=(b+a\cos\varphi)\sin\theta, z=a\sin\varphi(0<a\leqslant b)$ 在两条经线 $\theta=\theta_1,\theta=\theta_2$ 和两条纬线 $\varphi=\varphi_1,\varphi=\varphi_2$ 之间那部分的面积. 整个环的表面积等于什么?

解 因为

$$E=\left(\frac{\partial x}{\partial \theta}\right)^2+\left(\frac{\partial y}{\partial \theta}\right)^2+\left(\frac{\partial z}{\partial \theta}\right)^2=(b+a\cos\varphi)^2,$$

$$G=\left(\frac{\partial x}{\partial \varphi}\right)^2+\left(\frac{\partial y}{\partial \varphi}\right)^2+\left(\frac{\partial z}{\partial \varphi}\right)^2=a^2,$$

$$F=\frac{\partial x}{\partial \theta}\frac{\partial x}{\partial \varphi}+\frac{\partial y}{\partial \theta}\frac{\partial y}{\partial \varphi}+\frac{\partial z}{\partial \theta}\frac{\partial z}{\partial \varphi}=0,$$

故 $\sqrt{EG-F^2}=a(b+a\cos\varphi)$. 于是,所求的面积为

$$S=\int_{\theta_1}^{\theta_2}\mathrm{d}\theta\int_{\varphi_1}^{\varphi_2}a(b+a\cos\varphi)\mathrm{d}\varphi=a(\theta_2-\theta_1)[b(\varphi_2-\varphi_1)+a(\sin\varphi_2-\sin\varphi_1)].$$

整个环的表面积为

$$A=\int_0^{2\pi}\mathrm{d}\theta\int_{-\pi}^{\pi}a(b+a\cos\varphi)\mathrm{d}\varphi=4\pi^2ab.$$

【4050】 求矩形 $x=a>0, 0\leqslant y\leqslant b, 0\leqslant z\leqslant c$ 对坐标原点的立体角 ω. 若 a 很大,推出 ω 的近似公式.

解 以原点为球心作单位球,则 ω 即为该球面含于四面体 $O-ABCD$ 内的面积,其中 $ABCD$ 是以 b、c 为边长的矩形(图 8.49).

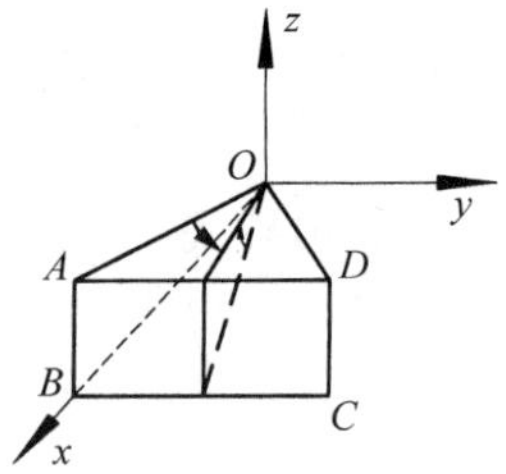

图 8.49

取球坐标系,由 4047 题知: $\sqrt{EG-F^2}=\cos\varphi$, 又 θ 和 φ 的变化域为

$$0\leqslant\theta\leqslant\arcsin\frac{b}{\sqrt{a^2+b^2}}, 0\leqslant\varphi\leqslant\arcsin\frac{c\cos\theta}{\sqrt{a^2+c^2\cos^2\theta}}.$$

于是,立体角

$$\omega=\int_0^{\arcsin\frac{b}{\sqrt{a^2+b^2}}}\mathrm{d}\theta\int_0^{\arcsin\frac{c\cos\theta}{\sqrt{a^2+c^2\cos^2\theta}}}\cos\varphi\mathrm{d}\varphi=\int_0^{\arcsin\frac{b}{\sqrt{a^2+b^2}}}\frac{c\cos\theta}{\sqrt{a^2+c^2\cos^2\theta}}\mathrm{d}\theta$$

$$=\int_0^{\arcsin\frac{b}{\sqrt{a^2+b^2}}}\frac{\mathrm{d}\left(\frac{c}{\sqrt{a^2+c^2}}\sin\theta\right)}{\sqrt{1-\left(\frac{c}{\sqrt{a^2+c^2}}\sin\theta\right)^2}}$$

$$= \arcsin\left(\frac{c}{\sqrt{a^2+c^2}}\sin\arcsin\frac{b}{\sqrt{a^2+b^2}}\right) = \arcsin\frac{bc}{\sqrt{(a^2+c^2)(a^2+b^2)}}.$$

当 a 很大时，有

$$\frac{bc}{\sqrt{(a^2+c^2)(a^2+b^2)}} = \frac{bc}{a^2\sqrt{\left(1+\frac{c^2}{a^2}\right)\left(1+\frac{b^2}{a^2}\right)}} \approx \frac{bc}{a^2}.$$

于是，得 ω 的近似公式 $\omega \approx \frac{bc}{a^2}$.

第5节 二重积分在力学上的应用（习题4051—4075）

知识点预览

序号	知识点	题目序号	所在页码
1	质心	4051—4060	P55
2	转动惯量	4061—4075	P59

知识点1 质心

若薄板 D 位于平面 xOy 内，x_0, y_0 为其质心坐标，$\rho = \rho(x,y)$ 为其面密度，则

$$x_0 = \frac{1}{M}\iint\limits_D \rho x\,dx\,dy,\quad y_0 = \frac{1}{M}\iint\limits_D \rho y\,dx\,dy, \qquad ①$$

其中 $M = \iint\limits_D \rho\,dx\,dy$ 为薄板的质量.

若薄板是均质的，则在公式 ① 中应令 $\rho = 1$.

习题 4051—4060 质 心

【4051】 求边长为 a 的正方形薄板的质量，设薄板上每一点的面密度与该点到正方形顶点之一的距离成正比，且在正方形的中心等于 ρ_0.

解 取坐标系如图 8.50 所示，则面密度 $\rho = k\sqrt{x^2+y^2}$. 由于 $\rho_0 = k\sqrt{\left(\frac{a}{2}\right)^2+\left(\frac{a}{2}\right)^2}$，故 $k = \frac{\rho_0}{a}\sqrt{2}$. 从而，$\rho = \frac{\rho_0\sqrt{2}}{a}\sqrt{x^2+y^2}$.

令 $x = r\cos\theta, y = r\sin\theta$，即得质量

$$M = \iint\limits_D \frac{\rho_0\sqrt{2}}{a}\sqrt{x^2+y^2}\,dx\,dy$$

$$= \frac{\rho_0}{a}\sqrt{2}\left(\int_0^{\frac{\pi}{4}}d\theta\int_0^{\frac{a}{\cos\theta}}r^2\,dr + \int_{\frac{\pi}{4}}^{\frac{\pi}{2}}d\theta\int_0^{\frac{a}{\sin\theta}}r^2\,dr\right)$$

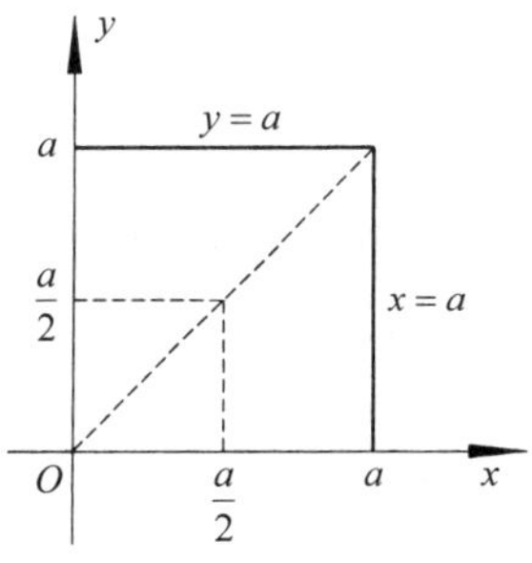

图 8.50

$$=\frac{\rho_0 a^2}{3}\sqrt{2}\left(\int_0^{\frac{\pi}{4}}\frac{d\theta}{\cos^3\theta}+\int_{\frac{\pi}{4}}^{\frac{\pi}{2}}\frac{d\theta}{\sin^3\theta}\right)$$

$$=\frac{\rho_0 a^2}{3}2\sqrt{2}\int_0^{\frac{\pi}{4}}\frac{d\theta}{\cos^3\theta}=\frac{\rho_0 a^2}{3}2\sqrt{2}\int_0^{\frac{\pi}{4}}\sqrt{1+\tan^2\theta}\,d(\tan\theta)$$

$$=\frac{\rho_0 a^2}{3}2\sqrt{2}\left[\frac{\tan\theta}{2}\sqrt{1+\tan^2\theta}+\frac{1}{2}\ln\left|\tan\theta+\sqrt{1+\tan^2\theta}\right|\right]\Bigg|_0^{\frac{\pi}{4}}$$

$$=\frac{\rho_0 a^2}{3}[2+\sqrt{2}\ln(1+\sqrt{2})].$$

【求以下列曲线为界的均匀薄板的质心坐标(4052—4058)】

【4052】 $ay=x^2,x+y=2a(a>0)$.

解 面密度 ρ 为常数. 积分域如图 8.51 所示. 质量

$$M=\rho\int_{-2a}^{a}dx\int_{\frac{x^2}{a}}^{2a-x}dy=\frac{9}{2}\rho a^2.$$

对于坐标轴的一次矩为

$$M_y=\rho\int_{-2a}^{a}x\,dx\int_{\frac{x^2}{a}}^{2a-x}dy=-\frac{9}{4}\rho a^3,M_x=\rho\int_{-2a}^{a}dx\int_{\frac{x^2}{a}}^{2a-x}y\,dy=\frac{36}{5}\rho a^3.$$

于是,质心(x_0,y_0)为

$$x_0=\frac{M_y}{M}=-\frac{a}{2},y_0=\frac{M_x}{M}=\frac{8}{5}a.$$

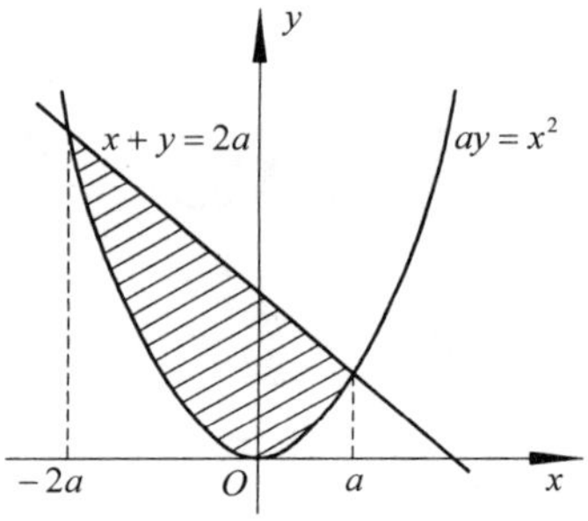

图 8.51

【4053】 $\sqrt{x}+\sqrt{y}=\sqrt{a},x=0,y=0$.

解 质量和对 Oy 轴的一次矩分别为

$$M=\rho\int_0^a dx\int_0^{(\sqrt{a}-\sqrt{x})^2}dy=\frac{1}{6}\rho a^2,M_y=\rho\int_0^a x\,dx\int_0^{(\sqrt{a}-\sqrt{x})^2}dy=\frac{1}{30}\rho a^3.$$

于是,质心的横坐标为

$$x_0=\frac{M_y}{M}=\frac{a}{5}.$$

由关于直线 $y=x$ 的对称性知,$x_0=y_0=\frac{a}{5}$.

【4054】 $x^{\frac{2}{3}}+y^{\frac{2}{3}}=a^{\frac{2}{3}}(x>0,y>0)$.

解 质量和对 Oy 轴的一次矩分别为

$$M=\rho\int_0^a dx\int_0^{(a^{\frac{2}{3}}-x^{\frac{2}{3}})^{\frac{3}{2}}}dy=\rho\int_0^a(a^{\frac{2}{3}}-x^{\frac{2}{3}})^{\frac{3}{2}}dx\xlongequal{x=a\cos^3t}3a^2\rho\int_0^{\frac{\pi}{2}}\sin^4t\cos^2t\,dt$$

$$=3a^2\rho\int_0^{\frac{\pi}{2}}(\sin^4t-\sin^6t)dt=3a^2\rho\left(\frac{3}{4}\cdot\frac{1}{2}-\frac{5}{6}\cdot\frac{3}{4}\cdot\frac{1}{2}\right)\frac{\pi}{2}=\frac{3\pi a^2\rho}{32},$$

$$M_y=\rho\int_0^a x\,dx\int_0^{(a^{\frac{2}{3}}-x^{\frac{2}{3}})^{\frac{3}{2}}}dy=\rho\int_0^a x(a^{\frac{2}{3}}-x^{\frac{2}{3}})^{\frac{3}{2}}dx=3a^3\rho\int_0^{\frac{\pi}{2}}\sin^4t\cos^5t\,dt=\frac{8a^3\rho}{105}.$$

于是,质心的横坐标为

$$x_0=\frac{M_y}{M}=\frac{256a}{315\pi}.$$

由关于直线 $y=x$ 的对称性知,$x_0=y_0=\frac{256a}{315\pi}$.

【4055】 $\left(\frac{x}{a}+\frac{y}{b}\right)^3=\frac{xy}{c^2}$(线圈).

解 此曲线在第一象限部分是一封闭曲线,围成一图形 D. 作变量代换

$$x=\frac{a^2b}{c^2}r\cos^4\theta\sin^2\theta,y=\frac{ab^2}{c^2}r\cos^2\theta\sin^4\theta\left(0\leqslant\theta\leqslant\frac{\pi}{2}\right),$$

则原曲线方程变为 $r=1$，又容易算得

$$\frac{D(x,y)}{D(r,\theta)}=\frac{2a^3b^3}{c^4}r(\sin^5\theta\cos^7\theta+\sin^7\theta\cos^5\theta).$$

故(利用 3856 题的结果)

$$M=\iint_D\rho\mathrm{d}x\mathrm{d}y=\frac{2a^3b^3}{c^4}\rho\int_0^1r\mathrm{d}r\int_0^{\frac{\pi}{2}}(\sin^5\theta\cos^7\theta+\sin^7\theta\cos^5\theta)\mathrm{d}\theta$$

$$=\frac{a^3b^3}{c^4}\rho\left[\frac{1}{2}\mathrm{B}(3,4)+\frac{1}{2}\mathrm{B}(4,3)\right]=\frac{a^3b^3}{c^4}\rho\mathrm{B}(3,4),$$

$$M_y=\iint_D\rho x\mathrm{d}x\mathrm{d}y=\frac{2a^5b^4}{c^6}\rho\int_0^1r^2\mathrm{d}r\int_0^{\frac{\pi}{2}}\cos^4\theta\sin^2\theta(\sin^5\theta\cos^7\theta+\sin^7\theta\cos^5\theta)\mathrm{d}\theta$$

$$=\frac{2}{3}\cdot\frac{a^5b^4}{c^6}\rho\left(\int_0^{\frac{\pi}{2}}\sin^7\theta\cos^{11}\theta+\int_0^{\frac{\pi}{2}}\sin^9\theta\cos^9\theta\mathrm{d}\theta\right)=\frac{1}{3}\cdot\frac{a^5b^4}{c^6}\rho[\mathrm{B}(4,6)+\mathrm{B}(5,5)].$$

于是

$$x_0=\frac{M_y}{M}=\frac{a^2b}{3c^2}\frac{\mathrm{B}(4,6)+\mathrm{B}(5,5)}{\mathrm{B}(3,4)}.$$

由于 $\mathrm{B}(4,6)=\frac{\Gamma(4)\Gamma(6)}{\Gamma(10)}=\frac{3!5!}{9!}$，$\mathrm{B}(5,5)=\frac{[\Gamma(5)]^2}{\Gamma(10)}=\frac{(4!)^2}{9!}$，$\mathrm{B}(3,4)=\frac{\Gamma(3)\Gamma(4)}{\Gamma(7)}=\frac{2!\cdot3!}{6!}$，代入得

$$x_0=\frac{a^2b}{3c^2}\cdot\frac{6![3!5!+(4!)^2]}{2!3!9!}=\frac{a^2b}{14c^2}.$$

同理，可求得质心的纵坐标为 $y_0=\frac{M_x}{M}=\frac{\iint_D\rho y\mathrm{d}x\mathrm{d}y}{\iint_D\rho\mathrm{d}x\mathrm{d}y}=\frac{ab^2}{14c^2}$.

【4056】 $(x^2+y^2)^2=2a^2xy(x>0,y>0)$.

解 曲线的极坐标方程为 $r^2=a^2\sin2\theta$，质量和对 Oy 轴的一次矩分别为

$$M=\iint_D\rho\mathrm{d}x\mathrm{d}y=\rho\int_0^{\frac{\pi}{2}}\mathrm{d}\theta\int_0^{a\sqrt{\sin2\theta}}r\mathrm{d}r=\frac{\rho a^2}{2}\int_0^{\frac{\pi}{2}}\sin2\theta\mathrm{d}\theta=\frac{\rho a^2}{2},$$

$$M_y=\iint_D\rho x\mathrm{d}x\mathrm{d}y=\rho\int_0^{\frac{\pi}{2}}\mathrm{d}\theta\int_0^{a\sqrt{\sin2\theta}}r\cdot r\cos\theta\mathrm{d}r=\frac{\rho a^3}{3}\int_0^{\frac{\pi}{2}}\cos\theta\sin^{\frac{3}{2}}2\theta\mathrm{d}\theta=\frac{2\sqrt{2}}{3}\rho a^3\int_0^{\frac{\pi}{2}}\cos^{\frac{5}{2}}\theta\sin^{\frac{3}{2}}\theta\mathrm{d}\theta$$

$$=\frac{2\sqrt{2}}{3}\rho a^3\cdot\frac{1}{2}\mathrm{B}\left(\frac{7}{4},\frac{5}{4}\right)=\frac{2\sqrt{2}}{3}\rho a^3\frac{\Gamma\left(\frac{7}{4}\right)\Gamma\left(\frac{5}{4}\right)}{2\Gamma(3)}=\frac{2\sqrt{2}}{3}\rho a^3\frac{\frac{3}{4}\Gamma\left(\frac{3}{4}\right)\cdot\frac{1}{4}\Gamma\left(\frac{1}{4}\right)}{2\cdot2}$$

$$=\frac{1}{8\sqrt{2}}\rho a^3\frac{\pi}{2\sin\frac{\pi}{4}}=\frac{1}{16}\pi\rho a^3.$$

于是，质心的横坐标为 $x_0=\frac{M_y}{M}=\frac{\pi a}{8}$. 由关于直线 $y=x$ 的对称性知，$x_0=y_0=\frac{\pi a}{8}$.

注 本题用到 3856 题的结果以及余元公式 $\Gamma(p)\Gamma(1-p)=\frac{\pi}{\sin p\pi}$.

【4057】 $r=a(1+\cos\theta),\theta=0$.

解 质量和对 Oy 轴、Ox 轴的一次矩分别为

$$M=\rho\int_0^{\pi}\mathrm{d}\theta\int_0^{\pi(1+\cos\theta)}r\mathrm{d}r=\frac{1}{2}\rho a^2\int_0^{\pi}(1+\cos\theta)^2\mathrm{d}\theta=\frac{3}{4}\pi\rho a^2,$$

$$M_y=\rho\int_0^{\pi}\mathrm{d}\theta\int_0^{a(1+\cos\theta)}r\cdot r\cos\theta\mathrm{d}r=\frac{\rho a^3}{3}\int_0^{\pi}(1+\cos\theta)^3\cos\theta\mathrm{d}\theta$$

$$= \frac{\rho a^3}{3}\left[\int_0^{\pi}(1+\cos\theta)^4 d\theta - \int_0^{\pi}(1+\cos\theta)^3 d\theta\right] = \frac{\rho a^3}{3}\left(32\int_0^{\frac{\pi}{2}}\cos^8 t dt - 16\int_0^{\frac{\pi}{2}}\cos^6 t dt\right)$$

$$= \frac{\rho a^3}{3}\left(32\cdot\frac{7}{8}\cdot\frac{5}{6}\cdot\frac{3}{4}\cdot\frac{1}{2}\cdot\frac{\pi}{2} - 16\cdot\frac{5}{6}\cdot\frac{3}{4}\cdot\frac{1}{2}\cdot\frac{\pi}{2}\right) = \frac{5\pi\rho a^3}{8}.$$

$$M_x = \rho\int_0^{\pi} d\theta\int_0^{a(1+\cos\theta)} r\cdot r\sin\theta dr$$

$$= \frac{\rho a^3}{3}\int_0^{\pi}(1+\cos\theta)^3\sin\theta d\theta = -\frac{\rho a^3}{3}\cdot\frac{(1+\cos\theta)^4}{4}\Big|_0^{\pi} = \frac{4\rho a^3}{3}.$$

于是,质心的坐标为

$$x_0 = \frac{M_y}{M} = \frac{5}{6}a, y_0 = \frac{M_x}{M} = \frac{16}{9\pi}a.$$

【4058】 $x = a(t-\sin t), y = a(1-\cos t)(0\leqslant t\leqslant 2\pi), y = 0.$

解 质量和对 Ox 轴的一次矩分别为

$$M = \rho\int_0^{2\pi a} dx\int_0^{y(x)} dy = \rho\int_0^{2\pi} a^2(1-\cos t)^2 dt = 3\pi\rho a^2.$$

$$M_x = \rho\int_0^{2\pi a} dx\int_0^{y(x)} y dy = \frac{1}{2}\rho\int_0^{2\pi a} y^2(x) dx = \frac{1}{2}\rho a^3\int_0^{2\pi}(1-\cos t)^3 dt = \frac{5}{2}\pi\rho a^3.$$

于是,质心的纵坐标为

$$y_0 = \frac{M_x}{M} = \frac{5}{6}a.$$

由对称性知,$x_0 = \pi a$.

【4059】 求圆形薄板 $x^2+y^2\leqslant a^2$ 的质心坐标. 设它在点 $M(x,y)$ 的面密度与点 M 到点 $A(a,0)$ 的距离成正比.

解 按题设,面密度 $\rho = k\sqrt{(x-a)^2+y^2}$($k$ 为常数). 于是,质量为

$$M = \int_{-a}^{a} dx\int_{-\sqrt{a^2-x^2}}^{\sqrt{a^2-x^2}} k\sqrt{(x-a)^2+y^2} dy$$

$$= k\int_{-a}^{a}\left[y\sqrt{(x-a)^2+y^2} + (x-a)^2\ln\left(y+\sqrt{(x-a)^2+y^2}\right)\right]\Big|_0^{\sqrt{a^2-x^2}} dx$$

$$= k\int_{-a}^{a}\sqrt{2a}(a-x)\sqrt{a+x}dx - k\int_{-a}^{a}\left[\frac{1}{2}\ln(a-x)\right](a-x)^2 dx +$$

$$k\int_{-a}^{a}(a-x)^2\ln(\sqrt{a+x}+\sqrt{2a})dx = I_1 - I_2 + I_3.$$

由于

$$I_1 = k\int_{-a}^{a}\sqrt{2a}\left[-(a+x)^{\frac{3}{2}} + 2a(x+a)^{\frac{1}{2}}\right]dx$$

$$= \sqrt{2a}k\left[-\frac{2}{5}(a+x)^{\frac{5}{2}} + \frac{4a}{3}(x+a)^{\frac{3}{2}}\right]\Big|_{-a}^{a} = \frac{32}{15}ka^3.$$

$$I_2 = \frac{k}{2}\int_0^{2a} t^2\ln t dt = \frac{k}{6}t^3\ln t\Big|_0^{2a} - \frac{k}{6}\int_0^{2a} t^3\cdot\frac{1}{t}dt = \frac{4}{3}ka^3\ln 2a - \frac{4}{9}ka^3.$$

$$I_3 = k\cdot 2\int_0^{\sqrt{2a}} t(2a-t^2)^2\ln(t+\sqrt{2a})dt$$

$$= 8a^2k\int_0^{\sqrt{2a}} t\ln(t+\sqrt{2a})dt - 8ka\int_0^{\sqrt{2a}} t^3\ln(t+\sqrt{2a})dt + 2k\int_0^{\sqrt{2a}} t^5\ln(t+\sqrt{2a})dt$$

$$= 8ka^2\left(\frac{a}{2} + a\ln\sqrt{2a}\right) - 8ka\left(\frac{7}{12}a^2 + a^2\ln\sqrt{2a}\right) + 2k\left(\frac{37}{45}a^3 + \frac{4}{3}a^3\ln\sqrt{2a}\right)$$

$$= \frac{44}{45}ka^3 + \frac{8}{3}ka^3\ln\sqrt{2a} = \frac{44}{45}ka^3 + \frac{4}{3}ka^3\ln 2a,$$

因而最后得

$$M=\frac{32}{15}ka^3-\left(\frac{4}{3}ka^3\ln 2a-\frac{4}{9}ka^3\right)+\left(\frac{44}{45}ka^3+\frac{4}{3}ka^3\ln 2a\right)=\frac{32}{9}ka^3.$$

仿照上述方法可求得一次矩

$$M_y=\int_{-a}^{a}\mathrm{d}x\int_{-\sqrt{a^2-x^2}}^{\sqrt{a^2-x^2}}kx\sqrt{(x-a)^2+y^2}\,\mathrm{d}y=-\frac{32}{45}ka^4.$$

而由对称性得 $M_x=0$. 于是,质心的坐标为

$$x_0=\frac{M_y}{M}=-\frac{a}{5},y_0=\frac{M_x}{M}=0.$$

【4060】 求曲线 $y=\sqrt{2px}$, $y=0$, $x=X$ 所围图形的质心在参数 X 变化时所描绘的曲线.

解 变动面积的质量为 $M=\rho\int_0^X\mathrm{d}x\int_0^{\sqrt{2px}}\mathrm{d}y=\rho\frac{2\sqrt{2p}}{3}X^{\frac{3}{2}}$,而一次矩

$$M_y=\rho\int_0^X x\mathrm{d}x\int_0^{\sqrt{2px}}\mathrm{d}y=\rho\frac{2\sqrt{2p}}{5}X^{\frac{5}{2}},M_x=\rho\int_0^X\mathrm{d}x\int_0^{\sqrt{2px}}y\mathrm{d}y=\rho\frac{1}{2}pX^2.$$

于是,变动面积的质心为 $x_0=\frac{M_y}{M}=\frac{3}{5}X,y_0=\frac{M_x}{M}=\frac{3\sqrt{pX}}{4\sqrt{2}}$. 因此,质心的轨迹方程为

$$y_0=\frac{3}{4\sqrt{2}}\sqrt{p\cdot\frac{5}{3}x_0}=\frac{1}{8}\sqrt{30px_0}.$$

此即所求的曲线方程,其图形是抛物线的一半.

知识点2 转动惯量

I_x 和 I_y 分别为平面 xOy 内薄板 D 对坐标轴 Ox 和 Oy 的转动惯量,可用以下公式求得:

$$I_x=\iint_D\rho y^2\mathrm{d}x\mathrm{d}y,I_y=\iint_D\rho x^2\mathrm{d}x\mathrm{d}y, \quad ②$$

其中 $\rho=\rho(x,y)$ 为薄板的面密度.

在公式 ② 中取 $\rho=1$,就得到平面图形的几何转动惯量.

还可研究惯性积 $I_{xy}=\iint_D\rho xy\mathrm{d}x\mathrm{d}y$.

习题 4061—4069 转动惯量

【求由下列曲线所围的面积($\rho=1$)对坐标轴 Ox 轴和 Oy 轴的转动惯量 I_x 和 I_y(4061—4069)】

【4061】 $\frac{x}{b_1}+\frac{y}{h}=1,\frac{x}{b_2}+\frac{y}{h}=1,y=0(b_1>0,b_2>0,h>0)$.

解 若设 $b_2>b_1$,则

$$I_x=\int_0^h y^2\mathrm{d}y\int_{\left(1-\frac{y}{h}\right)b_1}^{\left(1-\frac{y}{h}\right)b_2}\mathrm{d}x=(b_2-b_1)\int_0^h y^2\left(1-\frac{y}{h}\right)\mathrm{d}y=\frac{(b_2-b_1)h^3}{12},$$

$$I_y=\int_0^h\mathrm{d}y\int_{\left(1-\frac{y}{h}\right)b_1}^{\left(1-\frac{y}{h}\right)b_2}x^2\mathrm{d}x=\frac{b_2^3-b_1^3}{3}\int_0^h\left(1-\frac{y}{h}\right)^3\mathrm{d}y=\frac{h(b_2^3-b_1^3)}{12},$$

若设 $b_1>b_2$,则 $I_x=\frac{(b_1-b_2)h^3}{12},I_y=\frac{h(b_1^3-b_2^3)}{12}$.

【4062】 $(x-a)^2+(y-a)^2=a^2, x=0, y=0(0\leqslant x\leqslant a)$.

解 $I_x=\int_0^a dx\int_0^{a-\sqrt{2ax-x^2}} y^2 dy=\frac{1}{3}\int_0^a [a^3-3a^2\sqrt{2ax-x^2}+3a(2ax-x^2)-(2ax-x^2)^{\frac{3}{2}}]dx$

$$=\frac{1}{3}\left[a^3x-3a^2\left(\frac{x-a}{2}\sqrt{2ax-x^2}+\frac{a^2}{2}\arcsin\frac{x-a}{2}\right)+3a^2x^2-ax^3\right]\Bigg|_0^a-\frac{1}{3}\int_0^a(2ax-x^2)^{\frac{3}{2}}dx$$

$$\xlongequal{x-a=a\sin t} a^4\left(1-\frac{\pi}{4}\right)-\frac{1}{3}\int_{-\frac{\pi}{2}}^0 a^4\cos^4 t dt=a^4\left(1-\frac{\pi}{4}\right)-\frac{1}{3}\int_0^{\frac{\pi}{2}} a^4\cos^4 t dt$$

$$=a^4\left(1-\frac{\pi}{4}\right)-\frac{a^4}{3}\cdot\frac{3}{4}\cdot\frac{1}{2}\cdot\frac{\pi}{2}=\frac{a^4}{16}(16-5\pi).$$

利用图形的对称性，即得 $I_y=I_x=\frac{a^4}{16}(16-5\pi)$.

【4063】 $r=a(1+\cos\theta)$.

解 曲线所围的平面域可表示为：$-\pi\leqslant\theta\leqslant\pi, 0\leqslant r\leqslant a(1+\cos\theta)$. 于是

$$I_x=\int_{-\pi}^{\pi}d\theta\int_0^{a(1+\cos\theta)} r^2\sin^2\theta\cdot r dr=\frac{a^4}{4}\int_{-\pi}^{\pi}(1+\cos\theta)^4\sin^2\theta d\theta$$

$$=2\cdot\frac{a^4}{4}\int_0^{\pi}(1+4\cos\theta+6\cos^2\theta+4\cos^3\theta+\cos^4\theta)\sin^2\theta d\theta$$

$$=\frac{1}{2}\pi a^4\cdot\frac{21}{16}=\frac{21}{32}\pi a^4.$$

$$I_y=\int_{-\pi}^{\pi}d\theta\int_0^{a(1+\cos\theta)} r^2\cos^2\theta\cdot r dr=\frac{1}{2}a^4\int_0^{\pi}(1+\cos\theta)^4\cos^2\theta d\theta$$

$$=\frac{1}{2}a^4\int_0^{\pi}(\cos^2\theta+4\cos^3\theta+6\cos^4\theta+4\cos^5\theta+\cos^6\theta)d\theta=\frac{49}{32}\pi a^4.$$

注 (1) 对于任意正整数 n，有

$$\int_0^{\pi}\cos^n\theta d\theta=\begin{cases}2\int_0^{\frac{\pi}{2}}\cos^n\theta d\theta, & n\text{ 为偶数；}\\ 0, & n\text{ 为奇数.}\end{cases}$$

(2) 为计算 I_x、I_y，也可变换被积函数的形式，直接用换元法计算，更简单. 事实上，

$$I_x=\frac{a^4}{2}\int_0^{\pi}(1+\cos\theta)^4\sin^2\theta d\theta=2^6a^4\int_0^{\pi}\cos^{10}\frac{\theta}{2}\sin^2\frac{\theta}{2}d\left(\frac{\theta}{2}\right)$$

$$=2^6a^4\int_0^{\frac{\pi}{2}}\cos^{10}x(1-\cos^2x)dx=2^6a^4\,\frac{9}{10}\cdot\frac{7}{8}\cdot\frac{5}{6}\cdot\frac{3}{4}\cdot\frac{1}{2}\left(1-\frac{11}{12}\right)\frac{\pi}{2}=\frac{21}{32}\pi a^4,$$

$$I_y=\frac{a^4}{2}\int_0^{\pi}(1+\cos\theta)^4\cos^2\theta d\theta=\frac{a^4}{2}\int_0^{\pi}(1+\cos\theta)^4 d\theta-\frac{21}{32}\pi a^4$$

$$=2^4a^4\int_0^{\frac{\pi}{2}}\cos^8x dx-\frac{21}{32}\pi a^4=\frac{70}{32}\pi a^4-\frac{21}{32}\pi a^4=\frac{49}{32}\pi a^4.$$

【4064】 $x^4+y^4=a^2(x^2+y^2)$.

解 曲线的图像关于两坐标轴和直线 $y=x$ 是对称的，见 1542 题的图像. 曲线的极坐标方程为

$$r^2=\frac{a^2}{\cos^4\theta+\sin^4\theta}(0\leqslant\theta\leqslant 2\pi).$$

根据对称性，转动惯量等于从 $\theta=0$ 到 $\theta=\frac{\pi}{4}$ 那部分面积的转动惯量的八倍，并且显然有 $I_x=I_y$. 于是有

$$I_x = I_y = 4\iint_D (x^2+y^2)\mathrm{d}x\mathrm{d}y = 4\int_0^{\frac{\pi}{4}}\mathrm{d}\theta\int_0^{\sqrt{\frac{a^2}{\cos^4\theta+\sin^4\theta}}} r^3\,\mathrm{d}r$$

$$= \int_0^{\frac{\pi}{4}} \frac{a^4}{(\cos^4\theta+\sin^4\theta)^2}\mathrm{d}\theta = \int_0^{\frac{\pi}{4}} \frac{a^4}{(1-2\sin^2\theta\cos^2\theta)^2}\mathrm{d}\theta$$

$$= \int_0^{\frac{\pi}{4}} \frac{a^4\,\mathrm{d}\theta}{\left(\frac{3}{4}+\frac{1}{4}\cos 4\theta\right)^2} = 16a^4\int_0^{\frac{\pi}{4}} \frac{\mathrm{d}\theta}{(3+\cos 4\theta)^2} \xlongequal{x=4\theta} \frac{4a^4}{9}\int_0^{\pi}\frac{\mathrm{d}x}{\left(1+\frac{1}{3}\cos x\right)^2}$$

$$= \frac{4a^4}{9}\left[-\frac{\frac{1}{3}\sin x}{\left(1-\frac{1}{9}\right)\left(1+\frac{1}{3}\cos x\right)} + \frac{2}{\left(1-\frac{1}{9}\right)^{\frac{3}{2}}}\arctan\left(\sqrt{\frac{1-\frac{1}{3}}{1+\frac{1}{3}}}\tan\frac{x}{2}\right)\right]\Bigg|_0^{\pi}$$

$$= \frac{4a^4}{9}\cdot 2\left(\frac{9}{8}\right)^{\frac{3}{2}}\frac{\pi}{2} = \frac{3\pi a^4}{4\sqrt{2}}.$$

注 本题用到 2065 题的结果.

【4065】 $xy=a^2, xy=2a^2, x=2y, 2x=y(x>0, y>0)$.

解 作代换 $xy=u, \frac{y}{x}=v$,则 $x=\sqrt{\frac{u}{v}}, y=\sqrt{uv}$,且雅可比行列式的绝对值 $|J|=\frac{1}{2v}$,曲线所围的面积即积分域变为:$a^2\leqslant u\leqslant 2a^2, \frac{1}{2}\leqslant v\leqslant 2$. 于是

$$I_x=\iint_D y^2\mathrm{d}x\mathrm{d}y=\int_{\frac{1}{2}}^{2}\mathrm{d}v\int_{a^2}^{2a^2}\frac{uv}{2v}\mathrm{d}u=\frac{9a^4}{8}, I_y=\iint_D x^2\mathrm{d}x\mathrm{d}y=\int_{\frac{1}{2}}^{2}\mathrm{d}v\int_{a^2}^{2a^2}\frac{u}{2v^2}\mathrm{d}u=\frac{9a^4}{8}.$$

【4066】 求曲线$(x^2+y^2)^2=a^2(x^2-y^2)$所围区域 D 的极转动惯量

$$I_0=\iint_D (x^2+y^2)\mathrm{d}x\mathrm{d}y.$$

解 引用极坐标,则图形 D 的界线的极坐标方程为

$$r^2=a^2\cos 2\theta,$$

这是双纽线. 利用对称性,得

$$I_0=\iint_D (x^2+y^2)\mathrm{d}x\mathrm{d}y=4\int_0^{\frac{\pi}{4}}\mathrm{d}\theta\int_0^{a\sqrt{\cos 2\theta}} r^3\,\mathrm{d}r=\int_0^{\frac{\pi}{4}} a^4\cos^2 2\theta\mathrm{d}\theta=\frac{\pi a^4}{8}.$$

【4067】 证明公式:

$$I_l=I_{l_0}+Sd^2,$$

其中 I_l, I_{l_0} 是图形 D 对于二平行轴 l 和 l_0 的转动惯量,其中 l_0 是通过图形的质心,而 d 为两轴间的距离,S 为图形 D 的面积.

证 取 l_0 轴为 Ox 轴,图形的质心为坐标原点,则

$$I_l=\iint_D (y-d)^2\mathrm{d}x\mathrm{d}y=\iint_D y^2\mathrm{d}x\mathrm{d}y-2d\iint_D y\mathrm{d}x\mathrm{d}y+d^2\iint_D \mathrm{d}x\mathrm{d}y.$$

因为 l_0 通过图形 D 的质心,故 $y_0=\frac{1}{S}\iint_D y\mathrm{d}x\mathrm{d}y=0$,即$\iint_D y\mathrm{d}x\mathrm{d}y=0$. 又

$$\iint_D y^2\mathrm{d}x\mathrm{d}y=I_{l_0}, \iint_D \mathrm{d}x\mathrm{d}y=S,$$

于是 $I_l=I_{l_0}+Sd^2$.

【4068】 证明:平面图形 D 对通过其质心 $O(0,0)$ 并与 Ox 轴成 α 角的直线的转动惯量等于

$$I = I_x\cos^2\alpha - 2I_{xy}\sin\alpha\cos\alpha + I_y\sin^2\alpha,$$

其中 I_x 和 I_y 为图形 D 对于 Ox 轴和 Oy 轴的转动惯量及 I_{xy} 为惯性积：

$$I_{xy} = \iint\limits_D \rho xy\,dx\,dy.$$

证 取直角坐标系 $x'Oy'$，使 Ox' 轴与 Ox 轴的夹角为 α，则有

$$x' = x\cos\alpha + y\sin\alpha, y' = -x\sin\alpha + y\cos\alpha.$$

这就是旋转变换，雅可比行列式的绝对值 $|J| = \left|\frac{D(x',y')}{D(x,y)}\right| = 1$. 于是

$$\begin{aligned} I &= \iint\limits_D y'^2\rho\,dx'dy' = \iint\limits_S (-x\sin\alpha + y\cos\alpha)^2\rho\,dx\,dy \\ &= \cos^2\alpha\iint\limits_D \rho y^2\,dx\,dy - 2\sin\alpha\cos\alpha\iint\limits_D \rho xy\,dx\,dy + \sin^2\alpha\iint\limits_D \rho x^2\,dx\,dy \\ &= I_x\cos^2\alpha - 2I_{xy}\sin\alpha\cos\alpha + I_y\sin^2\alpha. \end{aligned}$$

【4069】 求以 a 为边的正三角形对通过三角形质心并与它的高成 α 角的直线的转动惯量.

解 利用 4068 题的结果，取质心为坐标原点. 不妨取 Ox 轴平行于三角形的一条边，则过质心与高成 α 角的直线，即为过坐标原点与 Ox 轴成 α 角的直线. 于是，所求的转动惯量为

$$I_\alpha = I_x\cos^2\alpha - 2I_{xy}\sin\alpha\cos\alpha + I_y\sin^2\alpha.$$

由于三角形三边所在的直线方程分别为

$$y = -\frac{a}{2\sqrt{3}}, y = -\sqrt{3}x + \frac{a}{\sqrt{3}}, y = \sqrt{3}x + \frac{a}{\sqrt{3}},$$

所以，根据对称性知

$$\begin{aligned} I_x &= 2\int_0^{\frac{a}{2}} dx\int_{-\frac{a}{2\sqrt{3}}}^{-\sqrt{3}x+\frac{a}{\sqrt{3}}} y^2\,dy = 2\int_0^{\frac{a}{2}} \frac{1}{3}\left[\left(-\sqrt{3}x + \frac{a}{\sqrt{3}}\right)^3 - \left(-\frac{a}{2\sqrt{3}}\right)^3\right]dx \\ &= 2\int_0^{\frac{a}{2}} \left(-\sqrt{3}x^3 + \sqrt{3}ax^2 - \frac{\sqrt{3}}{3}a^2x + \frac{\sqrt{3}}{24}a^3\right)dx = 2\sqrt{3}a^4\left(\frac{1}{48} - \frac{1}{64}\right) = \frac{a^4}{32\sqrt{3}}; \end{aligned}$$

$$I_{xy} = \iint\limits_D xy\,dx\,dy = 0;$$

$$\begin{aligned} I_y &= 2\int_0^{\frac{a}{2}} dx\int_{-\frac{a}{2\sqrt{3}}}^{-\sqrt{3}x+\frac{a}{\sqrt{3}}} x^2\,dy = 2\int_0^{\frac{a}{2}} x^2\left[\left(-\sqrt{3}x + \frac{a}{\sqrt{3}}\right) + \frac{a}{2\sqrt{3}}\right]dx. \\ &= 2\int_0^{\frac{a}{2}} \left(-\sqrt{3}x^3 + \frac{\sqrt{3}a}{2}x^2\right)dx = \sqrt{3}a^4\left(\frac{1}{24} - \frac{1}{32}\right) = \frac{a^4}{32\sqrt{3}}. \end{aligned}$$

于是

$$I_\alpha = \frac{a^4}{32\sqrt{3}}\cos^2\alpha + \frac{a^4}{32\sqrt{3}}\sin^2\alpha = \frac{a^4}{32\sqrt{3}}.$$

习题 4070—4075 其他应用

【4070】 设圆柱形容器 $x^2 + y^2 = a^2, z = 0$ 内盛有水，水平面为 $z = h$，求水对容器侧壁 $x \geqslant 0$ 的压力.

解 用 X 和 Y 分别表示压力在 Ox 与 Oy 轴上的投影. 由对称性，显然有 $Y = 0$. 下面求 X. 由于 $dS = a\,d\theta\,dz\left(-\frac{\pi}{2} \leqslant \theta \leqslant \frac{\pi}{2}\right)$，而在面积元素 dS 上的压力在 Ox 轴上的投影 dX 为 $(z\,dS)\cos\theta$. 于是

$$X = \iint\limits_S z\cos\theta\,dS = \iint\limits_S az\cos\theta\,d\theta\,dz = a\int_{-\frac{\pi}{2}}^{\frac{\pi}{2}}\cos\theta\,d\theta\int_0^h z\,dz = ah^2.$$

【4071】 半径为 a 的球体沉入密度为 δ 的液体中深度为 h（由球心算起）的地方，这里 $h \geqslant a$. 求液体对球的上表面和下表面的压力.

解 设球面方程为 $x^2+y^2+z^2=a^2$，则在球面上的点 (x,y,z) 处沉入液体的深度 d 为

$$d=h-z\ (-a\leqslant z\leqslant h).$$

于是，上半球面 S_1 的点和下半球面 S_2 的点的深度分别为

$$d=h-\sqrt{a^2-(x^2+y^2)},\quad d=h+\sqrt{a^2-(x^2+y^2)}.$$

根据对称性知，压力在 Ox 轴上和 Oy 轴上的投影均为零，故只要计算压力在 Oz 轴上的投影，液体作用于球的上表面和下表面的压力分别记以 p_1 和 p_2，并设 γ 为球上各点处压力的方向（即内法线方向）与 Oz 轴正向的夹角，则

$$\begin{aligned}p_1&=\iint_{S_1}d\delta\cos\gamma\mathrm{d}S=-\iint_{x^2+y^2\leqslant a^2}\delta[h-\sqrt{a^2-(x^2+y^2)}]\mathrm{d}x\mathrm{d}y\\&=-h\pi a^2\delta+\delta\int_0^{2\pi}\mathrm{d}\theta\int_0^a\sqrt{a^2-r^2}\,r\mathrm{d}r\\&=-h\pi a^2\delta+\left[-\frac{2\pi\delta}{3}\sqrt{(a^2-r^2)^3}\right]\Bigg|_0^a=-\pi a^2\delta\left(h-\frac{2a}{3}\right),\end{aligned}$$

其中 $p_1<0$ 表示压力向下.

同理，有

$$p_2=\iint_{S_2}d\delta\cos\gamma\mathrm{d}S=\iint_{x^2+y^2\leqslant a^2}\delta[h+\sqrt{a^2-(x^2+y^2)}]\mathrm{d}x\mathrm{d}y=\pi a^2\delta\left(h+\frac{2a}{3}\right),$$

其中 $p_2>0$ 表示压力向上.

【4072】 底半径为 a、高为 b 的直圆柱体完全沉入密度为 δ 的液体中，其中心在液面下的深度为 h，而圆柱的轴与竖直方向成 α 角，求液体对圆柱上底和下底的压力.

解 取圆柱的中心为坐标原点，取 xOy 平面是水平的，再取圆柱的轴（朝上的方向）在 xOy 平面上的投影所在的方向为 Ox 轴，取 Oz 轴垂直向上，最后取 Oy 轴使 Ox 轴、Oy 轴和 Oz 轴构成右手系.

于是，液面方程为 $z=h$. 设圆柱上底为 S_1，下底为 S_2，则 S_1 所在平面的方程为

$$x\sin\alpha+z\cos\alpha=\frac{b}{2}, \tag{①}$$

S_2 所在平面的方程为

$$x\sin\alpha+z\cos\alpha=-\frac{b}{2}. \tag{②}$$

在点 (x,y,z) 处 $(z\leqslant h)$ 液体的深度为 $h-z$. 用 X_1，Y_1 和 Z_1 分别表示液体在圆柱上底 S_1 上的压力在 Ox 轴，Oy 轴和 Oz 轴上的投影. 同样，用 X_2，Y_2 和 Z_2 分别表示在 S_2 上的压力在 Ox 轴，Oy 轴和 Oz 轴上的投影. 显然 $Y_1=Y_2=0$. 于是有

$$X_1=-\iint_{S_1}\delta(h-z)\sin\alpha\mathrm{d}S=-\delta\sin\alpha\iint_{S_1}(h-z)\mathrm{d}S, \tag{③}$$

$$Z_1=-\iint_{S_1}\delta(h-z)\cos\alpha\mathrm{d}S=-\delta\cos\alpha\iint_{S_1}(h-z)\mathrm{d}S. \tag{④}$$

由 ① 式知，在 S_1 上有 $z=\frac{1}{\cos\alpha}\left(\frac{b}{2}-x\sin\alpha\right)$. 于是，注意到 S_1 的面积为 πa^2，可知

$$\begin{aligned}\iint_{S_1}(h-z)\mathrm{d}S&=\iint_{S_1}\left[h-\frac{1}{\cos\alpha}\left(\frac{b}{2}-x\sin\alpha\right)\right]\mathrm{d}S=\left(h-\frac{b}{2}\frac{1}{\cos\alpha}\right)\iint_{S_1}\mathrm{d}S+\frac{\sin\alpha}{\cos\alpha}\iint_{S_1}x\mathrm{d}S\\&=\left(h-\frac{b}{2}\frac{1}{\cos\alpha}\right)\pi a^2+\frac{\sin\alpha}{\cos\alpha}\iint_{S_1}x\mathrm{d}S.\end{aligned}$$

由于 $\frac{1}{\pi a^2}\iint_{S_1}x\mathrm{d}S$ 是 S_1 的质心的 x 坐标，也即 $\frac{b}{2}\sin\alpha$，故 $\iint_{S_1}x\mathrm{d}S=\frac{1}{2}\pi a^2b\sin\alpha$. 代入即得

$$\iint\limits_{S_1}(h-z)\mathrm{d}S=\left(h-\frac{b}{2\cos\alpha}\right)\pi a^2+\frac{1}{2}\pi a^2 b\frac{\sin^2\alpha}{\cos\alpha}=\left(h-\frac{b}{2}\cos\alpha\right)\pi a^2.$$

以此代入 ③ 式与 ④ 式，得

$$X_1=-\pi a^2\delta\left(h-\frac{b}{2}\cos\alpha\right)\sin\alpha,Z_1=-\pi a^2\delta\left(h-\frac{b}{2}\cos\alpha\right)\cos\alpha,$$

同理，有

$$X_2=\iint\limits_{S_2}\delta(h-z)\sin\alpha\mathrm{d}S=\delta\sin\alpha\iint\limits_{S_2}(h-z)\mathrm{d}S,$$

$$Z_2=\iint\limits_{S_2}\delta(h-z)\cos\alpha\mathrm{d}S=\delta\cos\alpha\iint\limits_{S_2}(h-z)\mathrm{d}S.$$

再注意到 ② 式，类似地可计算得

$$\iint\limits_{S_2}(h-z)\mathrm{d}S=\iint\limits_{S_2}\left[h+\frac{1}{\cos\alpha}\left(\frac{b}{2}+x\sin\alpha\right)\right]\mathrm{d}S=\left(h+\frac{b}{2}\cos\alpha\right)\pi a^2.$$

于是

$$X_2=\pi a^2\delta\left(h+\frac{b}{2}\cos\alpha\right)\sin\alpha,Z_2=\pi a^2\delta\left(h+\frac{b}{2}\cos\alpha\right)\cos\alpha.$$

【4073】 求均匀的圆柱体 $x^2+y^2\leqslant a^2,0\leqslant z\leqslant h$ 对质点 $P(0,0,b)$ 的引力，设圆柱的质量等于 M，而质点的质量等于 m.

解 根据对称性知，引力在 Ox 轴和 Oy 轴上的投影等于零，故只要计算引力在 Oz 轴上的投影 F_z. 取圆环，其体积为

$$\mathrm{d}V=2\pi r\mathrm{d}r\mathrm{d}z,$$

则相应的质量为

$$\mathrm{d}M=\frac{2\pi rM\mathrm{d}r\mathrm{d}z}{\pi a^2h}=\frac{2Mr}{a^2h}\mathrm{d}r\mathrm{d}z,$$

吸引质点 P 的引力

$$\mathrm{d}F_z=-\frac{2krmM(b-z)}{a^2h\sqrt{[r^2+(b-z)^2]^3}}\mathrm{d}r\mathrm{d}z.$$

于是，所求的引力为

$$\begin{aligned}F_z&=-\frac{2kmM}{a^2h}\int_0^h\mathrm{d}z\int_0^a\frac{r(b-z)}{\sqrt{[r^2+(b-z)^2]^3}}\mathrm{d}r\\&=-\frac{2kmM}{a^2h}\left[\int_0^h\mathrm{sgn}(b-z)\mathrm{d}z-\int_0^h\frac{b-z}{\sqrt{a^2+(b-z)^2}}\mathrm{d}z\right]\\&=-\frac{2kmM}{a^2h}\left[|b|-|b-h|+\sqrt{a^2+(b-h)^2}-\sqrt{a^2+b^2}\right],\end{aligned}$$

其中 k 为引力常数.

【4074】 物体对挤压面 $\frac{x^2}{a^2}+\frac{y^2}{b^2}\leqslant 1$ 的压强分布由公式

$$p=p_0\left(1-\frac{x^2}{a^2}-\frac{y^2}{b^2}\right)$$

给出. 求物体对此面的平均压强.

解 物体在椭圆面上的平均压强为

$$p_{cp}=\frac{1}{\pi ab}\iint\limits_{\frac{x^2}{a^2}+\frac{y^2}{b^2}\leqslant 1}p_0\left(1-\frac{x^2}{a^2}-\frac{y^2}{b^2}\right)\mathrm{d}x\mathrm{d}y=\frac{4}{\pi ab}\int_0^{\frac{\pi}{2}}\mathrm{d}\theta\int_0^1p_0(1-r^2)abr\mathrm{d}r=\frac{4}{\pi ab}\cdot\frac{\pi}{2}\cdot\frac{p_0ab}{4}=\frac{p_0}{2}$$

【4075】 以 a 和 b 为边的矩形草地上均匀地覆盖有已收割的干草，其面密度为 p. 若运

送质量为 M 的货物到距离为 r 的地方所需的功为 $kMr(0<k<1)$，则为了把所有的干草集中在草地的中心，至少应消耗多少功？

解 不妨将坐标原点取在矩形的中心，Ox 轴平行于 a 边，Oy 轴平行于 b 边．由于将面积 $\mathrm{d}x\mathrm{d}y$ 上的干草移到中心要消耗的功为 $\mathrm{d}W=kp\sqrt{x^2+y^2}\,\mathrm{d}x\mathrm{d}y$，并利用对称性，即知所要求的功为

$$\begin{aligned}W&=4kp\int_0^{\frac{b}{2}}\int_0^{\frac{a}{2}}\sqrt{x^2+y^2}\,\mathrm{d}x\mathrm{d}y=4kp\left[\int_0^{\arctan\frac{b}{a}}\mathrm{d}\theta\int_0^{\frac{a}{2\cos\theta}}r^2\mathrm{d}r+\int_{\arctan\frac{b}{a}}^{\frac{\pi}{2}}\mathrm{d}\theta\int_0^{\frac{b}{2\sin\theta}}r^2\mathrm{d}r\right]\\&=\frac{kp}{6}\left[a^3\int_0^{\arctan\frac{b}{a}}\frac{1}{\cos^3\theta}\mathrm{d}\theta+b^3\int_{\arctan\frac{b}{a}}^{\frac{\pi}{2}}\frac{1}{\sin^3\theta}\mathrm{d}\theta\right].\end{aligned}$$

但是

$$\begin{aligned}\int_0^{\arctan\frac{b}{a}}\frac{1}{\cos^3\theta}\mathrm{d}\theta&=\left[\frac{\sin\theta}{2\cos^2\theta}+\frac{1}{2}\ln\left|\tan\left(\frac{\theta}{2}+\frac{\pi}{4}\right)\right|\right]\Bigg|_0^{\arctan\frac{b}{a}}\\&=\frac{b\sqrt{a^2+b^2}}{2a^2}+\frac{1}{2}\ln\frac{b+\sqrt{a^2+b^2}}{a},\end{aligned}$$

$$\begin{aligned}\int_{\arctan\frac{b}{a}}^{\frac{\pi}{2}}\frac{1}{\sin^3\theta}\mathrm{d}\theta&=\left[-\frac{\cos\theta}{2\sin^2\theta}+\frac{1}{2}\ln\left|\tan\frac{\theta}{2}\right|\right]\Bigg|_{\arctan\frac{b}{a}}^{\frac{\pi}{2}}\\&=\frac{a\sqrt{a^2+b^2}}{2b^2}+\frac{1}{2}\ln\frac{a+\sqrt{a^2+b^2}}{b},\end{aligned}$$

于是有 $W=\frac{kp}{12}\left(2ab\sqrt{a^2+b^2}+a^3\ln\frac{b+\sqrt{a^2+b^2}}{a}+b^3\ln\frac{a+\sqrt{a^2+b^2}}{b}\right)$.

注 本题用到 1999 和 2000 题的结果.

第6节 三重积分（习题4076—4100）

知识点预览

序号	知识点	题目序号	所在页码
1	三重积分的直接计算法	4076—4085	P65
2	三重积分中的变量代换	4086—4100	P71

知识点1 三重积分的直接计算法

函数 $f(x,y,z)$ 连续，且有界区域 V 由下列不等式给出：

$$x_1\leqslant x\leqslant x_2,\ y_1(x)\leqslant y\leqslant y_2(x),\ z_1(x,y)\leqslant z\leqslant z_2(x,y),$$

其中 $y_1(x),y_2(x),z_1(x,y),z_2(x,y)$ 皆为连续函数，则函数 $f(x,y,z)$ 在区域 V 内的三重积分可按公式

$$\iiint\limits_V f(x,y,z)\mathrm{d}x\mathrm{d}y\mathrm{d}z=\int_{x_1}^{x_2}\mathrm{d}x\int_{y_1(x)}^{y_2(x)}\mathrm{d}y\int_{z_1(x,y)}^{z_2(x,y)}f(x,y,z)\mathrm{d}z$$

来计算．有时采用下面的公式也很方便：

$$\iiint\limits_V f(x,y,z)\mathrm{d}x\mathrm{d}y\mathrm{d}z=\int_{x_1}^{x_2}\mathrm{d}x\iint\limits_{S(x)}f(x,y,z)\mathrm{d}y\mathrm{d}z,$$

其中 $S(x)$ 是用平面 $x=$ 常数截区域 V 所得的截面.

习题 4076—4080 直接计算三重积分

【计算下列三重积分(4076—4080)】

【4076】 $\iiint\limits_V xy^2z^3\mathrm{d}x\mathrm{d}y\mathrm{d}z$,其中 V 是曲面 $z=xy,y=x,x=1,z=0$ 所围的区域.

解 $$\iiint\limits_V xy^2z^3\mathrm{d}x\mathrm{d}y\mathrm{d}z=\int_0^1 x\mathrm{d}x\int_0^x y^2\mathrm{d}y\int_0^{xy}z^3\mathrm{d}z=\frac{1}{364}.$$

【4077】 $\iiint\limits_V \dfrac{\mathrm{d}x\mathrm{d}y\mathrm{d}z}{(1+x+y+z)^3}$,其中$V$是$x+y+z=1,x=0,y=0,z=0$所围的区域.

解 $$\begin{aligned}\iiint\limits_V \frac{\mathrm{d}x\mathrm{d}y\mathrm{d}z}{(1+x+y+z)^3}&=\int_0^1\mathrm{d}x\int_0^{1-x}\mathrm{d}y\int_0^{1-x-y}\frac{\mathrm{d}z}{(1+x+y+z)^3}\\&=\int_0^1\mathrm{d}x\int_0^{1-x}\left[-\frac{1}{2(1+x+y+z)^2}\right]\Bigg|_0^{1-x-y}\mathrm{d}y\\&=\int_0^1\mathrm{d}x\int_0^{1-x}\left[-\frac{1}{8}+\frac{1}{2(1+x+y)^2}\right]\mathrm{d}y\\&=\int_0^1\left[-\frac{1}{8}y-\frac{1}{2(1+x+y)}\right]\Bigg|_0^{1-x}\mathrm{d}x\\&=\int_0^1\left[-\frac{3}{8}+\frac{x}{8}+\frac{1}{2(1+x)}\right]\mathrm{d}x\\&=\left[-\frac{3}{8}x+\frac{1}{16}x^2+\frac{1}{2}\ln(1+x)\right]\Bigg|_0^1=\frac{1}{2}\ln 2-\frac{5}{16}.\end{aligned}$$

【4078】 $\iiint\limits_V xyz\mathrm{d}x\mathrm{d}y\mathrm{d}z$,其中 V 是 $x^2+y^2+z^2=1,x=0,y=0,z=0$ 所围的区域.

解 $$\begin{aligned}\iiint\limits_V xyz\mathrm{d}x\mathrm{d}y\mathrm{d}z&=\int_0^1 x\mathrm{d}x\int_0^{\sqrt{1-x^2}}y\mathrm{d}y\int_0^{\sqrt{1-x^2-y^2}}z\mathrm{d}z\\&=\frac{1}{2}\int_0^1 x\mathrm{d}x\int_0^{\sqrt{1-x^2}}y(1-x^2-y^2)\mathrm{d}y\\&=\frac{1}{8}\int_0^1 x(1-x^2)^2\mathrm{d}x=\frac{1}{48}.\end{aligned}$$

【4079】 $\iiint\limits_V\left(\dfrac{x^2}{a^2}+\dfrac{y^2}{b^2}+\dfrac{z^2}{c^2}\right)\mathrm{d}x\mathrm{d}y\mathrm{d}z$,其中 V 是曲面$\dfrac{x^2}{a^2}+\dfrac{y^2}{b^2}+\dfrac{z^2}{c^2}=1$ 所围的区域.

解 设 P_x,Q_y,R_z 分别表示区域V与平面$x=$常数,$y=$常数,$z=$常数所截部分在 yOz,zOx,xOy 平面上的投影,则有

$$\begin{aligned}\iiint\limits_V\left(\frac{x^2}{a^2}+\frac{y^2}{b^2}+\frac{z^2}{c^2}\right)\mathrm{d}x\mathrm{d}y\mathrm{d}z&=\int_{-a}^a\frac{x^2}{a^2}\mathrm{d}x\iint\limits_{P_x}\mathrm{d}y\mathrm{d}z+\int_{-b}^b\frac{y^2}{b^2}\mathrm{d}y\iint\limits_{Q_y}\mathrm{d}z\mathrm{d}x+\int_{-c}^c\frac{z^2}{c^2}\mathrm{d}z\iint\limits_{R_z}\mathrm{d}x\mathrm{d}y\\&=\frac{\pi bc}{a^2}\int_{-a}^a x^2\left(1-\frac{x^2}{a^2}\right)\mathrm{d}x+\frac{\pi ac}{b^2}\int_{-b}^b y^2\left(1-\frac{y^2}{b^2}\right)\mathrm{d}y+\frac{\pi ab}{c^2}\int_{-c}^c z^2\left(1-\frac{z^2}{c^2}\right)\mathrm{d}z\\&=3\cdot\frac{4}{15}\pi abc=\frac{4}{5}\pi abc.\end{aligned}$$

注 P_x 在平面 $x=$ 常数上的方程为

$$\frac{y^2}{b^2\left(1-\frac{x^2}{a^2}\right)}+\frac{z^2}{c^2\left(1-\frac{x^2}{a^2}\right)}=1,$$

故其面积为

$$\pi b\sqrt{1-\frac{x^2}{a^2}}\cdot c\sqrt{1-\frac{x^2}{a^2}}=\pi bc\left(1-\frac{x^2}{a^2}\right).$$

Q_y 及 R_z 的面积类推.

【4080】 $\iiint\limits_V\sqrt{x^2+y^2}\,\mathrm{d}x\mathrm{d}y\mathrm{d}z$，其中 V 是曲面 $x^2+y^2=z^2$，$z=1$ 所围的区域.

解 曲面在 xOy 平面上的投影 D 为圆盘 $x^2+y^2\leqslant 1$. 于是

$$\iiint\limits_V\sqrt{x^2+y^2}\,\mathrm{d}x\mathrm{d}y\mathrm{d}z=\iint\limits_D\mathrm{d}x\mathrm{d}y\int_{\sqrt{x^2+y^2}}^1\sqrt{x^2+y^2}\,\mathrm{d}z$$

$$=\iint\limits_{x^2+y^2\leqslant 1}\left[\sqrt{x^2+y^2}-(x^2+y^2)\right]\mathrm{d}x\mathrm{d}y=\int_0^{2\pi}\mathrm{d}\theta\int_0^1(r-r^2)r\mathrm{d}r=\frac{\pi}{6}.$$

习题 4081—4086 交换积分顺序

【在下列三重积分内，用不同方法配置积分的上下限(4081—4083)】

【4081】 $\int_0^1\mathrm{d}x\int_0^{1-x}\mathrm{d}y\int_0^{x+y}f(x,y,z)\mathrm{d}z$.

解 积分区域 $V=\{(x,y,z)\mid 0\leqslant z\leqslant x+y,0\leqslant y\leqslant 1-x,0\leqslant x\leqslant 1\}$，如图 8.52 所示.

方法一 投影法：把积分区域视为柱体的一部分. 由于 V 在 xOy 平面上的投影区域(柱体底面) $D_{xy}=\{(x,y)\mid 0\leqslant y\leqslant 1-x,0\leqslant x\leqslant 1\}$，从而

$$I=\int_0^1\mathrm{d}x\int_0^{1-x}\mathrm{d}y\int_0^{x+y}f(x,y,z)\mathrm{d}z=\int_0^1\mathrm{d}y\int_0^{1-y}\mathrm{d}x\int_0^{x+y}f(x,y,z)\mathrm{d}z.$$

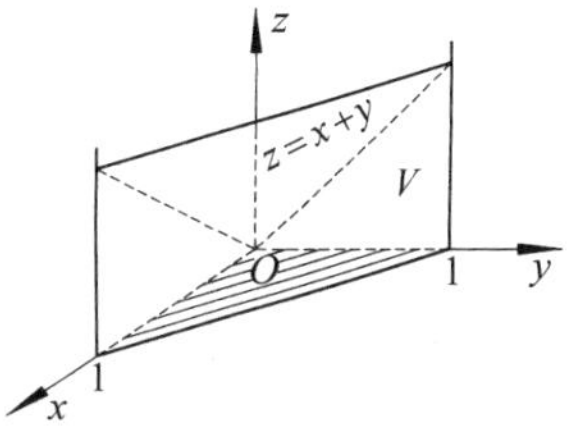

图 8.52

由于 V 在 yOz 平面上的投影(柱体底面) $D_{yz}=\{(y,z)\mid 0\leqslant y\leqslant 1,0\leqslant z\leqslant 1\}$，从而

$$I=\int_0^1\mathrm{d}z\int_0^z\mathrm{d}y\int_{z-y}^{1-y}f(x,y,z)\mathrm{d}x+\int_0^1\mathrm{d}z\int_z^1\mathrm{d}y\int_0^{1-y}f(x,y,z)\mathrm{d}x$$

$$=\int_0^1\mathrm{d}y\int_0^y\mathrm{d}z\int_0^{1-y}f(x,y,z)\mathrm{d}x+\int_0^1\mathrm{d}y\int_y^1\mathrm{d}z\int_{z-y}^{1-y}f(x,y,z)\mathrm{d}x.$$

由于 V 在 zOx 平面上的投影(柱体底面) $D_{zx}=\{(z,x)\mid 0\leqslant x\leqslant 1,0\leqslant z\leqslant 1\}$，从而

$$I=\int_0^1\mathrm{d}z\int_0^z\mathrm{d}x\int_{z-x}^{1-x}f(x,y,z)\mathrm{d}y+\int_0^1\mathrm{d}z\int_z^1\mathrm{d}x\int_0^{1-x}f(x,y,z)\mathrm{d}y$$

$$=\int_0^1\mathrm{d}x\int_x^1\mathrm{d}z\int_{z-x}^{1-x}f(x,y,z)\mathrm{d}y+\int_0^1\mathrm{d}x\int_0^x\mathrm{d}z\int_0^{1-x}f(x,y,z)\mathrm{d}y.$$

方法二 截面法：固定 x，用垂直于 Ox 轴的面截积分区域，所得截面为 P_x，如图 8.53 所示，P_x 在 yOz 平面上的投影域由诸直线 $z=0,z=x+y,y=0,y=1-x$ (x 固定) 围成. 于是有

$$\int_0^1\mathrm{d}x\int_0^{1-x}\mathrm{d}y\int_0^{x+y}f(x,y,z)\mathrm{d}z=\int_0^1\mathrm{d}x\iint\limits_{P_x}\mathrm{d}y\mathrm{d}z$$

$$=\int_0^1\mathrm{d}x\int_0^x\mathrm{d}z\int_0^{1-x}f(x,y,z)\mathrm{d}y+\int_0^1\mathrm{d}x\int_x^1\mathrm{d}z\int_{z-x}^{1-x}f(x,y,z)\mathrm{d}y.$$

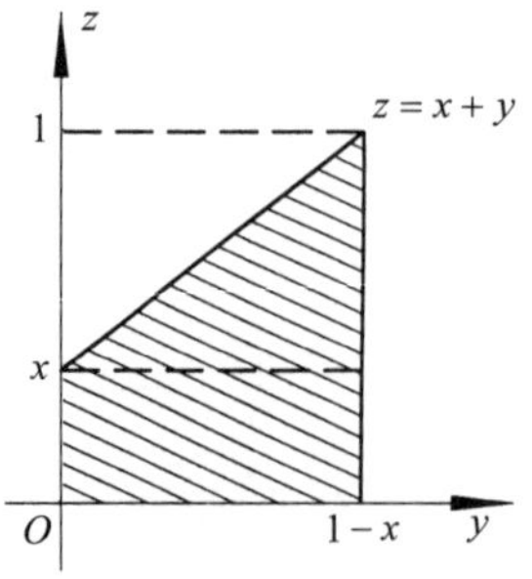

图 8.53

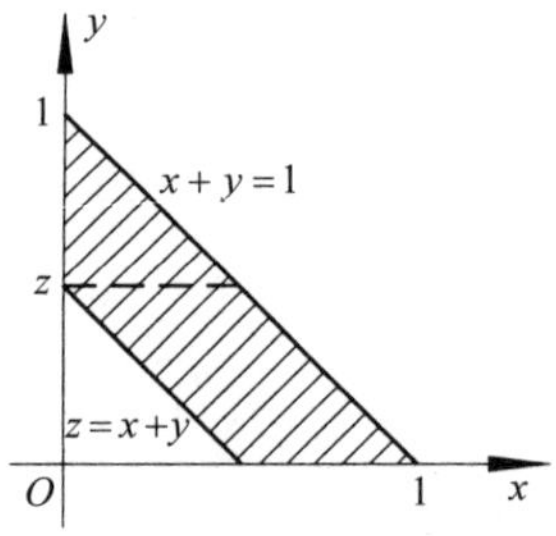

图 8.54

固定 z，用垂直于 Oz 轴的面截积分区域，所得截面为 P_z，如图 8.54 所示，P_z 在 xOy 平面上的投影域由诸直线围成 $x+y=z, x+y=1, x=0, y=0$ (z 固定)，于是有

$$\begin{aligned}\int_0^1 dx\int_0^{1-x}dy\int_0^{1+y}f(x,y,z)dz &= \int_0^1 dz\iint_{P_z}dydz\\ &= \int_0^1 dz\int_0^z dy\int_{z-y}^{1-y}f(x,y,z)dx+\int_0^1 dz\int_z^1 dy\int_0^{1-y}f(x,y,z)dx\\ &= \int_0^1 dz\int_0^z dx\int_{z-x}^{1-x}f(x,y,z)dy+\int_0^1 dz\int_z^1 dx\int_0^{1-x}f(x,y,z)dy.\end{aligned}$$

固定 y，用垂直于 Oy 轴的面截积分区域，所得截面为 P_y，同图 8.53(把 y 换成 x 即可) 所示，P_y 在 zOx 平面上的投影域由诸直线围成 $z=0, z=x+y, x=0, y=1-y$ (y 固定)，于是有

$$\begin{aligned}\int_0^1 dx\int_0^{1-x}dy\int_0^{1+y}f(x,y,z)dz &= \int_0^1 dy\iint_{P_y}dydz\\ &= \int_0^1 dy\int_0^y dz\int_0^{1-y}f(x,y,z)dx+\int_0^1 dy\int_y^1 dz\int_{z-y}^{1-y}f(x,y,z)dx\\ &= \int_0^1 dy\int_0^{1-y}dx\int_0^{x+y}f(x,y,z)dz.\end{aligned}$$

方法三　分析　这是对已化成累次积分的三重积分 $\iiint\limits_V f(x,y,z)dxdydz$ 交换积分顺序的问题. 这时可不必画出 V 的图形(一般也很难画)，只要把它看成是一次定积分加一次二重积分化成的，对其中的二重积分交换积分顺序，因而有时需要分两步走，其中的每一步均是二重积分交换积分顺序问题. 如本题，第一步：交换 x 与 y 的顺序；第二步：交换 x 与 z 的顺序，就会得到以 x,z,y 的顺序的累次积分，这种顺序交换可如同二重积分一样进行，关键步骤是画出二重积分的图形. 有了图形，积分限就容易写出了.

根据以上分析，把该累次积分看成是三重积分按先一(z) 后二的顺序化成的，则

$$I=\iint_{D_{xy}}dxdy\int_0^{x+y}f(x,y,z)dz,$$

其中 $D_{xy}=\{(x,y)\mid 0\leqslant y\leqslant 1-x, 0\leqslant x\leqslant 1\}$，交换 x 与 y 的顺序得

$$I=\int_0^1 dy\int_0^{1-y}dx\int_0^{x+y}f(x,y,z)dz.$$

再把它看成三重积分按先二后一(y) 的顺序化成的，则

$$I=\int_0^1 dy\iint_{D_{zx}}f(x,y,z)dzdx,$$

其中 $D_{zx}=\{(z,x)\mid 0\leqslant x\leqslant 1-y, 0\leqslant z\leqslant x+y\}$，如图 8.53 所示(对 z,x 积分时 y 是参数，z,x 变动时 y 是不变的)，交换 x 与 z 的积分顺序(先对 x 积分要分块积分)，得

$$I=\int_0^1 dy\int_0^y dz\int_0^{1-y}f(x,y,z)dx+\int_0^1 dy\int_y^1 dz\int_{z-y}^{1-y}f(x,y,z)dx.$$

【4082】 $\int_{-1}^1 dx\int_{-\sqrt{1-x^2}}^{\sqrt{1-x^2}}dy\int_{\sqrt{x^2+y^2}}^1 f(x,y,z)dz.$

解 用截面法. 有界区域 V 如图 8.55 所示.

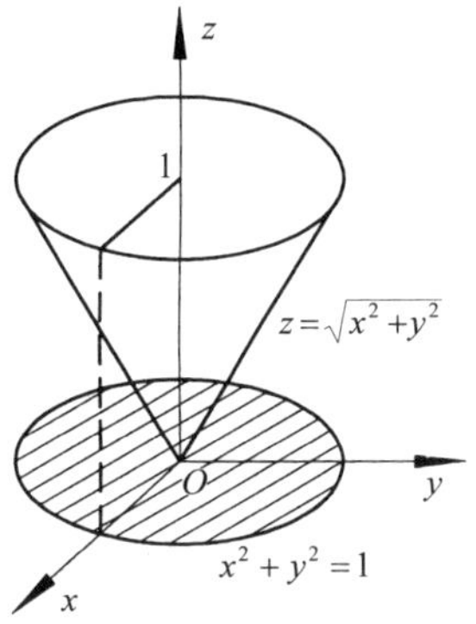

图 8.55

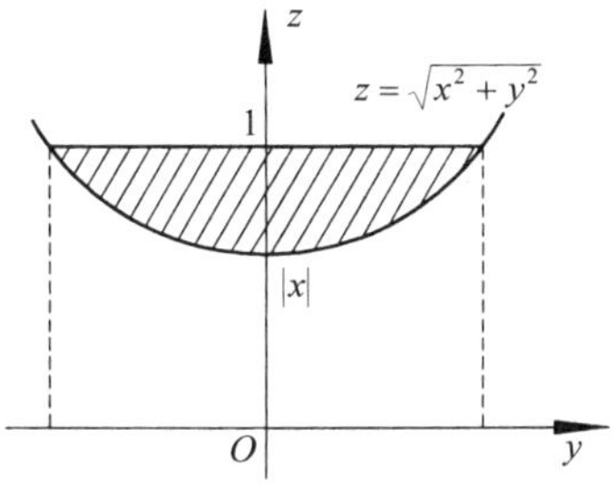

图 8.56

固定 x，用垂直于 Ox 轴的面截积分区域，所得截面为 P_x，如图 8.56 所示，P_x 在 yOz 平面上的投影域由不等式

$$|x| \leqslant z \leqslant 1, -\sqrt{z^2-x^2} \leqslant y \leqslant \sqrt{z^2-x^2}$$

给出. 于是有

$$\int_{-1}^{1}\mathrm{d}x\int_{-\sqrt{1-x^2}}^{\sqrt{1-x^2}}\mathrm{d}y\int_{\sqrt{x^2+y^2}}^{1}f(x,y,z)\mathrm{d}z=\int_{-1}^{1}\mathrm{d}x\int_{|x|}^{1}\mathrm{d}z\int_{-\sqrt{z^2-x^2}}^{\sqrt{z^2-x^2}}f(x,y,z)\mathrm{d}y.$$

固定 y，用垂直于 Oy 轴的面截积分区域，所得截面为 P_y，同图 8.56（把 y 换成 x 即可）所示，P_y 在 zOx 平面上的投影域由不等式

$$|y| \leqslant z \leqslant 1, -\sqrt{z^2-y^2} \leqslant x \sqrt{z^2-y^2}$$

给出. 于是有

$$\int_{-1}^{1}\mathrm{d}x\int_{-\sqrt{1-x^2}}^{\sqrt{1-x^2}}\mathrm{d}y\int_{\sqrt{x^2+y^2}}^{1}f(x,y,z)\mathrm{d}z$$
$$=\int_{-1}^{1}\mathrm{d}y\int_{|y|}^{1}\mathrm{d}z\int_{-\sqrt{z^2-y^2}}^{\sqrt{z^2-y^2}}f(x,y,z)\mathrm{d}x$$
$$=\int_{-1}^{1}\mathrm{d}y\int_{-\sqrt{1-y^2}}^{\sqrt{1-y^2}}\mathrm{d}x\int_{\sqrt{x^2+y^2}}^{1}f(x,y,z)\mathrm{d}z$$

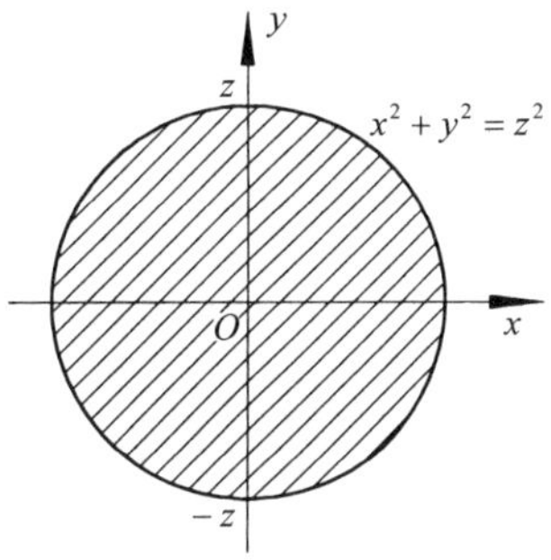

图 8.57

固定 z，用垂直于 Oz 轴的面截积分区域，所得截面为 P_z，如图 8.57 所示，P_z 在 xOy 平面上的投影域为圆域 $x^2+y^2\leqslant z^2$（z 固定），于是有

$$\int_{-1}^{1}\mathrm{d}x\int_{-\sqrt{1-x^2}}^{\sqrt{1-x^2}}\mathrm{d}y\int_{\sqrt{x^2+y^2}}^{1}f(x,y,z)\mathrm{d}z=\int_{0}^{1}\mathrm{d}z\int_{-z}^{z}\mathrm{d}y\int_{-\sqrt{z^2-y^2}}^{\sqrt{z^2-y^2}}f(x,y,z)\mathrm{d}x$$
$$=\int_{0}^{1}\mathrm{d}z\int_{-z}^{z}\mathrm{d}x\int_{-\sqrt{z^2-x^2}}^{\sqrt{z^2-x^2}}f(x,y,z)\mathrm{d}y.$$

【4083】 $\int_0^1\mathrm{d}x\int_0^1\mathrm{d}y\int_0^{x^2+y^2}f(x,y,z)\mathrm{d}z.$

解 投影法. 积分区域 $V=\{(x,y,z)\mid 0\leqslant z\leqslant x^2+y^2, 0\leqslant x\leqslant 1, 0\leqslant y\leqslant 1\}$.
由于 V 在 xOy 平面，yOz 平面，zOx 平面上的投影区域分别为

$$D_{xy}=\{(x,y)\mid 0\leqslant x\leqslant 1, 0\leqslant y\leqslant 1\},$$
$$D_{yz}=\{(y,z)\mid 0\leqslant y\leqslant 1, 0\leqslant z\leqslant 1+y^2\},$$
$$D_{zx}=\{(z,x)\mid 0\leqslant z\leqslant 1+x^2, 0\leqslant x\leqslant 1\},$$

从而

$$I=\int_0^1\mathrm{d}x\int_0^1\mathrm{d}y\int_0^{x^2+y^2}f(x,y,z)\mathrm{d}z=\int_0^1\mathrm{d}y\int_0^1\mathrm{d}x\int_0^{x^2+y^2}f(x,y,z)\mathrm{d}z$$

$$=\int_0^1 dy\int_0^{y^2}dz\int_0^1 f(x,y,z)dx+\int_0^1 dy\int_{y^2}^{y^2+1}dz\int_{\sqrt{z-y^2}}^1 f(x,y,z)dx$$

$$=\int_0^1 dz\int_{\sqrt{z}}^1 dy\int_0^1 f(x,y,z)dx+\int_0^1 dz\int_0^{\sqrt{z}}dy\int_{\sqrt{z-y^2}}^1 f(x,y,z)dx+\int_1^2 dz\int_{\sqrt{z-1}}^1 dy\int_{\sqrt{z-y^2}}^1 f(x,y,z)dx$$

$$=\int_0^1 dz\int_{\sqrt{z}}^1 dx\int_0^1 f(x,y,z)dy+\int_0^1 dz\int_0^{\sqrt{z}}dx\int_{\sqrt{z-x^2}}^1 f(x,y,z)dy+\int_1^2 dz\int_{\sqrt{z-1}}^1 dx\int_{\sqrt{z-x^2}}^1 f(x,y,z)dy$$

$$=\int_0^1 dx\int_0^{x^2}dz\int_0^1 f(x,y,z)dy+\int_0^1 dx\int_{x^2}^{x^2+1}dz\int_{\sqrt{z-x^2}}^1 f(x,y,z)dy.$$

【将三重积分化为定积分(4084—4085)】

【4084】 $\int_0^x d\xi\int_0^{\xi}d\eta\int_0^{\eta}f(\gamma)d\gamma.$

解 $\int_0^x d\xi\int_0^{\xi}d\eta\int_0^{\eta}f(\gamma)d\gamma=\int_0^x d\xi\int_0^{\xi}d\gamma\int_{\gamma}^{\xi}f(\gamma)d\eta=\int_0^x d\xi\int_0^{\xi}f(\gamma)(\xi-\gamma)d\gamma=\int_0^x d\gamma\int_{\gamma}^x f(\gamma)(\xi-\gamma)d\xi$

$$=\frac{1}{2}\int_0^x f(\gamma)(x-\gamma)^2d\gamma.$$

【4085】 $\int_0^1 dx\int_0^1 dy\int_0^{x+y}f(z)dz.$

解 **方法一** 依次交换积分顺序可得

$$\int_0^1 dx\int_0^1 dy\int_0^{x+y}f(z)dz=\int_0^1 dx\int_0^x dz\int_0^1 f(z)dy+\int_0^1 dx\int_x^{x+1}dz\int_{z-x}^1 f(z)dy$$

$$=\int_0^1 dx\int_0^x f(z)dz+\int_0^1 dx\int_x^{x+1}f(z)(1-z+x)dz$$

$$=\int_0^1 dz\int_z^1 f(z)dx+\int_0^1 dz\int_0^z f(z)(1-z+x)dx+\int_1^2 dz\int_{z-1}^1 f(z)(1-z+x)dx$$

$$=\int_0^1 f(z)(1-z)dz+\int_0^1 f(z)\left[z(1-z)+\frac{1}{2}z^2\right]dz+\int_1^2 f(z)\left[(1-z)(2-z)+\frac{1}{2}(2z-z^2)\right]dz$$

$$=\frac{1}{2}\int_0^1 f(z)(2-z^2)dz+\frac{1}{2}\int_1^2 f(z)(2-z)^2dz.$$

方法二 化为先对 y 积分,再对 x、z 积分,可将原积分表示成如下两部分:

$$\int_0^1 dz\left[\int_0^1 dx\int_0^1 f(z)dy+\int_0^z dx\int_{z-x}^1 f(z)dy\right]$$

$$=\int_0^1 dz\int_z^1 f(z)dx+\int_0^1 dz\int_0^z f(z)(1-z+x)dx$$

$$=\int_0^1 f(z)(1-z)dz+\int_0^1 f(z)(1-z)zdz+\frac{1}{2}\int_0^1 f(z)z^2dz$$

$$=\int_0^1 f(z)\left(1-\frac{z^2}{2}\right)dz=\frac{1}{2}\int_0^1 f(z)(2-z^2)dz;$$

$$\int_1^2 dz\int_{z-1}^1 dx\int_{z-x}^1 f(z)dy=\int_1^2 dz\int_{z-1}^1 f(z)(1-z+x)dx$$

$$=\int_1^2\left[f(z)(1-z)x+\frac{1}{2}f(z)x^2\right]\Bigg|_{z-1}^1 dz$$

$$=\int_1^2 f(z)\left[1-z+(z-1)^2+\frac{1}{2}-\frac{1}{2}(z-1)^2\right]dz=\frac{1}{2}\int_1^2 f(z)(z-2)^2dz.$$

于是$\int_0^1 dx\int_0^1 dy\int_0^{x+y}f(z)dz=\frac{1}{2}\int_0^1 f(z)(2-z^2)dz+\frac{1}{2}\int_1^2 f(z)(2-z)^2dz.$

【4086】 设 $f(x,y,z)=F'''_{xyz}(x,y,z)$,且 a,b,c,A,B,C 为常数,求

$$\int_a^A dx\int_b^B dy\int_c^C f(x,y,z)dz.$$

解 $\int_a^A dx\int_b^B dy\int_c^C f(x,y,z)dz$

$$= \int_a^A dx \int_b^B [F''_{xy}(x,y,C) - F''_{xy}(x,y,c)]dy$$

$$= \int_a^A [F'_x(x,B,C) - F'_x(x,b,C) - F'_x(x,B,c) + F'_x(x,b,c)]dx$$

$$= F(A,B,C) - F(a,B,C) - F(A,b,C) + F(a,b,C) - F(A,B,c) + F(a,B,c) + F(A,b,c) - F(a,b,c).$$

知识点 2 三重积分中的变量代换

若连续可微函数

$$x = x(u,v,w), y = y(u,v,w), z = z(u,v,w)$$

给出 $Oxyz$ 空间的有界可求积的三维闭区域 V 与 $O'uvw$ 空间的区域 V' 之间的一一映射，并且当 $(u,v,w) \in V'$ 时，有

$$J = \frac{D(x,y,z)}{D(u,v,w)} \neq 0,$$

则成立公式

$$\iiint_V f(x,y,z)dxdydz = \iiint_{V'} f[x(u,v,w), y(u,v,w), z(u,v,w)] \mid J \mid dudvdw.$$

在特殊情况下，有：

(1) 柱面坐标系 r,θ,z，其中

$$x = r\cos\theta, y = r\sin\theta, z = z, \frac{D(x,y,z)}{D(r,\theta,z)} = r.$$

(2) 球面坐标系 r,φ,θ，其中

$$x = r\cos\theta\sin\varphi, y = r\sin\theta\sin\varphi, z = r\cos\varphi, \frac{D(x,y,z)}{D(r,\varphi,\theta)} = r^2\sin\varphi.$$

习题 4087—4090 用球面坐标系计算积分

【变换为球坐标，计算下列积分(4087—4088)】

【4087】 $\iiint_V \sqrt{x^2+y^2+z^2}\,dxdydz$，其中 V 是曲面 $x^2+y^2+z^2=z$ 所围的区域.

解 令 $x = r\cos\theta\sin\varphi, y = r\sin\theta\sin\varphi, z = r\cos\varphi$，则曲面 $x^2+y^2+z^2=z$ 化为 $r=\cos\varphi$. 从而

$$V: 0 \leqslant \theta \leqslant 2\pi, 0 \leqslant \varphi \leqslant \frac{\pi}{2}, 0 \leqslant r \leqslant \cos\varphi, \mid J \mid = r^2\sin\varphi.$$

于是

$$\iiint_V \sqrt{x^2+y^2+z^2}\,dxdydz = \int_0^{2\pi} d\theta \int_0^{\frac{\pi}{2}} d\varphi \int_0^{\cos\varphi} r\cdot r^2\sin\varphi dr = \frac{1}{4}\int_0^{2\pi} d\theta \int_0^{\frac{\pi}{2}} \sin\varphi\cos^4\varphi d\varphi = \frac{\pi}{10}.$$

【4088】 $\int_0^1 dx \int_0^{\sqrt{1-x^2}} dy \int_{\sqrt{x^2+y^2}}^{\sqrt{2-x^2-y^2}} z^2 dz.$

解 令 $x = r\cos\theta\sin\varphi, y = r\sin\theta\sin\varphi, z = r\cos\varphi$，则

$$0 \leqslant \theta \leqslant \frac{\pi}{2}, 0 \leqslant \varphi \leqslant \frac{\pi}{4}, 0 \leqslant r \leqslant \sqrt{2}.$$

于是

$$\int_0^1 dx \int_0^{\sqrt{1-x^2}} dy \int_{\sqrt{x^2+y^2}}^{\sqrt{2-x^2-y^2}} z^2 dz = \int_0^{\frac{\pi}{2}} d\theta \int_0^{\frac{\pi}{4}} d\varphi \int_0^{\sqrt{2}} r^2\sin\varphi\cdot r^2\cos^2\varphi dr = \frac{4}{5}\sqrt{2}\cdot\frac{\pi}{2}\int_0^{\frac{\pi}{4}} \sin\varphi\cos^2\varphi d\varphi$$

$$=-\frac{2\sqrt{2}\pi}{5}\cdot\frac{1}{3}\cos^3\varphi\Big|_0^{\frac{\pi}{4}}=\frac{\pi}{15}(2\sqrt{2}-1).$$

【4089】 在积分中变换为球坐标：

$$\iiint\limits_V f(\sqrt{x^2+y^2+z^2})\mathrm{d}x\mathrm{d}y\mathrm{d}z,$$

其中 V 是曲面 $z=x^2+y^2, x=y, x=1, y=0, z=0$ 所围的区域.

解 令 $x=r\cos\theta\sin\varphi, y=r\sin\theta\sin\varphi, z=r\cos\varphi$.

由 $x=y, x=1, y=0$ 知：$0\leqslant\theta\leqslant\frac{\pi}{4}$（图 8.58）.

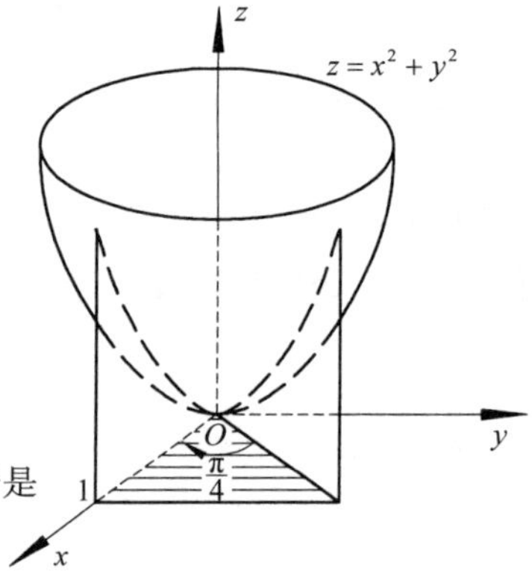

图 8.58

又从原点引半射线，由曲面 $z=x^2+y^2$ 穿进，平面 $x=1$ 穿出，于是，得 r 的下限为 $r=\frac{\cos\varphi}{\sin^2\varphi}$，$r$ 的上限为 $r=\frac{1}{\cos\theta\sin\varphi}$. 而 φ 的变化域由 $z=0$ 到 $z=x^2+y^2, x=1$ 所决定，即

$$\arctan(\cos\theta)\leqslant\varphi\leqslant\frac{\pi}{2}.$$

故 $0\leqslant\theta\leqslant\frac{\pi}{4}, \arctan(\cos\theta)\leqslant\varphi\leqslant\frac{\pi}{2}, \frac{\cos\varphi}{\sin^2\varphi}\leqslant r\leqslant\frac{1}{\cos\theta\sin\varphi}$. 于是

$$\iiint\limits_V f(\sqrt{x^2+y^2+z^2})\mathrm{d}x\mathrm{d}y\mathrm{d}z$$

$$=\int_0^{\frac{\pi}{4}}\mathrm{d}\theta\int_{\arctan(\cos\theta)}^{\frac{\pi}{2}}\sin\varphi\mathrm{d}\varphi\int_{\frac{\cos\varphi}{\sin^2\varphi}}^{\frac{1}{\cos\theta\sin\varphi}}r^2f(r)\mathrm{d}r.$$

注 因为 $x=1$ 对应 $r=\frac{1}{\cos\theta\sin\varphi}$，$z=x^2+y^2$ 对应 $r=\frac{\cos\varphi}{\sin^2\varphi}$，由 $\frac{1}{\cos\theta\sin\varphi}=\frac{\cos\varphi}{\sin^2\varphi}$，得 $\varphi=\arctan(\cos\theta)$.

【4090】 进行适当的变量代换，计算三重积分

$$\iiint\limits_V\sqrt{1-\frac{x^2}{a^2}-\frac{y^2}{b^2}-\frac{z^2}{c^2}}\mathrm{d}x\mathrm{d}y\mathrm{d}z,$$

其中 V 为椭球 $\frac{x^2}{a^2}+\frac{y^2}{b^2}+\frac{z^2}{c^2}=1$.

解 令 $x=ar\cos\theta\sin\varphi, y=br\sin\theta\sin\varphi, z=cr\cos\varphi$，则 $\begin{cases}0\leqslant\theta\leqslant2\pi,\\0\leqslant\varphi\leqslant\pi,\\0\leqslant r\leqslant1,\end{cases}$ 且 $|J|=abcr^2\sin\varphi$. 于是

$$\iiint\limits_V\sqrt{1-\frac{x^2}{a^2}-\frac{y^2}{b^2}-\frac{z^2}{c^2}}\mathrm{d}x\mathrm{d}y\mathrm{d}z=\int_0^{2\pi}\mathrm{d}\theta\int_0^{\pi}\mathrm{d}\varphi\int_0^1abcr^2\sin\varphi\sqrt{1-r^2}\,\mathrm{d}r$$

$$=2\pi abc\int_0^{\pi}\sin\varphi\mathrm{d}\varphi\int_0^1r^2\sqrt{1-r^2}\,\mathrm{d}r=4\pi abc\int_0^1r^2\sqrt{1-r^2}\,\mathrm{d}r$$

$$\xlongequal{r=\sin u}4\pi abc\int_0^{\frac{\pi}{2}}\sin^2u\cos^2u\mathrm{d}u=4\pi abc\left(\int_0^{\frac{\pi}{2}}\sin^2u\mathrm{d}u-\int_0^{\frac{\pi}{2}}\sin^4u\mathrm{d}u\right)$$

$$=4\pi abc\left(\frac{1}{2}\cdot\frac{\pi}{2}-\frac{3}{4}\cdot\frac{1}{2}\cdot\frac{\pi}{2}\right)=\frac{\pi^2abc}{4}.$$

习题 4091—4093 用适当的变量代换计算三重积分

【4091】 变换为柱面坐标，计算积分 $\iiint\limits_V(x^2+y^2)\mathrm{d}x\mathrm{d}y\mathrm{d}z$，其中 V 是曲面 $x^2+y^2=2z$，

$z=2$ 所围的区域.

解 令 $x=r\cos\theta, y=r\sin\theta, z=z$,则 $\begin{cases}0\leqslant\theta\leqslant 2\pi,\\ 0\leqslant r\leqslant 2,\\ \dfrac{r^2}{2}\leqslant z\leqslant 2,\end{cases}$ 且 $|J|=r$. 于是

$$\iiint\limits_V (x^2+y^2)\mathrm{d}x\mathrm{d}y\mathrm{d}z=\int_0^{2\pi}\mathrm{d}\theta\int_0^2 r^2\cdot r\mathrm{d}r\int_{\frac{r^2}{2}}^2\mathrm{d}z=\frac{16\pi}{3}.$$

【4092】 计算积分

$$\iiint\limits_V x^2\mathrm{d}x\mathrm{d}y\mathrm{d}z,$$

其中 V 是曲面 $z=ay^2, z=by^2, y>0(0<a<b), z=\alpha x, z=\beta x(0<\alpha<\beta), z=h(h>0)$ 所围的区域.

解 作变换 $\dfrac{z}{y^2}=u, \dfrac{z}{x}=v, z=w$,则 $x=\dfrac{w}{v}, y=\sqrt{\dfrac{w}{u}}, z=w$. 从而,积分域变为

$$V: a\leqslant u\leqslant b, \alpha\leqslant v\leqslant\beta, 0\leqslant w\leqslant h.$$

且雅可比行列式

$$J=\begin{vmatrix}0 & -\dfrac{w}{v^2} & \dfrac{1}{v}\\ \dfrac{-\sqrt{w}}{2u\sqrt{u}} & 0 & \dfrac{1}{2\sqrt{uw}}\\ 0 & 0 & 1\end{vmatrix}=-\frac{w\sqrt{w}}{2u\sqrt{u}v^2}.$$

于是 $\displaystyle\iiint\limits_V x^2\mathrm{d}x\mathrm{d}y\mathrm{d}z=\int_0^h w^{\frac{7}{2}}\mathrm{d}w\int_\alpha^\beta\frac{1}{v^4}\mathrm{d}v\int_a^b\frac{1}{2u\sqrt{u}}\mathrm{d}u=\frac{2}{27}\left(\frac{1}{\alpha^3}-\frac{1}{\beta^3}\right)\left(\frac{1}{\sqrt{a}}-\frac{1}{\sqrt{b}}\right)h^{\frac{9}{2}}.$

【4093】 求积分

$$\iiint\limits_V xyz\mathrm{d}x\mathrm{d}y\mathrm{d}z,$$

其中 V 位于 $x>0, y>0, z>0$ 这一卦限内且由下列曲面围成：$z=\dfrac{x^2+y^2}{m}, z=\dfrac{x^2+y^2}{n}$, $xy=a^2, xy=b^2, y=\alpha x, y=\beta x(0<a<b, 0<\alpha<\beta, 0<m<n)$.

解 作变换 $\dfrac{z}{x^2+y^2}=u, xy=v, \dfrac{y}{x}=w$,则 $x=\sqrt{\dfrac{v}{w}}, y=\sqrt{vw}, z=uv\left(w+\dfrac{1}{w}\right)$,且

$$J=\begin{vmatrix}0 & \dfrac{1}{2\sqrt{vw}} & -\dfrac{\sqrt{v}}{2w\sqrt{w}}\\ 0 & \dfrac{\sqrt{w}}{2\sqrt{v}} & \dfrac{\sqrt{v}}{2\sqrt{w}}\\ v\left(w+\dfrac{1}{w}\right) & u\left(w+\dfrac{1}{w}\right) & uv\left(1-\dfrac{1}{w^2}\right)\end{vmatrix}=\frac{v}{2w}\left(w+\frac{1}{w}\right).$$

$$V: \frac{1}{n}\leqslant u\leqslant\frac{1}{m}, a^2\leqslant v\leqslant b^2, \alpha\leqslant w\leqslant\beta.$$

于是

$$\begin{aligned}\iiint\limits_V xyz\mathrm{d}x\mathrm{d}y\mathrm{d}z&=\int_{\frac{1}{n}}^{\frac{1}{m}}\frac{u}{2}\mathrm{d}u\int_{a^2}^{b^2}v^3\mathrm{d}v\int_\alpha^\beta\left(w+\frac{1}{w^3}+\frac{2}{w}\right)\mathrm{d}w\\&=\frac{1}{32}\left(\frac{1}{m^2}-\frac{1}{n^2}\right)(b^8-a^8)\left[(\beta^2-\alpha^2)\left(1+\frac{1}{\alpha^2\beta^2}\right)+4\ln\frac{\beta}{\alpha}\right].\end{aligned}$$

习题 4094—4100　三重积分的性质

【4094】 求函数 $f(x,y,z)=x^2+y^2+z^2$ 在区域 $x^2+y^2+z^2\leqslant x+y+z$ 内的平均值.

解 区域 $x^2+y^2+z^2\leqslant x+y+z$ 即 $\left(x-\frac{1}{2}\right)^2+\left(y-\frac{1}{2}\right)^2+\left(z-\frac{1}{2}\right)^2\leqslant\frac{3}{4}$,其体积

$$V=\frac{4}{3}\pi\left(\frac{\sqrt{3}}{2}\right)^3=\frac{\sqrt{3}}{2}\pi.$$

令 $x=\frac{1}{2}+r\cos\theta\sin\varphi,y=\frac{1}{2}+r\sin\theta\sin\varphi,z=\frac{1}{2}+r\cos\varphi$,则

$$\begin{cases}0\leqslant\theta\leqslant 2\pi,\\0\leqslant\varphi\leqslant\pi,\\0\leqslant r\leqslant\frac{\sqrt{3}}{2}.\end{cases}$$

则所求的的平均值为

$$\begin{aligned}f_{平均}&=\frac{1}{V}\iiint\limits_V(x^2+y^2+z^2)\mathrm{d}x\mathrm{d}y\mathrm{d}z\\&=\frac{1}{V}\int_0^{2\pi}\mathrm{d}\theta\int_0^{\pi}\mathrm{d}\varphi\int_0^{\frac{\sqrt{3}}{2}}r^2\sin\varphi\left(\frac{3}{4}+r^2+r\cos\varphi+r\cos\theta\sin\varphi+r\sin\theta\sin\varphi\right)\mathrm{d}r\\&=\frac{2\pi}{V}\int_0^{\pi}\mathrm{d}\varphi\int_0^{\frac{\sqrt{3}}{2}}r^2\sin\varphi\left(\frac{3}{4}+r^2+r\cos\varphi\right)\mathrm{d}r\\&=\frac{2\pi}{V}\int_0^{\pi}\sin\varphi\left(\frac{3\sqrt{3}}{20}+\frac{9}{64}\cos\varphi\right)\mathrm{d}\varphi=\frac{\frac{3\sqrt{3}}{5}\pi}{\frac{\sqrt{3}}{2}\pi}=\frac{6}{5}.\end{aligned}$$

【4095】 求函数 $f(x,y,z)=\mathrm{e}^{\sqrt{\frac{x^2}{a^2}+\frac{y^2}{b^2}+\frac{z^2}{c^2}}}$ 在区域 $\frac{x^2}{a^2}+\frac{y^2}{b^2}+\frac{z^2}{c^2}\leqslant 1$ 内的平均值.

解 由于区域 $V:\frac{x^2}{a^2}+\frac{y^2}{b^2}+\frac{z^2}{c^2}\leqslant 1$ 的体积等于 $\frac{4}{3}\pi abc$,故平均值为

$$f_{平均}=\frac{3}{4\pi abc}\iiint\limits_V\mathrm{e}^{\sqrt{\frac{x^2}{a^2}+\frac{y^2}{b^2}+\frac{z^2}{z^2}}}\mathrm{d}x\mathrm{d}y\mathrm{d}z,$$

令 $x=ar\cos\theta\sin\varphi,y=br\sin\theta\sin\varphi,z=cr\cos\varphi$,则

$$\begin{cases}0\leqslant\theta\leqslant 2\pi,\\0\leqslant\varphi\leqslant\pi,\\0\leqslant r\leqslant 1,\end{cases}$$

且 $|J|=abcr^2\sin\varphi$.

$$f_{平均}=\frac{3}{4\pi abc}\int_0^{2\pi}\mathrm{d}\theta\int_0^{\pi}\mathrm{d}\varphi\int_0^1 abc\,\mathrm{e}^r r^2\sin\varphi\mathrm{d}r=\frac{3}{2}\int_0^{\pi}\sin\varphi\mathrm{d}\varphi\int_0^1 r^2\mathrm{e}^r\mathrm{d}r=3(\mathrm{e}-2).$$

【4096】 利用中值定理,估计积分

$$u=\iiint\limits_{x^2+y^2+z^2\leqslant R^2}\frac{\mathrm{d}x\mathrm{d}y\mathrm{d}z}{\sqrt{(x-a)^2+(y-b)^2+(z-c)^2}},$$

其中 $a^2+b^2+c^2>R^2$.

解 由积分中值定理,有

$$u=\iiint\limits_{x^2+y^2+z^2\leqslant R^2}\frac{\mathrm{d}x\mathrm{d}y\mathrm{d}z}{\sqrt{(x-a)^2+(y-b)^2+(z-c)^2}}=\frac{1}{\sqrt{(\xi-a)^2+(\eta-b)^2+(\zeta-c)^2}}\cdot\frac{4}{3}\pi R^3,\qquad ①$$

其中 $\xi^2+\eta^2+\zeta^2\leqslant R^2$. 由于函数 $\sqrt{(x-a)^2+(y-b)^2+(z-c)^2}$ 表示点 (x,y,z) 与点 (a,b,c) 之间的距

离，显然在区域 $x^2+y^2+z^2\leqslant R^2$ 中此距离的最小值是 $\sqrt{a^2+b^2+c^2}-R$，最大值是 $\sqrt{a^2+b^2+c^2}+R$，并且只在一个点达到最小值，也只在一个点达到最大值. 因此，函数

$$\frac{1}{\sqrt{(x-a)^2+(y-b)^2+(z-c)^2}}$$

在区域 $x^2+y^2+z^2\leqslant R^2$ 中的最大值是 $\dfrac{1}{\sqrt{a^2+b^2+c^2}-R}$，最小值是 $\dfrac{1}{\sqrt{a^2+b^2+c^2}+R}$，并且只在一个点达到最大值，也只在一个点达到最小值. 下证 ① 式中的中值不可能是函数的最大值，也不可能是函数的最小值. 事实上，例如，若是最大值，即

$$\frac{1}{\sqrt{(\xi-a)^2+(\eta-b)^2+(\zeta-c)^2}}=\frac{1}{\sqrt{a^2+b^2+c^2}-R},$$

则由 ① 式知

$$\iiint\limits_{x^2+y^2+z^2\leqslant R^2} f(x,y,z)\mathrm{d}x\mathrm{d}y\mathrm{d}z=0, \qquad ②$$

其中

$$f(x,y,z)=\frac{1}{\sqrt{a^2+b^2+c^2}-R}-\frac{1}{\sqrt{(x-a)^2+(y-b)^2+(z-c)^2}}.$$

显然，在区域 $x^2+y^2+z^2\leqslant R^2$ 上 $f(x,y,z)\geqslant 0$ 且 $f(x,y,z)$ 为连续函数. 于是，由 ② 式知在区域 $x^2+y^2+z^2\leqslant R^2$ 上必有 $f(x,y,z)\equiv 0$，这显然是不可能的. 因此

$$\frac{1}{\sqrt{a^2+b^2+c^2}+R}<\frac{1}{\sqrt{(\xi-a)^2+(\eta-b)^2+(\zeta-c)^2}}<\frac{1}{\sqrt{a^2+b^2+c^2}-R},$$

即 $\sqrt{a^2+b^2+c^2}-R<\sqrt{(\xi-a)^2+(\eta-b)^2+(\zeta-c)^2}<\sqrt{a^2+b^2+c^2}+R$，故

$$\sqrt{(\xi-a)^2+(\eta-b)^2+(\zeta-c)^2}=\sqrt{a^2+b^2+c^2}+\theta R,$$

其中 $|\theta|<1$. 于是，由 ① 式得 $u=\dfrac{4\pi}{3}\dfrac{R^3}{\sqrt{a^2+b^2+c^2}+\theta R}$.

【4097】 证明：若函数 $f(x,y,z)$ 在区域 V 内连续，且对于任何区域 $\omega\subset V$ 有

$$\iiint\limits_{w} f(x,y,z)\mathrm{d}x\mathrm{d}y\mathrm{d}z=0,$$

则当 $(x,y,z)\in V$ 时，$f(x,y,z)\equiv 0$.

证 反证法. 若 $\forall(x,y,z)\in V$，$f(x,y,z)\not\equiv 0$. 不妨设 V 的某内点 (x_0,y_0,z_0)，有 $f(x_0,y_0,z_0)>0$，则由于 $f(x,y,z)$ 的连续性知，存在点 (x_0,y_0,z_0) 的某个闭邻域 $\omega'\subset V$，当 $(x,y,z)\in\omega'$ 时，$f(x,y,z)>0$. 利用中值定理，即有

$$\iiint\limits_{w'} f(x,y,z)\mathrm{d}x\mathrm{d}y\mathrm{d}z=f(\xi,\eta,\zeta)\cdot V_{\omega'}>0,$$

其中 $(\xi,\eta,\zeta)\in\omega'\subset V$. 这与假设 $\iiint\limits_{w'} f(x,y,z)\mathrm{d}x\mathrm{d}y\mathrm{d}z=0$ 矛盾. 因此，当 $(x,y,z)\in V$ 时，$f(x,y,z)\equiv 0$.

【4098】 求 $F'(t)$，设：

(1) $F(t)=\iiint\limits_{x^2+y^2+z^2\leqslant t^2} f(x^2+y^2+z^2)\mathrm{d}x\mathrm{d}y\mathrm{d}z$，其中 f 为可微函数；

(2) $F(t)=\iiint\limits_{\substack{0\leqslant x\leqslant t\\ 0\leqslant y\leqslant t\\ 0\leqslant z\leqslant t}} f(xyz)\mathrm{d}x\mathrm{d}y\mathrm{d}z$，其中 f 为可微函数.

解 (1) 令 $x=r\cos\theta\sin\varphi$，$y=r\sin\theta\sin\varphi$，$z=r\cos\varphi$，则 $\begin{cases}0\leqslant\theta\leqslant 2\pi,\\ 0\leqslant\varphi\leqslant\pi,\\ 0\leqslant r\leqslant t,\end{cases}$ 且 $|J|=r^2\sin\varphi$.

$$F(t)=\iiint\limits_{x^2+y^2+z^2\leqslant t^2} f(x^2+y^2+z^2)\mathrm{d}x\mathrm{d}y\mathrm{d}z=\int_0^{2\pi}\mathrm{d}\theta\int_0^{\pi}\mathrm{d}\varphi\int_0^t f(r^2)r^2\sin\varphi\mathrm{d}r=4\pi\int_0^t f(r^2)r^2\mathrm{d}r.$$

于是，$F'(t)=4\pi t^2 f(t^2)$.

(2) 作变换 $x=t\xi, y=t\eta, z=t\gamma$ 得

$$F(t)=\iiint\limits_{\substack{0\leqslant x\leqslant t\\0\leqslant y\leqslant t\\0\leqslant z\leqslant t}} f(xyz)\mathrm{d}x\mathrm{d}y\mathrm{d}z=\iiint\limits_{\substack{0\leqslant\xi\leqslant1\\0\leqslant\eta\leqslant1\\0\leqslant\gamma\leqslant1}} t^3 f(\xi\eta\gamma t^3)\mathrm{d}\xi\mathrm{d}\eta\mathrm{d}\gamma.$$

于是

$$F'(t)=3\iiint\limits_{\substack{0\leqslant\xi\leqslant1\\0\leqslant\eta\leqslant1\\0\leqslant\gamma\leqslant1}} t^2 f(\xi\eta\gamma t^3)\mathrm{d}\xi\mathrm{d}\eta\mathrm{d}\gamma+3\iiint\limits_{\substack{0\leqslant\xi\leqslant1\\0\leqslant\eta\leqslant1\\0\leqslant\gamma\leqslant1}} t^5\xi\eta\gamma f'(\xi\eta\gamma t^3)\mathrm{d}\xi\mathrm{d}\eta\mathrm{d}\gamma=\frac{3}{t}\left[F(t)+\iiint\limits_{\substack{0\leqslant x\leqslant t\\0\leqslant y\leqslant t\\0\leqslant z\leqslant t}} f'(xyz)xyz\mathrm{d}x\mathrm{d}y\mathrm{d}z\right].$$

【4099】 求 $\iiint\limits_{x^2+y^2+z^2\leqslant1} x^m y^n z^p\mathrm{d}x\mathrm{d}y\mathrm{d}z$，其中 m,n,p 为非负整数.

解 分两种情况：

(1) 设 m,n,p 中至少有一个是奇数. 不妨设 p 为奇数. 于是

$$I=\iiint\limits_{x^2+y^2+z^2\leqslant1} x^m y^n z^p\mathrm{d}x\mathrm{d}y\mathrm{d}z=\iiint\limits_{\substack{x^2+y^2+z^2\leqslant1\\z\geqslant0}} x^m y^n z^p\mathrm{d}x\mathrm{d}y\mathrm{d}z+\iiint\limits_{\substack{x^2+y^2+z^2\leqslant1\\z\leqslant0}} x^m y^n z^p\mathrm{d}x\mathrm{d}y\mathrm{d}z=I_1+I_2.$$

在积分 I_2 中作变量代换 $x=u, y=v, z=-w$，则 $\dfrac{D(x,y,z)}{D(u,v,w)}=-1$，注意到 p 为奇数，有

$$I_2=-\iiint\limits_{\substack{u^2+v^2+w^2\leqslant1\\w\geqslant0}} u^m v^n w^p\mathrm{d}u\mathrm{d}v\mathrm{d}w=-I_1,$$

于是 $I=I_1-I_1=0$.

(2) 设 m,n,p 均为偶数. 此时被积函数 $x^m y^n z^p$ 关于三个坐标平面皆对称. 于是

$$I=\iiint\limits_{x^2+y^2+z^2\leqslant1} x^m y^n z^p\mathrm{d}x\mathrm{d}y\mathrm{d}z=8\iiint\limits_{\substack{x^2+y^2+z^2\leqslant1\\x\geqslant0,y\geqslant0,z\geqslant0}} x^m y^n z^p\mathrm{d}x\mathrm{d}y\mathrm{d}z.$$

令 $x=r\cos\theta\sin\varphi, y=r\sin\theta\sin\varphi, z=r\cos\varphi$，则 $\begin{cases}0\leqslant\theta\leqslant\dfrac{\pi}{2},\\0\leqslant\varphi\leqslant\dfrac{\pi}{2},\\0\leqslant r\leqslant1,\end{cases}$ 且 $|J|=r^2\sin\varphi$.

$$I_1=\iiint\limits_{\substack{x^2+y^2+z^2\leqslant1\\x\geqslant0,y\geqslant0,z\geqslant0}} x^m y^n z^p\mathrm{d}x\mathrm{d}y\mathrm{d}z=\int_0^{\frac{\pi}{2}}\cos^m\theta\sin^n\theta\mathrm{d}\theta\int_0^{\frac{\pi}{2}}\sin^{m+n+1}\varphi\sin^p\varphi\mathrm{d}\varphi\int_0^1 r^{m+n+p+2}\mathrm{d}r$$

$$=\frac{1}{m+n+p+3}\cdot\frac{1}{2}\cdot\frac{\Gamma\left(\frac{m+1}{2}\right)\Gamma\left(\frac{n+1}{2}\right)}{\Gamma\left(\frac{m+n+2}{2}\right)}\cdot\frac{1}{2}\cdot\frac{\Gamma\left(\frac{m+n+2}{2}\right)\Gamma\left(\frac{p+1}{2}\right)}{\Gamma\left(\frac{m+n+p+3}{2}\right)}$$

$$=\frac{1}{4(m+n+p+3)}\cdot\frac{\Gamma\left(\frac{m+1}{2}\right)\Gamma\left(\frac{n+1}{2}\right)\Gamma\left(\frac{p+1}{2}\right)}{\Gamma\left(\frac{m+n+p+3}{2}\right)}$$

$$=\frac{1}{4(m+n+p+3)}\cdot\frac{\frac{(m-1)!!}{2^{\frac{m}{2}}}\cdot\frac{(n-1)!!}{2^{\frac{n}{2}}}\cdot\frac{(p-1)!!}{2^{\frac{p}{2}}}\cdot\pi\sqrt{\pi}}{\frac{(m+n+p+1)!!}{2^{\frac{m+n+2}{2}}}\cdot\sqrt{\pi}}$$

$$=\frac{\pi}{2(m+n+p+3)}\cdot\frac{(m-1)!!(n-1)!!(p-1)!!}{(m+n+p+1)!!}.$$

故 $I=\iiint\limits_{x^2+y^2+z^2\leqslant 1} x^m y^n z^p\,dxdydz=\dfrac{4\pi}{m+n+p+3}\cdot\dfrac{(m-1)!!(n-1)!!(p-1)!!}{(m+n+p+1)!!}$.

注 本题用到 3856 题的结果.

【4100】 令 $x+y+z=\xi, y+z=\xi\eta, z=\xi\eta\gamma$，计算狄利克雷积分

$$\iiint\limits_V x^p y^q z^r(1-x-y-z)^s\,dxdydz\,(p>0,q>0,r>0,s>0),$$

其中 V 是平面 $x+y+z=1, x=0, y=0, z=0$ 所围的区域.

解 由假设知

$$x=\xi(1-\eta), y=\xi\eta(1-t), z=\xi\eta t.$$

在此变换下可求得 $|J|=\xi^2\eta$，并且积分域 V 变为：

$$0<\xi<1, 0<\eta<1, 0<t<1.$$

于是

$$\begin{aligned}
&\iiint\limits_V x^p y^q z^r(1-x-y-z)^s\,dxdydz\\
&=\int_0^1 \xi^{p+q+r+2}(1-\xi)^s\,d\xi\int_0^1 \eta^{q+r+1}(1-\eta)^p\,d\eta\int_0^1 t^r(1-t)^q\,dt\\
&=B(p+q+r+3,s+1)B(q+r+2,p+1)B(r+1,q+1)\\
&=\frac{\Gamma(p+q+r+3)\Gamma(s+1)\Gamma(q+r+2)\Gamma(p+1)\Gamma(r+1)\Gamma(q+1)}{\Gamma(p+q+r+s+4)\Gamma(p+q+r+3)\Gamma(q+r+2)}\\
&=\frac{\Gamma(p+1)\Gamma(q+1)\Gamma(s+1)\Gamma(r+1)}{\Gamma(p+q+r+s+4)}.
\end{aligned}$$

第7节 利用三重积分计算体积（习题4101—4130）

知识点预览

知识点	题目序号	所在页码
利用三重积分计算体积	4101—4130	P77

知识点 利用三重积分计算体积

区域的体积 V 可表示为以下公式：$V=\iiint\limits_V dxdydz$.

习题 4101—4104 直接计算物体的体积

【求以下列曲面为界的物体的体积(4101—4104)】

【4101】 $z=x^2+y^2, z=2x^2+2y^2, y=x, y=x^2$.

解 区域 $V=\{(x,y,z)\mid 0\leqslant x\leqslant 1, x^2\leqslant y\leqslant x, x^2+y^2\leqslant z\leqslant 2x^2+2y^2\}$，故体积为

$$V=\int_0^1 dx\int_{x^2}^x dy\int_{x^2+y^2}^{2x^2+2y^2} dz=\int_0^1 dx\int_{x^2}^x (x^2+y^2)dy=\int_0^1\left(\frac{4}{3}x^3-x^4-\frac{1}{3}x^6\right)dx$$

$$= \left(\frac{1}{3}x^4 - \frac{1}{5}x^5 - \frac{1}{21}x^7\right)\Big|_0^1 = \frac{3}{35}.$$

【4102】 $z = x + y, z = xy, x + y = 1, x = 0, y = 0.$

解 区域 $V = \{(x,y,z) \mid 0 \leqslant x \leqslant 1, 0 \leqslant y \leqslant 1 - x, xy \leqslant z \leqslant x + y\}$，故体积为

$$V = \int_0^1 dx \int_0^{1-x} dy \int_{xy}^{x+y} dz = \int_0^1 dx \int_0^{1-x} (x + y - xy) dy = \int_0^1 \left[x(1-x) + \frac{(1-x)^3}{2}\right] dx = \frac{7}{24}.$$

注 因 $0 \leqslant y \leqslant 1$，故有 $xy \leqslant z \leqslant x + y$.

【4103】 $x^2 + z^2 = a^2, x + y = \pm a, x - y = \pm a.$

解 由对称性，有

$$V = 8\int_0^a dx \int_0^{a-x} dy \int_0^{\sqrt{a^2-x^2}} dz = 8\int_0^a (a - x)\sqrt{a^2 - x^2}\, dx$$

$$= 8a\left(\frac{x}{2}\sqrt{a^2 - x^2} + \frac{a^2}{2}\arcsin\frac{x}{a}\right)\Big|_0^a + \frac{8}{3}(a^2 - x^2)^{\frac{3}{2}}\Big|_0^a = \frac{2a^3}{3}(3\pi - 4).$$

【4104】 $az = a^2 - x^2 - y^2, z = a - x - y, x = 0, y = 0, z = 0 (a > 0).$

解 由 $az = a^2 - x^2 - y^2, x = 0, y = 0, z = 0$ 为界的物体体积为

$$V_1 = \iint\limits_{\substack{x^2+y^2=a^2 \\ x \geqslant 0, y \geqslant 0}} dx dy \int_0^{\frac{a^2-x^2-y^2}{a}} dz = \int_0^{\frac{\pi}{2}} d\theta \int_0^a \frac{a^2 - r^2}{a} r dr = \frac{\pi a^3}{8}.$$

由 $z = a - x - y, x = 0, y = 0, z = 0$ 为界的物体体积为

$$V_2 = \iiint\limits_{\substack{x+y+z \leqslant a \\ x \geqslant 0, y \geqslant 0}} dx dy dz = \int_0^a dx \int_0^{a-x} dy \int_0^{a-x-y} dz = \frac{a^3}{6}.$$

于是，所求的体积为 $V = V_1 - V_2 = \frac{a^3}{24}(3\pi - 4).$

习题 4105—4114 用球面坐标或柱面坐标求物体的体积

【变换为球面坐标或柱面坐标，计算以下曲面所围的体积(4105—4114)】

【4105】 $az = x^2 + y^2, z = \sqrt{x^2 + y^2} (a > 0).$

解 利用柱面坐标变换，令 $x = r\cos\theta, y = r\sin\theta, z = z$，则区域为

$$0 \leqslant \theta \leqslant 2\pi, 0 \leqslant r \leqslant a, \frac{r^2}{a} \leqslant z \leqslant r,$$

且有 $|J| = r$. 于是，体积为

$$V = \int_0^{2\pi} d\theta \int_0^a r dr \int_{\frac{r^2}{a}}^r dz = 2\pi \int_0^a \left(r^2 - \frac{r^3}{a}\right) dr = \frac{\pi a^3}{6}.$$

【4106】 $z = 6 - x^2 - y^2, z = \sqrt{x^2 + y^2}.$

解 利用柱面坐标变换，令 $x = r\cos\theta, y = r\sin\theta, z = z$，则区域为 $0 \leqslant \theta \leqslant 2\pi, 0 \leqslant r \leqslant 2, r \leqslant z \leqslant 6 - r^2$，且有 $|J| = r$. 于是，体积为

$$V = \int_0^{2\pi} d\theta \int_0^2 r dr \int_r^{6-r^2} dz = 2\pi \int_0^2 (6r - r^3 - r^2) dr = \frac{32\pi}{3}.$$

【4107】 $x^2 + y^2 + z^2 = 2az, x^2 + y^2 \leqslant z^2.$

解 利用柱面坐标变换,令 $x=r\cos\theta, y=r\sin\theta, z=z$,则有 $r^2+z^2=2az$ 及 $r^2\leqslant z^2$,则区域为

$$0\leqslant\theta\leqslant 2\pi, 0\leqslant r\leqslant a, r\leqslant z\leqslant a+\sqrt{a^2-r^2}, 且 |J|=r.$$

于是,体积为

$$V=\int_0^{2\pi}\mathrm{d}\theta\int_0^a r\mathrm{d}r\int_r^{a+\sqrt{a^2-r^2}}\mathrm{d}z=2\pi\int_0^a r(a+\sqrt{a^2-r^2}-r)\mathrm{d}r$$

$$=2\pi\left[\frac{ar^2}{2}-\frac{1}{3}(a^2-r^2)^{\frac{3}{2}}-\frac{r^3}{3}\right]\Bigg|_a^a=\pi a^3.$$

注 球面的方程应该是 $z=a\pm\sqrt{a^2-r^2}$,但因体积 V 的那部分为球 $x^2+y^2+z^2=2az$ 的上半部,故取 $z=a+\sqrt{a^2-r^2}$.

【4108】 $(x^2+y^2+z^2)^2=a^2(x^2+y^2-z^2)$.

解 利用球面坐标变换,令 $x=r\cos\theta\sin\varphi, y=r\sin\theta\sin\varphi, z=r\cos\varphi$,则区域的 $\frac{1}{8}$ 部分为

$$0\leqslant\theta\leqslant\frac{\pi}{2}, \frac{\pi}{4}\leqslant\varphi\leqslant\frac{\pi}{2}, 0\leqslant r\leqslant a\sqrt{-\cos 2\varphi}.$$

于是,体积为

$$V=8\int_0^{\frac{\pi}{2}}\mathrm{d}\theta\int_{\frac{\pi}{4}}^{\frac{\pi}{2}}\mathrm{d}\varphi\int_0^{a\sqrt{-\cos 2\varphi}}r^2\sin\varphi\mathrm{d}r=\frac{4\pi a^3}{3}\int_{\frac{\pi}{4}}^{\frac{\pi}{2}}\sin\varphi(-\cos 2\varphi)^{\frac{3}{2}}\mathrm{d}\varphi$$

$$=-\frac{4\pi a^3}{3}\int_{\frac{\pi}{4}}^{\frac{\pi}{2}}(1-2\cos^2\varphi)^{\frac{3}{2}}\mathrm{d}(\cos\varphi)=\frac{4\pi a^3}{3}\int_0^{\frac{1}{\sqrt{2}}}(1-2x^2)^{\frac{3}{2}}\mathrm{d}x$$

$$\xlongequal{\sqrt{2}x=\sin t}\frac{4\pi a^3}{3}\cdot\frac{1}{\sqrt{2}}\int_0^{\frac{\pi}{2}}\cos^4 t\mathrm{d}t=\frac{4\pi a^3}{3\sqrt{2}}\cdot\frac{3}{4}\cdot\frac{1}{2}\cdot\frac{\pi}{2}=\frac{\pi^2 a^3}{4\sqrt{2}}.$$

【4109】 $(x^2+y^2+z^2)^3=\dfrac{a^6z^2}{x^2+y^2}$.

解 采用球面坐标 $x=r\cos\theta\sin\varphi, y=r\sin\theta\sin\varphi, z=r\cos\varphi$,则区域的 $\frac{1}{8}$ 部分(第一卦限内)为

$$0\leqslant\theta\leqslant\frac{\pi}{2}, 0\leqslant\varphi\leqslant\frac{\pi}{2}, 0\leqslant r\leqslant a\tan^{-\frac{1}{3}}\varphi.$$

于是,体积为 $V=8\int_0^{\frac{\pi}{2}}\mathrm{d}\theta\int_0^{\frac{\pi}{2}}\mathrm{d}\varphi\int_0^{a\tan^{-\frac{1}{3}}\varphi}r^2\sin\varphi\mathrm{d}r=\frac{4\pi a^3}{3}\int_0^{\frac{\pi}{2}}\cos\varphi\mathrm{d}\varphi=\frac{4\pi a^3}{3}$.

【4110】 $(x^2+y^2+z^2)^3=3xyz$.

解 立体在第一、第三、第六及第八卦限内,对于这些卦限分别有

$$x\geqslant 0, y\geqslant 0, z\geqslant 0; x\leqslant 0, y\leqslant 0, z\geqslant 0; x\leqslant 0, y\geqslant 0, z\leqslant 0; x\geqslant 0, y\leqslant 0, z\leqslant 0.$$

立体在这四个卦限内的各部分,一对一对地对称于坐标轴之一. 这是因为左端及右端当 x,y,z 中的任何两个同时变号时等号不变.

利用球面坐标变换,令 $x=r\cos\theta\sin\varphi, y=r\sin\theta\sin\varphi, z=r\cos\varphi$,则所求体积为

$$V=4\int_0^{\frac{\pi}{2}}\mathrm{d}\theta\int_0^{\frac{\pi}{2}}\mathrm{d}\varphi\int_0^{\sqrt[3]{3\cos\theta\sin^2\varphi\sin\theta\cos\varphi}}r^2\sin\varphi\mathrm{d}r=4\int_0^{\frac{\pi}{2}}\cos\theta\sin\theta\mathrm{d}\theta\int_0^{\frac{\pi}{2}}\sin^3\varphi\cos\varphi\mathrm{d}\varphi$$

$$=4\left(\frac{\sin^2\theta}{2}\Bigg|_0^{\frac{\pi}{2}}\right)\left(\frac{1}{4}\sin^4\varphi\Bigg|_0^{\frac{\pi}{2}}\right)=\frac{1}{2}.$$

【4111】 $x^2+y^2+z^2=a^2, x^2+y^2+z^2=b^2, x^2+y^2=z^2, (z\geqslant 0)(0<a<b)$.

解 利用球面坐标变换,令 $x=r\cos\theta\sin\varphi, y=r\sin\theta\sin\varphi, z=r\cos\varphi$,则区域为

$$0\leqslant\theta\leqslant 2\pi,0\leqslant\varphi\leqslant\frac{\pi}{4},a\leqslant r\leqslant b.$$

于是,所求体积为

$$V=\int_0^{2\pi}\mathrm{d}\theta\int_0^{\frac{\pi}{4}}\mathrm{d}\varphi\int_a^b r^2\sin\varphi\mathrm{d}r=2\pi\int_0^{\frac{\pi}{4}}\sin\varphi\mathrm{d}\varphi\int_a^b r^2\mathrm{d}r=\frac{\pi(2-\sqrt{2})(b^3-a^3)}{3}.$$

【4112】 $x^2+z^2=a^2,x^2+z^2=b^2,x^2-y^2-z^2=0(x>0)$.

解 令 $x=r\cos\theta,y=y,z=r\sin\theta$,则区域为

$$a\leqslant r\leqslant b,-\frac{\pi}{4}\leqslant\theta\leqslant\frac{\pi}{4},-\sqrt{\cos 2\theta}r\leqslant y\leqslant\sqrt{\cos 2\theta}r.$$

于是,体积为

$$\begin{aligned}V&=\int_a^b r\mathrm{d}r\int_{-\frac{\pi}{4}}^{\frac{\pi}{4}}\mathrm{d}\theta\int_{-\sqrt{\cos 2\theta}r}^{\sqrt{\cos 2\theta}r}\mathrm{d}y=\frac{4}{3}(b^3-a^3)\int_0^{\frac{\pi}{4}}\sqrt{\cos 2\theta}\mathrm{d}\theta\\&=\frac{2}{3}(b^3-a^3)\int_0^{\frac{\pi}{2}}\sqrt{\cos t}\mathrm{d}t=\frac{1}{3}(b^3-a^3)\cdot 2\int_0^{\frac{\pi}{2}}\cos^{2\times\frac{3}{4}-1}t\sin^{2\times\frac{1}{2}-1}t\mathrm{d}t\\&=\frac{1}{3}(b^3-a^3)\cdot B\left(\frac{3}{4},\frac{1}{2}\right)=\frac{1}{3}(b^3-a^3)\cdot\frac{\Gamma\left(\frac{3}{4}\right)\Gamma\left(\frac{1}{2}\right)}{\Gamma\left(\frac{5}{4}\right)}\\&=\frac{1}{3}(b^3-a^3)\cdot\frac{\Gamma\left(\frac{3}{4}\right)\sqrt{\pi}}{\frac{1}{4}\Gamma\left(\frac{1}{4}\right)}=\frac{4\sqrt{\pi}}{3}(b^3-a^3)\cdot\frac{\Gamma^2\left(\frac{3}{4}\right)}{\Gamma\left(\frac{1}{4}\right)\Gamma\left(\frac{3}{4}\right)}\\&=\frac{4}{3\sqrt{2\pi}}(b^3-a^3)\Gamma^2\left(\frac{3}{4}\right).\end{aligned}$$

注 本题用到 3856 题的结果以及余元公式 $\Gamma(p)\Gamma(1-p)=\frac{\pi}{\sin p\pi}$.

【4113】 $\frac{x^2}{a^2}+\frac{y^2}{b^2}+\frac{z^2}{c^2}=1,\frac{x^2}{a^2}+\frac{y^2}{b^2}=\frac{z}{c}$.

解 令 $x=ar\cos\theta,y=br\sin\theta,z=z$,则 r 满足方程 $r^4+r^2-1=0$. 解得 $r=\sqrt{\frac{\sqrt{5}-1}{2}}$. 故体积为

$$\begin{aligned}V&=\int_0^{2\pi}\mathrm{d}\theta\int_0^{\sqrt{\frac{\sqrt{5}-1}{2}}}abr\mathrm{d}r\int_{cr^2}^{c\sqrt{1-r^2}}\mathrm{d}z=2\pi abc\int_0^{\sqrt{\frac{\sqrt{5}-1}{2}}}r(\sqrt{1-r^2}-r^2)\mathrm{d}r\\&=2\pi abc\left[-\frac{1}{3}(1-r^2)^{\frac{3}{2}}-\frac{1}{4}r^4\right]\Bigg|_0^{\sqrt{\frac{\sqrt{5}-1}{2}}}=\frac{5\pi abc(3-\sqrt{5})}{12}.\end{aligned}$$

【4114】 $\frac{x^2}{a^2}+\frac{y^2}{b^2}+\frac{z^4}{c^4}=1$.

解 令 $x=ar\cos\theta,y=br\sin\theta,z=z$,则得体积

$$V=\int_0^{2\pi}\mathrm{d}\theta\int_0^1 abr\mathrm{d}r\int_{-c(1-r^2)^{\frac{1}{4}}}^{c(1-r^2)^{\frac{1}{4}}}\mathrm{d}z=4\pi abc\int_0^1 r(1-r^2)^{\frac{1}{4}}\mathrm{d}r=4\pi abc\left[-\frac{2}{5}(1-r^2)^{\frac{5}{4}}\right]\Bigg|_0^1=\frac{8}{5}\pi abc.$$

习题 4115—4122 用广义球面坐标变换计算物体的体积

广义球面坐标变换为

$$x=ar\cos^{\alpha}\theta\sin^{\beta}\varphi,y=br\sin^{\alpha}\theta\sin^{\beta}\varphi,z=cr\cos^{\beta}\varphi,$$

其中 a,b,c,α,β 为常数，$r\geqslant 0,0\leqslant\theta\leqslant 2\pi,0\leqslant\varphi\leqslant\pi$. 并且

$$\frac{D(x,y,z)}{D(r,\varphi,\psi)}=\alpha\beta abcr^2\cos^{\alpha-1}\theta\sin^{\alpha-1}\theta\sin^{2\beta-1}\varphi\cos^{\beta-1}\varphi.$$

【用广义球面坐标变换求以下列曲面为界的物体的体积(4115—4121)】

【4115】 $\left(\frac{x^2}{a^2}+\frac{y^2}{b^2}+\frac{z^2}{c^2}\right)^2=\frac{z}{h}\cdot e^{-\frac{\frac{z^2}{c^2}}{\frac{x^2}{a^2}+\frac{y^2}{b^2}+\frac{z^2}{c^2}}}$.

解 采用广义球面坐标

$$x=ar\cos\theta\sin\varphi,y=br\sin\theta\sin\varphi,z=cr\cos\varphi,$$

则 $|J|=abcr^2\sin\varphi$，区域的 $\frac{1}{4}$ 部分（第一卦限内）为

$$0\leqslant\theta\leqslant\frac{\pi}{2},0\leqslant\varphi\leqslant\frac{\pi}{2},0\leqslant r\leqslant\left(\frac{c}{h}\cos\varphi e^{-\cos^2\varphi}\right)^{\frac{1}{3}}.$$

这是由于 $z\geqslant 0$，故区域在 xOy 平面的上方. 于是，所求体积为

$$V=4\int_0^{\frac{\pi}{2}}d\theta\int_0^{\frac{\pi}{2}}d\varphi\int_0^{\left(\frac{c}{h}\cos\varphi e^{-\cos^2\varphi}\right)^{\frac{1}{3}}}abcr^2\sin\varphi dr=\frac{4c^2ab}{3h}\cdot\frac{\pi}{2}\cdot\int_0^{\frac{\pi}{2}}\sin\varphi\cos\varphi e^{-\cos^2\varphi}d\varphi$$

$$=\frac{\pi abc^2}{3h}e^{-\cos^2\varphi}\Big|_0^{\frac{\pi}{2}}=\frac{\pi abc^2}{3h}(1-e^{-1}).$$

【4116】 $\left(\frac{x^2}{a^2}+\frac{y^2}{b^2}+\frac{z^2}{c^2}\right)^2=\frac{x}{h}$.

解 令 $x=ar\cos\theta\sin\varphi,y=br\sin\theta\sin\varphi,z=cr\cos\varphi$，则区域的 $\frac{1}{4}$ 部分（第一卦限内）为

$$0\leqslant\theta\leqslant\frac{\pi}{2},0\leqslant\varphi\leqslant\frac{\pi}{2},0\leqslant r\leqslant\sqrt[3]{\frac{a}{h}\cos\theta\sin\varphi}.$$

于是，所求体积为

$$V=4\int_0^{\frac{\pi}{2}}d\theta\int_0^{\frac{\pi}{2}}d\varphi\int_0^{\sqrt[3]{\frac{a}{h}\cos\theta\sin\varphi}}abcr^2\sin\varphi dr=\frac{4a^2bc}{3h}\int_0^{\frac{\pi}{2}}\cos\theta d\theta\int_0^{\frac{\pi}{2}}\sin^2\varphi d\varphi=\frac{\pi a^2bc}{3h}.$$

【4117】 $\left(\frac{x^2}{a^2}+\frac{y^2}{b^2}+\frac{z^2}{c^2}\right)^2=\frac{x^2}{a^2}+\frac{y^2}{b^2}$.

解 令 $x=ar\cos\theta\sin\varphi,y=br\sin\theta\sin\varphi,z=cr\cos\varphi$，并利用对称性，即得体积

$$V=8\int_0^{\frac{\pi}{2}}d\theta\int_0^{\frac{\pi}{2}}d\varphi\int_0^{\sin\varphi}abcr^2\sin\varphi dr$$

$$=8\cdot\frac{\pi}{2}\cdot\frac{abc}{3}\int_0^{\frac{\pi}{2}}\sin^4\varphi d\varphi=\frac{4\pi abc}{3}\cdot\frac{3}{4}\cdot\frac{1}{2}\cdot\frac{\pi}{2}=\frac{1}{4}\pi^2abc.$$

【4118】 $\left(\frac{x^2}{a^2}+\frac{y^2}{b^2}\right)^2+\frac{z^4}{c^4}=1$.

解 令 $x=ar\cos\theta\sin^{\frac{1}{2}}\varphi,y=br\sin\theta\sin^{\frac{1}{2}}\varphi,z=cr\cos^{\frac{1}{2}}\varphi$，则 $|J|=\frac{1}{2}abcr^2\cos^{-\frac{1}{2}}\varphi$ 且区域的 $\frac{1}{8}$（第一卦限内）为

$$0\leqslant\theta\leqslant\frac{\pi}{2},0\leqslant\varphi\leqslant\frac{\pi}{2},0\leqslant r\leqslant 1.$$

于是，体积为

$$V=8\int_0^{\frac{\pi}{2}}d\theta\int_0^{\frac{\pi}{2}}d\varphi\int_0^1\frac{1}{2}abcr^2\cos^{-\frac{1}{2}}\varphi dr=\frac{2}{3}\pi abc\int_0^{\frac{\pi}{2}}\cos^{-\frac{1}{2}}\varphi d\varphi$$

$$=\frac{2}{3}\pi abc\cdot\frac{1}{2}\mathrm{B}\left(\frac{1}{2},\frac{1}{4}\right)=\frac{2}{3}\pi abc\ \frac{1}{2}\ \frac{\Gamma\left(\frac{1}{2}\right)\Gamma\left(\frac{1}{4}\right)}{\Gamma\left(\frac{3}{4}\right)}$$

$$=\frac{1}{3}\pi abc\ \frac{\sqrt{\pi}\Gamma^2\left(\frac{1}{4}\right)}{\Gamma\left(\frac{1}{4}\right)\Gamma\left(\frac{3}{4}\right)}=\frac{1}{3}\pi abc\ \frac{\sqrt{\pi}\Gamma^2\left(\frac{1}{4}\right)}{\sqrt{2}\pi}=\frac{1}{3}abc\sqrt{\frac{\pi}{2}}\Gamma^2\left(\frac{1}{4}\right).$$

注 本题用到 3856 题的结果以及余元公式：$\Gamma(p)\Gamma(1-p)=\dfrac{\pi}{\sin p\pi}$.

【4119】 $\left(\frac{x}{a}+\frac{y}{b}+\frac{z}{c}\right)^2=\frac{x}{h}+\frac{y}{k}(x>0,y>0,z>0)$.

解 令 $x=ar\cos^2\theta\sin^2\varphi,y=br\sin^2\theta\sin^2\varphi,z=cr\cos^2\varphi$,则

$$|J|=4abcr^2\cos\theta\sin\theta\sin^3\varphi\cos\varphi,$$

且区域为

$$0\leqslant\theta\leqslant\frac{\pi}{2},0\leqslant\varphi\leqslant\frac{\pi}{2},0\leqslant r\leqslant\left(\frac{a}{h}\cos^2\theta+\frac{b}{k}\sin^2\theta\right)\sin^2\varphi.$$

于是,体积为

$$V=\int_0^{\frac{\pi}{2}}\mathrm{d}\theta\int_0^{\frac{\pi}{2}}\mathrm{d}\varphi\int_0^{\left(\frac{a}{h}\cos^2\theta+\frac{b}{k}\sin^2\theta\right)\sin^2\varphi}4abcr^2\cos\theta\sin\theta\sin^3\varphi\cos\varphi\mathrm{d}r$$

$$=\frac{4}{3}abc\int_0^{\frac{\pi}{2}}\cos\theta\sin\theta\left(\frac{a}{h}\cos^2\theta+\frac{b}{k}\sin^2\theta\right)^3\mathrm{d}\theta\int_0^{\frac{\pi}{2}}\sin^9\varphi\cos\varphi\mathrm{d}\varphi$$

$$=\frac{1}{15}abc\int_0^{\frac{\pi}{2}}\left(\frac{a}{h}\cos^2\theta+\frac{b}{k}\sin^2\theta\right)^3\mathrm{d}(\sin^2\theta)$$

$$=\frac{1}{15}abc\int_0^{\frac{\pi}{2}}\left[\frac{a}{h}+\left(\frac{b}{k}-\frac{a}{h}\right)\sin^2\theta\right]^3\mathrm{d}(\sin^2\theta)$$

$$\xlongequal{u=\sin^2\theta}\frac{1}{15}abc\int_0^1\left[\frac{a}{h}+\left(\frac{b}{k}-\frac{a}{h}\right)u\right]^3\mathrm{d}u$$

$$=\frac{abc}{15\left(\frac{b}{k}-\frac{a}{h}\right)}\int_0^1\left[\frac{a}{h}+\left(\frac{b}{k}-\frac{a}{h}\right)u\right]^3\mathrm{d}\left[\frac{a}{h}+\left(\frac{b}{k}-\frac{a}{h}\right)u\right]$$

$$=\frac{abc}{60\left(\frac{b}{k}-\frac{a}{h}\right)}\left[\frac{a}{h}+\left(\frac{b}{k}-\frac{a}{h}\right)u\right]^4\Bigg|_0^1=\frac{1}{60}abc\left(\frac{a}{h}+\frac{b}{k}\right)\left(\frac{a^2}{h^2}+\frac{b^2}{k^2}\right).$$

【4120】 $\left(\frac{x}{a}+\frac{y}{b}+\frac{z}{c}\right)^4=\frac{xyz}{abc}(x>0,y>0,z>0)$.

解 令 $x=ar\cos^2\theta\sin^2\varphi,y=br\sin^2\theta\sin^2\varphi,z=cr\cos^2\varphi$,则

$$|J|=4abcr^2\cos\theta\sin\theta\sin^3\varphi\cos\varphi,$$

且区域为

$$0\leqslant\theta\leqslant\frac{\pi}{2},0\leqslant\varphi\leqslant\frac{\pi}{2},0\leqslant r\leqslant\cos^2\theta\sin^2\theta\sin^4\varphi\cos^2\varphi.$$

于是,体积为

$$V=4abc\int_0^{\frac{\pi}{2}}\mathrm{d}\theta\int_0^{\frac{\pi}{2}}\mathrm{d}\varphi\int_0^{\cos^2\theta\sin^2\theta\sin^4\varphi\cos^2\varphi}r^2\cos\theta\sin\theta\sin^3\varphi\cos\varphi\mathrm{d}r$$

$$=\frac{4}{3}abc\int_0^{\frac{\pi}{2}}\cos^7\theta\sin^7\theta\mathrm{d}\theta\int_0^{\frac{\pi}{2}}\sin^{15}\varphi\cos^7\varphi\mathrm{d}\varphi$$

$$= \frac{4}{3}abc \cdot \frac{1}{2}\frac{\Gamma(4)\Gamma(4)}{\Gamma(8)} \cdot \frac{1}{2}\frac{\Gamma(8)\Gamma(4)}{\Gamma(12)} = \frac{1}{3}abc\frac{3!3!}{7!} \cdot \frac{7!3!}{11!} = \frac{abc}{554\ 400}.$$

注 本题用到 3856 题的结果.

【4121】 $\left(\frac{x}{a}+\frac{y}{b}\right)^2+\left(\frac{z}{c}\right)^2=1(x>0,y>0,z>0)$.

解 $x=ar\cos^2\theta\sin\varphi, y=br\sin^2\theta\sin\varphi, z=cr\cos\varphi$,则有

$$|J|=2abcr^2\cos\theta\sin\theta\sin\varphi,$$

且区域为

$$0\leqslant\theta\leqslant\frac{\pi}{2},0\leqslant\varphi\leqslant\frac{\pi}{2},0\leqslant r\leqslant 1.$$

于是,体积为

$$V=2abc\int_0^{\frac{\pi}{2}}\mathrm{d}\theta\int_0^{\frac{\pi}{2}}\mathrm{d}\varphi\int_0^1 r^2\cos\theta\sin\theta\sin\varphi\mathrm{d}r=\frac{2}{3}\int_0^{\frac{\pi}{2}}abc\cos\theta\sin\theta\mathrm{d}\theta\int_0^{\frac{\pi}{2}}\sin\varphi\mathrm{d}\varphi=\frac{1}{3}abc.$$

【4122】 求以曲面$\left(\frac{x^2}{a^2}+\frac{y^2}{b^2}\right)^n+\frac{z^{2n}}{c^{2n}}=\frac{z}{h}\left(\frac{x^2}{a^2}+\frac{y^2}{b^2}\right)^{n-2}(n>1)$为界的物体的体积.

解 采用广义球面坐标 $x=ar\cos\theta\sin\varphi, y=br\sin\theta\sin\varphi, z=cr\cos\varphi$,则有 $|J|=abcr^2\sin\varphi$,且区域的$\frac{1}{4}$为

$$0\leqslant\theta\leqslant\frac{\pi}{2},0\leqslant\varphi\leqslant\frac{\pi}{2},0\leqslant r\leqslant\sqrt[3]{\frac{c}{h}\cdot\frac{\cos\varphi\sin^{2n-4}\varphi}{\cos^{2n}\varphi+\sin^{2n}\varphi}}.$$

于是,体积为

$$V=4\int_0^{\frac{\pi}{2}}\mathrm{d}\theta\int_0^{\frac{\pi}{2}}\mathrm{d}\varphi\int_0^{\sqrt[3]{\frac{c}{h}\cdot\frac{\cos\varphi\sin^{2n-4}\varphi}{\cos^{2n}\varphi+\sin^{2n}\varphi}}}abcr^2\sin\varphi\mathrm{d}r=\frac{2}{3h}\pi abc^2\int_0^{\frac{\pi}{2}}\frac{\cos\varphi\sin^{2n-3}\varphi}{\cos^{2n}\varphi+\sin^{2n}\varphi}\mathrm{d}\varphi$$

$$=\frac{2}{3h}\pi abc^2\int_0^1\frac{t^{2n-3}}{t^{2n}+(1-t^2)^n}\mathrm{d}t=-\frac{1}{3h}\pi abc^2\int_0^1\frac{t^{2n-4}\mathrm{d}(1-t^2)}{t^{2n}+(1-t^2)^n}$$

$$\xlongequal{u=t^2}\frac{1}{3h}\pi abc^2\int_0^1\frac{(1-u)^{n-2}\mathrm{d}u}{(1-u)^n+u^n}=\frac{1}{3h}\pi abc^2\int_0^1\frac{\frac{1}{(1-u)^2}\mathrm{d}u}{1+\left(\frac{u}{1-u}\right)^n}$$

$$\xlongequal{t=\frac{u}{1-u}}\frac{1}{3h}\pi abc^2\int_0^{+\infty}\frac{\mathrm{d}t}{1+t^n}=\frac{1}{3h}\pi abc^2\frac{\pi}{n\sin\frac{\pi}{n}}=\frac{\pi^2abc^2}{3hn\sin\frac{\pi}{n}}.$$

注 本题用到 3851 题的结果.

习题 4123—4128 用适当的变量替换计算物体的体积

【4123】 一物体位于第一卦限 $Oxyz(x>0,y>0,z>0)$,并以曲面

$$\frac{x^m}{a^m}+\frac{y^n}{b^n}+\frac{z^p}{c^p}=1(m>0,n>0,p>0),x=0,y=0,z=0$$

为界,求其体积.

解 令 $x=ar^{\frac{2}{m}}\cos^{\frac{2}{m}}\theta\sin^{\frac{2}{m}}\varphi, y=br^{\frac{2}{n}}\sin^{\frac{2}{n}}\theta\sin^{\frac{2}{n}}\varphi, z=cr^{\frac{2}{p}}\cos^{\frac{2}{p}}\varphi$,则

$$\frac{D(x,y,z)}{D(r,\theta,\varphi)}=\frac{8abc}{mnp}r^{\frac{2}{m}+\frac{2}{n}+\frac{2}{p}-1}\cos^{\frac{2}{m}-1}\theta\sin^{\frac{2}{n}-1}\theta\sin^{\frac{2}{m}+\frac{2}{n}-1}\varphi\cos^{\frac{2}{p}-1}\varphi.$$

于是，体积为

$$V=\frac{8abc}{mnp}\int_0^{\frac{\pi}{2}}\cos^{\frac{2}{m}-1}\theta\sin^{\frac{2}{n}-1}\theta d\theta\cdot\int_0^{\frac{\pi}{2}}\sin^{\frac{2}{m}+\frac{2}{n}-1}\varphi\cos^{\frac{2}{p}-1}\varphi d\varphi\cdot\int_0^1 r^{\frac{2}{m}+\frac{2}{n}+\frac{2}{p}-1}dr$$

$$=\frac{8abc}{mnp}\cdot\frac{1}{2}B\left(\frac{1}{m},\frac{1}{n}\right)\cdot\frac{1}{2}B\left(\frac{1}{m}+\frac{1}{n},\frac{1}{p}\right)\frac{1}{\frac{2}{m}+\frac{2}{n}+\frac{2}{p}}$$

$$=\frac{2abc}{mnp}\cdot\frac{\Gamma\left(\frac{1}{m}\right)\Gamma\left(\frac{1}{n}\right)}{\Gamma\left(\frac{1}{m}+\frac{1}{n}\right)}\cdot\frac{\Gamma\left(\frac{1}{m}+\frac{1}{n}\right)\Gamma\left(\frac{1}{p}\right)}{\Gamma\left(\frac{1}{m}+\frac{1}{n}+\frac{1}{p}\right)}\frac{mnp}{2(mn+np+mp)}$$

$$=\frac{abc}{mn+np+mp}\frac{\Gamma\left(\frac{1}{m}\right)\Gamma\left(\frac{1}{n}\right)\Gamma\left(\frac{1}{p}\right)}{\Gamma\left(\frac{1}{m}+\frac{1}{n}+\frac{1}{p}\right)}.$$

注 本题用到 3856 题的结果.

【利用适当的变量代换，计算以下列曲面为界的物体的体积(假定参数是正的)(4124—4126)】

【4124】 $z=x^2+y^2,z=2(x^2+y^2),xy=a^2,xy=2a^2,x=2y,2x=y(x>0,y>0)$.

解 令 $z=u(x^2+y^2),xy=v,x=yw$，则

$$x=\sqrt{vw},y=\sqrt{\frac{v}{w}},z=uv\left(w+\frac{1}{w}\right).$$

变换的雅可比行列式为

$$J=\begin{vmatrix}0 & \frac{\sqrt{w}}{2\sqrt{v}} & \frac{\sqrt{v}}{2\sqrt{w}}\\ 0 & \frac{1}{2\sqrt{vw}} & -\frac{\sqrt{v}}{2\sqrt{w^3}}\\ v\left(w+\frac{1}{w}\right) & u\left(w+\frac{1}{w}\right) & uv\left(1-\frac{1}{w^2}\right)\end{vmatrix}=-\frac{v}{2}\left(1+\frac{1}{w^2}\right),$$

而区域为 $1\leqslant u\leqslant 2,a^2\leqslant v\leqslant 2a^2,\frac{1}{2}\leqslant w\leqslant 2$. 于是，体积为

$$V=\int_1^2 du\int_{a^2}^{2a^2}dv\int_{\frac{1}{2}}^2\frac{v}{2}\left(1+\frac{1}{w^2}\right)dw=\frac{3a^4}{4}\int_{\frac{1}{2}}^2\left(1+\frac{1}{w^2}\right)dw=\frac{9a^4}{4}.$$

【4125】 $\dfrac{\frac{x}{a}+\frac{y}{b}}{\frac{x}{a}+\frac{y}{b}+\frac{z}{c}}=\dfrac{2}{\pi}\arcsin\left(\frac{x}{a}+\frac{y}{b}+\frac{z}{c}\right),\frac{x}{a}+\frac{y}{b}=1,x=0,x=a$.

解 令 $u=\frac{x}{a},v=\frac{x}{a}+\frac{y}{b},w=\frac{x}{a}+\frac{y}{b}+\frac{z}{c}$，则

$$\frac{D(u,v,w)}{D(x,y,z)}=\begin{vmatrix}\frac{1}{a} & 0 & 0\\ \frac{1}{a} & \frac{1}{b} & 0\\ \frac{1}{a} & \frac{1}{b} & \frac{1}{c}\end{vmatrix}=\frac{1}{abc},$$

且区域变为

$$0 \leqslant u \leqslant 1, \frac{2}{\pi} w\arcsin w \leqslant v \leqslant 1, -1 \leqslant w \leqslant 1.$$

于是，$\dfrac{D(x,y,z)}{D(u,v,w)} = abc$，且体积为

$$V = abc\int_0^1 du\int_{-1}^1 dw\int_{\frac{2}{\pi}w\arcsin w}^1 dv = 2abc\int_0^1 \left(1-\frac{2}{\pi}w\arcsin w\right)dw$$

$$= 2abc - \frac{2abc}{\pi}\int_0^1 \arcsin w\, d(w^2) = abc + \frac{2abc}{\pi}\int_0^1 w^2(1-w^2)^{-\frac{1}{2}}dw$$

$$\xlongequal{t=w^2} abc + \frac{abc}{\pi}\int_0^1 t^{\frac{1}{2}}(1-t)^{-\frac{1}{2}}dw = abc + \frac{abc}{\pi}B\left(\frac{3}{2},\frac{1}{2}\right) = \frac{3}{2}abc.$$

【4126】 $\dfrac{x}{a}+\dfrac{y}{b}+\dfrac{z}{c} = \ln\dfrac{\frac{x}{a}+\frac{y}{b}+\frac{z}{c}}{\frac{x}{a}+\frac{y}{b}}, x=0, z=0, \dfrac{y}{b}+\dfrac{z}{c}=0,$
$\dfrac{x}{a}+\dfrac{y}{b}+\dfrac{z}{c}=1.$

解 令 $u=\dfrac{x}{a}, v=\dfrac{x}{a}+\dfrac{y}{b}, w=\dfrac{x}{a}+\dfrac{y}{b}+\dfrac{z}{c}$，则$\dfrac{D(u,v,w)}{D(x,y,z)}=\dfrac{1}{abc}$，且区域变为 $0\leqslant u\leqslant w, we^{-w}\leqslant v\leqslant w, 0\leqslant w\leqslant 1$. 于是，$\dfrac{D(x,y,z)}{D(u,v,w)}=abc$，且体积为

$$V = abc\int_0^1 dw\int_0^w du\int_{we^{-w}}^w dv = abc\int_0^1 (w^2 - w^2e^{-w})dw = 5abc\left(\frac{1}{e}-\frac{1}{3}\right).$$

【4127】 求以平面 $a_1x+b_1y+c_1z=\pm h_1, a_2x+b_2y+c_2z=\pm h_2, a_3x+b_3y+c_3z=\pm h_3$ 为界的平行六面体的体积，设

$$\Delta = \begin{vmatrix} a_1 & b_1 & c_1 \\ a_2 & b_2 & c_2 \\ a_3 & b_3 & c_3 \end{vmatrix} \neq 0.$$

解 令 $a_1x+b_1y+c_1z=u, a_2x+b_2y+c_2z=v, a_3x+b_3y+c_3z=w$，则有$\dfrac{D(u,v,w)}{D(x,y,z)}=\Delta$. 于是 $\dfrac{D(x,y,z)}{D(u,v,w)}=\dfrac{1}{\Delta}$，且体积为

$$V = \int_{-h_1}^{h_1} du\int_{-h_2}^{h_2} dv\int_{-h_3}^{h_3} \frac{1}{|\Delta|}dw = \frac{8h_1h_2h_3}{|\Delta|}.$$

【4128】 求以曲面$(a_1x+b_1y+c_1z)^2+(a_2x+b_2y+c_2z)^2+(a_3x+b_3y+c_3z)^2=h^2$ 为界的物体的体积，设

$$\Delta = \begin{vmatrix} a_1 & b_1 & c_1 \\ a_2 & b_2 & c_2 \\ a_3 & b_3 & c_3 \end{vmatrix} \neq 0.$$

解 令 $a_1x+b_1y+c_1z=u, a_2x+b_2y+c_2z=v, a_3x+b_3y+c_3z=w$，则有$\dfrac{D(u,v,w)}{D(x,y,z)}=\Delta$. 于是 $\dfrac{D(x,y,z)}{D(u,v,w)}=\dfrac{1}{\Delta}$，且体积为

$$V = \frac{1}{|\Delta|}\iiint\limits_{u^2+v^2+w^2\leqslant h^2} du\,dv\,dw = \frac{4\pi h^3}{3|\Delta|}.$$

习题 4129—4130 综合题

【4129】 曲面 $x^2+y^2+az=4a^2$ 将球 $x^2+y^2+z^2=4az$ 分成两部分,求这两部分的体积之比.

解 曲面 $x^2+y^2+az=4a^2$ 与球面 $x^2+y^2+(z-2a)^2=4a^2$ 的交线为圆周

$$\begin{cases}x^2+y^2=3a^2,\\ z=a,\end{cases}$$

且有公共的顶点$(0,0,4a)$. 球内位于曲面 $x^2+y^2+az=4a^2$ 下方部分的体积为

$$\begin{aligned}V_1&=\int_0^a dz\iint\limits_{x^2+y^2<4az-z^2}dxdy+\int_a^{4a}dz\iint\limits_{x^2+y^2<4a^2-az}dxdy\\&=\pi\int_0^a(4az-z^2)dz+\pi\int_a^{4a}(4a^2-az)dz\\&=\frac{5}{3}\pi a^3+\frac{9}{2}\pi a^3=\frac{37}{6}\pi a^3.\end{aligned}$$

从而,另一部分的体积

$$V_2=\frac{4}{3}\pi(2a)^3-\frac{37}{6}\pi a^3=\frac{27}{6}\pi a^3.$$

于是,球被曲面所分的两部分体积之比为$\dfrac{V_1}{V_2}=\dfrac{37}{27}$.

【4130】 求以曲面 $x^2+y^2=az$, $z=2a-\sqrt{x^2+y^2}\ (a>0)$ 为界的物体的体积和表面积.

解 两曲面的交线为圆周

$$\begin{cases}x^2+y^2=a^2,\\ z=a.\end{cases}$$

又曲面 $z=2a-\sqrt{x^2+y^2}$ 的顶点为$(0,0,2a)$. 于是,所求体积为

$$\begin{aligned}V&=\int_0^a dz\iint\limits_{x^2+y^2\leqslant az}dxdy+\int_a^{2a}dz\iint\limits_{x^2+y^2\leqslant(2-az)^2}dxdy\\&=\pi\int_0^a az\,dz+\pi\int_a^{2a}(2a-z)^2dz=\frac{\pi a^3}{2}+\frac{\pi a^3}{3}=\frac{5\pi a^3}{6}.\end{aligned}$$

由两曲面方程分别可得

$$\frac{\partial z}{\partial x}=\frac{2x}{a},\frac{\partial z}{\partial y}=\frac{2y}{a},\sqrt{1+\left(\frac{\partial z}{\partial x}\right)^2+\left(\frac{\partial z}{\partial y}\right)^2}=\frac{1}{a}\sqrt{a^2+4x^2+4y^2}.$$

$$\frac{\partial z}{\partial x}=\frac{-x}{\sqrt{x^2+y^2}},\frac{\partial z}{\partial y}=\frac{-y}{\sqrt{x^2+y^2}},\sqrt{1+\left(\frac{\partial z}{\partial x}\right)^2+\left(\frac{\partial z}{\partial y}\right)^2}=\sqrt{2}.$$

于是,曲面的表面积为

$$\begin{aligned}S&=\iint\limits_{x^2+y^2\leqslant a^2}\frac{1}{a}\sqrt{a^2+4x^2+4y^2}\,dxdy+\iint\limits_{x^2+y^2\leqslant a^2}\sqrt{2}\,dxdy\\&=\int_0^{2\pi}d\theta\int_0^1\sqrt{1+4r^2}\,a^2r\,dr+\sqrt{2}\pi a^2\\&=\frac{\pi a^2}{6}(6\sqrt{2}+5\sqrt{5}-1).\end{aligned}$$

第8节　三重积分在力学上的应用（习题4131—4160）

知识点预览

序号	知识点	题目序号	所在页码
1	物体的质量和质心	4131—4142	P87
2	转动惯量	4143—4154	P91
3	引力势	4155—4160	P96

知识点1　物体的质量和质心

1. 物体的质量　若一物体占有区域 V，$\rho=\rho(x,y,z)$ 为它在点 (x,y,z) 的密度，则该物体的质量等于

$$M=\iiint\limits_V \rho\,\mathrm{d}x\mathrm{d}y\mathrm{d}z. \qquad ①$$

2. 物体的质心　物体的质心坐标 (x_0,y_0,z_0) 按下列公式计算

$$\begin{cases} x_0=\dfrac{1}{M}\iiint\limits_V \rho x\,\mathrm{d}x\mathrm{d}y\mathrm{d}z, \\ y_0=\dfrac{1}{M}\iiint\limits_V \rho y\,\mathrm{d}x\mathrm{d}y\mathrm{d}z, \\ z_0=\dfrac{1}{M}\iiint\limits_V \rho z\,\mathrm{d}x\mathrm{d}y\mathrm{d}z. \end{cases} \qquad ②$$

若物体是均匀的，则在公式 ① 和 ② 中可令 $\rho=1$.

习题 4131—4142　质量和质心

【4131】　设物体在点 $M(x,y,z)$ 的密度由公式 $\rho=x+y+z$ 给出，求占有单位体积 $0\leqslant x\leqslant 1,0\leqslant y\leqslant 1,0\leqslant z\leqslant 1$ 的物体的质量.

解　质量以 M 表示，则按题设有 $M=\int_0^1\mathrm{d}x\int_0^1\mathrm{d}y\int_0^1(x+y+z)\mathrm{d}z=\dfrac{3}{2}$.

【4132】　若物体的密度按规律 $\rho=\rho_0\mathrm{e}^{-k\sqrt{x^2+y^2+z^2}}$（其中 $\rho_0>0$ 及 $k>0$ 为常数）而变化，求占有无限区域 $x^2+y^2+z^2\geqslant 1$ 的物体的质量.

解　若令 $x=r\cos\theta\sin\varphi,y=r\sin\theta\sin\varphi,z=r\cos\varphi$，则质量为

$$M=\iiint\limits_{x^2+y^2+z^2\geqslant 1}\rho_0\mathrm{e}^{-k\sqrt{x^2+y^2+z^2}}\mathrm{d}x\mathrm{d}y\mathrm{d}z=\int_0^{2\pi}\mathrm{d}\theta\int_0^{\pi}\mathrm{d}\varphi\int_1^{+\infty}r^2\rho_0\mathrm{e}^{-kr}\sin\varphi\mathrm{d}r$$

$$=4\pi\rho_0\int_1^{+\infty}r^2\mathrm{e}^{-kr}\mathrm{d}r=-\frac{4\pi\rho_0}{k}\int_1^{+\infty}r^2\mathrm{d}(\mathrm{e}^{-kr})$$

$$=-\frac{4\pi\rho_0}{k}r^2e^{-kr}\Big|_1^{+\infty}+\frac{4\pi\rho_0}{k}\int_1^{+\infty}2re^{-kr}dr=\frac{4\pi\rho_0}{k}e^{-k}-\frac{8\pi\rho_0}{k^2}\int_1^{+\infty}rd(e^{-kr})$$

$$=\frac{4\pi\rho_0}{k}e^{-k}-\frac{8\pi\rho_0}{k^2}re^{-kr}\Big|_1^{+\infty}+\frac{8\pi\rho_0}{k^2}\int_1^{+\infty}e^{-kr}dr=4\pi\rho_0e^{-k}\left(\frac{1}{k}+\frac{2}{k^2}+\frac{2}{k^3}\right).$$

【求以下列曲面为界的均匀物体的质心坐标(4133—4141)】

【4133】 $\frac{x^2}{a^2}+\frac{y^2}{b^2}=\frac{z^2}{c^2},z=c.$

解 令 $x=ar\cos\theta,y=br\sin\theta,z=z$,则质量为

$$M=ab\int_0^c dz\int_0^{2\pi}d\theta\int_0^{\frac{z}{c}}rdr=\frac{\pi abc}{3}.$$

设质心坐标为(x_0,y_0,z_0),由对称性知 $x_0=y_0=0$,而

$$z_0=\frac{ab}{M}\int_0^c zdz\int_0^{2\pi}d\theta\int_0^{\frac{z}{c}}rdr=\frac{3}{\pi abc}\cdot\frac{\pi abc^2}{4}=\frac{3c}{4}.$$

于是,质心坐标为$\left(0,0,\frac{3c}{4}\right)$.

【4134】 $z=x^2+y^2,x+y=a,x=0,y=0,z=0.$

解 物体的质量为 $M=\int_0^a dx\int_0^{a-x}dy\int_0^{x^2+y^2}dz=\frac{1}{6}a^4$. 质心的横坐标为

$$x_0=\frac{1}{M}\int_0^a xdx\int_0^{a-x}dy\int_0^{x^2+y^2}dz=\frac{6}{a^4}\cdot\frac{a^5}{15}=\frac{2a}{5}.$$

同理可求得 $y_0=\frac{2a}{5}$. 而

$$\begin{aligned}z_0&=\frac{1}{M}\int_0^a dx\int_0^{a-x}dy\int_0^{x^2+y^2}zdz\\&=\frac{1}{M}\int_0^a\left(\frac{a^5}{10}-\frac{1}{2}a^4x+\frac{4}{3}a^3x^2-2a^2x^3+2ax^4-\frac{14}{15}x^5\right)dx\\&=\frac{6}{a^4}\cdot\frac{7}{180}a^6=\frac{7}{30}a^2.\end{aligned}$$

于是,质心的坐标为$\left(\frac{2}{5}a,\frac{2}{5}a,\frac{7}{30}a^2\right)$.

【4135】 $x^2=2pz,y^2=2px,x=\frac{p}{2},z=0.$

解 物体的质量为 $M=\int_0^{\frac{p}{2}}dx\int_{-\sqrt{2px}}^{\sqrt{2px}}dy\int_0^{\frac{x^2}{2p}}dz=\sqrt{\frac{2}{p}}\int_0^{\frac{p}{2}}x^{\frac{5}{2}}dx=\frac{p^3}{28}$. 质心的坐标为

$$x_0=\frac{1}{M}\int_0^{\frac{p}{2}}xdx\int_{-\sqrt{2px}}^{\sqrt{2px}}dy\int_0^{\frac{x^2}{2p}}dz=\frac{p^4}{72}\cdot\frac{28}{p^3}=\frac{7}{18}p,$$

$$y_0=\frac{1}{M}\int_0^{\frac{p}{2}}dx\int_{-\sqrt{2px}}^{\sqrt{2px}}ydy\int_0^{\frac{x^2}{2p}}dz=0,$$

$$z_0=\frac{1}{M}\int_0^{\frac{p}{2}}dx\int_{-\sqrt{2px}}^{\sqrt{2px}}dy\int_0^{\frac{x^2}{2p}}zdz=\frac{p^4}{704}\cdot\frac{28}{p^3}=\frac{7}{176}p.$$

【4136】 $\frac{x^2}{a^2}+\frac{y^2}{b^2}+\frac{z^2}{c^2}=1,x\geqslant 0,y\geqslant 0,z\geqslant 0.$

解 令 $x=ar\cos\theta\sin\varphi,y=br\sin\theta\sin\varphi,z=cr\cos\varphi$,则质量为

$$M=\int_0^{\frac{\pi}{2}}d\theta\int_0^{\frac{\pi}{2}}d\varphi\int_0^1 abcr^2\sin\varphi dr=\frac{1}{6}\pi abc.$$

于是

$$x_0=\frac{1}{M}\int_0^{\frac{\pi}{2}}\mathrm{d}\theta\int_0^{\frac{\pi}{2}}\mathrm{d}\varphi\int_0^1 abcr^2\sin\varphi\cdot ar\cos\theta\sin\varphi\mathrm{d}r$$
$$=\frac{1}{M}a^2bc\int_0^{\frac{\pi}{2}}\cos\theta\mathrm{d}\theta\int_0^{\frac{\pi}{2}}\sin^2\varphi\mathrm{d}\varphi\int_0^1 r^3\mathrm{d}r=\frac{1}{16}\pi a^2bc\cdot\frac{6}{\pi abc}=\frac{3}{8}a.$$

利用对称性知，质心的坐标为$\left(\frac{3}{8}a,\frac{3}{8}b,\frac{3}{8}c\right)$.

【4137】 $x^2+z^2=a^2, y^2+z^2=a^2(z>0)$.

解 物体的质量为 $M=\int_0^a\mathrm{d}z\int_{-\sqrt{a^2-z^2}}^{\sqrt{a^2-z^2}}\mathrm{d}y\int_{-\sqrt{a^2-z^2}}^{\sqrt{a^2-z^2}}\mathrm{d}x=4\int_0^a(a^2-z^2)\mathrm{d}z=\frac{8a^3}{3}$. 于是

$$x_0=\frac{1}{M}\int_0^a\mathrm{d}z\int_{-\sqrt{a^2-z^2}}^{\sqrt{a^2-z^2}}\mathrm{d}y\int_{-\sqrt{a^2-z^2}}^{\sqrt{a^2-z^2}}x\mathrm{d}x=0.$$

同理可得 $y_0=0$. 而 $z_0=\frac{1}{M}\int_0^a z\mathrm{d}z\int_{-\sqrt{a^2-z^2}}^{\sqrt{a^2-z^2}}\mathrm{d}y\int_{-\sqrt{a^2-z^2}}^{\sqrt{a^2-z^2}}\mathrm{d}x=a^4\cdot\frac{3}{8a^3}=\frac{3}{8}a.$

于是，质心的坐标为$\left(0,0,\frac{3}{8}a\right)$.

【4138】 $x^2+y^2=2z, x+y=z$.

解 由 $x^2+y^2=2z, x+y=z$ 所围成的区域在平面 $z=0$ 上的投影为圆 $(x-1)^2+(y-1)^2=2$. 引用代换 $x=1+r\cos\theta, y=1+r\sin\theta$，则质量为

$$M=\int_0^{2\pi}\mathrm{d}\theta\int_0^{\sqrt{2}}r\mathrm{d}r\int_{1+r(\cos\theta+\sin\theta)+\frac{r^2}{2}}^{2+r(\cos\theta+\sin\theta)}\mathrm{d}z=2\pi\int_0^{\sqrt{2}}\left(1-\frac{r^2}{2}\right)r\mathrm{d}r=\pi.$$

于是

$$x_0=\frac{1}{M}\int_0^{2\pi}\mathrm{d}\theta\int_0^{\sqrt{2}}r\mathrm{d}r\int_{1+r(\cos\theta+\sin\theta)+\frac{r^2}{2}}^{2+r(\cos\theta+\sin\theta)}(1+r\cos\theta)\mathrm{d}z$$
$$=\frac{1}{M}\left[\pi+\int_0^{2\pi}\cos\theta\mathrm{d}\theta\int_0^{\sqrt{2}}r^2\left(1-\frac{r^2}{2}\right)\mathrm{d}r\right]=\frac{\pi}{M}=1.$$

同理可得 $y_0=1$，而

$$z_0=\frac{1}{M}\int_0^{2\pi}\mathrm{d}\theta\int_0^{\sqrt{2}}r\mathrm{d}r\int_{1+r(\cos\theta+\sin\theta)+\frac{r^2}{2}}^{2+r(\cos\theta+\sin\theta)}z\mathrm{d}z$$
$$=\frac{1}{2\pi}\int_0^{2\pi}\mathrm{d}\theta\int_0^{\sqrt{2}}\left[3+(\sin\theta+\cos\theta)(2r-r^3)-\frac{1}{4}r^4-r^2\right]r\mathrm{d}r=\frac{1}{2\pi}\cdot\frac{10\pi}{3}=\frac{5}{3}.$$

于是，质心的坐标为$\left(1,1,\frac{5}{3}\right)$.

【4139】 $\left(\frac{x^2}{a^2}+\frac{y^2}{b^2}+\frac{z^2}{c^2}\right)^2=\frac{xyz}{abc}(x>0,y>0,z>0)$.

解 作代换 $x=ar\cos\theta\sin\varphi, y=br\sin\theta\sin\varphi, z=cr\cos\varphi$，则物体的质量为

$$M=\int_0^{\frac{\pi}{2}}\mathrm{d}\theta\int_0^{\frac{\pi}{2}}\mathrm{d}\varphi\int_0^{\cos\theta\sin\theta\sin^2\varphi\cos\varphi}abcr^2\sin\varphi\mathrm{d}r=\frac{1}{3}abc\int_0^{\frac{\pi}{2}}\cos^3\theta\sin^3\theta\mathrm{d}\theta\int_0^{\frac{\pi}{2}}\sin^7\varphi\cos^3\varphi\mathrm{d}\varphi$$
$$=\frac{1}{3}abc\cdot\frac{1}{2}\mathrm{B}(2,2)\cdot\frac{1}{2}\mathrm{B}(4,2)=\frac{1}{12}abc\cdot\frac{\Gamma(2)\Gamma(2)}{\Gamma(4)}\cdot\frac{\Gamma(4)\Gamma(2)}{\Gamma(6)}=\frac{abc}{1440}.$$

于是

$$x_0=\frac{1}{M}a^2bc\int_0^{\frac{\pi}{2}}\mathrm{d}\theta\int_0^{\frac{\pi}{2}}\mathrm{d}\varphi\int_0^{\cos\theta\sin\theta\sin^2\varphi\cos\varphi}r^3\cos\theta\sin^2\varphi\mathrm{d}r=\frac{a^2bc}{4M}\int_0^{\frac{\pi}{2}}\cos^5\theta\sin^4\theta\mathrm{d}\theta\int_0^{\frac{\pi}{2}}\sin^{10}\varphi\cos^4\varphi\mathrm{d}\varphi$$
$$=\frac{a^2bc}{4M}\cdot\frac{1}{4}\mathrm{B}\left(3,\frac{5}{2}\right)\mathrm{B}\left(\frac{11}{2},\frac{5}{2}\right)=\frac{a^2bc}{4M}\cdot\frac{1}{4}\cdot\frac{\Gamma(3)\Gamma\left(\frac{5}{2}\right)}{\Gamma\left(\frac{11}{2}\right)}\cdot\frac{\Gamma\left(\frac{11}{2}\right)\Gamma\left(\frac{5}{2}\right)}{\Gamma(8)}$$
$$=\frac{18a^2bc\pi}{16\cdot16\cdot7!}\cdot\frac{1\,440}{abc}=\frac{9\pi}{448}a.$$

由对称性知,质心的坐标为$\left(\frac{9\pi}{448}a,\frac{9\pi}{448}b,\frac{9\pi}{448}c\right)$.

【4140】 $z=x^2+y^2,z=\frac{1}{2}(x^2+y^2),x+y=\pm 1,x-y=\pm 1.$

解 作代换 $x-y=u,x+y=v$,则有

$$x=\frac{u+v}{2},y=\frac{v-u}{2},z=\frac{u^2+v^2}{4}\text{ 及 }z=\frac{u^2+v^2}{2},$$

且 $|J|=\frac{1}{2}$ 及区域 V 为 $-1\leqslant u\leqslant 1,-1\leqslant v\leqslant 1,\frac{u^2+v^2}{4}\leqslant z\leqslant\frac{u^2+v^2}{2}$. 于是

$$M=\frac{1}{2}\int_{-1}^{1}\mathrm{d}u\int_{-1}^{1}\mathrm{d}v\int_{\frac{u^2+v^2}{4}}^{\frac{u^2+v^2}{2}}\mathrm{d}z=\frac{1}{3}.$$

$$x_0=\frac{1}{4M}\int_{-1}^{1}\mathrm{d}u\int_{-1}^{1}\mathrm{d}v\int_{\frac{u^2+v^2}{4}}^{\frac{u^2+v^2}{2}}(u+v)\mathrm{d}z=0,$$

$$y_0=\frac{1}{4M}\int_{-1}^{1}\mathrm{d}u\int_{-1}^{1}\mathrm{d}v\int_{\frac{u^2+v^2}{4}}^{\frac{u^2+v^2}{2}}(v-u)\mathrm{d}z=0,$$

$$z_0=\frac{1}{2M}\int_{-1}^{1}\mathrm{d}u\int_{-1}^{1}\mathrm{d}v\int_{\frac{u^2+v^2}{4}}^{\frac{u^2+v^2}{2}}z\mathrm{d}z=\frac{3}{64}\cdot\frac{1}{M}\int_{-1}^{1}\mathrm{d}u\int_{-1}^{1}(u^4+2u^2v^2+v^4)\mathrm{d}v$$

$$=\frac{3}{64M}\int_{-1}^{1}\left(2u^4+\frac{4u^2}{3}+\frac{2}{5}\right)\mathrm{d}u=\frac{7}{20}.$$

于是,质心的坐标为$\left(0,0,\frac{7}{20}\right)$.

【4141】 $\frac{x^n}{a^n}+\frac{y^n}{b^n}+\frac{z^n}{c^n}=1,x=0,y=0,z=0(n>0,x>0,y>0,z>0).$

解 作代换 $x=ar\cos^{\frac{2}{n}}\theta\sin^{\frac{2}{n}}\varphi,y=br\sin^{\frac{2}{n}}\theta\sin^{\frac{2}{n}}\varphi,z=cr\cos^{\frac{2}{n}}\varphi$,则有

$$|J|=\frac{4}{n^2}abcr^2\sin^{\frac{2}{n}-1}\theta\cos^{\frac{2}{n}-1}\theta\sin^{\frac{4}{n}-1}\varphi\cos^{\frac{2}{n}-1}\varphi.$$

于是

$$M=\frac{4}{n^2}abc\int_0^{\frac{\pi}{2}}\mathrm{d}\theta\int_0^{\frac{\pi}{2}}\mathrm{d}\varphi\int_0^1 r^2\sin^{\frac{2}{n}-1}\theta\cos^{\frac{2}{n}-1}\theta\sin^{\frac{4}{n}-1}\varphi\cos^{\frac{2}{n}-1}\varphi\mathrm{d}r$$

$$=\frac{4}{n^2}abc\cdot\frac{1}{3}\cdot\frac{1}{2}\mathrm{B}\left(\frac{1}{n},\frac{1}{n}\right)\cdot\frac{1}{2}\mathrm{B}\left(\frac{2}{n},\frac{1}{n}\right)=\frac{abc}{3n^2}\cdot\frac{\Gamma^3\left(\frac{1}{n}\right)}{\Gamma\left(\frac{3}{n}\right)}.$$

于是,质心的坐标为

$$x_0=\frac{1}{M}\cdot\frac{4}{n^2}a^2bc\int_0^{\frac{\pi}{2}}\mathrm{d}\theta\int_0^{\frac{\pi}{2}}\mathrm{d}\varphi\int_0^1 r^3\sin^{\frac{2}{n}-1}\theta\cos^{\frac{4}{n}-1}\theta\sin^{\frac{6}{n}-1}\varphi\cos^{\frac{2}{n}-1}\varphi\mathrm{d}r$$

$$=\frac{1}{M}\cdot\frac{a^2bc}{n^2}\int_0^{\frac{\pi}{2}}\sin^{\frac{2}{n}-1}\theta\cos^{\frac{4}{n}-1}\theta\mathrm{d}\theta\int_0^{\frac{\pi}{2}}\sin^{\frac{6}{n}-1}\varphi\cos^{\frac{2}{n}-1}\varphi\mathrm{d}\varphi$$

$$=\frac{1}{M}\cdot\frac{a^2bc}{n^2}\cdot\frac{1}{2}\mathrm{B}\left(\frac{1}{n},\frac{2}{n}\right)\cdot\frac{1}{2}\mathrm{B}\left(\frac{3}{n},\frac{1}{n}\right)=\frac{1}{M}\cdot\frac{a^2bc}{4n^2}\cdot\frac{\Gamma^2\left(\frac{1}{n}\right)\Gamma\left(\frac{2}{n}\right)}{\Gamma\left(\frac{4}{n}\right)}$$

$$=\frac{3n^2}{abc}\cdot\frac{\Gamma\left(\frac{3}{n}\right)}{\Gamma^3\left(\frac{1}{n}\right)}\cdot\frac{a^2bc}{4n^2}\cdot\frac{\Gamma^2\left(\frac{1}{n}\right)\Gamma\left(\frac{2}{n}\right)}{\Gamma\left(\frac{4}{n}\right)}=\frac{3}{4}\cdot\frac{\Gamma\left(\frac{2}{n}\right)\Gamma\left(\frac{3}{n}\right)}{\Gamma\left(\frac{1}{n}\right)\Gamma\left(\frac{4}{n}\right)}a,$$

同理可求得

$$y_0=\frac{3}{4}\cdot\frac{\Gamma\left(\frac{2}{n}\right)\Gamma\left(\frac{3}{n}\right)}{\Gamma\left(\frac{1}{n}\right)\Gamma\left(\frac{4}{n}\right)}b,z_0=\frac{3}{4}\cdot\frac{\Gamma\left(\frac{2}{n}\right)\Gamma\left(\frac{3}{n}\right)}{\Gamma\left(\frac{1}{n}\right)\Gamma\left(\frac{4}{n}\right)}c.$$

【4142】 求形状为立方体 $0\leqslant x\leqslant 1,0\leqslant y\leqslant 1,0\leqslant z\leqslant 1$ 的物体的质心坐标，设此物体在点 (x,y,z) 的密度等于 $\rho=x^{\frac{2\alpha-1}{1-\alpha}}y^{\frac{2\beta-1}{1-\beta}}z^{\frac{2\gamma-1}{1-\gamma}}$，其中 $0<\alpha<1,0<\beta<1,0<\gamma<1$.

解 物体的质量为

$$M=\int_0^1 x^{\frac{2\alpha-1}{1-\alpha}}\mathrm{d}x\int_0^1 y^{\frac{2\beta-1}{1-\beta}}\mathrm{d}y\int_0^1 z^{\frac{2\gamma-1}{1-\gamma}}\mathrm{d}z$$

$$=\frac{1-\alpha}{\alpha}x^{\frac{\alpha}{1-\alpha}}\Big|_0^1\cdot\frac{1-\beta}{\beta}y^{\frac{\beta}{1-\beta}}\Big|_0^1\cdot\frac{1-\gamma}{\gamma}z^{\frac{\gamma}{1-\gamma}}\Big|_0^1=\frac{(1-\alpha)(1-\beta)(1-\gamma)}{\alpha\beta\gamma}.$$

于是，质心的坐标为

$$x_0=\frac{1}{M}\int_0^1 x^{\frac{2\alpha-1}{1-\alpha}+1}\mathrm{d}x\int_1^1 y^{\frac{2\beta-1}{1-\beta}}\mathrm{d}y\int_0^1 z^{\frac{2\gamma-1}{1-\gamma}}\mathrm{d}z=\frac{\alpha\beta\gamma}{(1-\alpha)(1-\beta)(1-\gamma)}(1-\alpha)\frac{(1-\beta)(1-\gamma)}{\beta\gamma}=\alpha.$$

同理可求得 $y_0=\beta,z_0=\gamma$.

知识点2 转动惯量

1. 对坐标平面的转动惯量 积分

$$I_{xy}=\iiint_V\rho z^2\mathrm{d}x\mathrm{d}y\mathrm{d}z,I_{yz}=\iiint_V\rho x^2\mathrm{d}x\mathrm{d}y\mathrm{d}z,I_{zx}=\iiint_V\rho y^2\mathrm{d}x\mathrm{d}y\mathrm{d}z,$$

分别称为物体对坐标平面的转动惯量.

2. 对轴的转动惯量 积分

$$I_l=\iiint_V\rho r^2\mathrm{d}x\mathrm{d}y\mathrm{d}z$$

称为物体对于某轴 l 的转动惯量，其中 r 为物体各点 (x,y,z) 与轴 l 的距离. 特别是，对于坐标轴 Ox,Oy,Oz，分别有

$$I_x=I_{xy}+I_{xz},I_y=I_{yx}+I_{yz},I_z=I_{zx}+I_{zy}.$$

3. 对坐标原点的转动惯量 积分

$$I_O=\iiint_V\rho(x^2+y^2+z^2)\mathrm{d}x\mathrm{d}y\mathrm{d}z$$

称为物体对坐标原点的转动惯量.

显然有 $I_O=I_{xy}+I_{yz}+I_{zx}$.

习题 4143—4154 转动惯量

【求以下列曲面（参变量是正的）为界的均匀物体对于坐标平面的转动惯量(4143—4147)】

【4143】 $\frac{x}{a}+\frac{y}{b}+\frac{z}{c}=1,x=0,y=0,z=0.$

解 $$I_{xy}=\int_0^a\mathrm{d}x\int_0^{b(1-\frac{x}{a})}\mathrm{d}y\int_0^{c(1-\frac{x}{a}-\frac{y}{b})}z^2\mathrm{d}z=\frac{c^3}{3}\int_0^a\mathrm{d}x\int_0^{b(1-\frac{x}{a})}\left(1-\frac{x}{a}-\frac{y}{b}\right)^3\mathrm{d}y$$

$$=-\frac{bc^3}{12}\int_0^a\left(1-\frac{x}{a}-\frac{y}{b}\right)^4\Big|_0^{b(1-\frac{x}{a})}\mathrm{d}x=\frac{bc^3}{12}\int_0^a\left(1-\frac{x}{a}\right)^4\mathrm{d}x=\frac{abc^3}{60}.$$

利用对称性可得

$$I_{yz}=\frac{a^3bc}{60},I_{zx}=\frac{ab^3c}{60}.$$

【4144】 $\frac{x^2}{a^2}+\frac{y^2}{b^2}+\frac{z^2}{c^2}=1.$

解 作代换 $x=ar\cos\theta\sin\varphi,y=br\sin\theta\sin\varphi,z=cr\cos\varphi$,则有

$$I_{xy}=abc^3\int_0^{2\pi}d\theta\int_0^{\pi}d\varphi\int_0^1 r^4\sin\varphi\cos^2\varphi dr=\frac{abc^3}{5}\int_0^{2\pi}d\theta\int_{-\frac{\pi}{2}}^{\frac{\pi}{2}}\sin\varphi\cos^2\varphi d\varphi=-\frac{abc^3}{15}2\pi\cos^3\varphi\Big|_0^{\pi}=\frac{4}{15}\pi abc^3.$$

利用对称性可得

$$I_{yz}=\frac{4}{15}\pi a^3bc,I_{zx}=\frac{4}{15}\pi ab^3c.$$

【4145】 $\frac{x^2}{a^2}+\frac{y^2}{b^2}=\frac{z^2}{c^2},z=c.$

解 令 $x=ar\cos\theta,y=br\sin\theta$,则有

$$I_{xy}=\int_0^{2\pi}d\theta\int_0^1 abr\,dr\int_{cr}^{c}z^2dz=\frac{1}{5}\pi abc^3,$$

$$I_{yz}=\int_0^{2\pi}d\theta\int_0^1 abr\,dr\int_{cr}^{c}(ar\cos\theta)^2dz=a^3bc\int_0^{2\pi}\cos^2\theta d\theta\int_0^1(1-r)r^3dr=\frac{1}{20}\pi a^3bc.$$

利用对称性可得

$$I_{zx}=\frac{1}{20}\pi ab^3c.$$

【4146】 $\frac{x^2}{a^2}+\frac{y^2}{b^2}+\frac{z^2}{c^2}=1,\frac{x^2}{a^2}+\frac{y^2}{b^2}=\frac{x}{a}.$

解 令 $x=ar\cos\theta,y=br\sin\theta$,则得区域 V 为

$$-\frac{\pi}{2}\leqslant\theta\leqslant\frac{\pi}{2},0\leqslant r\leqslant\cos\theta,-c\sqrt{1-r^2}\leqslant z\leqslant c\sqrt{1-r^2}.$$

于是

$$I_{xy}=\int_{-\frac{\pi}{2}}^{\frac{\pi}{2}}d\theta\int_0^{\cos\theta}abr\,dr\int_{-c\sqrt{1-r^2}}^{c\sqrt{1-r^2}}z^2dz=\frac{2}{3}abc^3\int_{-\frac{\pi}{2}}^{\frac{\pi}{2}}d\theta\int_0^{\cos\theta}(1-r^2)^{\frac{3}{2}}rdr$$

$$=\frac{2}{15}abc^3\int_{-\frac{\pi}{2}}^{\frac{\pi}{2}}[1-(\sin^2\theta)^{\frac{5}{2}}]d\theta=\frac{4}{15}abc^3\int_0^{\frac{\pi}{2}}(1-\sin^5\theta)d\theta$$

$$=\frac{4}{15}abc^3\left(\theta+\cos\theta-\frac{2}{3}\cos^3\theta+\frac{1}{5}\cos^5\theta\right)\Big|_0^{\frac{\pi}{2}}=\frac{2abc^3}{225}(15\pi-16).$$

$$I_{yz}=\int_{-\frac{\pi}{2}}^{\frac{\pi}{2}}d\theta\int_0^{\cos\theta}abr\,dr\int_{-c\cdot\sqrt{1-r^2}}^{c\sqrt{1-r^2}}(ar\cos\theta)^2dz=2a^3bc\int_{-\frac{\pi}{2}}^{\frac{\pi}{2}}\cos^2\theta d\theta\int_0^{\cos\theta}\sqrt{1-r^2}\,r^3dr$$

$$=2a^3bc\int_{-\frac{\pi}{2}}^{\frac{\pi}{2}}\cos^2\theta d\theta\int_0^{\cos\theta}\sqrt{1-r^2}\,r^3dr=2a^3bc\int_{-\frac{\pi}{2}}^{\frac{\pi}{2}}\cos^2\theta d\theta\int_{\theta}^{\frac{\pi}{2}}|\sin t|\sin t\cos^3t\,dt$$

$$=2a^3bc\int_{-\frac{\pi}{2}}^{\frac{\pi}{2}}\cos^2\theta d\theta\left\{\int_{\theta}^{0}|\sin t|\sin t\cos^3t\,dt+\int_0^{\frac{\pi}{2}}|\sin t|\sin t\cos^3t\,dt\right\}$$

$$=2a^3bc\int_{-\frac{\pi}{2}}^{\frac{\pi}{2}}\cos^2\theta\left\{\frac{2}{15}+\int_{\theta}^{0}|\sin t|\sin t\cos^3t\,dt\right\}d\theta$$

$$=2a^3bc\left[\frac{\pi}{15}+\int_{-\frac{\pi}{2}}^{0}\left(-\int_{\theta}^{0}\sin^2t\cos^3t\,dt\right)\cos^2\theta d\theta+\int_0^{\frac{\pi}{2}}\left(\int_{\theta}^{0}\sin^2t\cos^3t\,dt\right)\cos^2\theta d\theta\right]$$

$$=2a^3bc\left[\frac{\pi}{15}+\int_0^{-\frac{\pi}{2}}\left(\frac{1}{5}\sin^5\theta-\frac{1}{3}\sin^3\theta\right)\cos^2\theta d\theta+\int_0^{\frac{\pi}{2}}\left(\frac{1}{5}\sin^5\theta-\frac{1}{3}\sin^3\theta\right)\cos^2\theta d\theta\right]$$

$$= 2a^3bc\left(\frac{\pi}{15}-\frac{92}{1575}\right)=\frac{2a^3bc}{1575}(105\pi-92).$$

$$I_{zx}=\int_{-\frac{\pi}{2}}^{\frac{\pi}{2}}\mathrm{d}\theta\int_0^{\cos\theta}abr\mathrm{d}r\int_{-c\cdot\sqrt{1-r^2}}^{c\sqrt{1-r^2}}(br\sin\theta)^2\mathrm{d}z$$

$$= 2ab^3c\int_{-\frac{\pi}{2}}^{\frac{\pi}{2}}\sin^2\theta\mathrm{d}\theta\int_0^{\cos\theta}\sqrt{1-r^2}\,r^3\mathrm{d}r = 2ab^3c\int_{-\frac{\pi}{2}}^{\frac{\pi}{2}}\sin^2\theta\mathrm{d}\theta\int_\theta^{\frac{\pi}{2}}|\sin t|\sin t\cos^3 t\mathrm{d}t$$

$$= 2ab^3c\int_{-\frac{\pi}{2}}^{\frac{\pi}{2}}\sin^2\theta\mathrm{d}\theta\left\{\int_\theta^0|\sin t|\sin t\cos^3 t\mathrm{d}t+\int_0^{\frac{\pi}{2}}|\sin t|\sin t\cos^3 t\mathrm{d}t\right\}$$

$$= 2ab^3c\int_{-\frac{\pi}{2}}^{\frac{\pi}{2}}\sin^2\theta\left\{\frac{2}{15}+\int_\theta^0|\sin t|\sin t\cos^3 t\mathrm{d}t\right\}\mathrm{d}\theta$$

$$= 2ab^3c\left[\frac{\pi}{15}+\int_{-\frac{\pi}{2}}^0\left(-\int_\theta^0\sin^2 t\cos^3 t\mathrm{d}t\right)\sin^2\theta\mathrm{d}\theta+\int_0^{\frac{\pi}{2}}\left(\int_\theta^0\sin^2 t\cos^3 t\mathrm{d}t\right)\sin^2\theta\mathrm{d}\theta\right]$$

$$= 2ab^3c\left[\frac{\pi}{15}+\int_0^{-\frac{\pi}{2}}\left(\frac{1}{5}\sin^5\theta-\frac{1}{3}\sin^3\theta\right)\sin^2\theta\mathrm{d}\theta+\int_0^{\frac{\pi}{2}}\left(\frac{1}{5}\sin^5\theta-\frac{1}{3}\sin^3\theta\right)\sin^2\theta\mathrm{d}\theta\right]$$

$$= 2ab^3c\left(\frac{\pi}{15}-\frac{272}{1\,575}\right)=\frac{2ab^3c}{1575}(105\pi-272).$$

【4147】 $\dfrac{x^2}{a^2}+\dfrac{y^2}{b^2}=2\dfrac{z}{c}, \dfrac{x}{a}+\dfrac{y}{b}=\dfrac{z}{c}.$

解 两曲面在 xOy 面上的投影为$\dfrac{x^2}{a^2}+\dfrac{y^2}{b^2}-2\dfrac{x}{a}-2\dfrac{y}{b}=0$，即$\left(\dfrac{x}{a}-1\right)^2+\left(\dfrac{y}{b}-1\right)^2=2$.
若令$\dfrac{x}{a}=1+r\cos\theta, \dfrac{y}{b}=1+r\sin\theta$，则得区域为

$$0\leqslant\theta\leqslant 2\pi, 0\leqslant r\leqslant\sqrt{2}, c\left[1+\frac{r^2}{2}+r(\cos\theta+\sin\theta)\right]\leqslant z\leqslant c[2+r(\cos\theta+\sin\theta)].$$

于是

$$I_{xy}=\int_0^{2\pi}\mathrm{d}\theta\int_0^{\sqrt{2}}abr\mathrm{d}r\int_{c[1+\frac{r^2}{2}+r(\cos\theta+\sin\theta)]}^{c[2+r(\cos\theta+\sin\theta)]}\mathrm{d}z$$

$$=\frac{1}{3}abc^3\int_0^{2\pi}\mathrm{d}\theta\int_0^{\sqrt{2}}r\Big[8+12r(\cos\theta+\sin\theta)+6r^2(\cos\theta+\sin\theta)^2-$$

$$\left(1+\frac{r^2}{2}\right)^3-3\left(1+\frac{r^2}{2}\right)^2r(\cos\theta+\sin\theta)-3\left(1+\frac{r^2}{2}\right)r^2(\cos\theta+\sin\theta)^2\Big]\mathrm{d}r$$

$$=\frac{7}{2}\pi abc^3.$$

$$I_{yz}=\int_0^{2\pi}\mathrm{d}\theta\int_0^{\sqrt{2}}a^3br(1+r\cos\theta)^2\mathrm{d}r\int_{c[1+\frac{r^2}{2}+r(\cos\theta+\sin\theta)]}^{c[2+r(\cos\theta+\sin\theta)]}\mathrm{d}z$$

$$=a^3bc\int_0^{2\pi}\mathrm{d}\theta\int_0^{\sqrt{2}}r(1+2r\cos\theta+r^2\cos^2\theta)\left(1-\frac{r^2}{2}\right)\mathrm{d}r=\frac{4}{3}\pi a^3bc.$$

利用对称性得 $I_{zx}=\dfrac{4}{3}\pi ab^3c$.

【求以下列曲面为界的均匀物体对于 Oz 轴的转动惯量(4148—4149)】

【4148】 $z=x^2+y^2, x+y=\pm 1, x-y=\pm 1, z=0.$

解 曲面所界的均匀物体对于 Oz 轴的转动惯量记作 I_z，则 $I_z=I_{zx}+I_{zy}$.
令 $x+y=u, x-y=v$，则有 $x=\dfrac{u+v}{2}, y=\dfrac{u-v}{2}, z=\dfrac{u^2+v^2}{2}$，且 $|J|=\dfrac{1}{2}$. 于是

$$I_z=\int_{-1}^1\mathrm{d}u\int_{-1}^1\mathrm{d}v\int_0^{\frac{u^2+v^2}{2}}\frac{1}{2}\left\{\left(\frac{u-v}{2}\right)^2+\left(\frac{u+v}{2}\right)^2\right\}\mathrm{d}z=\int_{-1}^1\mathrm{d}u\int_{-1}^1\frac{(u^2+v^2)^2}{8}\mathrm{d}v=\frac{14}{45}.$$

【4149】 $x^2+y^2+z^2=2, x^2+y^2=z^2(z>0)$.

解 令 $x=r\cos\theta, y=r\sin\theta$,则有 $0\leqslant\theta\leqslant 2\pi, 0\leqslant r\leqslant 1, r\leqslant z\leqslant\sqrt{2-r^2}$. 于是

$$I_z=\int_0^{2\pi}d\theta\int_0^1 r dr\int_r^{\sqrt{2-r^2}} r^2 dz=\int_0^{2\pi}d\theta\int_0^1(r^3\sqrt{2-r^2}-r^4)dr$$

$$\xlongequal{r=\sqrt{2}\sin t}\int_0^{2\pi}\left(\frac{8\sqrt{2}-7}{15}-\frac{1}{5}\right)d\theta=\frac{4\pi}{15}(4\sqrt{2}-5).$$

【4150】 求质量为 M 的非均匀球体 $x^2+y^2+z^2\leqslant R^2$ 对于其直径的转动惯量. 设球内各点 $P(x,y,z)$ 的密度与该点至球心距离成正比.

解 不失一般性,取 Oz 轴在球内的一段作为直径. 令

$$x=r\cos\theta\sin\varphi, y=r\sin\theta\sin\varphi, z=r\cos\varphi,$$

则质量为

$$M=\int_0^{2\pi}d\theta\int_{-\frac{\pi}{2}}^{\frac{\pi}{2}}d\varphi\int_0^R r^2\sin\varphi\cdot kr dr=k\pi R^4,$$

由此得 $k=\frac{M}{\pi R^4}$. 从而,密度 $\rho=\frac{Mr}{\pi R^4}$. 于是,所求的转动惯量为

$$I_2=\int_0^{2\pi}d\theta\int_{-\frac{\pi}{2}}^{\frac{\pi}{2}}d\varphi\int_0^R r^2\sin^2\varphi\cdot\frac{Mr^3}{\pi R^4}\sin\varphi dr=\frac{2M}{R^4}\int_{-\frac{\pi}{2}}^{\frac{\pi}{2}}\sin^3\varphi d\varphi\int_0^R r^5 dr=\frac{4MR^2}{9}.$$

【4151】 证明等式:

$$I_l=I_{l_0}+Md^2,$$

其中 I_l 为物体对某轴 l 的转动惯量,I_{l_0} 为对平行于 l 并通过物体质心的轴 l_0 的转动惯量,d 为此二轴之间的距离,M 为物体的质量.

证 取质心为坐标原点 Oz 轴与 l_0 重合,l 与 Oxy 平面的交点为 $(\zeta,\eta,0)$,如图 8.59 所示,则

$$I_l=\iiint\limits_V[(x-\zeta)^2+(y-\eta)^2]\rho dV$$

$$=\iiint\limits_V(x^2+y^2)\rho dV+(\zeta^2+\eta^2)\iiint\limits_V\rho dV-2\zeta\iiint\limits_V x\rho dV-2\eta\iiint\limits_V y\rho dV. \quad ①$$

由于质心在原点,故 $x_0=y_0=0$,即

$$x_0=\frac{1}{M}\iiint\limits_V x\rho dV=0 \text{ 及 } y_0=\frac{1}{M}\iiint\limits_V y\rho dV=0,$$

并且 $M=\iiint\limits_V\rho dV, d^2=\zeta^2+\eta^2$,代入 ① 式,最后得 $I_l=I_{l_0}+Md^2$.

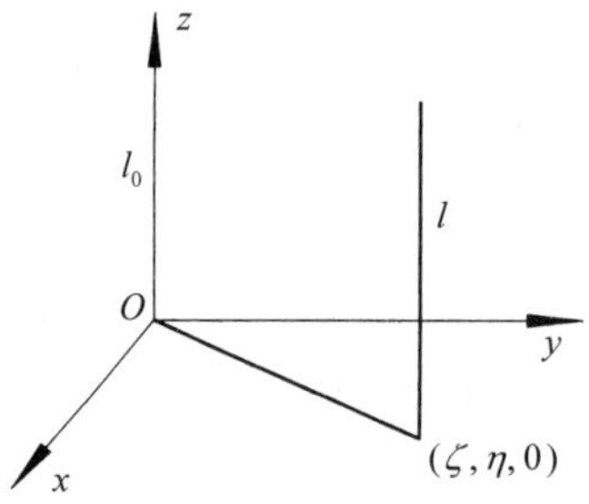

图 8.59

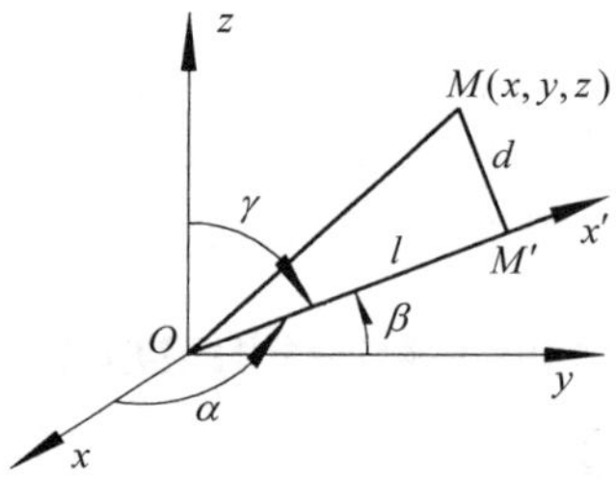

图 8.60

【4152】 证明:占有区域 V 的物体对过其质心 $O(0,0,0)$ 并与坐标轴成角 α,β,γ 的轴 l 的转动惯量

$$I_l=I_x\cos^2\alpha+I_y\cos^2\beta+I_z\cos^2\gamma-2K_{xy}\cos\alpha\cos\beta-2K_{yz}\cos\beta\cos\gamma-2K_{zx}\cos\alpha\cos\gamma,$$

其中 I_x, I_y, I_z 为物体对坐标轴的转动惯量，而

$$K_{xy} = \iiint\limits_V \rho xy\,dxdydz, K_{yz} = \iiint\limits_V \rho yz\,dxdydz, K_{zx} = \iiint\limits_V \rho zx\,dxdydz$$

为惯性积.

证 如图 8.60 所示. 距离

$$d = \frac{|\overrightarrow{OM} \times \overrightarrow{OM'}|}{|\overrightarrow{OM'}|} = \frac{1}{r}\sqrt{\begin{vmatrix} y & z \\ r\cos\beta & r\cos\gamma \end{vmatrix}^2 + \begin{vmatrix} z & x \\ r\cos\gamma & r\cos\alpha \end{vmatrix}^2 + \begin{vmatrix} x & y \\ r\cos\alpha & r\cos\beta \end{vmatrix}^2},$$

其中 $r = |\overrightarrow{OM'}|$. 由于 $\cos^2\alpha + \cos^2\beta + \cos^2\gamma = 1$，故有

$$d^2 = (x^2 + y^2)\cos^2\gamma + (y^2 + z^2)\cos^2\alpha + (z^2 + x^2)\cos^2\beta - 2xy\cos\alpha\cos\beta - 2yz\cos\beta\cos\gamma - 2xz\cos\alpha\cos\gamma.$$

于是

$$\begin{aligned} I_l &= \iiint\limits_V \rho d^2\,dxdydz = \cos^2\gamma\iiint\limits_V \rho(x^2 + y^2)\,dxdydz + \cos^2\alpha\iiint\limits_V \rho(y^2 + z^2)\,dxdydz + \cos^2\beta\iiint\limits_V \rho(x^2 + z^2)\,dxdydz - \\ &\quad 2\cos\alpha\cos\beta\iiint\limits_V \rho xy\,dxdydz - 2\cos\beta\cos\gamma\iiint\limits_V \rho yz\,dxdydz - 2\cos\gamma\cos\alpha\iiint\limits_V \rho zx\,dxdydz \\ &= I_x\cos^2\alpha + I_y\cos^2\beta + I_z\cos^2\gamma - 2K_{xy}\cos\alpha\cos\beta - 2K_{yz}\cos\beta\cos\gamma - 2K_{zx}\cos\gamma\cos\alpha. \end{aligned}$$

【4153】 求密度为 ρ_0 的均匀圆柱体 $x^2 + y^2 \leqslant a^2, -h \leqslant z \leqslant h$ 对直线 $x = y = z$ 的转动惯量.

解 直线 $x = y = z$ 通过圆柱体的质心 $O(0,0,0)$，且方向余弦 $\cos\alpha = \cos\beta = \cos\gamma = \frac{1}{\sqrt{3}}$. 作变换 $x = r\cos\theta, y = r\sin\theta$，则有

$$I_x = \int_0^{2\pi} d\theta\int_0^a r dr\int_{-h}^h \rho_0(r^2\sin^2\theta + z^2)\,dz = \left(\frac{1}{2}\pi a^4 h + \frac{2}{3}\pi a^2 h^3\right)\rho_0,$$

$$I_y = \int_0^{2\pi} d\theta\int_0^a r dr\int_{-h}^h \rho_0(r^2\cos^2\theta + z^2)\,dz = \left(\frac{1}{2}\pi a^4 h + \frac{2}{3}\pi a^2 h^3\right)\rho_0,$$

$$I_z = \int_0^{2\pi} d\theta\int_0^a r dr\int_{-h}^h \rho_0 r^2\,dz = \pi h a^4\rho_0,$$

$$K_{xy} = \int_0^{2\pi} d\theta\int_0^a r dr\int_{-h}^h \rho_0 r^2\cos\theta\sin\theta\,dz = 0,$$

$$K_{yz} = \int_0^{2\pi} d\theta\int_0^a r dr\int_{-h}^h \rho_0 r\sin\theta \cdot z\,dz = 0, K_{zx} = \int_0^{2\pi} d\theta\int_0^a r dr\int_{-h}^h \rho_0 r\cos\theta \cdot z\,dz = 0.$$

于是，利用 4152 题结果即得

$$\begin{aligned} I_l &= I_x\cos^2\alpha + I_y\cos^2\beta + I_z\cos^2\gamma - 2K_{xy}\cos\alpha\cos\beta - 2K_{yz}\cos\beta\cos\gamma - 2K_{zx}\cos\alpha\cos\gamma \\ &= \frac{\rho_0}{3}\left(\frac{1}{2}\pi a^4 h + \frac{2}{3}\pi a^2 h^3 + \frac{1}{2}\pi a^4 h + \frac{2}{3}\pi a^2 h^3 + \pi a^4 h\right) \\ &= \frac{2}{3}\pi\rho_0 a^2 h\left(a^2 + \frac{2}{3}h^2\right) = \frac{M}{3}\left(a^2 + \frac{2}{3}h^2\right), \end{aligned}$$

其中 $M = 2\pi\rho_0 a^2 h$ 为圆柱体的质量.

【4154】 求密度为 ρ_0，以曲面 $(x^2 + y^2 + z^2)^2 = a^2(x^2 + y^2)$ 为界的均匀物体对坐标原点的转动惯量.

解 令 $x = r\cos\theta\sin\varphi, y = r\sin\theta\sin\varphi, z = r\cos\varphi$，则对坐标原点的转动惯量为

$$I_0 = \int_0^{2\pi} d\theta\int_0^{\pi} d\varphi\int_0^{a\sin\varphi} \rho_0 \cdot r^2 \cdot r^2\sin\varphi\,dr = \frac{4\pi\rho_0 a^5}{5}\int_0^{\frac{\pi}{2}} \sin^6\varphi\,d\varphi = \frac{4\pi\rho_0 a^5}{5} \cdot \frac{5\pi}{32} = \frac{\pi^2 a^5\rho_0}{8}.$$

注 本题用到 2287 题的结果.

知识点 3 引力势

1. 牛顿引力势定义 积分

$$u(x,y,z)=\iiint\limits_V \rho(\xi,\eta,\zeta)\,\frac{\mathrm{d}\xi\mathrm{d}\eta\mathrm{d}\zeta}{r},$$

称为物体在点 $P(x,y,z)$ 的牛顿引力势，式中 V 为物体所占区域，$\rho=\rho(\xi,\eta,\zeta)$ 为物体的密度，且 $r=\sqrt{(\xi-x)^2+(\eta-y)^2+(\zeta-z)^2}$.

2. 引力的投影 质量为 m 的质点吸引物体的力在坐标轴 Ox，Oy，Oz 上的投影 X,Y,Z 分别等于

$$X=cm\frac{\partial u}{\partial x}=cm\iiint\limits_V \rho\,\frac{\xi-x}{r^3}\mathrm{d}\xi\mathrm{d}\eta\mathrm{d}\zeta,$$

$$Y=cm\frac{\partial u}{\partial y}=cm\iiint\limits_V \rho\,\frac{\eta-y}{r^3}\mathrm{d}\xi\mathrm{d}\eta\mathrm{d}\zeta,$$

$$Z=cm\frac{\partial u}{\partial z}=cm\iiint\limits_V \rho\,\frac{\zeta-z}{r^3}\mathrm{d}\xi\mathrm{d}\eta\mathrm{d}\zeta,$$

其中 c 为引力常量.

习题 4155—4160 引力势

【4155】 求密度为 ρ_0 的均匀球体 $\xi^2+\eta^2+\zeta^2\leqslant R^2$ 在点(x,y,z) 的牛顿引力势.

解 由对称性可知，所求的牛顿引力势与 ξ,η,ζ 轴选取的方向无关. 取 $O\zeta$ 轴通过点 $P(x,y,z)$，即得牛顿引力势

$$u(x,y,z)=\iiint\limits_{\xi^2+\eta^2+\zeta^2\leqslant R^2}\rho_0\,\frac{\mathrm{d}\xi\mathrm{d}\eta\mathrm{d}\zeta}{\sqrt{\xi^2+\eta^2+(\zeta-r)^2}}=\rho_0\int_{-R}^{R}\mathrm{d}\zeta\iint\limits_{\xi^2+\eta^2\leqslant R^2-\zeta^2}\frac{\mathrm{d}\xi\mathrm{d}\eta}{\sqrt{\xi^2+\eta^2+(\zeta-r)^2}},$$

其中 $r=\sqrt{x^2+y^2+z^2}$. 积分得

$$u(x,y,z)=2\pi\rho_0\int_{-R}^{R}\left(\sqrt{R^2-2r\zeta+r^2}-|\zeta-r|\right)\mathrm{d}\zeta.$$

由于

$$\int_{-R}^{R}\sqrt{R^2-2r\zeta+r^2}\,\mathrm{d}\zeta=\frac{1}{3r}\left[(R+r)^3-|R-r|^3\right]=\begin{cases}\frac{2}{3}R^3\,\frac{1}{r}+2rR, & r>R,\\ \frac{2}{3}r^2+2R^2, & r\leqslant R,\end{cases}$$

$$\int_{-R}^{R}|\zeta-r|\,\mathrm{d}\zeta=\begin{cases}2Rr, & r>R,\\ r^2+R^2, & r\leqslant R,\end{cases}$$

因而，最后得

$$u(x,y,z)=\begin{cases}\frac{4}{3r}\pi R^3\rho_0, & r>R,\\ 2\pi\rho_0\left(R^2-\frac{1}{3}r^2\right), & r\leqslant R.\end{cases}$$

注 由以上结果可以得到下面两个推论：

(1) 在球外一点上的牛顿引力势，与将球的全部质量集中在它的中心处时一样；

(2) 如考察一个内半径为 R_1 而外半径为 R_2 的空心球，则它在位于其空隙处的一点($r<R$)上的牛顿引力势可表示成差

$$u(x,y,z)=u_2(x,y,z)-u_1(x,y,z)=\left(R_2^2-\frac{1}{3}r^2\right)2\pi\rho_0-\left(R_1^2-\frac{1}{3}r^2\right)2\pi\rho_0$$
$$=2\pi(R_2^2-R_1^2)\rho_0,$$

它与 r 无关，故空心球体在其空隙范围内的引力势保持一个常数值.

【4156】 求球壳层 $R_1^2\leqslant\xi^2+\eta^2+\zeta^2\leqslant R_2^2$ 在点 $P(x,y,z)$ 的牛顿引力势. 设密度 $\rho=f(R)$，其中 f 为已知函数，而 $R=\sqrt{\xi^2+\eta^2+\zeta^2}$.

解 取 $O\zeta$ 轴通过点 $P(x,y,z)$，即得牛顿引力势

$$u(x,y,z)=\iiint\limits_{R_1^2\leqslant\xi^2+\eta^2+\zeta^2\leqslant R_2^2}f(\sqrt{\xi^2+\eta^2+\zeta^2})\frac{\mathrm{d}\xi\mathrm{d}\eta\mathrm{d}\zeta}{\sqrt{\xi^2+\eta^2+(\zeta-r)^2}},$$

其中 $r=\sqrt{x^2+y^2+z^2}$.

令 $x=\rho\cos\theta\sin\varphi,y=\rho\sin\theta\sin\varphi,z=\rho\cos\varphi$，即得

$$u(x,y,z)=\int_0^{2\pi}\mathrm{d}\theta\int_0^{\pi}\mathrm{d}\varphi\int_{R_1}^{R_2}\rho^2f(\rho)\sin\varphi\frac{\mathrm{d}\rho}{\sqrt{\rho^2+r^2-2\rho r\cos\varphi}}$$
$$=2\pi\int_{R_1}^{R_2}\mathrm{d}\rho\int_0^{\pi}\rho^2f(\rho)\frac{\sin\varphi\mathrm{d}\varphi}{\sqrt{\rho^2+r^2-2\rho r\cos\varphi}}$$
$$=2\pi\int_{R_1}^{R_2}\rho^2f(\rho)\left(-\frac{1}{\rho r}\sqrt{\rho^2+r^2-2\rho r\cos\varphi}\right)\Big|_0^{\pi}\mathrm{d}\rho$$
$$=2\pi\int_{R_1}^{R_2}\rho^2f(\rho)\left\{-\frac{1}{\rho r}[|\rho-r|-(\rho+r)]\right\}\mathrm{d}\rho$$
$$=\begin{cases}4\pi\int_{R_1}^{R_2}\rho f(\rho)\mathrm{d}\rho, & \rho>r,\\ 4\pi\int_{R_1}^{R_2}\frac{\rho^2}{r}f(\rho)\mathrm{d}\rho, & \rho\leqslant r.\end{cases}$$

合并得

$$u(x,y,z)=4\pi\int_{R_1}^{R_2}f(\rho)\min\left\{\frac{\rho^2}{r},\rho\right\}\mathrm{d}\rho.$$

【4157】 求密度 ρ_0 恒定的圆柱体 $\xi^2+\eta^2\leqslant a^2,0\leqslant\zeta\leqslant h$ 在点 $P(0,0,z)$ 的牛顿引力势.

解 引用柱面坐标，即得

$$u(x,y,z)=\rho_0\int_0^{2\pi}\mathrm{d}\theta\int_0^h\mathrm{d}\zeta\int_0^a\frac{r\mathrm{d}r}{\sqrt{r^2+(\zeta-z)^2}}=2\pi\rho_0\int_0^h\sqrt{r^2+(\zeta-z)^2}\Big|_0^a\mathrm{d}\zeta$$
$$=2\pi\rho_0\int_0^h[\sqrt{a^2+(\zeta-z)^2}-|\zeta-z|]\mathrm{d}\zeta$$
$$=2\pi\rho_0\left[\frac{\zeta-z}{2}\sqrt{a^2+(\zeta-z)^2}+\frac{a^2}{2}\ln|\zeta-z|+\sqrt{a^2+(\zeta-z)^2}-\frac{(\zeta-z)|\zeta-z|}{2}\right]\Bigg|_0^h$$
$$=\pi\rho_0\Bigg[(h-z)\sqrt{a^2+(h-z)^2}+z\sqrt{a^2+z^2}-[(h-z)|h-z|+z|z|]+$$
$$a^2\ln\left|\frac{h-z+\sqrt{a^2+(h-z)^2}}{-z+\sqrt{a^2+z^2}}\right|\Bigg].$$

【4158】 半径为 R、质量为 M 的均匀球体 $\xi^2+\eta^2+\zeta^2\leqslant R^2$ 以怎样的力吸引质量为 m 的质点 $P(0,0,a)$?

解 引力在 Ox 轴和 Oy 轴上的投影为零，即 $X=Y=0$，而在 Oz 轴上的投影为

$$Z=k\rho_0 m\iiint\limits_{\xi^2+\eta^2+\zeta^2\leqslant R^2}\frac{(\zeta-a)\mathrm{d}\xi\mathrm{d}\eta\mathrm{d}\zeta}{[\xi^2+\eta^2+(\zeta-a)^2]^{\frac{3}{2}}}=km\rho_0\int_{-R}^{R}(\zeta-a)\mathrm{d}\zeta\iint\limits_{\xi^2+\eta^2\leqslant R^2-\zeta^2}\frac{\mathrm{d}\xi\mathrm{d}\eta}{[\xi^2+\eta^2+(\zeta-a)^2]^{\frac{3}{2}}}$$

$$=km\rho_0\int_{-R}^{R}(\zeta-a)\mathrm{d}\zeta\int_0^{2\pi}\mathrm{d}\theta\int_0^{\sqrt{R^2-\zeta^2}}\frac{r\mathrm{d}r}{[r^2+(\zeta-a)^2]^{\frac{3}{2}}}$$

$$=2\pi km\rho_0\int_{-R}^{R}(\zeta-a)\left(\frac{1}{|\zeta-a|}-\frac{1}{\sqrt{R^2-2a\zeta+a^2}}\right)\mathrm{d}\zeta$$

$$=2\pi km\rho_0\int_{-R}^{R}\mathrm{sgn}(\zeta-a)\mathrm{d}\zeta-2\pi km\rho_0\int_{-R}^{R}\frac{(\zeta-a)\mathrm{d}\zeta}{\sqrt{R^2-2a\zeta+a^2}},$$

其中 $\rho_0=\dfrac{3M}{4\pi R^3}$.

分别求上述两个积分:

当 $a\geqslant R$ 时，$\int_{-R}^{R}\mathrm{sgn}(\zeta-a)\mathrm{d}\zeta=-\int_{-R}^{R}\mathrm{d}\zeta=-2R$;

当 $a<R$ 时，$\int_{-R}^{R}\mathrm{sgn}(\zeta-a)\mathrm{d}\zeta=-\int_{-R}^{a}\mathrm{d}\zeta+\int_{a}^{R}\mathrm{d}\zeta=-2a$;

而

$$\int_{-R}^{R}\frac{(\zeta-a)\mathrm{d}\zeta}{\sqrt{R^2-2a\zeta+a^2}}=-\frac{1}{2a}\int_{-R}^{R}\frac{R^2+a^2-2a\zeta-(R^2+a^2)}{\sqrt{R^2-2a\zeta+a^2}}\mathrm{d}\zeta-a\int_{-R}^{R}\frac{\mathrm{d}\zeta}{\sqrt{R^2-2a\zeta+a^2}}$$

$$=-\frac{1}{2a}\int_{-R}^{R}\sqrt{R^2+a^2-2a\zeta}\,\mathrm{d}\zeta+\left(\frac{R^2+a^2}{2a}-a\right)\int_{-R}^{R}\frac{\mathrm{d}\zeta}{\sqrt{R^2+a^2-2a\zeta}}$$

$$=-\frac{1}{2a}\int_{-R}^{R}\sqrt{R^2+a^2-2a\zeta}\,\mathrm{d}\zeta+\frac{R^2-a^2}{2a}\int_{-R}^{R}\frac{\mathrm{d}\zeta}{\sqrt{R^2+a^2-2a\zeta}},$$

当 $a\geqslant R$ 时，将上式右端分别积分，得

$$\left[\frac{1}{4a^2}(R^2+a^2-2a\zeta)^{\frac{3}{2}}\cdot\frac{2}{3}+\frac{R^2-a^2}{2a}\left(-\frac{1}{2a}\right)\cdot 2\sqrt{R^2+a^2-2a\zeta}\right]\Bigg|_{-R}^{R}$$

$$=\frac{1}{6a^2}[(a-R)^3-(a+R)^3]-\frac{R^2-a^2}{2a^2}[(a-R)-(a+R)]=\frac{2R^3}{3a^2}-2R.$$

当 $a<R$ 时，积分得

$$\frac{1}{6a^2}[(R-a)^3-(a+R)^3]-\frac{R^2-a^2}{2a^2}[(R-a)-(R+a)]=-\frac{4a}{3}.$$

于是，当 $a\geqslant R$ 时，$Z=2\pi km\rho_0\left(-2R-\dfrac{2R^3}{3a^2}+2R\right)=-\dfrac{4}{3a^2}\pi km\rho_0R^3=-\dfrac{kMm}{a^2}$;

当 $a<R$ 时，$Z=2\pi km\rho_0\left(-2a+\dfrac{4a}{3}\right)=-\dfrac{4}{3}\pi akm\rho_0=-\dfrac{kMm}{R^3}a$.

注 从以上结果可以得到下面两个推论:

(1) 位于球外的一点 $(a\geqslant R)$ 因球体而受到的引力相当于将球体的全部质量 $M=\dfrac{4}{3}\pi R^3\rho_0$ 集中在它的中心处时受到的引力，引力的方向朝向球心;

(2) 对于在球里面的一点 $(a<R)$ 来说，引力与 R 无关，其大小与 $R=a$ 时的情况一样，即在点 P 外面的球壳部分对 P 点的引力为零.

【4159】 求密度 ρ_0 的均匀圆柱体 $\xi^2+\eta^2\leqslant a^2$, $0\leqslant\xi\leqslant h$ 对单位质量质点 $P(0,0,z)$

的引力.

解 由对称性知，引力在 Ox 轴和 Oy 轴上的投影为零，即 $X=Y=0$. 引用柱坐标，得引力在 Oz 轴上的投影为

$$Z=k\rho_0\iint\limits_{\xi^2+\eta^2\leqslant a^2}\mathrm{d}\xi\mathrm{d}\eta\int_0^h\frac{(\zeta-z)\mathrm{d}\zeta}{[\xi^2+\eta^2+(\zeta-z)^2]^{\frac{3}{2}}}=k\rho_0\int_0^{2\pi}\mathrm{d}\theta\int_0^a r\mathrm{d}r\int_0^h\frac{(\zeta-z)\mathrm{d}\zeta}{[r^2+(\zeta-z)^2]^{\frac{3}{2}}}$$

$$=2\pi k\rho_0\int_0^a r\left[\frac{1}{\sqrt{r^2+z^2}}-\frac{1}{\sqrt{r^2+(h-z)^2}}\right]\mathrm{d}r$$

$$=2\pi k\rho_0[\sqrt{a^2+z^2}-\sqrt{a^2+(h-z)^2}-|z|+|h-z|].$$

故当 $0\leqslant z<\frac{h}{2}$ 时，$Z>0$，此时吸引力朝着向上的铅垂线；当 $\frac{h}{2}<z\leqslant h$ 时，$Z<0$，此时吸引力朝着向下的铅垂线；当 $z=\frac{h}{2}$ 时，$Z=0$，引力为零.

【4160】 求密度为 ρ_0 的均匀球锥体对位于其顶点的单位质量质点的引力，设球面半径为 R，而轴截面的扇形的角等于 2α.

解 由对称性知，引力在 Ox 轴和 Oy 轴上的投影为零，即 $X=Y=0$.

引用球坐标，得引力在 Oz 轴上的投影为

$$Z=\iiint\limits_V\frac{k\rho_0 z}{\sqrt{(x^2+y^2+z^2)^3}}\mathrm{d}x\mathrm{d}y\mathrm{d}z=k\rho_0\int_0^{2\pi}\mathrm{d}\theta\int_0^{\alpha}\sin\varphi\cos\varphi\mathrm{d}\varphi\int_0^R\mathrm{d}r=k\pi R\rho_0\sin^2\alpha.$$

第9节 二重和三重广义积分（习题4161—4200）

知识点预览

序号	知识点	题目序号	所在页码
1	二重和三重广义积分	4161—4180	P99
2	不连续函数的广义积分	4181—4200	P110

知识点1 二重和三重广义积分

无界区域的情形 若二维区域 Ω 是无界的，函数 $f(x,y)$ 在区域 Ω 上连续，则定义：

$$\iint\limits_{\Omega}f(x,y)\mathrm{d}x\mathrm{d}y=\lim_{n\to\infty}\iint\limits_{\Omega_n}f(x,y)\mathrm{d}x\mathrm{d}y,\quad ①$$

其中 Ω_n 是可求积有界封闭区域，并且它们组成 Ω 的任意一个竭尽递增序列. 若右端的极限存在且与序列 $\{\Omega_n\}$ 的选择无关，则相应积分称为收敛的；否则称为发散的.

注 区域 Ω 的竭尽递增序列是指这样的序列 $\{\Omega_n\}$：对 $\forall n\in\mathbf{N}_+$ 有 $\Omega_n\subset\Omega_{n+1}\subset\Omega$，且 $\bigcup\limits_{n=1}^{\infty}\Omega_n=\Omega$. 类似地定义出连续函数在无界三维区域上的三重广义积分.

习题 4161—4168 判断二重广义积分的敛散性

【研究下列具有无界积分域的广义积分的收敛性($0 < m \leqslant |\varphi(x,y)| \leqslant M$)(4161—4165)**】**

【4161】 $\displaystyle\iint\limits_{x^2+y^2>1} \frac{\varphi(x,y)}{(x^2+y^2)^p}\mathrm{d}x\mathrm{d}y.$

解 由于

$$\frac{m}{(x^2+y^2)^p} \leqslant \frac{|\varphi(x,y)|}{(x^2+y^2)^p} \leqslant \frac{M}{(x^2+y^2)^p},$$

再注意到广义重积分收敛必绝对收敛，即知积分

$$\iint\limits_{x^2+y^2>1} \frac{\varphi(x,y)}{(x^2+y^2)^p}\mathrm{d}x\mathrm{d}y \text{ 与 } \iint\limits_{x^2+y^2>1} \frac{1}{(x^2+y^2)^p}\mathrm{d}x\mathrm{d}y$$

同时收敛或同时发散. 由于$\dfrac{1}{(x^2+y^2)^p} > 0$，故利用极坐标，得

$$\iint\limits_{x^2+y^2>1} \frac{1}{(x^2+y^2)^p}\mathrm{d}x\mathrm{d}y = \int_0^{2\pi}\mathrm{d}\theta\int_1^{+\infty}\frac{r}{r^{2p}}\mathrm{d}r = \begin{cases} \dfrac{\pi}{p-1}, & p>1, \\ +\infty, & p\leqslant 1. \end{cases}$$

由此可知，原积分 $\displaystyle\iint\limits_{x^2+y^2>1} \frac{\varphi(x,y)}{(x^2+y^2)^p}\mathrm{d}x\mathrm{d}y$ 当 $p>1$ 时收敛，当 $p\leqslant 1$ 时发散.

【4162】 $\displaystyle\int_{-\infty}^{+\infty}\int_{-\infty}^{+\infty}\frac{\mathrm{d}x\mathrm{d}y}{(1+|x|^p)(1+|y|^q)}.$

解 由被积函数是正的，并且关于 Ox 轴和 Oy 轴都对称，故

$$\int_{-\infty}^{+\infty}\int_{-\infty}^{+\infty}\frac{\mathrm{d}x\mathrm{d}y}{(1+|x|^p)(1+|y|^q)} = 4\int_0^{+\infty}\int_0^{+\infty}\frac{\mathrm{d}x\mathrm{d}y}{(1+|x|^p)(1+|y|^q)} = 4\int_0^{+\infty}\frac{\mathrm{d}x}{1+x^p}\int_0^{+\infty}\frac{\mathrm{d}x}{1+y^q}.$$

因 $\displaystyle\lim_{x\to+\infty}x^p\frac{1}{1+x^p}=1$，故$\displaystyle\int_0^{+\infty}\frac{\mathrm{d}x}{1+x^p}$ 当 $p>1$ 时收敛，$p<1$ 时发散，$p=1$ 时$\displaystyle\int_0^{+\infty}\frac{\mathrm{d}x}{1+x}=+\infty$，显然发散. 因此

$$\int_0^{+\infty}\frac{\mathrm{d}x}{1+x^p}\begin{cases}\text{收敛}, & p>1, \\ \text{发散}, & p\leqslant 1.\end{cases}$$

同理有

$$\int_0^{+\infty}\frac{\mathrm{d}y}{1+y^q}\begin{cases}\text{收敛}, & q>1, \\ \text{发散}, & q\leqslant 1.\end{cases}$$

由此可知，$\displaystyle\int_{-\infty}^{+\infty}\int_{-\infty}^{+\infty}\frac{\mathrm{d}x\mathrm{d}y}{(1+|x|^p)(1+|y|^q)}$ 仅当 $p>1$ 且 $q>1$ 时收敛，其他情形均发散.

【4163】 $\displaystyle\iint\limits_{0\leqslant y\leqslant 1}\frac{\varphi(x,y)}{(1+x^2+y^2)^p}\mathrm{d}x\mathrm{d}y.$

解 仿 4161 题，可知积分 $\displaystyle\iint\limits_{0\leqslant y\leqslant 1}\frac{\varphi(x,y)}{(1+x^2+y^2)^p}\mathrm{d}x\mathrm{d}y$ 与积分 $\displaystyle\iint\limits_{0\leqslant y\leqslant 1}\frac{1}{(1+x^2+y^2)^p}\mathrm{d}x\mathrm{d}y$ 同时收敛或同时发散. 由于被积函数是正的，故

$$\iint\limits_{0\leqslant y\leqslant 1}\frac{1}{(1+x^2+y^2)^p}\mathrm{d}x\mathrm{d}y = \int_0^1\mathrm{d}y\int_{-\infty}^{+\infty}\frac{\mathrm{d}x}{(1+x^2+y^2)^p} = 2\int_0^1\mathrm{d}y\int_0^{+\infty}\frac{\mathrm{d}x}{(1+x^2+y^2)^p}.$$

由于，当 $0\leqslant y\leqslant 1$ 时，有

$$\int_0^{+\infty}\frac{\mathrm{d}x}{(2+x^2)^p} \leqslant \int_0^{+\infty}\frac{\mathrm{d}x}{(1+x^2+y^2)^p} \leqslant \int_0^{+\infty}\frac{\mathrm{d}x}{(1+x^2)^p}(p\geqslant 0),$$

$$\int_0^{+\infty}\frac{dx}{(2+x^2)^p}\geqslant\int_0^{+\infty}\frac{dx}{(1+x^2+y^2)^p}\geqslant\int_0^{+\infty}\frac{dx}{(1+x^2)^p}(p<0),$$

故

$$2\int_0^{+\infty}\frac{dx}{(2+x^2)^p}\leqslant\iint\limits_{0\leqslant y\leqslant 1}\frac{1}{(1+x^2+y^2)^p}dxdy\leqslant 2\int_0^{+\infty}\frac{dx}{(1+x^2)^p}(p\geqslant 0),$$

若 $p<0$，则有相反的不等式.

对于 $a>0$，由于

$$\lim_{x\to+\infty}x^{2p}\frac{1}{(a^2+x^2)^p}=1,$$

故积分$\int_0^{+\infty}\frac{dx}{(a^2+x^2)^p}$ 当 $p>\frac{1}{2}$ 时收敛，$p<\frac{1}{2}$ 时发散. 实际上，此积分当 $p=\frac{1}{2}$ 时也发散，因为

$$\int_0^{+\infty}\frac{dx}{\sqrt{a^2+x^2}}=\ln(x+\sqrt{a^2+x^2})\Big|_0^{+\infty}=+\infty.$$

由此可知 $\iint\limits_{0\leqslant y\leqslant 1}\frac{1}{\sqrt{1+x^2+y^2}}dxdy$ 发散.

综上，积分 $\iint\limits_{0\leqslant y\leqslant 1}\frac{\varphi(x,y)}{(1+x^2+y^2)^p}dxdy$ 当 $p>\frac{1}{2}$ 时收敛，当 $p\leqslant\frac{1}{2}$ 时发散.

【4164】 $\iint\limits_{|x|+|y|\geqslant 1}\frac{dxdy}{|x|^p+|y|^q}(p>0,q>0).$

解 由对称性及被积函数的非负性，有

$$\iint\limits_{|x|+|y|\geqslant 1}\frac{dxdy}{|x|^p+|y|^q}=4\iint\limits_{\substack{x\geqslant 0,y\geqslant 0\\x+y\geqslant 1}}\frac{dxdy}{|x|^p+|y|^q}=4\iint\limits_{\Omega_1}\frac{dxdy}{x^p+y^q}+4\iint\limits_{\Omega_2}\frac{dxdy}{x^p+y^q},\qquad ①$$

其中

$$\Omega_1=\{(x,y)\mid x\geqslant 0,y\geqslant 0,x+y\geqslant 1,x^p+y^q\leqslant 2\},$$
$$\Omega_2=\{(x,y)\mid x\geqslant 0,y\geqslant 0,x+y\geqslant 1,x^p+y^q\geqslant 2\}.$$

令

$$\Omega_3=\{(x,y)\mid x\geqslant 0,y\geqslant 0,x^p+y^q\geqslant 2\},$$

易知当 $x\geqslant 0,y\geqslant 0,x^p+y^q\geqslant 2$ 时，必有 $x+y\geqslant 1$（因若 $x+y<1$，则必有 $0\leqslant x<1,0\leqslant y<1$，从而 $0\leqslant x^p<1,0\leqslant y^q<1$，这就会得出 $x^p+y^q<2$），故$\Omega_2=\Omega_3$. 由于 Ω_1 是有界闭区域，故 ① 式右端第一个积分为常义积分，因此，广义积分

$$\iint\limits_{|x|+|y|\geqslant 1}\frac{dxdy}{|x|^p+|y|^q}$$

的敛散性取决于广义积分$\iint\limits_{\Omega_3}\frac{dxdy}{x^p+y^q}$ 的敛散性，在此积分中作变量代换 $x=r^{\frac{2}{p}}\cos^{\frac{2}{p}}\theta,y=r^{\frac{2}{q}}\sin^{\frac{2}{q}}\theta$，则

$$\frac{D(x,y)}{D(r,\theta)}=\frac{4}{pq}r^{\frac{2}{p}+\frac{2}{q}-1}\sin^{\frac{2}{q}-1}\theta\cos^{\frac{2}{p}-1}\theta.$$

于是，注意到被积函数是非负的，得

$$\iint\limits_{\Omega_3}\frac{dxdy}{x^p+y^q}=\frac{4}{pq}\int_0^{\frac{\pi}{2}}\sin^{\frac{2}{q}-1}\theta\cos^{\frac{2}{p}-1}\theta d\theta\int_{\sqrt{2}}^{+\infty}r^{\frac{2}{p}+\frac{2}{q}-3}dr.$$

由 3856 题的结果知，右端第一个积分

$$\int_0^{\frac{\pi}{2}}\sin^{\frac{2}{q}-1}\theta\cos^{\frac{2}{p}-1}\theta d\theta(p>0,q>0)$$

恒收敛，且其值为$\frac{1}{2}B\left(\frac{1}{q},\frac{1}{p}\right)$；而第二个积分

$$\int_{\sqrt{2}}^{+\infty}r^{\frac{2}{p}+\frac{2}{q}-3}dr$$

当$\frac{2}{p}+\frac{2}{q}-3<-1$(即$\frac{1}{p}+\frac{1}{q}<1$)时收敛,当$\frac{2}{p}+\frac{2}{q}-3\geqslant-1$(即$\frac{1}{p}+\frac{1}{q}\geqslant1$)时发散.

综上所述,可知广义积分$\iint\limits_{|x|+|y|\geqslant1}\frac{dxdy}{|x|^p+|y|^q}$仅当$\frac{1}{p}+\frac{1}{q}<1$时收敛.

【4165】 $\iint\limits_{x+y\geqslant1}\frac{\sin x\sin y}{(x+y)^p}dxdy.$

解 设此积分收敛,以 I 表其值. 先设 $p<1$. 令

$$\Omega_n=\{(x,y)\mid1\leqslant x+y\leqslant2n\pi,-2n\pi\leqslant x-y\leqslant2n\pi\},$$

$$\Omega'_n=\{(x,y)\mid1\leqslant x+y\leqslant2n\pi-\frac{\pi}{4},-2n\pi\leqslant x-y\leqslant2n\pi\},$$

$$\omega_n=\{(x,y)\mid2n\pi-\frac{\pi}{4}\leqslant x+y\leqslant2n\pi,-2n\pi\leqslant x-y\leqslant2n\pi\},$$

其中 $n=1,2,3,\cdots$,则显然有

$$\lim_{n\to\infty}\iint\limits_{\Omega_n}\frac{\sin x\sin y}{(x+y)^p}dxdy=I,\lim_{n\to\infty}\iint\limits_{\Omega'_n}\frac{\sin x\sin y}{(x+y)^p}dxdy=I.$$

从而

$$\lim_{n\to\infty}\iint\limits_{\omega_n}\frac{\sin x\sin y}{(x+y)^p}dxdy=\lim_{n\to\infty}\left[\iint\limits_{\Omega_n}\frac{\sin x\sin y}{(x+y)^p}dxdy-\iint\limits_{\Omega'_n}\frac{\sin x\sin y}{(x+y)^p}dxdy\right]=I-I=0. \quad ①$$

由于 $\sin x\sin y=\frac{1}{2}[\cos(x-y)-\cos(x+y)]$,在 ① 式左端的积分中作变量代换 $x+y=u,x-y=v$,即 $x=\frac{u+v}{2},y=\frac{u-v}{2}$,并注意到$\frac{D(x,y)}{D(u,v)}=-\frac{1}{2}$,得

$$\iint\limits_{\omega_n}\frac{\sin x\sin y}{(x+y)^p}dxdy=\frac{1}{4}\int_{2n\pi-\frac{\pi}{4}}^{2n\pi}du\int_{-2n\pi}^{2n\pi}\frac{\cos v-\cos u}{u^p}dv=-n\pi\int_{2n\pi-\frac{\pi}{4}}^{2n\pi}\frac{\cos u}{u^p}du.$$

而

$$\int_{2n\pi-\frac{\pi}{4}}^{2n\pi}\frac{\cos u}{u^p}du\geqslant\frac{1}{\sqrt2}\int_{2n\pi-\frac{\pi}{4}}^{2n\pi}\frac{du}{u^p}\geqslant\begin{cases}\frac{\pi}{4\sqrt2}\cdot\frac{1}{(2n\pi)^p}, & p>0.\\ \frac{\pi}{4\sqrt2}, & p\leqslant0,\end{cases}$$

由此可知(注意前面假定 $p<1$),$\lim\limits_{n\to\infty}\iint\limits_{\omega_n}\frac{\sin x\sin y}{(x+y)^p}dxdy=-\infty$,此式显然与 ① 式矛盾.

现设 $p\geqslant1$. 令

$$\omega'_n=\{(x,y)\mid2n\pi-\frac{\pi}{4}\leqslant x+y\leqslant2n\pi,-2\pi n^{[p]+2}\leqslant x-y\leqslant2\pi n^{[p]+2}\},$$

仿上,应有

$$\lim_{n\to\infty}\iint\limits_{\omega'_n}\frac{\sin x\sin y}{(x+y)^p}dxdy=0. \quad ②$$

另一方面,作代换 $x+y=u,x-y=v$,有

$$\iint\limits_{\omega'_n}\frac{\sin x\sin y}{(x+y)^p}dxdy=-\pi n^{[p]+2}\int_{2n\pi-\frac{\pi}{4}}^{2n\pi}\frac{\cos u}{u^p}du.$$

同样,由$\int_{2n\pi-\frac{\pi}{4}}^{2n\pi}\frac{\cos u}{u^p}du\geqslant\frac{\pi}{4\sqrt2}\cdot\frac{1}{(2n\pi)^p}$,即得$\lim\limits_{n\to\infty}\iint\limits_{\omega'_n}\frac{\sin x\sin y}{(x+y)^p}dxdy=-\infty$,显然与 ② 式矛盾.

综上所述,可知:不论 p 为何值,积分$\iint\limits_{x+y\geqslant1}\frac{\sin x\sin y}{(x+y)^p}dxdy$都发散.

【4166】 证明:若连续函数 $f(x,y)$ 不为负及 $S_n(n=1,2,\cdots)$ 为有界闭区域,并且组

成区域 S 的任意一个竭尽递增序列，则

$$\iint_S f(x,y)\mathrm{d}x\mathrm{d}y=\lim_{n\to\infty}\iint_{S_n} f(x,y)\mathrm{d}x\mathrm{d}y,$$

这里左端与右端同时有意义或同时无意义.

证 取定一有界闭区域的序列 $\{S'_n\}$：$S'_1\subset S'_2\subset\cdots\subset S'_n\subset\cdots\subset S$，且 $\bigcup_{n=1}^{\infty}S'_n=S$. 由于 $f(x,y)$ 在 S 上非负，故积分序列 $\iint_{S'_n} f(x,y)\mathrm{d}x\mathrm{d}y$ 递增，从而，极限

$$I=\lim_{n\to\infty}\iint_{S'_n} f(x,y)\mathrm{d}x\mathrm{d}y \qquad ①$$

存在(是有限数或是 $+\infty$). 下证 $\lim_{n\to\infty}\iint_{S_n} f(x,y)\mathrm{d}x\mathrm{d}y=I$. ②

先设 I 为有限数. $\forall\varepsilon>0$，由 ① 式知，$\exists N$，当 $n\geqslant N$ 时，有

$$I-\varepsilon<\iint_{S'_n} f(x,y)\mathrm{d}x\mathrm{d}y<I+\varepsilon. \qquad ③$$

又 $\exists n_0$，当 $n\geqslant n_0$ 时，$S_n\supset S'_N$. 从而，根据 $f(x,y)$ 的非负性以及 ③ 式，得

$$\iint_{S_n} f(x,y)\mathrm{d}x\mathrm{d}y\geqslant\iint_{S'_N} f(x,y)\mathrm{d}x\mathrm{d}y>I-\varepsilon.$$

另一方面，对每个固定的 $n\geqslant n_0$，必存在某个充分大的 $k_n(\geqslant N)$ 使 $S'_{k_n}\supset S_n$. 于是，再由 ③ 式得

$$\iint_{S_n} f(x,y)\mathrm{d}x\mathrm{d}y\leqslant\iint_{S'_{k_n}} f(x,y)\mathrm{d}x\mathrm{d}y<I+\varepsilon.$$

由此可知，当 $n\geqslant n_0$ 时，恒有 $I-\varepsilon<\iint_{S_n} f(x,y)\mathrm{d}x\mathrm{d}y<I+\varepsilon$，故 ② 式成立.

其次设 $I=+\infty$. $\forall M>0$，由 ① 式知，$\exists N_1$，使

$$\iint_{S'_{N_1}} f(x,y)\mathrm{d}x\mathrm{d}y>M.$$

又 $\exists n_1$，当 $n\geqslant n_1$ 时，有 $S_n\supset S'_{N_1}$，从而，此时有

$$\iint_{S_n} f(x,y)\mathrm{d}x\mathrm{d}y\geqslant\iint_{S'_{N_1}} f(x,y)\mathrm{d}x\mathrm{d}y>M,$$

故 ② 式成立. 证毕.

【4167】 证明：

$$\lim_{n\to\infty}\iint_{\substack{|x|\leqslant n\\|y|\leqslant n}}\sin(x^2+y^2)\mathrm{d}x\mathrm{d}y=\pi,\lim_{n\to\infty}\iint_{x^2+y^2\leqslant 2n\pi}\sin(x^2+y^2)\mathrm{d}x\mathrm{d}y=0(\,n\in\mathbf{N}_+).$$

证 令 $x=r\cos\theta, y=r\sin\theta$，则

$$\iint_{x^2+y^2\leqslant 2n\pi}\sin(x^2+y^2)\mathrm{d}x\mathrm{d}y=\int_0^{2\pi}\mathrm{d}\theta\int_0^{\sqrt{2\pi n}}r\sin r^2\mathrm{d}r=\pi(1-\cos 2n\pi)=0(n\in\mathbf{N}_+).$$

故

$$\lim_{n\to\infty}\iint_{x^2+y^2\leqslant 2n\pi}\sin(x^2+y^2)\mathrm{d}x\mathrm{d}y=0.$$

但由对称性，有

$$\iint_{\substack{|x|\leqslant n\\|y|\leqslant n}}\sin(x^2+y^2)\mathrm{d}x\mathrm{d}y=4\iint_{\substack{0\leqslant x\leqslant n\\0\leqslant y\leqslant n}}\sin(x^2+y^2)\mathrm{d}x\mathrm{d}y=4\int_0^n\mathrm{d}y\int_0^n(\sin x^2\cos y^2+\cos x^2\sin y^2)\mathrm{d}x$$

$$= 4\int_0^n \cos y^2 \mathrm{d}y \int_0^n \sin x^2 \mathrm{d}x + 4\int_0^n \cos x^2 \mathrm{d}x \int_0^n \sin y^2 \mathrm{d}y$$

$$= 8\int_0^n \cos x^2 \mathrm{d}x \int_0^n \sin x^2 \mathrm{d}x.$$

根据 3830 题的结果，可知 $\int_0^{+\infty} \sin x^2 \mathrm{d}x = \int_0^{+\infty} \cos x^2 \mathrm{d}x = \frac{1}{2}\sqrt{\frac{\pi}{2}}$，故

$$\lim_{n\to\infty}\int_0^n \sin x^2 \mathrm{d}x = \lim_{n\to\infty}\int_0^n \cos x^2 \mathrm{d}x = \frac{1}{2}\sqrt{\frac{\pi}{2}}.$$

从而，得 $\lim\limits_{n\to\infty}\iint\limits_{\substack{|x|\leqslant n\\|y|\leqslant n}} \sin(x^2+y^2)\mathrm{d}x\mathrm{d}y = 8\cdot\frac{1}{2}\sqrt{\frac{\pi}{2}}\cdot\frac{1}{2}\sqrt{\frac{\pi}{2}} = \pi.$

【4168】 证明：尽管累次积分

$$\int_1^{+\infty}\mathrm{d}x\int_1^{+\infty}\frac{x^2-y^2}{(x^2+y^2)^2}\mathrm{d}y \text{ 及 } \int_1^{+\infty}\mathrm{d}y\int_1^{+\infty}\frac{x^2-y^2}{(x^2+y^2)^2}\mathrm{d}x$$

都收敛，但积分

$$\iint\limits_{x\geqslant1,\,y\geqslant1}\frac{x^2-y^2}{(x^2+y^2)^2}\mathrm{d}x\mathrm{d}y$$

发散.

证 首先证两个累次积分收敛.

$$\int_1^{+\infty}\frac{x^2-y^2}{(x^2+y^2)^2}\mathrm{d}y = \int_1^{+\infty}\frac{x^2}{2y}\cdot\frac{2y\mathrm{d}y}{(x^2+y^2)^2} - \int_1^{+\infty}\frac{y}{2}\cdot\frac{2y\mathrm{d}y}{(x^2+y^2)^2}$$

$$= -\frac{x^2}{2y(x^2+y^2)}\Bigg|_{y=1}^{y=+\infty} - \int_1^{+\infty}\frac{x^2\mathrm{d}y}{2y^2(x^2+y^2)} + \frac{y}{2(x^2+y^2)}\Bigg|_{y=1}^{y=+\infty} - \int_1^{+\infty}\frac{\mathrm{d}y}{2(x^2+y^2)}$$

$$= \frac{x^2}{2(x^2+1)} - \frac{1}{2}\int_1^{+\infty}\left(\frac{1}{y^2}-\frac{1}{x^2+y^2}\right)\mathrm{d}y - \frac{1}{2(x^2+1)} - \frac{1}{2}\int_1^{+\infty}\frac{\mathrm{d}y}{x^2+y^2}$$

$$= \frac{x^2-1}{2(x^2+1)} - \frac{1}{2} = -\frac{1}{x^2+1},$$

故

$$\int_1^{+\infty}\mathrm{d}x\int_1^{+\infty}\frac{x^2-y^2}{(x^2+y^2)^2}\mathrm{d}y = -\int_1^{+\infty}\frac{\mathrm{d}x}{x^2+1} = -\frac{\pi}{4}.$$

同理(利用已算得的结果)

$$\int_1^{+\infty}\mathrm{d}y\int_1^{+\infty}\frac{x^2-y^2}{(x^2+y^2)^2}\mathrm{d}x = -\int_1^{+\infty}\mathrm{d}y\int_1^{+\infty}\frac{y^2-x^2}{(x^2+y^2)^2}\mathrm{d}x = \int_1^{+\infty}\frac{1}{y^2+1}\mathrm{d}y = \frac{\pi}{4}.$$

故两个累次积分都收敛.

其次证积分

$$\iint\limits_{x\geqslant1,\,y\geqslant1}\frac{x^2-y^2}{(x^2+y^2)^2}\mathrm{d}x\mathrm{d}y \qquad ①$$

发散. 为此只要证积分

$$\iint\limits_{x\geqslant1,\,1\leqslant y\leqslant x}\frac{x^2-y^2}{(x^2+y^2)^2}\mathrm{d}x\mathrm{d}y \qquad ②$$

发散即可(因为如果积分 ① 收敛，则绝对值积分

$$\iint\limits_{x\geqslant1,\,y\geqslant1}\left|\frac{x^2-y^2}{(x^2+y^2)^2}\right|\mathrm{d}x\mathrm{d}y \qquad ③$$

必收敛. 从而，在小一点的区域上的积分 $\iint\limits_{x\geqslant1,\,1\leqslant y\leqslant x}\left|\frac{x^2-y^2}{(x^2+y^2)^2}\right|\mathrm{d}x\mathrm{d}y$ 更收敛. 由此可知，积分 ② 收敛). 由于

$$I_n = \iint\limits_{\substack{1\leqslant x\leqslant n\\1\leqslant y\leqslant x}}\frac{x^2-y^2}{(x^2+y^2)^2}\mathrm{d}x\mathrm{d}y = \int_1^n\mathrm{d}x\int_1^x\frac{x^2-y^2}{(x^2+y^2)^2}\mathrm{d}y,$$

仿上，利用部分积分法，容易算得

$$\int_1^x \frac{x^2-y^2}{(x^2+y^2)^2}\mathrm{d}y=-\frac{x^2}{2y(x^2+y^2)}\Bigg|_{y=1}^{y=x}-\int_1^x \frac{x^2\mathrm{d}y}{2y^2(x^2+y^2)}+\frac{y}{2(x^2+y^2)}\Bigg|_{y=1}^{y=x}-\int_1^x \frac{\mathrm{d}y}{2(x^2+y^2)}$$

$$=-\frac{1}{x^2+1}+\frac{1}{2x}.$$

故

$$\lim_{n\to\infty}I_n=\lim_{n\to\infty}\int_1^n\left(-\frac{1}{x^2+1}+\frac{1}{2x}\right)\mathrm{d}x=\lim_{n\to\infty}\left(\frac{\pi}{4}-\arctan n+\frac{1}{2}\ln n\right)=+\infty,$$

由此可知积分 ② 发散.

注 也可用反证法证明积分 ① 发散. 假定积分 ① 收敛. 于是，积分 ③ 收敛. 但恒有

$$\iint\limits_{x\geqslant1,y\geqslant1}\left|\frac{x^2-y^2}{(x^2+y^2)^2}\right|\mathrm{d}x\mathrm{d}y=\int_1^{+\infty}\mathrm{d}x\int_1^{+\infty}\left|\frac{x^2-y^2}{(x^2+y^2)^2}\right|\mathrm{d}y=\int_1^{+\infty}\mathrm{d}y\int_1^{+\infty}\left|\frac{x^2-y^2}{(x^2+y^2)^2}\right|\mathrm{d}x,\qquad ④$$

故 ④ 式中两个累次积分都收敛. 又由前面已证不取绝对值的两个累次积分

$$\int_1^{+\infty}\mathrm{d}x\int_1^{+\infty}\frac{x^2-y^2}{(x^2+y^2)^2}\mathrm{d}y \text{ 与 } \int_1^{+\infty}\mathrm{d}y\int_1^{+\infty}\frac{x^2-y^2}{(x^2+y^2)^2}\mathrm{d}x$$

都收敛，故知

$$\iint\limits_{x\geqslant1,y\geqslant1}\frac{x^2-y^2}{(x^2+y^2)^2}\mathrm{d}x\mathrm{d}y=\int_1^{+\infty}\mathrm{d}x\int_1^{+\infty}\frac{x^2-y^2}{(x^2+y^2)^2}\mathrm{d}y=-\frac{\pi}{4},$$

$$\iint\limits_{x\geqslant1,y\geqslant1}\frac{x^2-y^2}{(x^2+y^2)^2}\mathrm{d}x\mathrm{d}y=\int_1^{+\infty}\mathrm{d}y\int_1^{+\infty}\frac{x^2-y^2}{(x^2+y^2)^2}\mathrm{d}x=\frac{\pi}{4},$$

这是不可能的. 证毕.

习题 4169—4180 计算二重广义积分

【计算下列广义二重积分(参数是正的)(4169—4174)】

【4169】 $\displaystyle\iint\limits_{\substack{xy\geqslant1\\x\geqslant1}}\frac{\mathrm{d}x\mathrm{d}y}{x^py^q}.$

解

$$I=\iint\limits_{\substack{xy\geqslant1\\x\geqslant1}}\frac{\mathrm{d}x\mathrm{d}y}{x^py^q}=\int_1^{+\infty}\frac{\mathrm{d}x}{x^p}\int_{\frac{1}{x}}^{+\infty}\frac{\mathrm{d}y}{y^q}.$$

而当 $q>1$ 时，$\displaystyle\int_{\frac{1}{x}}^{+\infty}\frac{\mathrm{d}y}{y^q}=\frac{x^{q-1}}{q-1}$（注意，当 $q\leqslant1$ 时，此积分发散，从而，$I=+\infty$）；

又当 $p>q$ 时，$\displaystyle I=\frac{1}{q-1}\int_1^{+\infty}x^{q-p-1}\mathrm{d}x=\frac{1}{(p-q)(q-1)}$（注意，当 $p\leqslant q$ 时，此积分发散，$I=+\infty$）.

综上所述，可知当 $p>q>1$ 时，$\displaystyle\iint\limits_{\substack{xy\geqslant1\\x\geqslant1}}\frac{\mathrm{d}x\mathrm{d}y}{x^py^q}=\frac{1}{(p-q)(q-1)}.$

【4170】 $\displaystyle\iint\limits_{\substack{x+y\geqslant1\\0\leqslant x\leqslant1}}\frac{\mathrm{d}x\mathrm{d}y}{(x+y)^p}.$

解

$$I=\iint\limits_{\substack{x+y\geqslant1\\0\leqslant x\leqslant1}}\frac{\mathrm{d}x\mathrm{d}y}{(x+y)^p}=\int_0^1\mathrm{d}x\int_{1-x}^{+\infty}\frac{\mathrm{d}y}{(x+y)^p}.$$

当 $p>1$ 时，$\displaystyle\int_{1-x}^{+\infty}\frac{\mathrm{d}y}{(x+y)^p}=-\frac{1}{p-1}\cdot\frac{1}{(x+y)^{p-1}}\Bigg|_{y=1-x}^{y=+\infty}=\frac{1}{p-1}$. 当 $p\leqslant1$ 时，积分发散，$I=+\infty$，故

$$I=\int_0^1\frac{\mathrm{d}x}{p-1}=\frac{1}{p-1}.$$

【4171】 $\displaystyle\iint\limits_{x^2+y^2\leqslant 1}\frac{\mathrm{d}x\mathrm{d}y}{\sqrt{1-x^2-y^2}}$.

解 令 $x=r\cos\theta, y=r\sin\theta$,则

$$\iint\limits_{x^2+y^2\leqslant 1}\frac{\mathrm{d}x\mathrm{d}y}{\sqrt{1-x^2-y^2}}=\int_0^{2\pi}\mathrm{d}\theta\int_0^1\frac{r}{\sqrt{1-r^2}}\mathrm{d}r=2\pi(-\sqrt{1-r^2})\Big|_{r=0}^{r=1}=2\pi.$$

【4172】 $\displaystyle\iint\limits_{x^2+y^2\geqslant 1}\frac{\mathrm{d}x\mathrm{d}y}{(x^2+y^2)^p}$.

解 令 $x=r\cos\theta, y=r\sin\theta$,则

$$\iint\limits_{x^2+y^2\geqslant 1}\frac{\mathrm{d}x\mathrm{d}y}{(x^2+y^2)^p}=\int_0^{2\pi}\mathrm{d}\theta\int_1^{+\infty}\frac{\mathrm{d}r}{r^{2p-1}}=\begin{cases}\dfrac{\pi}{p-1}, & p>1,\\ +\infty, & p\leqslant 1.\end{cases}$$

【4173】 $\displaystyle\iint\limits_{y\geqslant x^2+1}\frac{\mathrm{d}x\mathrm{d}y}{x^4+y^2}$.

解 $$I=\iint\limits_{y\geqslant x^2+1}\frac{\mathrm{d}x\mathrm{d}y}{x^4+y^2}=\int_{-\infty}^{+\infty}\mathrm{d}x\int_{x^2+1}^{+\infty}\frac{\mathrm{d}y}{x^4+y^2}=2\int_0^{+\infty}\mathrm{d}x\int_{x^2+1}^{+\infty}\frac{\mathrm{d}y}{x^4+y^2}.$$

由于$\displaystyle\int_{x^2+1}^{+\infty}\frac{\mathrm{d}y}{x^4+y^2}=\frac{1}{x^2}\arctan\frac{y}{x^2}\Big|_{y=x^2+1}^{y=+\infty}=\frac{1}{x^2}\left[\frac{\pi}{2}-\arctan\left(1+\frac{1}{x^2}\right)\right]$,故

$$I=2\int_0^{+\infty}\frac{1}{x^2}\left[\frac{\pi}{2}-\arctan\left(1+\frac{1}{x^2}\right)\right]\mathrm{d}x$$

$$=-\frac{2}{x}\left[\frac{\pi}{2}-\arctan\left(1+\frac{1}{x^2}\right)\right]\Big|_0^{+\infty}+2\int_0^{+\infty}\frac{\frac{1}{x}\cdot\frac{2}{x^3}}{1+\left(1+\frac{1}{x^2}\right)^2}\mathrm{d}x=2\int_0^{+\infty}\frac{\mathrm{d}x}{x^4+x^2+\frac{1}{2}},$$

其中

$$\lim_{x\to 0^+}\frac{\frac{\pi}{2}-\arctan\left(1+\frac{1}{x^2}\right)}{x}\xlongequal{u=\frac{1}{x}}\lim_{u\to+\infty}\frac{\frac{\pi}{2}-\arctan(1+u^2)}{\frac{1}{u}}$$

$$=\lim_{u\to+\infty}\frac{\frac{-2u}{1+(1+u^2)^2}}{-\frac{1}{u^2}}=2\lim_{u\to+\infty}\frac{u^3}{1+(1+u^2)^2}=0.$$

下面计算积分$\displaystyle\int_0^{+\infty}\frac{\mathrm{d}x}{x^4+x^2+\frac{1}{2}}$. 为简单计,记 $a=\sqrt{\sqrt{2}-1}$, $b=\dfrac{1}{\sqrt{2}}$,则

$$\frac{1}{x^4+x^2+\frac{1}{2}}=\frac{1}{\left(x^2+\frac{1}{\sqrt{2}}\right)^2-(\sqrt{2}-1)x^2}=\frac{1}{(x^2+b)^2-(ax)^2}$$

$$=\frac{1}{(x^2+ax+b)(x^2-ax+b)}=\frac{1}{2ab}\left(\frac{x+a}{x^2+ax+b}-\frac{x-a}{x^2-ax+b}\right)$$

$$=\frac{1}{4ab}\left(\frac{2x+a}{x^2+ax+b}+\frac{a}{x^2+ax+b}-\frac{2x-a}{x^2-ax+b}+\frac{a}{x^2-ax+b}\right).$$

于是

$$\int_0^{+\infty}\frac{\mathrm{d}x}{x^4+x^2+\frac{1}{2}}=\frac{1}{4ab}\int_0^{+\infty}\left(\frac{2x+a}{x^2+ax+b}-\frac{2x-a}{x^2-ax+b}\right)\mathrm{d}x+\frac{1}{4b}\int_0^{+\infty}\left(\frac{1}{x^2+ax+b}+\frac{1}{x^2-ax+b}\right)\mathrm{d}x$$

$$= \frac{1}{4ab}\ln\frac{x^2+ax+b}{x^2-ax+b}\Big|_0^{+\infty} + \frac{1}{2b\sqrt{4b-a^2}}\left(\arctan\frac{2x+a}{\sqrt{4b-a^2}}+\arctan\frac{2x-a}{\sqrt{4b-a^2}}\right)\Big|_0^{+\infty}$$

$$= \frac{\pi}{2b\sqrt{4b-a^2}} = \frac{\pi}{2\cdot\frac{1}{\sqrt{2}}\sqrt{\frac{4}{\sqrt{2}}-(\sqrt{2}-1)}} = \frac{\pi\sqrt{2(\sqrt{2}-1)}}{2}.$$

故 $I = 2\int_0^{+\infty}\frac{dx}{x^4+x^2+\frac{1}{2}} = \pi\sqrt{2(\sqrt{2}-1)}$.

【4174】 $\iint\limits_{0\leqslant x\leqslant y} e^{-(x+y)}dxdy$.

解 $\iint\limits_{0\leqslant x\leqslant y} e^{-(x+y)}dxdy = \int_0^{+\infty}dx\int_x^{+\infty}e^{-(x+y)}dy = \int_0^{+\infty}e^{-x}dx\int_x^{+\infty}e^{-y}dy = \int_0^{+\infty}e^{-2x}dx = \frac{1}{2}$.

【变换为极坐标,计算下列积分(4175—4177)】

【4175】 $\int_{-\infty}^{+\infty}\int_{-\infty}^{+\infty}e^{-(x^2+y^2)}dxdy$.

解 令 $x = r\cos\theta, y = r\sin\theta$,则

$$\int_{-\infty}^{+\infty}\int_{-\infty}^{+\infty}e^{-(x^2+y^2)}dxdy = \int_0^{2\pi}d\theta\int_0^{+\infty}re^{-r^2}dr = 2\pi\left(-\frac{1}{2}e^{-r^2}\right)\Big|_0^{+\infty} = \pi.$$

【4176】 $\int_{-\infty}^{+\infty}\int_{-\infty}^{+\infty}e^{-(x^2+y^2)}\cos(x^2+y^2)dxdy$.

解 由于 $|e^{-(x^2+y^2)}\cos(x^2+y^2)| \leqslant e^{-(x^2+y^2)}$,而

$$\int_{-\infty}^{+\infty}\int_{-\infty}^{+\infty}e^{-(x^2+y^2)}dxdy$$

收敛(参看4175题),故

$$\int_{-\infty}^{+\infty}\int_{-\infty}^{+\infty}e^{-(x^2+y^2)}\cos(x^2+y^2)dxdy$$

收敛.从而,采用极坐标就有

$$\int_{-\infty}^{+\infty}\int_{-\infty}^{+\infty}e^{-(x^2+y^2)}\cos(x^2+y^2)dxdy = \int_0^{2\pi}d\theta\int_0^{+\infty}re^{-r^2}\cos r^2dr$$

$$= \pi\int_0^{+\infty}e^{-t}\cos t dt = \pi\frac{(\sin t-\cos t)e^{-t}}{2}\Big|_0^{+\infty} = \frac{\pi}{2}.$$

【4177】 $\int_{-\infty}^{+\infty}\int_{-\infty}^{+\infty}e^{-(x^2+y^2)}\sin(x^2+y^2)dxdy$.

解 由于 $|e^{-(x^2+y^2)}\sin(x^2+y^2)| \leqslant e^{-(x^2+y^2)}$,而积分$\int_{-\infty}^{+\infty}\int_{-\infty}^{+\infty}e^{-(x^2+y^2)}dxdy$收敛(4175题),故积分

$$\int_{-\infty}^{+\infty}\int_{-\infty}^{+\infty}e^{-(x^2+y^2)}\sin(x^2+y^2)dxdy$$

收敛.

令 $x = r\cos\theta, y = r\sin\theta$,则有

$$\int_{-\infty}^{+\infty}\int_{-\infty}^{+\infty}e^{-(x^2+y^2)}\sin(x^2+y^2)dxdy = \int_0^{2\pi}d\theta\int_0^{+\infty}re^{-r^2}\sin r^2dr$$

$$\xlongequal{r^2=t}\pi\int_0^{+\infty}e^{-t}\sin t dt = \pi\frac{(-\sin t-\cos t)e^{-t}}{2}\Big|_0^{+\infty} = \frac{\pi}{2}.$$

【计算下列积分(4178—4180)】

【4178】 $\int_{-\infty}^{+\infty}\int_{-\infty}^{+\infty}e^{ax^2+2bxy+cy^2+2dx+2ey+f}dxdy$,其中 $a<0, ac-b^2>0$.

解 令 $\delta=ac-b^2>0, t=x+\frac{b}{a}y$,

$$\begin{aligned}\varphi(x,y)&=ax^2+2bxy+cy^2+2dx+2ey+f\\&=a\left(x^2+\frac{2b}{a}xy+\frac{b^2}{a^2}y^2\right)+\frac{ac-b^2}{a}y^2+2dx+2ey+f\\&=a\left(x+\frac{b}{a}y\right)^2+\frac{\delta}{a}y^2+2dx+2ey+f=at^2+\frac{\delta}{a}y^2+2d\left(t-\frac{b}{a}y\right)+2ey+f\\&=a\left(t^2+\frac{2d}{a}t+\frac{d^2}{a^2}\right)-\frac{d^2}{a}+\frac{\delta}{a}\left[y^2+\frac{2}{\delta}(ae-bd)y+\frac{(ae-bd)^2}{\delta^2}\right]-\frac{(ae-bd)^2}{a\delta}+f\\&=a\left(t+\frac{d}{a}\right)^2+\frac{\delta}{a}\left(y+\frac{ae-bd}{\delta}\right)^2+\beta,\end{aligned}$$

其中

$$\begin{aligned}\beta&=f-\frac{d^2}{a}-\frac{(ae-bd)^2}{a\delta}=\frac{1}{a\delta}[af(ac-b^2)-d^2(ac-b^2)-(ae-bd)^2]\\&=\frac{1}{\delta}(acf-b^2f-cd^2-ae^2+2bde)=\frac{\Delta}{\delta},\end{aligned}$$

这里

$$\Delta=\begin{vmatrix}a&b&d\\b&c&e\\d&e&f\end{vmatrix}.$$

作变量代换

$$\begin{cases}u=\sqrt{-a}x+\dfrac{b\sqrt{-a}}{a}y+\dfrac{d\sqrt{-a}}{a},\\ v=\sqrt{-\dfrac{\delta}{a}}y+\sqrt{-\dfrac{\delta}{a}}\dfrac{ae-bd}{\delta},\end{cases}\qquad ①$$

则 $\varphi(x,y)=-u^2-v^2+\beta$. 又

$$\frac{D(x,y)}{D(u,v)}=\frac{1}{\dfrac{D(u,v)}{D(x,y)}}=\frac{1}{\begin{vmatrix}\sqrt{-a}&\dfrac{b}{a}\sqrt{-a}\\0&\sqrt{-\dfrac{\delta}{a}}\end{vmatrix}}=\frac{1}{\sqrt{\delta}}>0,$$

故线性变换 ① 是非退化的,它将(x,y)平面的点与(u,v)平面的点一一对应. 故利用 4175 题的结果,得

$$\int_{-\infty}^{+\infty}\int_{-\infty}^{+\infty}e^{\varphi(x,y)}\,dxdy=\int_{-\infty}^{+\infty}\int_{-\infty}^{+\infty}e^{-u^2-v^2+\beta}\frac{1}{\sqrt{\delta}}dudv=\frac{1}{\sqrt{\delta}}e^{\frac{\Delta}{\delta}}\int_{-\infty}^{+\infty}\int_{-\infty}^{+\infty}e^{-(u^2+v^2)}\,dudv=\frac{\pi}{\sqrt{\delta}}e^{\frac{\Delta}{\delta}}.$$

【4179】 $\displaystyle\iint\limits_{\frac{x^2}{a^2}+\frac{y^2}{b^2}\geqslant 1}e^{-\left(\frac{x^2}{a^2}+\frac{y^2}{b^2}\right)}\,dxdy.$

解 作广义极坐标变换 $x=ar\cos\theta, y=br\sin\theta$,则

$$\iint\limits_{\frac{x^2}{a^2}+\frac{y^2}{b^2}\geqslant 1}e^{-\left(\frac{x^2}{a^2}+\frac{y^2}{b^2}\right)}\,dxdy=\int_0^{2\pi}d\theta\int_1^{+\infty}abre^{-r^2}\,dr=2\pi ab\left(-\frac{1}{2}e^{-r^2}\right)\Big|_1^{+\infty}=\pi abe^{-1}.$$

【4180】 $\displaystyle\int_{-\infty}^{+\infty}\int_{-\infty}^{+\infty}xye^{-\left(\frac{x^2}{a^2}+2\varepsilon\frac{x}{a}\cdot\frac{y}{b}+\frac{y^2}{b^2}\right)}\,dxdy\,(0<|\varepsilon|<1).$

解 作广义极坐标变换 $x=ar\cos\theta, y=br\sin\theta$,则有

$$I=\int_{-\infty}^{+\infty}\int_{-\infty}^{+\infty}xye^{-\left(\frac{x^2}{a^2}+2\varepsilon\frac{x}{a}\cdot\frac{y}{b}+\frac{y^2}{b^2}\right)}\,dxdy=\int_0^{2\pi}d\theta\int_0^{+\infty}\frac{1}{2}a^2b^2r^3\sin 2\theta e^{-r^2(1+\varepsilon\sin 2\theta)}\,dr.\qquad ①$$

由于 $|r^3\sin 2\theta e^{-r^2(1+\varepsilon\sin 2\theta)}|\leqslant r^3e^{-r^2(1-|\varepsilon|)}$,而积分

$$\int_0^{2\pi}\int_0^{+\infty} r^3 e^{-r^2(1-|\varepsilon|)}\,dr d\theta=\int_0^{2\pi}d\theta\int_0^{+\infty} r^3 e^{-r^2(1-|\varepsilon|)}\,dr=2\pi\int_0^{+\infty} r^3 e^{-r^2(1-|\varepsilon|)}\,dr<+\infty,$$

故 ① 式中的二重广义积分收敛. 于是

$$I=\frac{1}{2}a^2b^2\int_0^{2\pi}\sin 2\theta d\theta\int_0^{+\infty} r^3 e^{-r^2(1+\varepsilon\sin 2\theta)}\,dr. \qquad ②$$

但是

$$\begin{aligned}\int_0^{+\infty} r^3 e^{-r^2(1+\varepsilon\sin 2\theta)}\,dr&=\frac{1}{2}\int_0^{+\infty} te^{-t(1+\varepsilon\sin 2\theta)}\,dt\\&=-\frac{1}{2(1+\varepsilon\sin 2\theta)}\left[te^{-t(1+\varepsilon\sin 2\theta)}\Big|_0^{+\infty}-\int_0^{+\infty}e^{-t(1+\varepsilon\sin 2\theta)}\,dt\right]\\&=\frac{1}{2(1+\varepsilon\sin 2\theta)}\int_0^{+\infty}e^{-t(1+\varepsilon\sin 2\theta)}\,dt=\frac{1}{2(1+\varepsilon\sin 2\theta)^2},\end{aligned}$$

故

$$\begin{aligned}I&=\frac{1}{4}a^2b^2\int_0^{2\pi}\frac{\sin 2\theta}{(1+\varepsilon\sin 2\theta)^2}d\theta=\frac{1}{2}a^2b^2\int_0^{\pi}\frac{\sin 2\theta}{(1+\varepsilon\sin 2\theta)^2}d\theta=\frac{1}{4}a^2b^2\int_0^{2\pi}\frac{\sin u}{(1+\varepsilon\sin u)^2}du\\&=\frac{1}{4}a^2b^2\left[\int_0^{\frac{\pi}{2}}\frac{\sin u}{(1+\varepsilon\sin u)^2}du+\int_{\frac{\pi}{2}}^{\pi}\frac{\sin u}{(1+\varepsilon\sin u)^2}du+\int_{\pi}^{\frac{3\pi}{2}}\frac{\sin u}{(1+\varepsilon\sin u)^2}du+\int_{\frac{3\pi}{2}}^{2\pi}\frac{\sin u}{(1+\varepsilon\sin u)^2}du\right]\\&=\frac{1}{2}a^2b^2\left[\int_0^{\frac{\pi}{2}}\frac{\sin u du}{(1+\varepsilon\sin u)^2}-\int_0^{\frac{\pi}{2}}\frac{\sin u du}{(1-\varepsilon\sin u)^2}\right].\end{aligned}$$

作代换 $u=\frac{\pi}{2}-v$，有

$$\int_0^{\frac{\pi}{2}}\frac{\sin u du}{(1+\varepsilon\sin u)^2}=\frac{1}{\varepsilon}\int_0^{\frac{\pi}{2}}\left[\frac{1}{1+\varepsilon\sin u}-\frac{1}{(1+\varepsilon\sin u)^2}\right]du=\frac{1}{\varepsilon}\int_0^{\frac{\pi}{2}}\left[\frac{1}{1+\varepsilon\cos v}-\frac{1}{(1+\varepsilon\cos v)^2}\right]dv,$$

同理，有

$$\int_0^{\frac{\pi}{2}}\frac{\sin u du}{(1-\varepsilon\sin u)^2}=-\frac{1}{\varepsilon}\int_0^{\frac{\pi}{2}}\left[\frac{1}{1-\varepsilon\cos v}-\frac{1}{(1-\varepsilon\cos v)^2}\right]dv.$$

根据 2023 题(1) 和 2065 题的结果，可知当 $0<|\varepsilon|<1$ 时，有

$$\int\frac{dx}{1+\varepsilon\cos x}=\frac{2}{\sqrt{1-\varepsilon^2}}\arctan\left(\sqrt{\frac{1-\varepsilon}{1+\varepsilon}}\tan\frac{x}{2}\right)+C, \qquad ④$$

$$\int\frac{dx}{(1+\varepsilon\cos x)^2}=-\frac{\varepsilon\sin x}{(1-\varepsilon^2)(1+\varepsilon\cos x)}+\frac{2}{(1-\varepsilon^2)^{\frac{3}{2}}}\arctan\left(\sqrt{\frac{1-\varepsilon}{1+\varepsilon}}\tan\frac{x}{2}\right)+C. \qquad ⑤$$

于是

$$\int_0^{\frac{\pi}{2}}\frac{\sin u du}{(1+\varepsilon\sin u)^2}=\frac{1}{\varepsilon}\left[\frac{2}{\sqrt{1-\varepsilon^2}}\arctan\sqrt{\frac{1-\varepsilon}{1+\varepsilon}}+\frac{\varepsilon}{1-\varepsilon^2}-\frac{2}{(1-\varepsilon^2)^{\frac{3}{2}}}\arctan\sqrt{\frac{1-\varepsilon}{1+\varepsilon}}\right],$$

$$\int_0^{\frac{\pi}{2}}\frac{\sin u du}{(1-\varepsilon\sin u)^2}=-\frac{1}{\varepsilon}\left[\frac{2}{\sqrt{1-\varepsilon^2}}\arctan\sqrt{\frac{1+\varepsilon}{1-\varepsilon}}-\frac{\varepsilon}{1-\varepsilon^2}-\frac{2}{(1-\varepsilon^2)^{\frac{3}{2}}}\arctan\sqrt{\frac{1+\varepsilon}{1-\varepsilon}}\right].$$

从而，由 ③ 式得 $I=\frac{1}{\varepsilon}a^2b^2\left[\frac{1}{\sqrt{1-\varepsilon^2}}-\frac{1}{(1-\varepsilon^2)^{\frac{3}{2}}}\right]\left[\arctan\sqrt{\frac{1-\varepsilon}{1+\varepsilon}}+\arctan\sqrt{\frac{1+\varepsilon}{1-\varepsilon}}\right]$.

但对任何的 $x>0$，有 $\arctan x+\arctan\frac{1}{x}=\frac{\pi}{2}$，故最后得

$$I=\frac{1}{\varepsilon}a^2b^2\left[\frac{1}{\sqrt{1-\varepsilon^2}}-\frac{1}{(1-\varepsilon^2)^{\frac{3}{2}}}\right]\frac{\pi}{2}=-\frac{\pi\varepsilon a^2b^2}{2(1-\varepsilon^2)^{\frac{3}{2}}}.$$

注 在 2033 题(1) 和 2065 题中假定 $0<\varepsilon<1$，但从其推导过程可以看出公式 ④⑤ 当 $-1<\varepsilon<0$ 时也成立.

知识点2 不连续函数的广义积分

1. 定义 若函数 $f(x,y)$ 在有界封闭区域 Ω 内除点 $P(a,b)$ 外处处连续，则定义

$$\iint_{\Omega} f(x,y)\mathrm{d}x\mathrm{d}y = \lim_{\varepsilon\to 0^+}\iint_{\Omega\setminus U_\varepsilon} f(x,y)\mathrm{d}x\mathrm{d}y, \qquad ①$$

其中 U_ε 是包含点 P 的以 ε 为直径的区域，并且当极限存在时，所研究的积分称为收敛的；否则称为发散的.

2. 敛散性判别 假定在点 $P(a,b)$ 的邻近有等式

$$f(x,y) = \frac{\varphi(x,y)}{r^\alpha},$$

其中函数 $\varphi(x,y)$ 的绝对值是介于两正数 m 和 M 之间，且 $r=\sqrt{(x-a)^2+(y-b)^2}$，则 (1) 当 $\alpha<2$ 时，积分 ① 收敛； (2) 当 $\alpha\geqslant 2$ 时，积分 ① 发散.

> **注** (1) 若函数 $f(x,y)$ 有不连续的线，也可类似地定义出广义积分 ①.
> (2) 不连续函数的广义积分的概念易于引伸到三重积分的情形.

习题 4181—4186 判断不连续函数的二重广义积分的敛散性

【研究下列不连续函数的二重广义积分的收敛性 $(0<m\leqslant|\varphi(x,y)|\leqslant M)$ **(4181—4185)】**

【4181】 $\displaystyle\iint_{\Omega}\frac{\mathrm{d}x\mathrm{d}y}{x^2+y^2}$，其中区域 Ω 由条件 $|y|\leqslant x^2, x^2+y^2\leqslant 1$ 确定.

解 显然，Ω 为图 8.61 中的阴影部分.

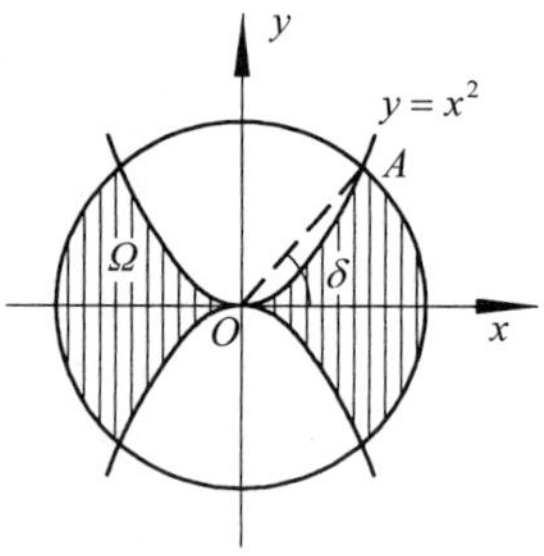

图 8.61

令 $x=r\cos\theta, y=r\sin\theta$，则由于对称性以及被积函数的非负性，有

$$\iint_{\Omega}\frac{\mathrm{d}x\mathrm{d}y}{x^2+y^2} = 4\int_0^\delta \mathrm{d}\theta\int_{\frac{\sin\theta}{\cos^2\theta}}^1\frac{\mathrm{d}r}{r} = 4\int_0^\delta \ln\frac{\cos^2\theta}{\sin\theta}\mathrm{d}\theta,$$

其中 δ 表示图 8.61 中射线 OA 与 Ox 轴之间的夹角，抛物线 $y=x^2$ 的极坐标方程为 $r=\dfrac{\sin\theta}{\cos^2\theta}$. 由于

$$\lim_{\theta\to 0^+}\theta^{\frac{1}{2}}\ln\frac{\cos^2\theta}{\sin\theta} = \lim_{\theta\to 0^+}\left[\left(\frac{\theta}{\sin\theta}\right)^{\frac{1}{2}}\cdot\cos\theta\cdot\frac{\ln\dfrac{\cos^2\theta}{\sin\theta}}{\left(\dfrac{\cos^2\theta}{\sin\theta}\right)^{\frac{1}{2}}}\right] = 0,$$

故积分 $\displaystyle\int_0^\delta \ln\frac{\cos^2\theta}{\sin\theta}\mathrm{d}\theta$ 收敛，从而，原积分 $\displaystyle\iint_{\Omega}\frac{\mathrm{d}x\mathrm{d}y}{x^2+y^2}$ 收敛.

【4182】 $\displaystyle\iint_{x^2+y^2\leqslant 1}\frac{\varphi(x,y)}{(x^2+xy+y^2)^p}\mathrm{d}x\mathrm{d}y.$

解 由于 $x^2+xy+y^2=\dfrac{1}{2}(x^2+y^2)+\dfrac{1}{2}(x+y)^2>0\,((x,y)\neq(0,0))$，故

$$\frac{m}{(x^2+xy+y^2)^p}\leqslant\frac{|\varphi(x,y)|}{(x^2+xy+y^2)^p}\leqslant\frac{M}{(x^2+xy+y^2)^p}\,((x,y)\neq(0,0)),$$

再注意到广义重积分收敛必绝对收敛，即知积分

$$\iint\limits_{x^2+y^2\leqslant 1}\frac{\varphi(x,y)}{(x^2+xy+y^2)^p}\mathrm{d}x\mathrm{d}y \text{ 与 } \iint\limits_{x^2+y^2\leqslant 1}\frac{\mathrm{d}x\mathrm{d}y}{(x^2+xy+y^2)^p}$$

同时收敛或同时发散. 由于$\dfrac{1}{(x^2+xy+y^2)^p}>0((x,y)\neq(0,0))$，采用极坐标即得

$$\iint\limits_{x^2+y^2\leqslant 1}\frac{\mathrm{d}x\mathrm{d}y}{(x^2+xy+y^2)^p}=\int_0^{2\pi}\frac{\mathrm{d}\theta}{\left(1+\frac{1}{2}\sin 2\theta\right)^p}\int_0^1\frac{\mathrm{d}r}{r^{2p-1}},$$

$\displaystyle\int_0^{2\pi}\frac{\mathrm{d}\theta}{\left(1+\frac{1}{2}\sin 2\theta\right)^p}$ 为常义积分，其值为有限数，而

$$\int_0^1\frac{\mathrm{d}r}{r^{2p-1}}=\begin{cases}\dfrac{1}{2(1-p)}, & p<1,\\ +\infty, & p\geqslant 1.\end{cases}$$

由此可知：原积分 $\displaystyle\iint\limits_{x^2+y^2\leqslant 1}\frac{\varphi(x,y)}{(x^2+xy+y^2)^p}\mathrm{d}x\mathrm{d}y$ 当 $p<1$ 时收敛，当 $p\geqslant 1$ 时发散.

【4183】 $\displaystyle\iint\limits_{|x|+|y|\leqslant 1}\frac{\mathrm{d}x\mathrm{d}y}{|x|^p+|y|^q}(p>0,q>0)$.

解 由对称性及被积函数的非负性，有

$$\iint\limits_{|x|+|y|\leqslant 1}\frac{\mathrm{d}x\mathrm{d}y}{|x|^p+|y|^q}=4\iint\limits_{\substack{x\geqslant 0,y\geqslant 0\\ x+y\leqslant 1}}\frac{\mathrm{d}x\mathrm{d}y}{x^p+y^q}=4\iint\limits_{\Omega_1}\frac{\mathrm{d}x\mathrm{d}y}{x^p+y^q}+4\iint\limits_{\Omega_2}\frac{\mathrm{d}x\mathrm{d}y}{x^p+y^q}, \quad ①$$

其中

$$\Omega_1=\{(x,y)\mid x\geqslant 0,y\geqslant 0,x+y\leqslant 1,x^p+y^q\geqslant 2^{-p-q}\},$$
$$\Omega_2=\{(x,y)\mid x\geqslant 0,y\geqslant 0,x+y\leqslant 1,x^p+y^q\leqslant 2^{-p-q}\}.$$

令

$$\Omega_3=\{(x,y)\mid x\geqslant 0,y\geqslant 0,x^p+y^q\leqslant 2^{-p-q}\},$$

易知，当 $x\geqslant 0,y\geqslant 0,x^p+y^q\leqslant 2^{-p-q}$ 时，必有 $x+y\leqslant 1$. 事实上，由 $x\geqslant 0,y\geqslant 0,x^p+y^q\leqslant\dfrac{1}{2^{p+q}}$，可知

$$x^p\leqslant\frac{1}{2^{p+q}}\leqslant\frac{1}{2^p},y^q\leqslant\frac{1}{2^{p+q}}\leqslant\frac{1}{2^q},$$

从而 $x\leqslant\dfrac{1}{2},y\leqslant\dfrac{1}{2}$，由此知 $x+y\leqslant 1$，故 $\Omega_3=\Omega_2$.

由于函数$\dfrac{1}{x^p+y^q}$ 在有界闭区域 Ω_1 上连续，故 ① 式右端第一个积分为常义积分. 因此，广义积分 $\displaystyle\iint\limits_{|x|+|y|\leqslant 1}\frac{\mathrm{d}x\mathrm{d}y}{|x|^p+|y|^q}$ 的敛散性取决于广义积分$\displaystyle\iint\limits_{\Omega_3}\frac{\mathrm{d}x\mathrm{d}y}{x^p+y^q}$ 的敛散性. 在此积分中作变量代换

$$x=r^{\frac{2}{p}}\cos^{\frac{2}{p}}\theta,y=r^{\frac{2}{q}}\sin^{\frac{2}{q}}\theta,$$

则易知

$$\frac{D(x,y)}{D(r,\theta)}=\frac{4}{pq}r^{\frac{2}{p}+\frac{2}{q}-1}\sin^{\frac{2}{q}-1}\theta\cos^{\frac{2}{p}-1}\theta.$$

于是，注意到被积函数是非负的，得

$$\iint\limits_{\Omega_3}\frac{\mathrm{d}x\mathrm{d}y}{x^p+y^q}=\frac{4}{pq}\int_0^{\frac{\pi}{2}}\sin^{\frac{2}{q}-1}\theta\cos^{\frac{2}{p}-1}\theta\mathrm{d}\theta\int_0^{(\sqrt{2})^{-p-q}}r^{\frac{2}{p}+\frac{2}{q}-3}\mathrm{d}r$$

由 3856 题的结果知，右端第一个积分$\displaystyle\int_0^{\frac{\pi}{2}}\sin^{\frac{2}{q}-1}\theta\cos^{\frac{2}{p}-1}\theta\mathrm{d}\theta(p>0,q>0)$ 恒收敛，且值为$\dfrac{1}{2}\mathrm{B}\left(\dfrac{1}{q},\dfrac{1}{p}\right)$；而第二个积分$\displaystyle\int_0^{(\sqrt{2})^{-p-q}}r^{\frac{2}{p}+\frac{2}{q}-3}\mathrm{d}r$，当$\dfrac{2}{p}+\dfrac{2}{q}-3>-1$（即$\dfrac{1}{p}+\dfrac{1}{q}>1$）时收敛，当$\dfrac{2}{p}+\dfrac{2}{q}-3\leqslant-1$（即$\dfrac{2}{p}+\dfrac{2}{q}\leqslant 1$）时发散.

综上所述，可知原积分 $\iint\limits_{|x|+|y|\leqslant 1}\frac{\mathrm{d}x\mathrm{d}y}{|x|^p+|y|^q}$ 当$\frac{1}{p}+\frac{1}{q}>1$时收敛，当$\frac{1}{p}+\frac{1}{q}\leqslant 1$时发散.

【4184】 $\int_0^a\int_0^a \frac{\varphi(x,y)}{|x-y|^p}\mathrm{d}x\mathrm{d}y$.

解 由于$\frac{m}{|x-y|^p}\leqslant\frac{|\varphi(x,y)|}{|x-y|^p}\leqslant\frac{M}{|x-y|^p}$，并注意到广义重积分收敛必绝对收敛，可知

$$\int_0^a\int_0^a \frac{\varphi(x,y)}{|x-y|^p}\mathrm{d}x\mathrm{d}y \text{ 与 } \int_0^a\int_0^a \frac{\mathrm{d}x\mathrm{d}y}{|x-y|^p}$$

同时收敛或同时发散. 由对称性及被积函数的非负性可知

$$\int_0^a\int_0^a \frac{\mathrm{d}x\mathrm{d}y}{|x-y|^p}=2\iint\limits_{\substack{0\leqslant x\leqslant a\\0\leqslant y\leqslant x}}\frac{\mathrm{d}x\mathrm{d}y}{(x-y)^p}. \quad ①$$

当 $p<1$ 时，

$$\iint\limits_{\substack{0\leqslant x\leqslant a\\0\leqslant y\leqslant x}}\frac{\mathrm{d}x\mathrm{d}y}{(x-y)^p}=\int_0^a\mathrm{d}x\int_0^x\frac{\mathrm{d}y}{(x-y)^p}=\int_0^a\frac{x^{1-p}}{1-p}\mathrm{d}x=\frac{a^{2-p}}{(1-p)(2-p)}.$$

从而，由 ① 式知$\int_0^a\int_0^a\frac{\mathrm{d}x\mathrm{d}y}{|x-y|^p}=\frac{2a^{2-p}}{(1-p)(2-p)}$. 因此，当 $p<1$ 时积分$\int_0^a\int_0^a\frac{\mathrm{d}x\mathrm{d}y}{|x-y|^p}$ 收敛.

现设 $p\geqslant 1$. 首先有

$$\iint\limits_{\substack{0\leqslant x\leqslant a\\0\leqslant y\leqslant x}}\frac{\mathrm{d}x\mathrm{d}y}{(x-y)^p}=\lim_{\varepsilon\to 0^+}\iint\limits_{\substack{\varepsilon\leqslant x\leqslant a\\0\leqslant y\leqslant x-\varepsilon}}\frac{\mathrm{d}x\mathrm{d}y}{(x-y)^p}.$$

若 $p=1$，则

$$\iint\limits_{\substack{\varepsilon\leqslant x\leqslant a\\0\leqslant y\leqslant x-\varepsilon}}\frac{\mathrm{d}x\mathrm{d}y}{(x-y)^p}=\int_\varepsilon^a\mathrm{d}x\int_0^{x-\varepsilon}\frac{\mathrm{d}y}{x-y}=\int_\varepsilon^a(\ln x-\ln\varepsilon)\mathrm{d}x=a\ln a-a+\varepsilon-a\ln\varepsilon.$$

故 $\lim\limits_{\varepsilon\to 0^+}\iint\limits_{\substack{\varepsilon\leqslant x\leqslant a\\0\leqslant y\leqslant x-\varepsilon}}\frac{\mathrm{d}x\mathrm{d}y}{(x-y)^p}=\lim\limits_{\varepsilon\to 0^+}(a\ln a-a+\varepsilon-a\ln\varepsilon)=+\infty$. 由此可知，此时$\int_0^a\int_0^a\frac{\mathrm{d}x\mathrm{d}y}{|x-y|^p}$ 发散；

若 $p=2$，则

$$\iint\limits_{\substack{\varepsilon\leqslant x\leqslant a\\0\leqslant y\leqslant x-\varepsilon}}\frac{\mathrm{d}x\mathrm{d}y}{(x-y)^p}=\int_\varepsilon^a\mathrm{d}x\int_0^{x-\varepsilon}\frac{\mathrm{d}y}{(x-y)^2}=\int_\varepsilon^a\left(\frac{1}{\varepsilon}-\frac{1}{x}\right)\mathrm{d}x=\frac{a}{\varepsilon}-1-\ln a+\ln\varepsilon,$$

故 $\lim\limits_{\varepsilon\to 0^+}\iint\limits_{\substack{\varepsilon\leqslant x\leqslant a\\0\leqslant y\leqslant x-\varepsilon}}\frac{\mathrm{d}x\mathrm{d}y}{(x-y)^p}=\lim\limits_{\varepsilon\to 0^+}\left(\frac{a+\varepsilon\ln\varepsilon}{\varepsilon}-1-\ln a\right)=+\infty$. 由此可知，此时$\int_0^a\int_0^a\frac{\mathrm{d}x\mathrm{d}y}{|x-y|^p}$ 发散；

最后，若 $p>1,p\neq 2$，则

$$\iint\limits_{\substack{\varepsilon\leqslant x\leqslant a\\0\leqslant y\leqslant x-\varepsilon}}\frac{\mathrm{d}x\mathrm{d}y}{(x-y)^p}=\int_\varepsilon^a\mathrm{d}x\int_0^{x-\varepsilon}\frac{\mathrm{d}y}{(x-y)^p}=\frac{1}{p-1}\int_\varepsilon^a(\varepsilon^{1-p}-x^{1-p})\mathrm{d}x$$

$$=\frac{1}{(p-1)\varepsilon^{p-1}}\left(a-\frac{p-1}{p-2}\varepsilon\right)+\frac{1}{(p-1)(p-2)a^{p-2}},$$

从而 $\lim\limits_{\varepsilon\to 0^+}\iint\limits_{\substack{\varepsilon\leqslant x\leqslant a\\0\leqslant y\leqslant x-\varepsilon}}\frac{\mathrm{d}x\mathrm{d}y}{(x-y)^p}=+\infty$，由此可知，此时$\int_0^a\int_0^a\frac{\mathrm{d}x\mathrm{d}y}{|x-y|^p}$ 发散.

综上所述，积分$\int_0^a\int_0^a\frac{\mathrm{d}x\mathrm{d}y}{|x-y|^p}$ 当 $p<1$ 时收敛，$p\geqslant 1$ 时发散.

【4185】 $\iint\limits_{x^2+y^2\leqslant 1}\frac{\varphi(x,y)}{(1-x^2-y^2)^p}\mathrm{d}x\mathrm{d}y$.

解 由于

$$\frac{m}{(1-x^2-y^2)^p}\leqslant\frac{|\varphi(x,y)|}{(1-x^2-y^2)^p}\leqslant\frac{M}{(1-x^2-y^2)^p},$$

再注意到广义重积分收敛必绝对收敛，即知积分

$$\iint\limits_{x^2+y^2\leqslant 1}\frac{\varphi(x,y)}{(1-x^2-y^2)^p}\mathrm{d}x\mathrm{d}y \text{ 与 } \iint\limits_{x^2+y^2\leqslant 1}\frac{\mathrm{d}x\mathrm{d}y}{(1-x^2-y^2)^p}$$

同时收敛或同时发散. 令 $x=r\cos\theta, y=r\sin\theta$，则

$$\iint\limits_{x^2+y^2\leqslant 1}\frac{\mathrm{d}x\mathrm{d}y}{(1-x^2-y^2)^p}=\int_0^{2\pi}\mathrm{d}\theta\int_0^1\frac{r}{(1-r^2)^p}\mathrm{d}r=2\pi\int_0^1\frac{r\mathrm{d}r}{(1-r)^p(1+r)^p}.$$

由于

$$\lim_{r\to 1^-}(1-r)^p\frac{r}{(1-r)^p(1+r)^p}=2^{-p},$$

故积分 $\int_0^1\frac{r\mathrm{d}r}{(1-r)^p(1+r)^p}$ 当 $p<1$ 时收敛，$p>1$ 时发散；当 $p=1$ 时，有

$$\int_0^1\frac{r\mathrm{d}r}{1-r^2}=-\frac{1}{2}\ln(1-r^2)\Big|_0^1=+\infty,$$

故积分也发散.

由此可知，积分 $\iint\limits_{x^2+y^2\leqslant 1}\frac{\varphi(x,y)}{(1-x^2-y^2)^p}\mathrm{d}x\mathrm{d}y$ 当 $p<1$ 时收敛；当 $p\geqslant 1$ 时发散.

【4186】 证明：若(1) 函数 $\varphi(x,y)$ 在有界区域 $[a,A]\times[b,B]$ 上连续；(2) 函数 $f(x)$ 在闭区间 $[a,A]$ 上连续；(3) $p<1$，则积分 $\int_a^A\mathrm{d}x\int_b^B\frac{\varphi(x,y)}{|f(x)-y|^p}\mathrm{d}y$ 收敛.

证 首先注意，由于 $p<1$，故积分 $\int_b^B\frac{\mathrm{d}y}{|f(x)-y|^p}$ 对每个固定的 $x\in[a,A]$ 恒收敛，事实上，若 $f(x)\in[b,B]$ 为瑕积分，点 $f(x)$ 是瑕点，由于 $p<1$，故收敛；若 $f(x)\overline{\in}[b,B]$，则为常义积分，也收敛.

再根据 $\varphi(x,y)$ 的有界性，即知：对每个固定的 $x\in[a,A]$，积分 $\int_b^B\frac{\varphi(x,y)}{|f(x)-y|^p}\mathrm{d}y$ 都收敛. 令

$$F(x)=\int_b^B\frac{\varphi(x,y)}{|f(x)-y|^p}\mathrm{d}y\ (a\leqslant x\leqslant A).$$

下证 $F(x)$ 是 $[a,A]$ 上的连续函数. 若已获证，则积分

$$\int_a^A\mathrm{d}x\int_b^B\frac{\varphi(x,y)}{|f(x)-y|^p}\mathrm{d}y=\int_a^A F(x)\mathrm{d}x$$

显然是收敛的(右端为常义积分)，于是本题获证. 令 $c=\max\limits_{a\leqslant x\leqslant A}|f(x)|$. 将函数 $\varphi(x,y)$ 连续地延拓到有界闭矩形 $R(a\leqslant x\leqslant A, b-2c\leqslant y\leqslant B+2c)$ 上：

$$\varphi(x,y)=\begin{cases}\varphi(x,B), a\leqslant x\leqslant A, B<y\leqslant B+2c,\\ \varphi(x,b), a\leqslant x\leqslant A, b-2c\leqslant y<b,\end{cases}$$

延拓后的函数仍记为 $\varphi(x,y)$. 由于 $\varphi(x,y)$ 及 $|f(x)-y|^{1-p}$ 都在 $\mathbf{R}$ 上连续，故有界且一致连续：存在常数 M，使对一切 $(x,y)\in\mathbf{R}$，有

$$|\varphi(x,y)|\leqslant M,\ |f(x)-y|^{1-p}\leqslant M. \quad ①$$

$\forall\varepsilon>0, \exists\delta_1>0$(取 $\delta_1<\left(\frac{\varepsilon}{2}\right)^{\frac{1}{1-p}}$)，当 $|x_1-x_2|<\delta_1$，$|y_1-y_2|<\delta_1$ $((x_1,y_1)\in\mathbf{R}^2, (x_2,y_2)\in\mathbf{R}^2)$ 时，恒有

$$|\varphi(x_1,y_1)-\varphi(x_2,y_2)|<\varepsilon, \quad ②$$

$$||f(x_1)-y_1|^{1-p}-|f(x_2)-y_2|^{1-p}|<\varepsilon. \quad ③$$

又由 $f(x)$ 在 $[a,A]$ 上一致连续可知，$\exists\delta_2>0$，当 $|x_1-x_2|<\delta_2$ $(x_1,x_2\in[a,A])$，有

$$|f(x_1)-f(x_2)|<\delta_1. \quad ④$$

令 $\delta=\min\{\delta_1,\delta_2\}$. 故由 ② 式可知：当 $|x_1-x_2|<\delta$ $(x_1,x_2\in[a,A])$ 时，对 $\forall b-c\leqslant y\leqslant B+c$，恒有

$$|\varphi(x_1,y+f(x_1))-\varphi(x_2,y+f(x_2))|<\varepsilon. \quad ⑤$$

现设 $|x_1-x_2|<\delta$ $(x_1,x_2\in[a,A])$. 不失一般性，设 $f(x_1)\geqslant f(x_2)$，则

$$F(x_1)-F(x_2)=\int_b^B\frac{\varphi(x_1,y)}{|f(x_1)-y|^p}\mathrm{d}y-\int_b^B\frac{\varphi(x_2,y)}{|f(x_2)-y|^p}\mathrm{d}y$$

$$=\int_{b-f(x_1)}^{B-f(x_1)}\frac{\varphi(x_1,u+f(x_1))}{|u|^p}\mathrm{d}u-\int_{b-f(x_2)}^{B-f(x_2)}\frac{\varphi(x_2,u+f(x_2))}{|u|^p}\mathrm{d}u$$

$$=\int_{b-f(x_1)}^{B-f(x_1)}\frac{\varphi(x_1,u+f(x_1))}{|u|^p}\mathrm{d}u-\int_{b-f(x_2)}^{B-f(x_2)}\frac{\varphi(x_2,u+f(x_2))}{|u|^p}\mathrm{d}u$$

$$=\int_{b-f(x_1)}^{B-f(x_2)}\frac{\varphi(x_1,u+f(x_1))-\varphi(x_2,u+f(x_2))}{|u|^p}\mathrm{d}u-\int_{B-f(x_1)}^{B-f(x_2)}\frac{\varphi(x_1,u+f(x_1))}{|u|^p}\mathrm{d}u+$$

$$\int_{b-f(x_1)}^{B-f(x_2)}\frac{\varphi(x_2,u+f(x_2))}{|u|^p}\mathrm{d}u$$

$$=I_1-I_2+I_3, \qquad ⑥$$

其中 I_1,I_2,I_3 分别表上式中的三个积分. 易知($p<1$)

$$\int_\alpha^\beta\frac{\mathrm{d}u}{|u|^p}=\begin{cases}\dfrac{1}{1-p}[\beta^{1-p}-\alpha^{1-p}], & 0\leqslant\alpha\leqslant\beta,\\ \dfrac{1}{1-p}[(-\alpha)^{1-p}-(-\beta)^{1-p}], & \alpha\leqslant\beta\leqslant 0,\\ \dfrac{1}{1-p}[\beta^{1-p}+(-\alpha)^{1-p}], & \alpha<0<\beta.\end{cases}$$

从而,在任何情形下均有

$$\int_\alpha^\beta\frac{\mathrm{d}u}{|u|^p}\leqslant\frac{1}{1-p}(|\beta|^{1-p}+|\alpha|^{1-p}). \qquad ⑦$$

而当 α,β 同号时,有

$$\int_\alpha^\beta\frac{\mathrm{d}u}{|u|^p}=\frac{1}{1-p}\left||\beta|^{1-p}-|\alpha|^{1-p}\right|. \qquad ⑧$$

于是,由 ⑤ 式、① 式及 ⑦ 式,得

$$|I_1|<\varepsilon\int_{b-f(x_1)}^{B-f(x_2)}\frac{\mathrm{d}u}{|u|^p}\leqslant\frac{\varepsilon}{1-p}[|B-f(x_2)|^{1-p}+|b-f(x_1)|^{1-p}]\leqslant\frac{2M\varepsilon}{1-p}. \qquad ⑨$$

下面估计 I_2:若 $B-f(x_2)$ 与 $B-f(x_1)$ 同号,则由 ① 式、⑧ 式及 ③ 式,有

$$|I_2|\leqslant M\int_{B-f(x_1)}^{B-f(x_2)}\frac{\mathrm{d}u}{|u|^p}=\frac{M}{1-p}[|B-f(x_2)|^{1-p}-|B-f(x_1)|^{1-p}]<\frac{M\varepsilon}{1-p}.$$

若 $B-f(x_2)$ 与 $B-f(x_1)$ 异号,即 $B-f(x_1)<0<B-f(x_2)$. 由于

$$[B-f(x_2)]-[B-f(x_1)]=f(x_1)-f(x_2)<\delta_1,$$

故有 $|B-f(x_1)|<\delta_1$, $|B-f(x_2)|<\delta_1$. 于是,由 ⑦ 式并注意到 $\delta_1<\left(\frac{\varepsilon}{2}\right)^{\frac{1}{1-p}}$,即得

$$|I_2|\leqslant M\int_{B-f(x_1)}^{B-f(x_2)}\frac{\mathrm{d}u}{|u|^p}\leqslant\frac{M}{1-p}[|B-f(x_2)|^{1-p}+|B-f(x_1)|^{1-p}]<\frac{M}{1-p}(\delta_1^{1-p}+\delta_1^{1-p})<\frac{M\varepsilon}{1-p}.$$

所以,在任何情况下均有

$$|I_2|<\frac{M\varepsilon}{1-p}. \qquad ⑩$$

同理可得(在任何情况下)

$$|I_3|<\frac{M\varepsilon}{1-p}. \qquad ⑪$$

于是,由 ⑥ 式、⑨ 式、⑩ 式及 ⑪ 式,即得

$$|F(x_1)-F(x_2)|<|I_1|+|I_2|+|I_3|<\frac{4M\varepsilon}{1-p}.$$

由此可知,$F(x)$ 在$[a,A]$上(一致)连续,证毕.

习题 4187—4190 计算不连续函数的二重广义积分

【计算下列积分(4187—4190)】

【4187】 $\iint\limits_{x^2+y^2\leqslant 1}\ln\frac{1}{\sqrt{x^2+y^2}}\mathrm{d}x\mathrm{d}y.$

解 令 $x=r\cos\theta, y=r\sin\theta$，则

$$\iint\limits_{x^2+y^2\leqslant 1}\ln\frac{1}{\sqrt{x^2+y^2}}\mathrm{d}x\mathrm{d}y=\int_0^{2\pi}\mathrm{d}\theta\int_0^1 r\ln\frac{1}{r}\mathrm{d}r=-2\pi\int_0^1 r\ln r\mathrm{d}r$$

$$=-2\pi\left(\frac{r^2}{2}\ln r\Big|_0^1-\int_0^1\frac{r}{2}\mathrm{d}r\right)=\frac{\pi}{2}.$$

【4188】 $\iint\limits_{x^2+y^2\leqslant x}\frac{\mathrm{d}x\mathrm{d}y}{\sqrt{x^2+y^2}}.$

解 由关于 Ox 轴的对称性，令 $x=r\cos\theta, y=r\sin\theta$，则有

$$\iint\limits_{x^2+y^2\leqslant x}\frac{\mathrm{d}x\mathrm{d}y}{\sqrt{x^2+y^2}}=2\iint\limits_{\substack{x^2+y^2\leqslant x\\ y\geqslant 0}}\frac{\mathrm{d}x\mathrm{d}y}{\sqrt{x^2+y^2}}=2\int_0^{\frac{\pi}{2}}\mathrm{d}\theta\int_0^{\cos\theta}\mathrm{d}r=2\int_0^{\frac{\pi}{2}}\cos\theta\mathrm{d}\theta=2.$$

【4189】 $\int_0^a\mathrm{d}x\int_0^x\frac{\mathrm{d}y}{\sqrt{(a-x)(x-y)}}(a>0).$

解
$$\int_0^a\mathrm{d}x\int_0^x\frac{\mathrm{d}y}{\sqrt{(a-x)(x-y)}}=\int_0^a\frac{2\sqrt{x}}{\sqrt{a-x}}\mathrm{d}x.$$

作变量代换 $x=au$，则

$$\int_0^a\frac{2\sqrt{x}}{\sqrt{a-x}}\mathrm{d}x=2a\int_0^1 u^{\frac{1}{2}}(1-u)^{-\frac{1}{2}}\mathrm{d}u=2a\mathrm{B}\left(\frac{3}{2},\frac{1}{2}\right)$$

$$=2a\frac{\Gamma\left(\frac{3}{2}\right)\Gamma\left(\frac{1}{2}\right)}{\Gamma(2)}=2a\cdot\frac{1}{2}\Gamma^2\left(\frac{1}{2}\right)=\pi a.$$

【4190】 $\iint\limits_{\Omega}\ln\sin(x-y)\mathrm{d}x\mathrm{d}y$，其中区域 Ω 由直线 $y=0, y=x, x=\pi$ 围成.

解 作变量代换 $x=u+v, y=u-v$，则 xOy 平面上的区域 Ω 变为 uOv 平面上的区域 Ω'. 显然 Ω' 由直线 $u=v, v=0, u+v=\pi$ 所界. 又有 $\frac{D(x,y)}{D(u,v)}=-2$. 于是，

$$\iint\limits_{\Omega}\ln\sin(x-y)\mathrm{d}x\mathrm{d}y=2\iint\limits_{\Omega'}\ln\sin 2v\mathrm{d}u\mathrm{d}v$$

$$=2\int_0^{\frac{\pi}{2}}\mathrm{d}v\int_v^{\pi-v}\ln\sin 2v\mathrm{d}u=2\int_0^{\frac{\pi}{2}}(\pi-2v)\ln\sin 2v\mathrm{d}v$$

$$=2\ln 2\int_0^{\frac{\pi}{2}}(\pi-2v)\mathrm{d}v+2\int_0^{\frac{\pi}{2}}(\pi-2v)\ln\sin v\mathrm{d}v+2\int_0^{\frac{\pi}{2}}(\pi-2v)\ln\cos v\mathrm{d}v$$

$$=\pi^2\ln 2-\frac{\pi^2}{2}\ln 2+2\int_0^{\frac{\pi}{2}}(\pi-2v)\ln\sin v\mathrm{d}v+2\int_0^{\frac{\pi}{2}}2t\ln\sin t\mathrm{d}t=\frac{\pi^2}{2}\ln 2+2\pi\int_0^{\frac{\pi}{2}}\ln\sin v\mathrm{d}v$$

$$=\frac{\pi^2}{2}\ln 2+2\pi\left(-\frac{\pi}{2}\ln 2\right)=-\frac{\pi^2}{2}\ln 2.$$

注 本题用到 2353 题(1) 的结果.

习题 4191—4195 判断三重积分的敛散性

【研究下列三重积分的收敛性(4191—4195)】

【4191】 $\iiint\limits_{x^2+y^2+z^2>1} \dfrac{\varphi(x,y,z)}{(x^2+y^2+z^2)^p}\mathrm{d}x\mathrm{d}y\mathrm{d}z$,其中 $0<m\leqslant|\varphi(x,y,z)|\leqslant M$.

解 由于

$$\frac{m}{(x^2+y^2+z^2)^p}\leqslant\frac{|\varphi(x,y,z)|}{(x^2+y^2+z^2)^p}\leqslant\frac{M}{(x^2+y^2+z^2)^p},$$

再注意到广义重积分收敛必绝对收敛,可知积分

$$\iiint\limits_{x^2+y^2+z^2>1}\frac{\varphi(x,y,z)}{(x^2+y^2+z^2)^p}\mathrm{d}x\mathrm{d}y\mathrm{d}z \text{ 与 } \iiint\limits_{x^2+y^2+z^2>1}\frac{\mathrm{d}x\mathrm{d}y\mathrm{d}z}{(x^2+y^2+z^2)^p}$$

同时收敛或同时发散.

令 $x=r\cos\theta\sin\varphi, y=r\sin\theta\sin\varphi, z=r\cos\varphi$,则

$$\iiint\limits_{x^2+y^2+z^2>1}\frac{\mathrm{d}x\mathrm{d}y\mathrm{d}z}{(x^2+y^2+z^2)^p}=\int_0^{2\pi}\mathrm{d}\theta\int_0^{\pi}\sin\varphi\mathrm{d}\varphi\int_1^{+\infty}\frac{\mathrm{d}r}{r^{2p-2}}=4\pi\int_1^{+\infty}\frac{\mathrm{d}r}{r^{2p-2}}.$$

显然 $\int_1^{+\infty}\frac{\mathrm{d}r}{r^{2p-2}}$ 当 $p>\frac{3}{2}$ 时收敛, $p\leqslant\frac{3}{2}$ 时发散.

由此可知 $\iiint\limits_{x^2+y^2+z^2>1}\dfrac{\varphi(x,y,z)}{(x^2+y^2+z^2)^p}\mathrm{d}x\mathrm{d}y\mathrm{d}z$ 当 $p>\frac{3}{2}$ 时收敛,当 $p\leqslant\frac{3}{2}$ 时发散.

【4192】 $\iiint\limits_{x^2+y^2+z^2\leqslant 1} \dfrac{\varphi(x,y,z)}{(x^2+y^2+z^2)^p}\mathrm{d}x\mathrm{d}y\mathrm{d}z$,其中 $0<m\leqslant|\varphi(x,y,z)|\leqslant M$.

解 和 4191 题完全类似(请参看 4191 题的解题过程),易得

$$\iiint\limits_{x^2+y^2+z^2\leqslant 1}\frac{\varphi(x,y,z)}{(x^2+y^2+z^2)^p}\mathrm{d}x\mathrm{d}y\mathrm{d}z=\int_0^{2\pi}\mathrm{d}\theta\int_0^{\pi}\sin\varphi\mathrm{d}\varphi\int_0^{1}\frac{\mathrm{d}r}{r^{2p-2}}=4\pi\int_0^{1}\frac{\mathrm{d}r}{r^{2p-2}}.$$

显然 $\int_0^{1}\frac{\mathrm{d}r}{r^{2p-2}}$ 当 $p<\frac{3}{2}$ 时收敛,当 $p\geqslant\frac{3}{2}$ 时发散.

故 $\iiint\limits_{x^2+y^2+z^2\leqslant 1}\dfrac{\varphi(x,y,z)}{(x^2+y^2+z^2)^p}\mathrm{d}x\mathrm{d}y\mathrm{d}z$ 当 $p<\frac{3}{2}$ 时收敛,当 $p\geqslant\frac{3}{2}$ 时发散.

【4193】 $\iiint\limits_{|x|+|y|+|z|>1}\dfrac{\mathrm{d}x\mathrm{d}y\mathrm{d}z}{|x|^p+|y|^q+|z|^r}(p>0,q>0,r>0)$.

解 由对称性,有

$$\iiint\limits_{|x|+|y|+|z|>1}\frac{\mathrm{d}x\mathrm{d}y\mathrm{d}z}{|x|^p+|y|^q+|z|^r}=8\iiint\limits_{\substack{x\geqslant 0,y\geqslant 0,z\geqslant 0\\ x+y+z>1}}\frac{\mathrm{d}x\mathrm{d}y\mathrm{d}z}{x^p+y^q+z^r}$$
$$=8\iiint\limits_{\Omega_1}\frac{\mathrm{d}x\mathrm{d}y\mathrm{d}z}{x^p+y^q+z^r}+8\iiint\limits_{\Omega_2}\frac{\mathrm{d}x\mathrm{d}y\mathrm{d}z}{x^p+y^q+z^r},$$

其中

$$\Omega_1=\{(x,y,z)\mid x\geqslant 0,y\geqslant 0,z\geqslant 0,x+y+z>1,x^p+y^q+z^r\leqslant 3\},$$
$$\Omega_2=\{(x,y,z)\mid x\geqslant 0,y\geqslant 0,z\geqslant 0,x+y+z>1,x^p+y^q+z^r>3\}.$$

令 $$\Omega_3=\{(x,y,z)\mid x\geqslant 0,y\geqslant 0,z\geqslant 0,x^p+y^q+z^r>3\},$$

由于当 $x\geqslant 0,y\geqslant 0,z\geqslant 0,x^p+y^q+z^r>3$ 时必有 $x+y+z>1$. 若不然,由 $x+y+z\leqslant 1$,就有 $x\leqslant 1$, $y\leqslant 1,z\leqslant 1$,从而 $x^p\leqslant 1,y^q\leqslant 1,z^r\leqslant 1$,于是 $x^p+y^q+z^r\leqslant 3$,矛盾. 故 $\Omega_2=\Omega_3$.

显然$\iiint_{\Omega_1}\frac{dxdydz}{x^p+y^q+z^r}$为常义积分,故积分$\iiint\limits_{|x|+|y|+|z|>1}\frac{dxdydz}{|x|^p+|y|^q+|z|^r}$的敛散性取决于$\iiint\limits_{\Omega_3}\frac{dxdydz}{x^p+y^q+z^r}$的敛散性. 对此积分,作变量代换

$$x=R^{\frac{2}{p}}\cos^{\frac{2}{p}}\theta\sin^{\frac{2}{p}}\varphi,y=R^{\frac{2}{q}}\sin^{\frac{2}{q}}\theta\sin^{\frac{2}{q}}\varphi,z=R^{\frac{2}{r}}\cos^{\frac{2}{r}}\varphi.$$

则易知

$$\frac{D(x,y,z)}{D(R,\theta,\varphi)}=\frac{8}{pqr}R^{\frac{2}{p}+\frac{2}{q}+\frac{2}{r}-1}\cos^{\frac{2}{p}-1}\theta\sin^{\frac{2}{q}-1}\theta\sin^{\frac{2}{p}+\frac{2}{q}-1}\varphi\cos^{\frac{2}{r}-1}\varphi.$$

于是,利用3856题的结果,得

$$\begin{aligned}\iiint\limits_{\Omega_3}\frac{dxdydz}{x^p+y^q+z^r}&=\frac{8}{pqr}\int_0^{\frac{\pi}{2}}\sin^{\frac{2}{p}+\frac{2}{q}-1}\varphi\cos^{\frac{2}{r}-1}\varphi d\varphi\int_0^{\frac{\pi}{2}}\sin^{\frac{2}{q}-1}\theta\cos^{\frac{2}{p}-1}\theta d\theta\int_{\sqrt{3}}^{+\infty}R^{\frac{2}{p}+\frac{2}{q}+\frac{2}{r}-3}dR\\&=\frac{8}{pqr}\cdot\frac{1}{2}B\left(\frac{1}{r},\frac{1}{p}+\frac{1}{q}\right)\cdot\frac{1}{2}B\left(\frac{1}{q},\frac{1}{p}\right)\int_{\sqrt{3}}^{+\infty}R^{\frac{2}{p}+\frac{2}{q}+\frac{2}{r}-3}dR\\&=\frac{2}{pqr}B\left(\frac{1}{r},\frac{1}{p}+\frac{1}{q}\right)B\left(\frac{1}{q},\frac{1}{p}\right)\int_{\sqrt{3}}^{+\infty}R^{\frac{2}{p}+\frac{2}{q}+\frac{2}{r}-3}dR.\end{aligned}$$

由于积分$\int_{\sqrt{3}}^{+\infty}R^{\frac{2}{p}+\frac{2}{q}+\frac{2}{r}-3}dR$当$\frac{2}{p}+\frac{2}{q}+\frac{2}{r}-3<-1$(即$\frac{1}{p}+\frac{1}{q}+\frac{1}{r}<1$)时收敛,当$\frac{2}{p}+\frac{2}{q}+\frac{2}{r}-3\geqslant-1$时发散,故积分$\iiint\limits_{\Omega_3}\frac{dxdydz}{x^p+y^q+z^r}$(积分$\iiint\limits_{|x|+|y|+|z|>1}\frac{dxdydz}{|x|^p+|y|^q+|z|^r}$)当$\frac{1}{p}+\frac{1}{q}+\frac{1}{r}<1$时收敛,当$\frac{1}{p}+\frac{1}{q}+\frac{1}{r}\geqslant 1$时发散.

【4194】 $\int_0^a\int_0^a\int_0^a\frac{f(x,y,z)dxdydz}{\{[y-\varphi(x)]^2+[z-\psi(x)]^2\}^p}$,其中$0<m\leqslant|f(x,y,z)|\leqslant M$,而$\varphi(x)$和$\psi(x)$是闭区间$[0,a]$上的连续函数.

解 由于

$$\frac{m}{\{[y-\varphi(x)]^2+[z-\psi(x)]^2\}^p}\leqslant\frac{|f(x,y,z)|}{\{[y-\varphi(x)]^2+[z-\psi(x)]^2\}^p}\leqslant\frac{M}{\{[y-\varphi(x)]^2+[z-\psi(x)]^2\}^p},$$

并注意到广义重积分收敛必绝对收敛,即知积分

$$\int_0^a\int_0^a\int_0^a\frac{f(x,y,z)dxdydz}{\{[y-\varphi(x)]^2+[z-\psi(x)]^2\}^p}\text{与}\int_0^a\int_0^a\int_0^a\frac{dxdydz}{\{[y-\varphi(x)]^2+[z-\psi(x)]^2\}^p}$$

同时收敛或同时发散. 由被积函数$\frac{1}{\{[y-\varphi(x)]^2+[z-\psi(x)]^2\}^p}>0$,有

$$\int_0^a\int_0^a\int_0^a\frac{dxdydz}{\{[y-\varphi(x)]^2+[z-\psi(x)]^2\}^p}=\int_0^aF(x)dx,$$

其中$F(x)=\int_0^a\int_0^a\frac{dydz}{\{[y-\varphi(x)]^2+[z-\psi(x)]^2\}^p}(0\leqslant x\leqslant a)$.

作变量代换$u=y-\varphi(x),v=z-\psi(x)$($x$固定),则

$$\frac{D(y,z)}{D(u,v)}=\frac{1}{\frac{D(u,v)}{D(y,z)}}=1.$$

从而,有

$$F(x)=\iint\limits_{\substack{-\varphi(x)\leqslant u\leqslant a-\varphi(x)\\-\psi(x)\leqslant u\leqslant a-\psi(x)}}\frac{dudv}{(u^2+v^2)^p}. \qquad ①$$

首先设$p<1$. 令$c=\max\limits_{0\leqslant x\leqslant a}(|\varphi(x)|+|\psi(x)|)$,则由①式知

$$0<F(x)\leqslant\iint\limits_{\substack{-c\leqslant u\leqslant a+c\\-c\leqslant v\leqslant a+c}}\frac{dudv}{(u^2+v^2)^p}<\iint\limits_{u^2+v^2\leqslant 2(a+c)^2}\frac{dudv}{(u^2+v^2)^p}=\int_0^{2\pi}d\theta\int_0^{\sqrt{2}(a+c)}\frac{dr}{r^{2p-1}}=\frac{\pi}{1-p}[\sqrt{2}(a+c)]^{2-2p},$$

即 $F(x)$ 有界(实际上,仿 4186 题的证明过程还可证明 $F(x)$ 在$[0,a]$上连续),从而$\int_0^a F(x)\mathrm{d}x$ 是常义积分,显然收敛. 由此可知,此时积分

$$\int_0^a\int_0^a\int_0^a \frac{\mathrm{d}x\mathrm{d}y\mathrm{d}z}{\{[y-\varphi(x)]^2+[z-\psi(x)]^2\}^p} \qquad ②$$

收敛.

其次设 $p\geqslant 1$,这时积分 ② 可能收敛也可能发散,分两种情况讨论:

(1) 若不存在这样的 $x\in[0,a]$,使 $0\leqslant\varphi(x)\leqslant a$,$0\leqslant\psi(x)\leqslant a$ 同时成立(例如,$\varphi(x)$ 或 $\psi(x)$ 的值完全位于$[0,a]$之外). 这时,对一切 $0\leqslant x\leqslant a$,$0\leqslant y\leqslant a$,$0\leqslant z\leqslant a$,均有:连续函数$\{[y-\varphi(x)]^2+[z-\psi(x)]^2\}^p>0$. 从而,积分 ② 收敛(此时是常义积分).

(2) 若存在这样的点 $x\in[0,a]$,使 $0<\varphi(x)<a$,$0<\psi(x)<a$ 同时成立;由 $\varphi(x)$ 与 $\psi(x)$ 的连续性,必 $\exists\varepsilon>0$ 及闭区间 $I_0\subset[0,a]$,当 $x\in I_0$ 时,有 $\varepsilon\leqslant\varphi(x)\leqslant a-\varepsilon$,$\varepsilon\leqslant\psi(x)\leqslant a-\varepsilon$,从而由 ① 式知:当 $x\in I_0$ 时,有

$$F(x)\geqslant\iint\limits_{\substack{-\varepsilon\leqslant u\leqslant\varepsilon\\-\varepsilon\leqslant v\leqslant\varepsilon}}\frac{\mathrm{d}u\mathrm{d}v}{(u^2+v^2)^p}\geqslant\iint\limits_{u^2+v^2\leqslant\varepsilon^2}\frac{\mathrm{d}u\mathrm{d}v}{(u^2+v^2)^p}=\int_0^{2\pi}\mathrm{d}\theta\int_0^{\varepsilon}\frac{\mathrm{d}r}{r^{2p-1}}=2\pi\int_0^{\varepsilon}\frac{\mathrm{d}r}{r^{2p-1}}\to+\infty\,(p\geqslant 1),$$

即当 $x\in I_0$ 时恒有 $F(x)=+\infty$,由此可知,积分$\int_0^a F(x)\mathrm{d}x$ 发散. 于是,积分 ② 发散.

综上所述,可知:积分$\int_0^a\int_0^a\int_0^a \dfrac{f(x,y,z)\mathrm{d}x\mathrm{d}y\mathrm{d}z}{\{[y-\varphi(x)]^2+[z-\psi(x)]^2\}^p}$ 当 $p<1$ 时收敛;当 $p\geqslant 1$ 时,若不存在 $x\in[0,a]$,使 $0\leqslant\varphi(x)\leqslant a$,$0\leqslant\psi(x)\leqslant a$,则收敛;若存在 $x\in[0,a]$,使 $0<\varphi(x)<a$,$0<\psi(x)<a$,则发散.

【4195】 $\iiint\limits_{\substack{|x|\leqslant 1\\|y|\leqslant 1\\|z|\leqslant 1}}\dfrac{\mathrm{d}x\mathrm{d}y\mathrm{d}z}{|x+y-z|^p}$.

解 由于被积函数的非负,故

$$\iiint\limits_{\substack{|x|\leqslant 1\\|y|\leqslant 1\\|z|\leqslant 1}}\frac{\mathrm{d}x\mathrm{d}y\mathrm{d}z}{|x+y-z|^p}=2\iiint\limits_{\substack{|x|\leqslant 1,|y|\leqslant 1,|z|\leqslant 1\\x+y-z\geqslant 0}}\frac{\mathrm{d}x\mathrm{d}y\mathrm{d}z}{|x+y-z|^p}$$

$$=2\iint\limits_{\substack{|x|\leqslant 1,|y|\leqslant 1\\-1\leqslant x+y\leqslant 1}}\mathrm{d}x\mathrm{d}y\int_{-1}^{x+y}\frac{\mathrm{d}z}{|x+y-z|^p}+2\iint\limits_{\substack{0\leqslant x\leqslant 1\\0\leqslant y\leqslant 1\\x+y\geqslant 1}}\mathrm{d}x\mathrm{d}y\int_{-1}^{1}\frac{\mathrm{d}z}{|x+y-z|^p}=2I_1+2I_2,$$

其中 I_1 表示第一个积分,I_2 表示第二个积分.

若 $p<1$,则

$$\int_{-1}^{x+y}\frac{\mathrm{d}z}{(x+y-z)^p}=\frac{(x+y+1)^{1-p}}{1-p},$$

$$\int_{-1}^{1}\frac{\mathrm{d}z}{(x+y-z)^p}=\frac{(x+y+1)^{1-p}-(x+y-1)^{1-p}}{1-p}\quad(x+y\geqslant 1).$$

故

$$I_1=\frac{1}{1-p}\iint\limits_{\substack{|x|\leqslant 1,|y|\leqslant 1\\-1\leqslant x+y\leqslant 1}}(x+y-1)^{1-p}\mathrm{d}x\mathrm{d}y,$$

$$I_2=\frac{1}{1-p}\iint\limits_{\substack{0\leqslant x\leqslant 1,0\leqslant y\leqslant 1\\x+y\geqslant 1}}[(x+y+1)^{1-p}-(x+y-1)^{1-p}]\mathrm{d}x\mathrm{d}y.$$

显然,I_1 与 I_2 均为常义二重积分,当然收敛. 因此,当 $p<1$ 时,积分 $\iiint\limits_{\substack{|x|\leqslant 1\\|y|\leqslant 1\\|z|\leqslant 1}}\dfrac{\mathrm{d}x\mathrm{d}y\mathrm{d}z}{|x+y-z|^p}$ 收敛.

若 $p\geqslant 1$，则当 $x+y>-1$ 时，$\int_{-1}^{x+y}\frac{\mathrm{d}z}{|x+y-z|^p}=+\infty$，故 $I_1=+\infty$，又显然有 $I_2>0$，故此时积分 $\iiint\limits_{\substack{|x|\leqslant 1\\|y|\leqslant 1\\|z|\leqslant 1}}\frac{\mathrm{d}x\mathrm{d}y\mathrm{d}z}{|x+y-z|^p}$ 发散.

习题 4196—4200 计算三重广义积分

【计算下列积分(4196—4199)】

【4196】 $\int_0^1\int_0^1\int_0^1\frac{\mathrm{d}x\mathrm{d}y\mathrm{d}z}{x^py^qz^r}$.

解 $\int_0^1\int_0^1\int_0^1\frac{\mathrm{d}x\mathrm{d}y\mathrm{d}z}{x^py^qz^r}=\int_0^1\frac{\mathrm{d}x}{x^p}\int_0^1\frac{\mathrm{d}y}{y^q}\int_0^1\frac{\mathrm{d}z}{z^r}=\frac{1}{(1-p)(1-q)(1-r)}$ $(p<1,q<1,r<1)$.

注 若 $p\geqslant 1$ 或 $q\geqslant 1$ 或 $r\geqslant 1$，则 $\int_0^1\int_0^1\int_0^1\frac{\mathrm{d}x\mathrm{d}y\mathrm{d}z}{x^py^qz^r}=+\infty$.

【4197】 $\iiint\limits_{x^2+y^2+z^2>1}\frac{\mathrm{d}x\mathrm{d}y\mathrm{d}z}{(x^2+y^2+z^2)^3}$.

解 令 $x=r\cos\theta\sin\varphi, y=r\sin\theta\sin\varphi, z=r\cos\varphi$，则

$$\iiint\limits_{x^2+y^2+z^2>1}\frac{\mathrm{d}x\mathrm{d}y\mathrm{d}z}{(x^2+y^2+z^2)^3}=\int_0^{2\pi}\mathrm{d}\theta\int_0^{\pi}\sin\varphi\mathrm{d}\varphi\int_1^{+\infty}\frac{\mathrm{d}r}{r^4}=2\pi\cdot 2\cdot\frac{1}{3}=\frac{4\pi}{3}.$$

【4198】 $\iiint\limits_{x^2+y^2+z^2\leqslant 1}\frac{\mathrm{d}x\mathrm{d}y\mathrm{d}z}{(1-x^2-y^2-z^2)^p}$.

解 令 $x=r\cos\theta\sin\varphi, y=r\sin\theta\sin\varphi, z=r\cos\varphi$，则

$$\iiint\limits_{x^2+y^2+z^2\leqslant 1}\frac{\mathrm{d}x\mathrm{d}y\mathrm{d}z}{(1-x^2-y^2-z^2)^p}=\int_0^{2\pi}\mathrm{d}\theta\int_0^{\pi}\sin\varphi\mathrm{d}\varphi\int_0^1\frac{r^2}{(1-r^2)^p}\mathrm{d}r=4\pi\int_0^1\frac{r^2}{(1-r^2)^p}\mathrm{d}r.$$

作代换 $t=r^2$，则当 $p<1$ 时，有

$$\int_0^1\frac{r^2}{(1-r^2)^p}\mathrm{d}r=\frac{1}{2}\int_0^1 t^{\frac{1}{2}}(1-t)^{-p}\mathrm{d}t=\frac{1}{2}\mathrm{B}\left(\frac{3}{2},1-p\right).$$

从而，当 $p<1$ 时，有

$$\iiint\limits_{x^2+y^2+z^2\leqslant 1}\frac{\mathrm{d}x\mathrm{d}y\mathrm{d}z}{(1-x^2-y^2-z^2)^p}=2\pi\mathrm{B}\left(\frac{3}{2},1-p\right).$$

注意，若 $p\geqslant 1$，则 $\int_0^1 t^{\frac{1}{2}}(1-t)^{-p}\mathrm{d}t=+\infty$，故此时

$$\iiint\limits_{x^2+y^2+z^2\leqslant 1}\frac{\mathrm{d}x\mathrm{d}y\mathrm{d}z}{(1-x^2-y^2-z^2)^p}=+\infty.$$

【4199】 $\int_{-\infty}^{+\infty}\int_{-\infty}^{+\infty}\int_{-\infty}^{+\infty}\mathrm{e}^{-(x^2+y^2+z^2)}\mathrm{d}x\mathrm{d}y\mathrm{d}z$.

解 令 $x=r\cos\theta\sin\varphi, y=r\sin\theta\sin\varphi, z=r\cos\varphi$，则

$$\int_{-\infty}^{+\infty}\int_{-\infty}^{+\infty}\int_{-\infty}^{+\infty}\mathrm{e}^{-(x^2+y^2+z^2)}\mathrm{d}x\mathrm{d}y\mathrm{d}z=\int_0^{2\pi}\mathrm{d}\theta\int_0^{\pi}\sin\varphi\mathrm{d}\varphi\int_0^{+\infty}r^2\mathrm{e}^{-r^2}\mathrm{d}r=4\pi\int_0^{+\infty}r^2\mathrm{e}^{-r^2}\mathrm{d}r.$$

作代换 $r^2=t$，则 $\int_0^{+\infty}r^2\mathrm{e}^{-r^2}\mathrm{d}r=\frac{1}{2}\int_0^{+\infty}t^{\frac{1}{2}}\mathrm{e}^{-t}\mathrm{d}t=\frac{1}{2}\Gamma\left(\frac{3}{2}\right)=\frac{1}{4}\Gamma\left(\frac{1}{2}\right)=\frac{\sqrt{\pi}}{4}$. 于是

$$\int_{-\infty}^{+\infty}\int_{-\infty}^{+\infty}\int_{-\infty}^{+\infty} e^{-(x^2+y^2+z^2)}\,dx\,dy\,dz = \pi^{\frac{3}{2}}.$$

【4200】 计算积分

$$\int_{-\infty}^{+\infty}\int_{-\infty}^{+\infty}\int_{-\infty}^{+\infty} e^{-P(x_1,x_2,x_3)}\,dx_1\,dx_2\,dx_3,$$

其中 $P(x_1,x_2,x_3)=\sum\limits_{i=1}^{3}\sum\limits_{j=1}^{3}a_{ij}x_ix_j\,(a_{ij}=a_{ji})$ 为正定二次型.

解 记 $\boldsymbol{A}=\begin{pmatrix}a_{11}&a_{12}&a_{13}\\a_{21}&a_{22}&a_{23}\\a_{31}&a_{32}&a_{33}\end{pmatrix}$，由于二次型 $\sum\limits_{i=1}^{3}\sum\limits_{j=1}^{3}a_{ij}x_ix_j$ 正定，故存在正交矩阵

$$\boldsymbol{B}=\begin{pmatrix}b_{11}&b_{12}&b_{13}\\b_{21}&b_{22}&b_{23}\\b_{31}&b_{32}&b_{33}\end{pmatrix}, \qquad ①$$

使

$$\boldsymbol{B}^{-1}\boldsymbol{A}\boldsymbol{B}=\begin{pmatrix}\lambda_1&0&0\\0&\lambda_2&0\\0&0&\lambda_3\end{pmatrix}, \qquad ②$$

其中 $\lambda_1>0,\lambda_2>0,\lambda_3>0$；也即在正交变换

$$\begin{cases}x_1=b_{11}x'_1+b_{12}x'_2+b_{13}x'_3,\\x_2=b_{21}x'_1+b_{22}x'_2+b_{23}x'_3,\\x_3=b_{31}x'_1+b_{32}x'_2+b_{33}x'_3\end{cases} \qquad ③$$

之下，二次型 $P(x_1,x_2,x_3)$ 可化为平方和

$$P(x_1,x_2,x_3)=\sum_{i=1}^{3}\sum_{j=1}^{3}a_{ij}x_ix_j=\lambda_1x'^2_1+\lambda_2x'^2_2+\lambda_3x'^2_3. \qquad ④$$

注意，由于 $\boldsymbol{B}$ 是正交矩阵，故 $\boldsymbol{B}^{-1}=\boldsymbol{B}^{\mathrm{T}}$（$\boldsymbol{B}^{\mathrm{T}}$ 表示 $\boldsymbol{B}$ 的转置矩阵），从而 $|\boldsymbol{B}|=|b_{ij}|=\pm1$. 显然

$$\frac{D(x_1,x_2,x_3)}{D(x'_1,x'_2,x'_3)}=|b_{ij}|=\pm1.$$

由 ④ 式，有

$$\int_{-\infty}^{+\infty}\int_{-\infty}^{+\infty}\int_{-\infty}^{+\infty} e^{-P(x_1,x_2,x_3)}\,dx_1\,dx_2\,dx_3=\int_{-\infty}^{+\infty}\int_{-\infty}^{+\infty}\int_{-\infty}^{+\infty} e^{-\lambda_1x'^2_1-\lambda_2x'^2_2-\lambda_3x'^2_3}\,dx'_1\,dx'_2\,dx'_3. \qquad ⑤$$

再作变量代换 $x'_1=\frac{1}{\sqrt{\lambda_1}}u_1,x'_2=\frac{1}{\sqrt{\lambda_2}}u_2,x'_3=\frac{1}{\sqrt{\lambda_3}}u_3$，则 $\frac{D(x'_1,x'_2,x'_3)}{D(u_1,u_2,u_3)}=\frac{1}{\sqrt{\lambda_1\lambda_2\lambda_3}}$. 于是（注意 4199 题的结果）

$$\int_{-\infty}^{+\infty}\int_{-\infty}^{+\infty}\int_{-\infty}^{+\infty} e^{-\lambda_1x'^2_1-\lambda_2x'^2_2-\lambda_3x'^2_3}\,dx'_1\,dx'_2\,dx'_3=\frac{1}{\sqrt{\lambda_1\lambda_2\lambda_3}}\int_{-\infty}^{+\infty}\int_{-\infty}^{+\infty}\int_{-\infty}^{+\infty} e^{-(u_1^2+u_2^2+u_3^2)}\,du_1\,du_2\,du_3=\frac{\pi^{\frac{3}{2}}}{\sqrt{\lambda_1\lambda_2\lambda_3}}. \qquad ⑥$$

但由 ② 式知（记 $\Delta=|a_{ij}|=|\boldsymbol{A}|$，注意，由于 $\sum\limits_{i=1}^{3}\sum\limits_{j=1}^{3}a_{ij}x_ix_j$ 正定，故 $\Delta>0$）

$$\Delta=|\boldsymbol{A}|=|\boldsymbol{B}^{-1}|\cdot|\boldsymbol{A}|\cdot|\boldsymbol{B}|=\lambda_1\lambda_2\lambda_3. \qquad ⑦$$

于是，根据 ⑤、⑥、⑦ 诸式，最后得

$$\int_{-\infty}^{+\infty}\int_{-\infty}^{+\infty}\int_{-\infty}^{+\infty} e^{-P(x_1,x_2,x_3)}\,dx_1\,dx_2\,dx_3=\sqrt{\frac{\pi^3}{\Delta}}.$$

第10节 多重积分（习题4201—4220）

知识点预览

序号	知识点	题目序号	所在页码
1	多重积分的直接计算法	4201—4206	P121
2	多重积分中的变量代换	4207—4220	P124

知识点1 多重积分的直接计算法

若函数 $f(x_1,x_2,\cdots,x_n)$ 在由下列不等式确定的有界区域 Ω 内是连续的：

$$\begin{cases} x'_1 \leqslant x_1 \leqslant x''_1, \\ x'_2(x_1) \leqslant x_2 \leqslant x''_2(x_1), \\ \vdots \\ x'_n(x_1,x_2,\cdots,x_{n-1}) \leqslant x_n \leqslant x''_n(x_1,x_2,\cdots,x_{n-1}), \end{cases}$$

其中x'_1和x''_1为常数，$x'_2(x_1)$，$x''_2(x_1)$，$\cdots$，$x'_n(x_1,x_2,\cdots,x_{n-1})$，$x''_n(x_1,x_2,\cdots,x_{n-1})$为连续函数，则相应的多重积分可按下列公式来计算：

$$\iint\limits_{\Omega}\cdots\int f(x_1,x_2,\cdots,x_n)\mathrm{d}x_1\mathrm{d}x_2\cdots\mathrm{d}x_n$$
$$=\int_{x'_1}^{x''_1}\mathrm{d}x_1\int_{x_1'(x_1)}^{x''_2(x_1)}\mathrm{d}x_2\cdots\int_{x'_n(x_1,\cdots,x_{n-1})}^{x''_n(x_1,\cdots,x_{n-1})}f(x_1,x_2,\cdots,x_n)\mathrm{d}x_n.$$

习题 4201—4206 直接计算多重积分

【4201】 设 $K(x,y)$ 为区域 $R=[a,b]\times[a,b]$ 内的连续函数，且

$$K_n(x,y)=\int_a^b\int_a^b\cdots\int_a^b K(x,t_1)K(t_1,t_2)\cdots K(t_n,y)\mathrm{d}t_1\mathrm{d}t_2\cdots\mathrm{d}t_n.$$

证明：

$$K_{n+m+1}(x,y)=\int_a^b K_n(x,t)K_m(t,y)\mathrm{d}t.$$

证 $K_{n+m+1}(x,y)$

$$=\int_a^b\int_a^b\cdots\int_a^b K(x,t_1)K(t_1,t_2)\cdots K(t_n,t)K(t,z_1)K(z_1,z_2)\cdots K(z_m,y)\mathrm{d}t_1\mathrm{d}t_2\cdots\mathrm{d}t_n\mathrm{d}t\mathrm{d}z_1\mathrm{d}z_2\cdots\mathrm{d}z_m$$

$$=\int_a^b\Big\{\Big[\int_a^b\int_a^b\cdots\int_a^b K(x,t_1)K(t_1,t_2)\cdots K(t_n,t)\mathrm{d}t_1\mathrm{d}t_2\cdots\mathrm{d}t_n\Big]$$
$$\cdot\Big[\int_a^b\int_a^b\cdots\int_a^b K(t,z_1)K(z_1,z_2)\cdots K(z_m,y)\mathrm{d}z_1\mathrm{d}z_2\cdots\mathrm{d}z_m\Big]\Big\}\mathrm{d}t$$

$$=\int_a^b K_n(x,t)K_m(t,y)\mathrm{d}t.$$

【4202】 设 $f=f(x_1,x_2,\cdots,x_n)$ 为区域 $0\leqslant x_i\leqslant x(i=1,2,\cdots,n)$ 内的连续函数，

证明：

$$\int_0^x dx_1\int_0^{x_1}dx_2\cdots\int_0^{x_{n-1}}fdx_n=\int_0^x dx_n\int_{x_n}^x dx_{n-1}\cdots\int_{x_2}^x fdx_1(n\geqslant 2).$$

证 考虑下面三个有界闭区域：

$\Omega=\{(x_1,x_2,\cdots,x_n)\mid 0\leqslant x_i\leqslant x,i=1,2,\cdots,n\}$,

$\Omega_1=\{(x_1,x_2,\cdots,x_n)\mid 0\leqslant x_1\leqslant x,0\leqslant x_2\leqslant x_1,\cdots,0\leqslant x_n\leqslant x_{n-1}\}$,

$\Omega_2=\{(x_1,x_2,\cdots,x_n)\mid 0\leqslant x_n\leqslant x,x_n\leqslant x_{n-1}\leqslant x,\cdots,x_2\leqslant x_1\leqslant x\}$.

由假定 $f(x_1,x_2,\cdots,x_n)$ 在区域 Ω 上连续，显然 $\Omega_1\subset\Omega,\Omega_2\subset\Omega$，故 $f(x_1,x_2,\cdots,x_n)$ 在 Ω_1 与 Ω_2 上连续. 根据化 n 重积分为累次积分的公式，有

$$\iint\limits_{\Omega_1}\cdots\int fdx_1\cdots dx_n=\int_0^x dx_1\int_0^{x_1}dx_2\cdots\int_0^{x_{n-1}}fdx_n,\qquad ①$$

$$\iint\limits_{\Omega_2}\cdots\int fdx_1\cdots dx_n=\int_0^x dx_n\int_{x_n}^x dx_{n-1}\cdots\int_{x_2}^x fdx_1.\qquad ②$$

下证 $\Omega_1=\Omega_2$，事实上，若 $(x_1,x_2,\cdots,x_n)\in\Omega_1$，则

$$0\leqslant x_1\leqslant x,0\leqslant x_2\leqslant x_1,\cdots,0\leqslant x_n\leqslant x_{n-1},\qquad ③$$

从而

$$0\leqslant x_n\leqslant x_{n-1}\leqslant x_{n-2}\leqslant\cdots\leqslant x_2\leqslant x_1\leqslant x.\qquad ④$$

于是

$$0\leqslant x_n\leqslant x,x_n\leqslant x_{n-1}\leqslant x,\cdots,x_2\leqslant x_1\leqslant x.\qquad ⑤$$

由此可知 $(x_1,x_2,\cdots,x_n)\in\Omega_2$. 反之，若 $(x_1,x_2,\cdots,x_n)\in\Omega_2$，则 ⑤ 式成立. 从而 ④ 式显然成立，由此又知 ③ 式成立，故 $(x_1,x_2,\cdots,x_n)\in\Omega_1$，于是 $\Omega_1=\Omega_2$ 获证. 由此，再根据 ① 式与 ② 式，即得

$$\int_0^x dx_1\int_0^{x_1}dx_2\cdots\int_0^{x_{n-1}}fdx_n=\int_0^x dx_n\int_{x_n}^x dx_{n-1}\cdots\int_{x_2}^x fdx_1.$$

【4203】 证明：$\int_0^t dt_1\int_0^{t_1}dt_2\cdots\int_0^{t_{n-1}}f(t_1)f(t_2)\cdots f(t_n)dt_n=\frac{1}{n!}\left[\int_0^t f(\tau)d\tau\right]^n$，其中 f 连续.

证 方法一

$$\int_0^t dt_1\int_0^{t_1}dt_2\cdots\int_0^{t_{n-1}}f(t_1)f(t_2)\cdots f(t_n)dt_n=\int_0^t f(t_1)dt_1\int_0^{t_1}f(t_2)dt_2\cdots\int_0^{t_{n-2}}f(t_{n-1})dt_{n-1}\int_0^{t_{n-1}}f(t_n)dt_n.$$

令 $F(s)=\int_0^s f(\tau)d\tau$. 由于 f 是连续函数，故 $F'(s)=f(s)$. 注意到 $F(0)=0$，有

$$\begin{aligned}\int_0^{t_{n-2}}f(t_{n-1})dt_{n-1}\int_0^{t_{n-1}}f(t_n)dt_n&=\int_0^{t_{n-2}}F(t_{n-1})f(t_{n-1})dt_{n-1}=\int_0^{t_{n-2}}F(t_{n-1})F'(t_{n-1})dt_{n-1}\\&=\frac{1}{2}[F(t_{n-1})]^2\Big|_{t_{n-1}=0}^{t_{n-1}=t_{n-2}}=\frac{1}{2}[F(t_{n-2})]^2,\end{aligned}$$

故 $\int_0^{t_{n-3}}f(t_{n-2})dt_{n-2}\int_0^{t_{n-2}}f(t_{n-1})dt_{n-1}\int_0^{t_{n-1}}f(t_n)dt_n=\int_0^{t_{n-3}}\frac{1}{2}[F(t_{n-2})]^2F'(t_{n-2})dt_{n-2}=\frac{1}{3!}[F(t_{n-3})]^3$，

这样继续下去，显然有

$$\int_0^{t_1}f(t_2)dt_2\cdots\int_0^{t_{n-2}}f(t_{n-1})dt_{n-1}\int_0^{t_{n-1}}f(t_n)dt_n=\frac{1}{(n-1)!}[F(t_1)]^{n-1}.$$

于是

$$\begin{aligned}\int_0^t f(t_1)dt_1\int_0^{t_1}f(t_2)dt_2\cdots\int_0^{t_{n-1}}f(t_n)dt_n&=\int_0^t\frac{1}{(n-1)!}[F(t_1)]^{n-1}f(t_1)dt_1\\&=\frac{1}{(n-1)!}\int_0^t[F(t_1)]^{n-1}F'(t_1)dt_1=\frac{1}{n!}[F(t)]^n=\frac{1}{n!}\left[\int_0^t f(\tau)d\tau\right]^n.\end{aligned}$$

从而 $\int_0^t dt_1\int_0^{t_1}dt_2\cdots\int_0^{t_{n-1}}f(t_1)f(t_2)\cdots f(t_n)dt_n=\frac{1}{n!}\left[\int_0^t f(\tau)d\tau\right]^n$.

方法二 用数学归纳法证明.

当 $n=1$ 时此公式显然成立.

假设 $n=k$ 时公式成立，下证 $n=k+1$ 时公式也成立.

$$\int_0^t dt_1\int_0^{t_1}dt_2\cdots\int_0^{t_k}f(t_1)f(t_2)\cdots f(t_{k+1})dt_{k+1}=\int_0^t f(t_1)\left[\int_0^{t_1}dt_2\cdots\int_0^{t_k}f(t_2)\cdots f(t_{k+1})dt_{k+1}\right]dt_1.$$

由归纳假设有

$$\int_0^{t_1}dt_2\cdots\int_0^{t_k}f(t_2)\cdots f(t_{k+1})dt_{k+1}=\frac{1}{k!}\left[\int_0^{t_1}f(\tau)d\tau\right]^k,$$

从而（令 $F(s)=\int_0^s f(\tau)d\tau$，则 $F'(s)=f(s)$）

$$\int_0^t dt_1\int_0^{t_1}dt_2\cdots\int_0^{t_k}f(t_1)f(t_2)\cdots f(t_{k+1})dt_{k+1}=\int_0^t f(t_1)\cdot\frac{1}{k!}\left[\int_0^{t_1}f(\tau)d\tau\right]^k dt_1$$

$$=\frac{1}{k!}\int_0^t[F(t_1)]^kF'(t_1)dt_1=\frac{1}{(k+1)!}[F(t_1)]^{k+1}=\frac{1}{(k+1)!}\left[\int_0^t f(\tau)d\tau\right]^{k+1}.$$

因此，所述公式当 $n=k+1$ 时成立.

于是，由数学归纳法知，所述公式对一切正整数 n 均成立. 证毕.

【计算下列多重积分(4204—4206)】

【4204】 (1) $\int_0^1\int_0^1\cdots\int_0^1(x_1^2+x_2^2+\cdots+x_n^2)dx_1dx_2\cdots dx_n$；

(2) $\int_0^1\int_0^1\cdots\int_0^1(x_1+x_2+\cdots+x_n)^2dx_1dx_2\cdots dx_n$.

解 (1) $\int_0^1\int_0^1\cdots\int_0^1(x_1^2+x_2^2+\cdots+x_n^2)dx_1dx_2\cdots dx_n=\int_0^1dx_1\int_0^1dx_2\cdots\int_0^1(x_1^2+x_2^2+\cdots+x_n^2)dx_n$

$$=\int_0^1dx_1\int_0^1dx_2\cdots\int_0^1\left(x_1^2+x_2^2+\cdots+x_{n-1}^2+\frac{1}{3}\right)dx_{n-1}$$

$$=\int_0^1dx_1\int_0^1dx_2\cdots\int_0^1\left(x_1^2+x_2^2+\cdots+x_{n-2}^2+\frac{1}{3}+\frac{1}{3}\right)dx_{n-2}=\cdots=\frac{n}{3}.$$

(2) $\int_0^1\int_0^1\cdots\int_0^1(x_1+x_2+\cdots+x_n)^2dx_1dx_2\cdots dx_n$

$=\int_0^1dx_1\int_0^1dx_2\cdots\int_0^1[(x_1^2+x_2^2+\cdots+x_n^2)+2(x_1x_2+x_1x_3+\cdots+x_1x_n+$

$x_2x_3+\cdots+x_2x_n+x_3x_4+\cdots+x_3x_n+\cdots+x_{n-1}x_n)]dx_n$

$=\frac{n}{3}+2\int_0^1dx_1\int_0^1dx_2\cdots\int_0^1[(x_1x_2+\cdots x_1x_n)+(x_2x_3+\cdots+x_2x_n)+\cdots+x_{n-1}x_n]dx_n$

$=\frac{n}{3}+2\left(\frac{n-1}{4}+\frac{n-2}{4}+\cdots+\frac{1}{4}\right)=\frac{n(3n+1)}{12}.$

注 利用本题(1)的结果.

【4205】 $I_n=\underset{\substack{x_1\geqslant0,x_2\geqslant0,\cdots,x_n\geqslant0\\x_1+x_2+\cdots+x_n\leqslant a}}{\iint\cdots\int}dx_1dx_2\cdots dx_n.$

解 **方法一** 化为累次积分

$$I_n=\int_0^a dx_1\int_0^{a-x_1}dx_2\cdots\int_0^{a-x_1-\cdots-x_{n-2}}dx_{n-1}\int_0^{a-x_1-\cdots-x_{n-1}}dx_n,$$

又知

$$\int_0^{a-x_1-\cdots-x_{n-2}}dx_{n-1}\int_0^{a-x_1-\cdots-x_{n-1}}dx_n=\int_0^{a-x_1-\cdots-x_{n-2}}(a-x_1-\cdots-x_{n-2}-x_{n-1})dx_{n-1}$$

$$=-\frac{1}{2}(a-x_1-\cdots-x_{n-2}-x_{n-1})^2\Big|_{x_{n-1}=0}^{x_{n-1}=a-x_1-\cdots-x_{n-2}}=\frac{1}{2}(a-x_1-\cdots-x_{n-2})^2,$$

$$\int_0^{a-x_1-\cdots-x_{n-3}}\mathrm{d}x_{n-2}\int_0^{a-x_1-\cdots-x_{n-2}}\mathrm{d}x_{n-1}\int_0^{a-x_1-\cdots-x_{n-1}}\mathrm{d}x_n$$

$$=\frac{1}{2}\int_0^{a-x_1-\cdots-x_{n-3}}(a-x_1-\cdots-x_{n-2})^2\mathrm{d}x_{n-2}=\frac{1}{3!}(a-x_1-\cdots-x_{n-3})^3.$$

这样继续下去，显然有

$$\int_0^{a-x_1}\mathrm{d}x_2\int_0^{a-x_1-x_2}\mathrm{d}x_3\cdots\int_0^{a-x_1-\cdots-x_{n-2}}\mathrm{d}x_{n-1}\int_0^{a-x_1-\cdots-x_{n-1}}\mathrm{d}x_n=\frac{1}{(n-1)!}(a-x_1)^{n-1}.$$

于是 $I_n=\dfrac{1}{(n-1)!}\displaystyle\int_0^a(a-x_1)^{n-1}\mathrm{d}x_1=\dfrac{a^n}{n!}$.

方法二 $\quad I_n=\displaystyle\int_0^a\mathrm{d}x_1\int_0^{a-x_1}\mathrm{d}x_2\cdots\int_0^{a-x_1-\cdots-x_{n-1}}\mathrm{d}x_n$.

在右端的逐次积分中作代换：$x_1=a\xi_1,x_2=a\xi_2,\cdots,x_n=a\xi_n$，即得

$$I_n=a^n\int_0^1\mathrm{d}\xi_1\int_0^{1-\xi_1}\mathrm{d}\xi_2\int_0^{1-\xi_1-\cdots-\xi_{n-1}}\mathrm{d}\xi_n=a^n\underset{\substack{\xi_1\geqslant0,\xi_2\geqslant0,\cdots,\xi_1\geqslant0\\ \xi_1+\xi_2+\cdots+\xi_n\leqslant1}}{\iint\cdots\int}\mathrm{d}\xi_1\mathrm{d}\xi_2\cdots\mathrm{d}\xi_n=a^nI_n(1),$$

其中 $I_n(1)$ 表示当 $a=1$ 时积分 I_n 的值.

另一方面，$I_n(1)=\displaystyle\int_0^1\mathrm{d}\xi_n\underset{\substack{\xi_1\geqslant0,\xi_2\geqslant0,\cdots,\xi_n\geqslant0\\ \xi_1+\xi_2+\cdots+\xi_{n-1}<1-\xi_n}}{\iint\cdots\int}\mathrm{d}\xi_1\mathrm{d}\xi_2\cdots\mathrm{d}\xi_{n-1}=I_{n-1}(1)\int_0^1(1-\xi_n)^{n-1}\mathrm{d}\xi_n=\frac{I_{n-1}(1)}{n}$.

反复运用上述循环公式，可得 $I_n(1)=\dfrac{1}{n!}$. 于是，$I_n=\dfrac{a^n}{n!}$.

【4206】 $\displaystyle\int_0^1\mathrm{d}x_1\int_0^{x_1}\mathrm{d}x_2\cdots\int_0^{x_{n-1}}x_1x_2\cdots x_n\mathrm{d}x_n$.

解

$$\int_0^1\mathrm{d}x_1\int_0^{x_1}\mathrm{d}x_2\cdots\int_0^{x_{n-1}}x_1x_2\cdots x_n\mathrm{d}x_n$$

$$=\frac{1}{2}\int_0^1\mathrm{d}x_1\int_0^{x_1}\mathrm{d}x_2\cdots\int_0^{x_{n-2}}x_1x_2\cdots x_{n-1}^3\mathrm{d}x_{n-1}$$

$$=\frac{1}{2}\cdot\frac{1}{4}\int_0^1\mathrm{d}x_1\int_0^{x_1}\mathrm{d}x_2\cdots\int_0^{x_{n-3}}x_1x_2\cdots x_{n-2}^5\mathrm{d}x_{n-2}$$

$$=\cdots=\frac{1}{2}\cdot\frac{1}{4}\cdots\frac{1}{2(n-1)}\int_0^1x_1^{2n-1}\mathrm{d}x_1=\frac{1}{2\cdot4\cdots2n}=\frac{1}{2^nn!}.$$

注 也可利用 4203 题的结果直接得

$$\int_0^1\mathrm{d}x_1\int_0^{x_1}\mathrm{d}x_2\cdots\int_0^{x_{n-1}}x_1x_2\cdots x_n\mathrm{d}x_n=\frac{1}{n!}\left(\int_0^1\tau\mathrm{d}\tau\right)^n=\frac{1}{2^nn!}.$$

知识点 2 多重积分中的变量代换

若：(1) 函数 $f(x_1,x_2,\cdots,x_n)$ 在有界可测区域 Ω 内一致连续；

(2) 连续可微函数 $x_i=\varphi_i(\xi_1,\xi_2,\cdots,\xi_n)(i=1,2,\cdots,n)$，把 $Ox_1x_2\cdots x_n$ 空间内的区域 Ω 一一映射成 $O'\xi_1\xi_2\cdots\xi_n$ 空间内的有界区域 Ω'；

(3) 在区域 Ω' 内雅可比行列式 $I=\dfrac{D(x_1,x_2,\cdots,x_n)}{D(\xi_1,\xi_2,\cdots,\xi_n)}\neq0$，则成立公式

$$\underset{\Omega}{\iint\cdots\int}f(x_1,x_2,\cdots,x_n)\mathrm{d}x_1\mathrm{d}x_2\cdots\mathrm{d}x_n=\underset{\Omega'}{\iint\cdots\int}f(\xi_1,\xi_2,\cdots,\xi_n)\mid J\mid\mathrm{d}\xi_1\mathrm{d}\xi_2\cdots\mathrm{d}\xi_n.$$

特别地，根据公式

$$x_1=r\cos\varphi_1,$$

$$x_2 = r\sin\varphi_1\cos\varphi_2,$$
$$\vdots$$
$$x_{n-1} = r\sin\varphi_1\sin\varphi_2\cdots\sin\varphi_{1-2}\cos\varphi_{n-1},$$
$$x_n = r\sin\varphi_1\sin\varphi_2\cdots\sin\varphi_{n-2}\sin\varphi_{n-1},$$

变换成极坐标$(r,\varphi_1,\varphi_2,\cdots,\varphi_{n-1})$时，有

$$I = \frac{D(x_1,x_2,\cdots,x_n)}{D(r,\varphi_1,\cdots,\varphi_{n-1})} = r^{n-1}\sin^{n-2}\varphi_1\sin^{n-3}\varphi_2\cdots\sin\varphi_{n-2}.$$

习题 4207—4213 用适当的变量替换计算多重积分

【4207】 求 $\underset{\substack{x_1\geqslant0,x_2\geqslant0,\cdots,x_n\geqslant0\\x_1+x_2+\cdots+x_n\leqslant1}}{\iint\cdots\int}\sqrt{x_1+x_2+\cdots+x_n}\,\mathrm{d}x_1\mathrm{d}x_2\cdots\mathrm{d}x_n$.

解 作代换

$$x_1 = u_1(1-u_2),$$
$$x_2 = u_1u_2(1-u_3),$$
$$\vdots$$
$$x_{n-1} = u_1u_2\cdots u_{n-1}(1-u_n),$$
$$x_n = u_1u_2\cdots u_n,$$

则由 $x_1\geqslant0,x_2\geqslant0,\cdots,x_n\geqslant0,x_1+x_2+\cdots+x_n\leqslant1$ 知 $0\leqslant u_i\leqslant1(i=1,2,\cdots,n)$，且有

$$|J| = \begin{vmatrix} 1-u_2 & u_2(1-u_3) & \cdots u_2u_3\cdots u_{n-1}(1-u_n) & u_2u_3\cdots u_n \\ -u_1 & u_1(1-u_3) & \cdots u_1u_3\cdots u_{n-1}(1-u_n) & u_1u_3\cdots u_n \\ 0 & -u_1u_2 & \cdots & \cdots \\ \vdots & \vdots & \vdots & \vdots \\ 0 & 0 & \cdots u_1u_2\cdots u_{n-2}(1-u_n) & u_1\cdots u_{n-2}u_n \\ 0 & 0 & \cdots(-u_1)\cdots u_{n-1} & u_1\cdots u_{n-1} \end{vmatrix}.$$

如在每一列的元素上加上所有以后各列相应的元素，则在对角线下面的全部元素都等于零，而在对角线上的元素就等于 $1,u_1,u_1u_2,\cdots,u_1\cdots u_{n-1}$. 因此，得

$$I = u_1^{n-1}u_2^{n-2}\cdots u_{n-2}^2u_{n-1}.$$

于是，最后得

$$\underset{\substack{x_1\geqslant0,x_2\geqslant0,\cdots,x_n\geqslant0\\x_1+x_2+\cdots+x_n\leqslant1}}{\iint\cdots\int}\sqrt{x_1+x_2+\cdots+x_n}\,\mathrm{d}x_1\mathrm{d}x_2\cdots\mathrm{d}x_n$$
$$=\int_0^1\int_0^1\cdots\int_0^1 u_1^{n-\frac{1}{2}}u_2^{n-2}\cdots u_{n-2}^2u_{n-1}\,\mathrm{d}u_1\mathrm{d}u_2\cdots\mathrm{d}u_{n-1}\mathrm{d}u_n = \frac{2}{(n-1)!(2n+1)}.$$

【4208】 求以平面 $a_{i1}x_1+a_{i2}x_2+\cdots+a_{in}x_n=\pm h_i(i=1,2,\cdots,n)$ 为界的 n 维平行 $2n$ 面体的体积，这里设 $\Delta=|a_{ij}|\neq0$.

解 令 $a_{i1}x_1+a_{i2}x_2+\cdots+a_{in}x_n=\xi_i(i=1,2,\cdots,n)$，即得 $2n$ 面体的体积

$$V=\int_{-h_1}^{h_1}\int_{-h_2}^{h_2}\cdots\int_{-h_n}^{h_n}\frac{1}{|\Delta|}\mathrm{d}\xi_1\mathrm{d}\xi_2\cdots\mathrm{d}\xi_n=\frac{2^nh_1\cdots h_n}{|\Delta|}.$$

【4209】 求 n 维角锥 $\frac{x_1}{a_1}+\frac{x_2}{a_2}+\cdots+\frac{x_n}{a_n}\leqslant1,x_i\geqslant0(a_i>0,i=1,2,\cdots,n)$ 的体积.

解 令 $x_i=a_i\xi_i(i=1,2,\cdots,n)$，并由 4205 题的结果，即得体积

$$V=a_1a_2\cdots a_n\underset{\substack{\xi_1\geqslant 0,\xi_2\geqslant 0,\cdots,\xi_n\geqslant 0\\ \xi_1+\xi_2+\cdots+\xi_n\leqslant 1}}{\int\int\cdots\int}\mathrm{d}\xi_1\mathrm{d}\xi_2\cdots\mathrm{d}\xi_n=\frac{a_1a_2\cdots a_n}{n!}.$$

【4210】 求以曲面

$$\frac{x_1^2}{a_1^2}+\frac{x_2^2}{a_2^2}+\cdots+\frac{x_{n-1}^2}{a_{n-1}^2}=\frac{x_n^2}{a_n^2},x_n=a_n$$

为界的 n 维圆锥的体积.

解 作代换

$$x_1=a_1r\cos\varphi_1,$$

$$x_2=a_2r\sin\varphi_1\cos\varphi_2,$$

$$\vdots$$

$$x_{n-2}=a_{n-2}r\sin\varphi_1\sin\varphi_2\cdots\sin\varphi_{n-3}\cos\varphi_{n-2},$$

$$x_{n-1}=a_{n-1}r\sin\varphi_1\sin\varphi_2\cdots\sin\varphi_{n-3}\sin\varphi_{n-2},$$

$$x_n=a_nx'_n,$$

则区域为 $0\leqslant r\leqslant 1,0\leqslant\varphi_1\leqslant\pi,0\leqslant\varphi_2\leqslant\pi,\cdots,0\leqslant\varphi_{n-3}\leqslant\pi,0\leqslant\varphi_{n-2}\leqslant 2\pi,r\leqslant x'_n\leqslant 1$,且

$$|J|=a_1a_2\cdots a_nr^{n-2}\sin^{n-3}\varphi_1\sin^{n-4}\varphi_2\cdots\sin\varphi_{n-3}.$$

于是,所求的体积为

$$V=a_1a_2\cdots a_n\int_0^1r^{n-2}\mathrm{d}r\int_0^\pi\sin^{n-3}\varphi_1\mathrm{d}\varphi_1\cdots\int_0^\pi\sin\varphi_{n-3}\mathrm{d}\varphi_{n-3}\int_0^{2\pi}\mathrm{d}\varphi_{n-2}\int_r^1\mathrm{d}x'_n$$

$$=\frac{2\pi a_1a_2\cdots a_n}{n(n-1)}\int_0^\pi\sin^{n-3}\varphi_1\mathrm{d}\varphi_1\cdots\int_0^\pi\sin\varphi_{n-3}\mathrm{d}\varphi_{n-3}$$

$$=\frac{2\pi a_1a_2\cdots a_n}{n(n-1)}\cdot 2\int_0^{\frac{\pi}{2}}\sin^{n-3}\varphi_1\mathrm{d}\varphi_1\cdots 2\int_0^{\frac{\pi}{2}}\sin\varphi_{n-3}\mathrm{d}\varphi_{n-3}$$

$$=\frac{2\pi a_1a_2\cdots a_n}{n(n-1)}\mathrm{B}\left(\frac{n-2}{2},\frac{1}{2}\right)\mathrm{B}\left(\frac{n-3}{2},\frac{1}{2}\right)\cdots\mathrm{B}\left(1,\frac{1}{2}\right)$$

$$=\frac{2\pi a_1a_2\cdots a_n}{n(n-1)}\cdot\frac{\Gamma\left(\frac{n-2}{2}\right)\Gamma\left(\frac{1}{2}\right)}{\Gamma\left(\frac{n-1}{2}\right)}\cdot\frac{\Gamma\left(\frac{n-3}{2}\right)\Gamma\left(\frac{1}{2}\right)}{\Gamma\left(\frac{n-2}{2}\right)}\cdots\frac{\Gamma(1)\Gamma\left(\frac{1}{2}\right)}{\Gamma\left(\frac{3}{2}\right)}$$

$$=\frac{2\pi a_1a_2\cdots a_n}{n(n-1)}\cdot\frac{\Gamma^{n-3}\left(\frac{1}{2}\right)}{\Gamma\left(\frac{n-1}{2}\right)}=\frac{2\pi a_1a_2\cdots a_n}{n(n-1)}\cdot\frac{\pi^{\frac{n-3}{2}}}{\Gamma\left(\frac{n-1}{2}\right)}$$

$$=\frac{a_1a_2\cdots a_n\pi^{\frac{n-1}{2}}}{n}\cdot\frac{1}{\frac{n-1}{2}\Gamma\left(\frac{n-1}{2}\right)}=\frac{a_1a_2\cdots a_n\pi^{\frac{n-1}{2}}}{n}\cdot\frac{1}{\Gamma\left(\frac{n-1}{2}+1\right)}$$

$$=\frac{\pi^{\frac{n-1}{2}}}{n\Gamma\left(\frac{n+1}{2}\right)}a_1a_2\cdots a_n.$$

注 本题用到 $\int_0^\pi\sin^{a-1}\varphi\mathrm{d}\varphi=2\int_0^{\frac{\pi}{2}}\sin^{a-1}\varphi\mathrm{d}\varphi$ 及 3856 题的结果.

【4211】 求 n 维球体 $x_1^2+x_2^2+\cdots+x_n^2\leqslant a^2$ 的体积.

解 令 $x_i=a\xi_i(i=1,2,\cdots,n)$,即得体积

$$V_n=\underset{x_1^2+x_2^2+\cdots+x_n^2\leqslant a^2}{\int\int\cdots\int}\mathrm{d}x_1\mathrm{d}x_2\cdots\mathrm{d}x_n=a^nV_n(1),$$

其中 $V_n(1)$ 表示 $a=1$ 时的 n 维球体的体积.

$$V_n(1)=\underset{\xi_1^2+\xi_2^2+\cdots+\xi_n^2\leqslant 1}{\iint\cdots\int}\mathrm{d}\xi_1\mathrm{d}\xi_2\cdots\mathrm{d}\xi_n=\int_{-1}^{1}\mathrm{d}\xi_n\underset{\xi_1^2+\xi_2^2+\cdots+\xi_{n-1}^2\leqslant 1-\xi_n^2}{\iint\cdots\int}\mathrm{d}\xi_1\mathrm{d}\xi_2\cdots\mathrm{d}\xi_{n-1}$$

$$=V_{n-1}(1)\int_{-1}^{1}(1-\xi_n^2)^{\frac{n-1}{2}}\mathrm{d}\xi_n=2V_{n-1}(1)\int_0^{\frac{\pi}{2}}\sin^n\varphi\mathrm{d}\varphi$$

$$=2V_{n-1}(1)\cdot\frac{1}{2}\frac{\Gamma\left(\frac{n+1}{2}\right)\Gamma\left(\frac{1}{2}\right)}{\Gamma\left(\frac{n+2}{2}\right)}=V_{n-1}(1)\sqrt{\pi}\frac{\Gamma\left(\frac{n+1}{2}\right)}{\Gamma\left(\frac{n+2}{2}\right)},$$

因为 $V_1(1)=2$，故由上述公式可得 $V_n(1)=\dfrac{\pi^{\frac{n}{2}}}{\Gamma\left(\frac{n}{2}+1\right)}$. 因此 $V_n=\dfrac{\pi^{\frac{n}{2}}}{\Gamma\left(\frac{n}{2}+1\right)}a^n$.

对于 n 为偶数及奇数，分别可得公式 $V_{2m}=\dfrac{\pi^m}{m!}a^{2m}$，$V_{2m+1}=\dfrac{2\cdot(2\pi)^m}{(2m+1)!!}a^{2m+1}$.

特别地，对于 V_1，V_2，V_3 可求得熟知的值：$2a$，πa^2，$\dfrac{4}{3}\pi a^3$.

【4212】 求 $\underset{\Omega}{\iint\cdots\int}x_n^2\mathrm{d}x_1\mathrm{d}x_2\cdots\mathrm{d}x_n$，其中区域 Ω 是由下列不等式确定的：

$$x_1^2+x_2^2+\cdots+x_{n-1}^2\leqslant a^2,\ -\frac{h}{2}\leqslant x_n\leqslant\frac{h}{2}.$$

解 由 4211 题的结果可得

$$\underset{\Omega}{\iint\cdots\int}x_n^2\mathrm{d}x_1\mathrm{d}x_2\cdots\mathrm{d}x_n=\int_{-\frac{h}{2}}^{\frac{h}{2}}x_n^2\mathrm{d}x_n\underset{x_1^2+x_2^2+\cdots+x_{n-1}^2\leqslant a^2}{\iint\cdots\int}\mathrm{d}x_1\mathrm{d}x_2\cdots\mathrm{d}x_{n-1}=\frac{h^3}{12}\cdot\frac{\pi^{\frac{n-1}{2}}}{\Gamma\left(\frac{n+1}{2}\right)}a^{n-1}.$$

【4213】 计算 $\underset{x_1^2+x_2^2+\cdots+x_n^2\leqslant 1}{\iint\cdots\int}\dfrac{\mathrm{d}x_1\mathrm{d}x_2\cdots\mathrm{d}x_n}{\sqrt{1-x_1^2-x_2^2-\cdots-x_n^2}}$.

解 由 4211 题的结果，即得

$$\underset{x_1^2+x_2^2+\cdots+x_n^2\leqslant 1}{\iint\cdots\int}\frac{\mathrm{d}x_1\mathrm{d}x_2\cdots\mathrm{d}x_n}{\sqrt{1-x_1^2-x_2^2-\cdots-x_n^2}}$$

$$=\underset{x_1^2+x_2^2+\cdots+x_{n-1}^2\leqslant 1}{\iint\cdots\int}\frac{\mathrm{d}x_1\mathrm{d}x_2\cdots\mathrm{d}x_n}{\sqrt{1-x_1^2-x_2^2-\cdots-x_n^2}}\int_{-\sqrt{1-x_1^2-\cdots-x_{n-1}^2}}^{\sqrt{1-x_1^2-\cdots-x_{n-1}^2}}\frac{\mathrm{d}x_n}{\sqrt{1-x_1^2-x_2^2-\cdots-x_n^2}}$$

$$=\pi\underset{x_1^2+x_2^2+\cdots+x_{n-1}^2\leqslant 1}{\iint\cdots\int}\mathrm{d}x_1\mathrm{d}x_2\cdots\mathrm{d}x_n=\pi\cdot\frac{\pi^{\frac{n-1}{2}}}{\Gamma\left(\frac{n-1}{2}+1\right)}=\frac{\pi^{\frac{n+1}{2}}}{\Gamma\left(\frac{n+1}{2}\right)}.$$

习题 4214—4220 多重积分的计算与证明

【4214】 证明：$\int_0^x\mathrm{d}x_1\int_0^{x_1}\mathrm{d}x_2\cdots\int_0^{x_n-1}f(x_n)\mathrm{d}x_n=\int_0^x f(u)\dfrac{(x-u)^{n-1}}{(n-1)!}\mathrm{d}u$.

证 由 4202 题的结果，即得

$$\int_0^x\mathrm{d}x_1\int_0^{x_1}\mathrm{d}x_2\cdots\int_0^{x_{n-1}}f(x_n)\mathrm{d}x_n=\int_0^x f(x_n)\mathrm{d}x_n\int_{x_n}^x\mathrm{d}x_{n-1}\int_{x_{n-1}}^x\mathrm{d}x_{n-2}\cdots\int_{x_2}^x\mathrm{d}x_1$$

$$=\int_0^x f(x_n)\mathrm{d}x_n\int_{x_n}^x\mathrm{d}x_{n-1}\int_{x_{n-1}}^x\mathrm{d}x_{n-2}\cdots\int_{x_3}^x(x-x_2)\mathrm{d}x_2$$

$$=\frac{1}{2}\int_0^x f(x_n)\mathrm{d}x_n\int_{x_n}^x\mathrm{d}x_{n-1}\int_{x_{n-1}}^x\mathrm{d}x_{n-2}\cdots\int_{x_4}^x(x-x_3)^2\mathrm{d}x_3$$

$$=\frac{1}{2\cdot 3}\int_0^x f(x_n)\mathrm{d}x_n\int_{x_n}^x\mathrm{d}x_{n-1}\int_{x_{n-1}}^x\mathrm{d}x_{n-2}\cdots\int_{x_5}^x(x-x_4)^3\mathrm{d}x_4$$

$$= \cdots$$

$$= \frac{1}{(n-2)!}\int_0^x f(x_n)\mathrm{d}x_n\int_{x_n}^x (x-x_{n-1})^{n-2}\mathrm{d}x_{n-1}$$

$$= \int_0^x \frac{(x-x_n)^{n-1}}{(n-1)!}f(x_n)\mathrm{d}x_n.$$

在上述积分中,用 u 替换 x_n,不影响积分的值,故得

$$\int_0^x \mathrm{d}x_1\int_0^{x_1}\mathrm{d}x_2\cdots\int_0^{x_{n-1}} f(x_n)\mathrm{d}x = \int_0^x f(u)\,\frac{(x-u)^{n-1}}{(n-1)!}\mathrm{d}u.$$

【4215】 证明:$\int_0^x x_1\mathrm{d}x_1\int_0^{x_1} x_2\mathrm{d}x_2\cdots\int_0^{x_n} f(x_{n+1})\mathrm{d}x_{n+1} = \frac{1}{2^n n!}\int_0^x (x^2-u^2)^n f(u)\mathrm{d}u.$

证 利用 4202 题的结果,即得

$$\int_0^x x_1\mathrm{d}x_1\int_0^{x_1} x_2\mathrm{d}x_2\cdots\int_0^{x_n} f(x_{n+1})\mathrm{d}x_{n+1} = \int_0^x f(x_{n+1})\mathrm{d}x_{n+1}\int_{x_{n+1}}^x x_n\mathrm{d}x_n\int_{x_n}^x x_{n-1}\mathrm{d}x_{n-1}\cdots\int_{x_2}^x x_1\mathrm{d}x_1$$

$$= \frac{1}{2}\int_0^x f(x_{n+1})\mathrm{d}x_{n+1}\int_{x_{n+1}}^x x_n\mathrm{d}x_n\int_{x_n}^x x_{n-1}\mathrm{d}x_{n-1}\cdots\int_{x_3}^x (x^2-x_2^2)x_2\mathrm{d}x_2$$

$$= \frac{1}{2^2\cdot 2}\int_0^x f(x_{n+1})\mathrm{d}x_{n+1}\int_{x_{n+1}}^x x_n\mathrm{d}x_n\int_{x_n}^x x_{n-1}\mathrm{d}x_{n-1}\cdots\int_{x_4}^x (x^2-x_3^2)^2 x_3\mathrm{d}x_3$$

$$= \cdots$$

$$= \frac{1}{2^{n-1}(n-1)!}\int_0^x f(x_{n+1})\mathrm{d}x_{n+1}\int_{x_{n+1}}^x (x^2-x_n^2)^{n-1}x_n\mathrm{d}x_n$$

$$= \frac{1}{2^n n!}\int_0^x f(x_{n+1})(x^2-x_{n+1}^2)^n\mathrm{d}x_{n+1}.$$

在上述积分中,用 u 替换 x_n,不影响积分的值,故得

$$\int_0^x x_1\mathrm{d}x_1\int_0^{x_1} x_2\mathrm{d}x_2\cdots\int_0^{x_n} f(x_{n+1})\mathrm{d}x_{n+1} = \frac{1}{2^n n!}\int_0^x (x^2-u^2)^n f(u)\mathrm{d}u.$$

【4216】 证明狄利克雷公式:

$$\underset{\substack{x_1,x_2,\cdots,x_n\geqslant 0\\ x_1+x_2+\cdots+x_n\leqslant 1}}{\iint\cdots\int} x_1^{p_1-1}x_2^{p_2-1}\cdots x_n^{p_n-1}\mathrm{d}x_1\mathrm{d}x_2\cdots\mathrm{d}x_n = \frac{\Gamma(p_1)\Gamma(p_2)\cdots\Gamma(p_n)}{\Gamma(p_1+p_2+\cdots+p_n+1)}(p_1,p_2,\cdots,p_n>0).$$

证 用数学归纳法证明.

当 $n=1$ 时,公式显然成立,即 $\int\limits_{0\leqslant x_1\leqslant 1} x_1^{p_1-1}\mathrm{d}x_1 = \frac{1}{p_1} = \frac{\Gamma(p_1)}{\Gamma(p_1+1)}.$

假设公式对 $n-1$ 成立,下证公式对 n 也成立. 为此,将公式左端写为

$$\int_0^1 x_n^{p_n-1}\mathrm{d}x_n \underset{\substack{x_1,x_2,\cdots,x_n\geqslant 0\\ x_1+x_2+\cdots+x_{n-1}\leqslant 1-x_n}}{\iint\cdots\int} x_1^{p_1-1}x_2^{p_2-1}\cdots x_{n-1}^{p_{n-1}-1}\mathrm{d}x_1\mathrm{d}x_2\cdots\mathrm{d}x_{n-1}.$$

在里面的 $n-1$ 重积分中作代换

$$x_1=(1-x_n)\xi_1, x_2=(1-x_n)\xi_2,\cdots,x_{n-1}=(1-x_n)\xi_{n-1},$$

即得

$$\frac{\Gamma(p_1)\Gamma(p_2)\cdots\Gamma(p_{n-1})}{\Gamma(p_1+p_2+\cdots+p_{n-1}+1)}\int_0^1 x_n^{p_n-1}(1-x_n)x^{p_1+p_2+\cdots+p_{n-1}}\mathrm{d}x_n$$

$$= \frac{\Gamma(p_1)\Gamma(p_2)\cdots\Gamma(p_{n-1})}{\Gamma(p_1+p_2+\cdots+p_{n-1}+1)}\mathrm{B}(p_n,p_1+\cdots+p_{n-1}+1)$$

$$= \frac{\Gamma(p_1)\Gamma(p_2)\cdots\Gamma(p_{n-1})}{\Gamma(p_1+p_2+\cdots+p_{n-1}+1)}\cdot\frac{\Gamma(p_n)\Gamma(p_1+p_2+\cdots+p_{n-1}+1)}{\Gamma(p_1+p_2+\cdots+p_n+1)}$$

$$= \frac{\Gamma(p_1)\Gamma(p_2)\cdots\Gamma(p_n)}{\Gamma(p_1+p_2+\cdots+p_n+1)}.$$

故公式对 n 重积分也成立. 从而对 n 为任意的正整数,狄利克雷公式均成立.

【4217】 证明刘维耳公式：

$$\underset{\substack{x_1,x_2,\cdots,x_n\geqslant 0\\ x_1+x_2+\cdots+x_n\leqslant 1}}{\iint\cdots\int} f(x_1+x_2+\cdots+x_n)x_1^{p_1-1}x_2^{p_2-1}\cdots x_n^{p_n-1}\mathrm{d}x_1\mathrm{d}x_2\cdots\mathrm{d}x_n$$

$$=\frac{\Gamma(p_1)\Gamma(p_2)\cdots\Gamma(p_n)}{\Gamma(p_1+p_2+\cdots+p_n)}\int_0^1 f(u)u^{p_1+p_2+\cdots+p_n-1}\mathrm{d}u(p_1,p_2,\cdots,p_n>0),$$

其中 $f(u)$ 为连续函数.

证 用数学归纳法证明.

当 $n=1$ 时,公式显然成立. 当 $n=2$ 时,公式也成立,即

$$\underset{\substack{x_1\geqslant 0,x_2\geqslant 0\\ x_1+x_2\leqslant 1}}{\iint} f(x_1+x_2)x_1^{p_1-1}x_2^{p_2-1}\mathrm{d}x_1\mathrm{d}x_2=\frac{\Gamma(p_1)\Gamma(p_2)}{\Gamma(p_1+p_2)}\int_0^1 f(u)u^{p_1+p_2-1}\mathrm{d}u.$$

事实上,作代换 $x_1=\xi_1,x_1+x_2=\xi_2$ 及 $t=\frac{\xi_1}{\xi_2}$,有

$$\underset{\substack{x_1\geqslant 0,x_2\geqslant 0\\ x_1+x_2\leqslant 1}}{\iint} f(x_1+x_2)x_1^{p_1-1}x_2^{p_2-1}\mathrm{d}x_1\mathrm{d}x_2=\int_0^1 f(\xi_2)\mathrm{d}\xi_2\int_0^{\xi_2}\xi_1^{p_1-1}(\xi_2-\xi_1)^{p_2-1}\mathrm{d}\xi_1$$

$$=\int_0^1 f(\xi_2)\mathrm{d}\xi_2\int_0^1 t^{p_1-1}(1-t)^{p_2-1}\xi_2^{p_1+p_2-1}\mathrm{d}t=\frac{\Gamma(p_1)\Gamma(p_2)}{\Gamma(p_1+p_2)}\int_0^1 f(\xi_2)\xi_2^{p_1+p_2-1}\mathrm{d}\xi_2$$

$$=\frac{\Gamma(p_1)\Gamma(p_2)}{\Gamma(p_1+p_2)}\int_0^1 f(u)u^{p_1+p_2-1}\mathrm{d}u.$$

假设公式对于 $n-1$ 成立,下证对于 n 也成立. 为此,将公式左端写为

$$\underset{\substack{x_1,x_2,\cdots,x_n\geqslant 0\\ x_1+x_2+\cdots+x_n\leqslant 1}}{\iint\cdots\int} x_1^{p_1-1}x_2^{p_2-1}\cdots x_{n-1}^{p_{n-1}-1}\mathrm{d}x_1\mathrm{d}x_2\cdots\mathrm{d}x_{n-1}\int_0^{1-(x_1+x_2+\cdots+x_{n-1})} f(x_1+x_2+\cdots+x_n)x_n^{p_n-1}\mathrm{d}x_n.$$

令 $\psi(t)=\int_0^{1-t} f(t+x_n)x_n^{p_n-1}\mathrm{d}x_n$,代入上式,并利用公式对 $n-1$ 成立的假定,得知上式为

$$\frac{\Gamma(p_1)\Gamma(p_2)\cdots\Gamma(p_{n-1})}{\Gamma(p_1+p_2+\cdots+p_{n-1})}\int_0^1\psi(t)t^{p_1+p_2+\cdots+p_{n-1}-1}\mathrm{d}t.$$

利用上面已证的 $n=2$ 时的公式,于是即得

$$\underset{\substack{x_1,x_2,\cdots,x_n\geqslant 0\\ x_1+x_2+\cdots+x_n\leqslant 1}}{\iint\cdots\int} f(x_1+x_2+\cdots+x_n)x_1^{p_1-1}x_2^{p_2-1}\cdots x_n^{p_n-1}\mathrm{d}x_1\mathrm{d}x_2\cdots\mathrm{d}x_n$$

$$=\frac{\Gamma(p_1)\Gamma(p_2)\cdots\Gamma(p_{n-1})}{\Gamma(p_1+p_2+\cdots+p_{n-1})}\int_0^1\mathrm{d}t\int_0^{1-t} f(t+x_n)t^{p_1+p_2+\cdots+p_{n-1}-1}x_n^{p_n-1}\mathrm{d}x_n$$

$$=\frac{\Gamma(p_1)\Gamma(p_2)\cdots\Gamma(p_{n-1})}{\Gamma(p_1+p_2+\cdots+p_{n-1})}\underset{\substack{t,x_n\geqslant 0\\ t+x_n\leqslant 1}}{\iint} f(t+x_n)t^{p_1+p_2+\cdots+p_{n-1}-1}x_n^{p_n-1}\mathrm{d}t\mathrm{d}x_n$$

$$=\frac{\Gamma(p_1)\Gamma(p_2)\cdots\Gamma(p_{n-1})}{\Gamma(p_1+p_2+\cdots+p_{n-1})}\cdot\frac{\Gamma(p_1+p_2+\cdots+p_{n-1})\Gamma(p_n)}{\Gamma(p_1+p_2+\cdots+p_n)}\int_0^1 f(u)u^{p_1+p_2+\cdots+p_n-1}\mathrm{d}u$$

$$=\frac{\Gamma(p_1)\Gamma(p_2)\cdots\Gamma(p_n)}{\Gamma(p_1+p_2+\cdots+p_n)}\int_0^1 f(u)u^{p_1+p_2+\cdots+p_n-1}\mathrm{d}u,$$

即公式对于 n 也成立. 从而公式对于 n 为任意正整数均成立.

【4218】 将区域 $\Omega:x_1^2+x_2^2+\cdots+x_n^2\leqslant R^2$ 上的 n 重积分($n\geqslant 2$)

$$\underset{\Omega}{\iint\cdots\int} f(\sqrt{x_1^2+x_2^2+\cdots+x_n^2})\mathrm{d}x_1\mathrm{d}x_2\cdots\mathrm{d}x_n$$

化为一重积分,其中 $f(u)$ 为连续函数.

解 作代换

$$x_1 = Rr\cos\varphi_1,$$
$$x_2 = Rr\sin\varphi_1\cos\varphi_2,$$
$$\vdots$$
$$x_{n-1} = Rr\sin\varphi_1\sin\varphi_2\cdots\sin\varphi_{n-2}\cos\varphi_{n-1},$$
$$x_n = Rr\sin\varphi_1\sin\varphi_2\cdots\sin\varphi_{n-2}\sin\varphi_{n-1},$$

则有 $J = R^n r^{n-1}\sin^{n-2}\varphi_1\sin^{n-3}\varphi_2\cdots\sin\varphi_{n-2}$，故

$$\iint\limits_{\Omega}\cdots\int f(\sqrt{x_1^2+x_2^2+\cdots+x_n^2})\mathrm{d}x_1\mathrm{d}x_2\cdots\mathrm{d}x_n$$

$$= R^n\int_0^1 r^{n-1}f(Rr)\mathrm{d}r\int_0^{\pi}\sin^{n-2}\varphi_1\mathrm{d}\varphi_1\int_0^{\pi}\sin^{n-3}\varphi_2\mathrm{d}\varphi_2\cdots\int_0^{\pi}\sin\varphi_{n-2}\mathrm{d}\varphi_{n-2}\int_0^{2\pi}\mathrm{d}\varphi_{n-1}$$

$$= 2\pi R^n\frac{\Gamma\left(\frac{n-1}{2}\right)\Gamma\left(\frac{1}{2}\right)}{\Gamma\left(\frac{n}{2}\right)}\cdot\frac{\Gamma\left(\frac{n-2}{2}\right)\Gamma\left(\frac{1}{2}\right)}{\Gamma\left(\frac{n-1}{2}\right)}\cdots\frac{\Gamma(1)\Gamma\left(\frac{1}{2}\right)}{\Gamma\left(\frac{3}{2}\right)}\int_0^1 r^{n-1}f(Rr)\mathrm{d}r$$

$$= R^n\frac{2\pi\cdot\pi^{\frac{n-2}{2}}}{\Gamma\left(\frac{n}{2}\right)}\int_0^1 r^{n-1}f(Rr)\mathrm{d}r = R^n\frac{\pi^{\frac{n}{2}}}{\Gamma\left(\frac{n}{2}\right)}\int_0^1(r^2)^{\frac{n}{2}-1}f(Rr)\mathrm{d}(r^2)$$

$$= R^n\frac{\pi^{\frac{n}{2}}}{\Gamma\left(\frac{n}{2}\right)}\int_0^1 u^{\frac{n}{2}-1}f(R\sqrt{u})\mathrm{d}u.$$

注 参看 4210 题的计算过程.

【4219】 计算半径为 R，密度为 ρ_0 的均质球对自身的引力势，即求积分

$$u = \frac{\rho_0^2}{2}\iiint\limits_{\substack{x_1^2+y_1^2+z_1^2\leqslant R^2\\ x_2^2+y_2^2+z_2^2\leqslant R^2}}\iiint\frac{\mathrm{d}x_1\mathrm{d}y_1\mathrm{d}z_1\mathrm{d}x_2\mathrm{d}y_2\mathrm{d}z_2}{r_{1,2}},$$

其中 $r_{1,2} = \sqrt{(x_1-x_2)^2+(y_1-y_2)^2+(z_1-z_2)^2}$.

解 $$u = \frac{\rho_0^2}{2}\iiint\limits_{x_1^2+y_1^2+z_1^2\leqslant R^2}\mathrm{d}x_1\mathrm{d}y_1\mathrm{d}z_1\iiint\limits_{x_2^2+y_2^2+z_2^2\leqslant R^2}\frac{\mathrm{d}x_2\mathrm{d}y_2\mathrm{d}z_2}{r_{1,2}}.$$

由 4155 题的结果可知

$$\iiint\limits_{x_2^2+y_2^2+z_2^2\leqslant R^2}\frac{\mathrm{d}x_2\mathrm{d}y_2\mathrm{d}z_2}{r_{1,2}} = 2\pi R^2-\frac{2}{3}\pi r_1^2,$$

其中 $r_1 = \sqrt{x_1^2+y_1^2+z_1^2}$. 于是利用球坐标，有

$$u = \frac{\rho_0^2}{2}\iiint\limits_{x_1^2+y_1^2+z_1^2\leqslant R^2}\left(2\pi R^2-\frac{2}{3}\pi r_1^2\right)\mathrm{d}x_1\mathrm{d}y_1\mathrm{d}z_1$$

$$= \frac{\rho_0^2}{2}\int_0^{2\pi}\mathrm{d}\theta\int_0^{\pi}\sin\varphi\mathrm{d}\varphi\int_0^R\left(2\pi R^2-\frac{2}{3}\pi r^2\right)r^2\mathrm{d}r = \frac{15}{16}\pi^2\rho_0^2R^5.$$

【4220】 设 $\sum\limits_{i,j=1}^{n}a_{ij}x_ix_j\,(a_{ij}=a_{ji})$ 为正定二次型，计算 n 重积分

$$\int_{-\infty}^{+\infty}\int_{-\infty}^{+\infty}\cdots\int_{-\infty}^{+\infty}\mathrm{e}^{-\left\{\sum\limits_{i,j=1}^{n}a_{ij}x_ix_j+2\sum\limits_{i=1}^{n}b_ix_i+c\right\}}\mathrm{d}x_1\mathrm{d}x_2\cdots\mathrm{d}x_n.$$

解 作变量代换

$$x_i = y_i+\alpha_i\ (i=1,2,\cdots,n), \qquad ①$$

其中诸常数 α_i 以下再确定. 于是注意到 $a_{ij}=a_{ji}$，易得

$$\sum_{i,j=1}^{n}a_{ij}x_ix_j+2\sum_{i=1}^{n}b_ix_i+c=\sum_{i,j=1}^{n}a_{ij}y_iy_j+2\sum_{i=1}^{n}\Big[\Big(\sum_{j=1}^{n}a_{ij}\alpha_j\Big)+b_i\Big]y_i+\sum_{i,j=1}^{n}a_{ij}\alpha_i\alpha_j+2\sum_{i=1}^{n}b_i\alpha_i+c.$$

由于$\sum\limits_{i,j=1}^{n}a_{ij}x_ix_j$是正定二次型，故必有$\delta=|a_{ij}|>0$，从而，线性方程组

$$\sum_{j=1}^{n}a_{ij}\alpha_j+b_i=0\ (i=1,2,\cdots,n) \qquad ②$$

有唯一的一组解$\alpha_1,\cdots,\alpha_n$，取变换①式中的诸α_i即为方程组②的解. 于是

$$\sum_{i,j=1}^{n}a_{ij}x_ix_j+2\sum_{i=1}^{n}b_ix_i+c=\sum_{i,j=1}^{n}a_{ij}y_iy_j+c', \qquad ③$$

其中

$$c'=\sum_{i=1}^{n}\Big(\sum_{j=1}^{n}a_{ij}\alpha_j\Big)\alpha_i+2\sum_{i=1}^{n}b_i\alpha_i+c=-\sum_{i=1}^{n}b_i\alpha_i+2\sum_{i=1}^{n}b_i\alpha_j+c=\sum_{i=1}^{n}b_i\alpha_i+c. \qquad ④$$

下面用诸a_{ij}和b_i及c来表示c'，令

$$\Delta=\begin{vmatrix}a_{ij} & \vdots & b_i\\ \cdots & \cdots & \cdots\\ b_j & \vdots & c\end{vmatrix}=\begin{vmatrix}a_{11} & \cdots & a_{1n} & b_1\\ \vdots & & \vdots & \vdots\\ a_{n1} & \cdots & a_{nn} & b_n\\ b_1 & \cdots & b_n & c\end{vmatrix}$$

（$n+1$阶行列式，即$|a_{ij}|$的加边行列式）. 将此行列式的第一列乘上α_1，第二列乘上α_2，…，第n列乘上α_n都加到第$n+1$列上去，并注意到②式与④式，得

$$\Delta=\begin{vmatrix}a_{ij} & \vdots & b_i\\ \cdots & \cdots & \cdots\\ b_j & \vdots & c\end{vmatrix}=\begin{vmatrix}a_{ij} & \vdots & \sum\limits_{j=1}^{n}a_{ij}\alpha_j+b_i\\ \cdots & \cdots & \cdots\\ b_j & \vdots & \sum\limits_{j=1}^{n}b_j\alpha_j+c\end{vmatrix}=\begin{vmatrix}a_{ij} & \vdots & 0\\ \cdots & \cdots & \cdots\\ b_j & \vdots & c'\end{vmatrix}=c'\,|a_{ij}|=c'\delta.$$

故

$$c'=\frac{\Delta}{\delta}. \qquad ⑤$$

由于$\sum\limits_{i,j=1}^{n}a_{ij}y_iy_j$是正定二次型，故正交矩阵$\boldsymbol{P}=(p_{ij})=\begin{pmatrix}p_{11} & \cdots & p_{1n}\\ \vdots & & \vdots\\ p_{n1} & \cdots & p_{nn}\end{pmatrix}$，使在线性变换

$$y_i=\sum_{j=1}^{n}p_{ij}z_j\,(i=1,2,\cdots,n) \qquad ⑥$$

下，二次型变为平方和

$$\sum_{i,j=1}^{n}a_{ij}y_iy_j=\sum_{i=1}^{n}\lambda_iz_i^2, \qquad ⑦$$

其中$\lambda_i>0(i=1,2,\cdots,n)$；也即

$$\boldsymbol{P}^{-1}\boldsymbol{AP}=\begin{pmatrix}\lambda_1 & & 0\\ & \ddots & \\ 0 & & \lambda_n\end{pmatrix}, \qquad ⑧$$

其中$\boldsymbol{A}=(a_{ij})=\begin{pmatrix}a_{11} & \cdots & a_{1n}\\ \vdots & & \vdots\\ a_{n1} & \cdots & a_{nn}\end{pmatrix}$. 由于$\boldsymbol{P}$为正交矩阵，故$\boldsymbol{P}^{-1}=\boldsymbol{P}^{\mathrm{T}}$（$\boldsymbol{P}^{\mathrm{T}}$表示$\boldsymbol{P}$的转置矩阵），且$|\boldsymbol{P}|=|p_{ij}|=\pm1$. 由⑧式又知

$$\delta=|a_{ij}|=|\boldsymbol{P}^{-1}|\cdot|\boldsymbol{A}|\cdot|\boldsymbol{P}|=\lambda_1\lambda_2\cdots\lambda_n. \qquad ⑨$$

根据 ① 式与 ⑥ 式,可知

$$\frac{D(x_1,\cdots,x_n)}{D(y_1,\cdots,y_n)}=1,\frac{D(y_1,\cdots,y_n)}{D(z_1,\cdots,z_n)}=|\ p_{ij}\ |=|\ \boldsymbol{P}\ |=\pm 1.$$

于是,利用广义 n 重积分的变量代换公式,并注意到被积函数的非负性,得(注意 ③ 式、⑤ 式与 ⑦ 式)

$$\begin{aligned}I&=\int_{-\infty}^{+\infty}\int_{-\infty}^{+\infty}\cdots\int_{-\infty}^{+\infty}\mathrm{e}^{-\{\sum_{i,j=1}^{n}a_{ij}x_ix_j+2\sum_{i=1}^{n}b_ix_i+c\}}\,\mathrm{d}x_1\mathrm{d}x_2\cdots\mathrm{d}x_n\\&=\int_{-\infty}^{+\infty}\int_{-\infty}^{+\infty}\cdots\int_{-\infty}^{+\infty}\mathrm{e}^{-\{\sum_{i,j=1}^{n}a_{ij}y_iy_j+c'\}}\,\frac{D(x_1,\cdots,x_n)}{D(y_1,\cdots,y_n)}\mathrm{d}y_1\mathrm{d}y_2\cdots\mathrm{d}y_n\\&=\mathrm{e}^{-\frac{\Delta}{\delta}}\int_{-\infty}^{+\infty}\int_{-\infty}^{+\infty}\cdots\int_{-\infty}^{+\infty}\mathrm{e}^{-\{\sum_{i,j=1}^{n}a_{ij}y_iy_j+c'\}}\,\mathrm{d}y_1\mathrm{d}y_2\cdots\mathrm{d}y_n\\&=\mathrm{e}^{-\frac{\Delta}{\delta}}\int_{-\infty}^{+\infty}\int_{-\infty}^{+\infty}\cdots\int_{-\infty}^{+\infty}\mathrm{e}^{-\sum_{i,j=1}^{n}\lambda_iz_i^2}\,\frac{D(y_1,\cdots,y_n)}{D(z_1,\cdots,z_n)}\mathrm{d}z_1\mathrm{d}z_2\cdots\mathrm{d}z_n\\&=\mathrm{e}^{-\frac{\Delta}{\delta}}\int_{-\infty}^{+\infty}\int_{-\infty}^{+\infty}\cdots\int_{-\infty}^{+\infty}\mathrm{e}^{-\sum_{i,j=1}^{n}\lambda_iz_i^2}\,\mathrm{d}z_1\mathrm{d}z_2\cdots\mathrm{d}z_n\\&=\mathrm{e}^{-\frac{\Delta}{\delta}}\int_{-\infty}^{+\infty}\mathrm{e}^{-\lambda_1z_1^2}\,\mathrm{d}z_1\int_{-\infty}^{+\infty}\mathrm{e}^{-\lambda_2z_2^2}\,\mathrm{d}z_2\cdots\int_{-\infty}^{+\infty}\mathrm{e}^{-\lambda_nz_n^2}\,\mathrm{d}z_n.\end{aligned}$$

作代换 $z_i=\frac{u}{\sqrt{\lambda_i}}$($i$ 固定),得

$$\int_{-\infty}^{+\infty}\mathrm{e}^{-\lambda_iz_i^2}\,\mathrm{d}z_i=\frac{1}{\sqrt{\lambda_i}}\int_{-\infty}^{+\infty}\mathrm{e}^{-u^2}\,\mathrm{d}u=\frac{2}{\sqrt{\lambda_i}}\int_{0}^{+\infty}\mathrm{e}^{-u^2}\,\mathrm{d}u=\frac{\sqrt{\pi}}{\sqrt{\lambda_i}}\ (i=1,2,\cdots,n).$$

以此代入上式,并注意到 ⑨ 式,最后得

$$I=\int_{-\infty}^{+\infty}\int_{-\infty}^{+\infty}\cdots\int_{-\infty}^{+\infty}\mathrm{e}^{-\{\sum_{i,j=1}^{n}a_{ij}x_ix_j+2\sum_{i=1}^{n}b_ix_i+c\}}\,\mathrm{d}x_1\mathrm{d}x_2\cdots\mathrm{d}x_n=\mathrm{e}^{-\frac{\Delta}{\delta}}\,\frac{\pi^{\frac{n}{2}}}{\sqrt{\lambda_1\lambda_2\cdots\lambda_n}}=\sqrt{\frac{\pi^n}{\delta}}\,\mathrm{e}^{-\frac{\Delta}{\delta}}.$$

第11节 曲线积分(习题4221—4295)

知识点预览

序号	知识点	题目序号	所在页码
1	第一型曲线积分	4221—4240	P132
2	第一型曲线积分在力学上的应用	4241—4247	P138
3	第二型曲线积分	4248—4262	P141
4	曲线积分与路径无关的条件	4263—4295	P145

知识点 1 第一型曲线积分

若函数 $f(x,y,z)$ 在光滑曲线 C

$$x=x(t),y=y(t),z=z(t)(t_0\leqslant t\leqslant T) \qquad ①$$

的各点上有定义并且连续,$\mathrm{d}s$ 为弧长的微分,则

$$\int_C f(x,y,z)\mathrm{d}s=\int_{t_0}^{T}f[x(t),y(t),z(t)]\sqrt{x'^2(t)+y'^2(t)+z'^2(t)}\,\mathrm{d}t.$$

这个积分的特征在于它与曲线 C 的方向无关.

习题 4221—4230 计算平面第一型曲线积分

【计算下列第一型曲线积分(4221—4230)】

【4221】 $\int_C (x+y)\mathrm{d}s$，其中 C 为以 $O(0,0)$，$A(1,0)$ 和 $B(0,1)$ 为顶点的三角形围线.

解 $\int_C (x+y)\mathrm{d}s = \int_{\overline{OA}}(x+y)\mathrm{d}s + \int_{\overline{AB}}(x+y)\mathrm{d}s + \int_{\overline{BO}}(x+y)\mathrm{d}s$

$$= \int_0^1 x\mathrm{d}x + \int_0^1 \sqrt{2}\,\mathrm{d}x + \int_0^1 y\mathrm{d}y = 1+\sqrt{2}.$$

【4222】 $\int_C y^2\mathrm{d}s$，其中 C 为摆线 $x=a(t-\sin t)$，$y=a(1-\cos t)(0\leqslant t\leqslant 2\pi)$ 的一拱.

解 弧长的微分为 $\mathrm{d}s=\sqrt{(\mathrm{d}x)^2+(\mathrm{d}y)^2}=\sqrt{a^2(1-\cos t)^2+a^2\sin^2 t}\,\mathrm{d}t=2a\sin\frac{t}{2}\mathrm{d}t$. 故

$$\int_C y^2\mathrm{d}s = 2a^3\int_0^{2\pi}\sin\frac{t}{2}(1-\cos t)^2\mathrm{d}t = 8a^3\int_0^{2\pi}\sin^5\frac{t}{2}\mathrm{d}t \xlongequal{\frac{t}{2}=u} 32a^3\int_0^{\frac{\pi}{2}}\sin^5 u\mathrm{d}u = \frac{256}{15}a^3.$$

【4223】 $\int_C (x^2+y^2)\mathrm{d}s$，其中 C 为曲线 $x=a(\cos t+t\sin t)$，$y=a(\sin t-t\cos t)$ $(0\leqslant t\leqslant 2\pi)$.

解 弧长的微分为 $\mathrm{d}s=\sqrt{a^2t^2\cos^2 t+a^2t^2\sin^2 t}\,\mathrm{d}t=at\mathrm{d}t$，故

$$\int_C (x^2+y^2)\mathrm{d}s = \int_0^{2\pi}[a^2(\cos t+t\sin t)^2+a^2(\sin t-t\cos t)^2]at\mathrm{d}t$$

$$= \int_0^{2\pi}a^3t(1+t^2)\mathrm{d}t = 2\pi^2a^3(1+2\pi^2).$$

【4224】 $\int_C xy\mathrm{d}s$，其中 C 为双曲线 $x=a\operatorname{ch} t$，$y=a\operatorname{sh} t(0\leqslant t\leqslant t_0)$ 的弧.

解 弧长的微分为 $\mathrm{d}s=\sqrt{a^2\operatorname{sh}^2 t+a^2\operatorname{ch}^2 t}\,\mathrm{d}t=a\sqrt{\operatorname{ch}2t}\,\mathrm{d}t$. 故

$$\int_C xy\mathrm{d}s = a^3\int_0^{t_0}\operatorname{ch}t\operatorname{sh}t\sqrt{\operatorname{ch}2t}\,\mathrm{d}t = \frac{a^3}{2}\int_0^{t_0}\operatorname{sh}2t\sqrt{\operatorname{ch}2t}\,\mathrm{d}t = \frac{a^3}{4}\int_0^{t_0}\sqrt{\operatorname{ch}2t}\,\mathrm{d}(\operatorname{ch}2t) = \frac{a^3}{6}(\sqrt{\operatorname{ch}^3 2t_0}-1).$$

【4225】 $\int_C (x^{\frac{4}{3}}+y^{\frac{4}{3}})\mathrm{d}s$，其中 C 为星形线 $x^{\frac{2}{3}}+y^{\frac{2}{3}}=a^{\frac{2}{3}}$ 的弧.

解 **方法一** 按直角坐标方程计算，弧长的微分为 $\mathrm{d}s=\sqrt{1+y'^2}\,\mathrm{d}x=\frac{\sqrt[3]{a}}{\sqrt[3]{x}}\mathrm{d}x$. 故

$$\int_C (x^{\frac{4}{3}}+y^{\frac{4}{3}})\mathrm{d}s = 4\int_0^a[x^{\frac{4}{3}}+(a^{\frac{2}{3}}-x^{\frac{2}{3}})^2]\frac{\sqrt[3]{a}}{\sqrt[3]{x}}\mathrm{d}x = 4\sqrt[3]{a}\int_0^a(2x+a^{\frac{4}{3}}x^{-\frac{1}{3}}-2a^{\frac{2}{3}}x^{\frac{1}{3}})\mathrm{d}x = 4a^{\frac{7}{3}}.$$

方法二 按参数方程计算. 令 $x=a\cos^3 t$，$y=a\sin^3 t$，则

$$\mathrm{d}s = \sqrt{9a^2\cos^4 t\sin^2 t+9a^2\sin^4 t\cos^2 t}\,\mathrm{d}t = 3a\cos t\sin t\mathrm{d}t\left(0\leqslant t\leqslant\frac{\pi}{2}\right).$$

于是

$$\int_C (x^{\frac{4}{3}}+y^{\frac{4}{3}})\mathrm{d}s = 4a^{\frac{4}{3}}\int_0^{\frac{\pi}{2}}(\cos^4 t+\sin^4 t)3a\cos t\sin t\mathrm{d}t = 24a^{\frac{7}{3}}\int_0^{\frac{\pi}{2}}\sin^5 t\mathrm{d}(\sin t) = 4a^{\frac{7}{3}}.$$

【4226】 $\int_C \mathrm{e}^{\sqrt{x^2+y^2}}\mathrm{d}s$，其中 C 为由曲线 $r=a$，$\theta=0$，$\theta=\frac{\pi}{4}$（r 和 θ 为极坐标）给出的凸围线.

解 凸围线由三段组成，分别是：直线段 $\theta=0(0\leqslant r\leqslant a)$；圆弧段 $r=a\left(0\leqslant\theta\leqslant\frac{\pi}{4}\right)$；直线段 $\theta=$

$\frac{\pi}{4}(0\leqslant r\leqslant a)$. 弧长的微分相应地是：$ds = dr$；$ds = \sqrt{r^2+r'^2}\,d\theta = a d\theta$；$ds = dr$. 于是

$$\int_C e^{\sqrt{x^2+y^2}}\,ds = \int_0^a e^r\,dr + \int_0^{\frac{\pi}{4}} e^a a\,d\theta + \int_0^a e^r\,dr = 2(e^a-1)+\frac{\pi a e^a}{4}.$$

【4227】 $\int_C |y|\,ds$，其中 C 为双纽线 $(x^2+y^2)^2 = a^2(x^2-y^2)$ 的弧.

解 双纽线的极坐标方程为 $r^2 = a^2\cos 2\theta$，弧长的微分为

$$ds = \sqrt{r^2+r'^2}\,d\theta = \frac{a}{\sqrt{\cos 2\theta}}d\theta.$$

于是 $\int_C |y|\,ds = 4\int_0^{\frac{\pi}{4}} a\sqrt{\cos 2\theta}\sin\theta\frac{a}{\sqrt{\cos 2\theta}}d\theta = 4a^2(-\cos\theta)\Big|_0^{\frac{\pi}{4}} = 2a^2(2-\sqrt{2})$.

【4228】 $\int_C x\,ds$，其中 C 为对数螺线 $r = ae^{k\theta}(k>0)$ 在圆 $r = a$ 内的部分.

解 弧长的微分为 $ds = ae^{k\theta}\sqrt{1+k^2}\,d\theta(-\infty<\theta<0)$. 于是

$$\int_C x\,ds = \int_{-\infty}^0 ae^{k\theta}\cos\theta\cdot ae^{k\theta}\sqrt{1+k^2}\,d\theta = a^2\sqrt{1+k^2}\frac{2k\cos\theta+\sin\theta}{1+4k^2}e^{2k\theta}\Big|_{-\infty}^0 = \frac{2ka^2\sqrt{1+k^2}}{1+4k^2}.$$

【4229】 $\int_C \sqrt{x^2+y^2}\,ds$，其中 C 为圆周 $x^2+y^2 = ax$.

解 对于上半圆周，弧长的微分为

$$ds = \sqrt{1+\left(\frac{a-2x}{2y}\right)^2}\,dx = \frac{a}{2y}dx = \frac{a}{2\sqrt{ax-x^2}}dx\ (0\leqslant x\leqslant a).$$

于是 $\int_C \sqrt{x^2+y^2}\,ds = 2\int_0^a \sqrt{ax}\frac{a}{2\sqrt{ax-x^2}}dx = a\sqrt{a}\int_0^a \frac{dx}{\sqrt{a-x}} = 2a^2$.

【4230】 $\int_C \frac{ds}{y^2}$，其中 C 为悬链线 $y = a\,\mathrm{ch}\frac{x}{a}$.

解 弧长的微分为 $ds = \sqrt{1+\mathrm{sh}^2\frac{x}{a}}\,dx = \mathrm{ch}\frac{x}{a}dx$，故

$$\int_C \frac{ds}{y^2} = \int_{-\infty}^{+\infty}\frac{\mathrm{ch}\frac{x}{a}}{a^2\mathrm{ch}^2\frac{x}{a}}dx = \frac{1}{a}\int_{-\infty}^{+\infty}\frac{d\left(\mathrm{sh}\frac{x}{a}\right)}{1+\mathrm{sh}^2\frac{x}{a}} = \frac{1}{a}\arctan\left(\mathrm{sh}\frac{x}{a}\right)\Big|_{-\infty}^{+\infty} = \frac{\pi}{a}.$$

习题 4231—4236　求空间曲线的弧长

【求下列空间曲线的弧长(参数是正的)(4231—4236)】

【4231】 $x = 3t, y = 3t^2, z = 2t^3$，从 $O(0,0,0)$ 到 $A(3,3,2)$.

解 弧长的微分为

$$ds = \sqrt{x'^2+y'^2+z'^2}\,dt = 3(2t^2+1)dt.$$

于是，弧长为 $s = \int_0^1 3(2t^2+1)dt = 5$.

【4232】 $x = e^{-t}\cos t, y = e^{-t}\sin t, z = e^{-t}$，其中 $0<t<+\infty$.

解 弧长的微分为

$$ds = \sqrt{e^{-2t}(\cos t-\sin t)^2+e^{-2t}(\cos t+\sin t)^2+e^{-2t}}\,dt = \sqrt{3}e^{-t}dt.$$

于是，弧长为 $s = \sqrt{3}\int_0^{+\infty} e^{-t}dt = \sqrt{3}$.

【4233】 $y = a\arcsin\frac{x}{a}, z = \frac{a}{4}\ln\frac{a-x}{a+x}$,从 $O(0,0,0)$ 到 $A(x_0, y_0, z_0)$.

解 弧长的微分为 $ds = \sqrt{1+\frac{a^2}{a^2-x^2}+\frac{a^4}{4(a^2-x^2)^2}}dx = \frac{3a^2-2x^2}{2(a^2-x^2)}dx(|x_0|<a)$. 故 $x_0 \geqslant 0$ 时,有

$$s = \int_0^{x_0}\frac{3a^2-2x^2}{2(a^2-x^2)}dx = \frac{a}{4}\ln\frac{a+x_0}{a-x_0}+x_0 = |z_0|+|x_0|.$$

当 $x_0 < 0$ 时,有

$$s = \int_{x_0}^0\frac{3a^2-2x^2}{2(a^2-x^2)}dx = -\frac{a}{4}\ln\frac{a+x_0}{a-x_0}-x_0 = |z_0|+|x_0|.$$

总之,当 $|x_0|<a$,有 $s = |z_0|+|x_0|$.

【4234】 $(x-y)^2 = a(x+y), x^2-y^2 = \frac{9}{8}z^2$,从 $O(0,0,0)$ 到 $A(x_0, y_0, z_0)$.

解 由 $(x-y)^2 = a(x+y), x^2-y^2 = \frac{9}{8}z^2$ 可解得

$$x = \frac{1}{2}\left[\frac{1}{a}\sqrt[3]{\left(\frac{9a}{8}\right)^2}\sqrt[3]{z^4}+\sqrt[3]{\frac{9a}{8}}\sqrt[3]{z^2}\right], y = \frac{1}{2}\left[\frac{1}{a}\sqrt[3]{\left(\frac{9a}{8}\right)^2}\sqrt[3]{z^4}-\sqrt[3]{\frac{9a}{8}}\sqrt[3]{z^2}\right].$$

注意到

$$\left(\frac{dx}{dz}\right)^2+\left(\frac{dy}{dz}\right)^2 = \frac{8}{9a^2}\sqrt[3]{\left(\frac{9a}{8}\right)^4}\sqrt[3]{z^2}+\frac{2}{9}\sqrt[3]{\left(\frac{9a}{8}\right)^2}\sqrt[3]{z^{-2}} = \frac{\sqrt[3]{9a}}{2a}\sqrt[3]{z^2}+\frac{\sqrt[3]{3a^2}}{6}\sqrt[3]{z^{-2}},$$

于是,弧长为

$$s = \int_0^{z_0}\sqrt{\frac{\sqrt[3]{9a}}{2a}\sqrt[3]{z^2}+\frac{\sqrt[3]{3a^2}}{6}\sqrt[3]{z^{-2}}+1}\,dz = \int_0^{\sqrt[3]{z_0^2}}\sqrt{\frac{\sqrt[3]{9a}}{2a}t+\frac{\sqrt[3]{3a^2}}{6}\frac{1}{t}+1}\,\frac{3\sqrt{t}}{2}dt$$

$$= \frac{3}{2}\int_0^{\sqrt[3]{z_0^2}}\sqrt{\frac{\sqrt[3]{9a}}{2a}t^2+t+\frac{\sqrt[3]{3a^2}}{6}}\,dt = \frac{3}{2}\int_0^{\sqrt[3]{z_0^2}}\left(\frac{1}{\sqrt{2}}\sqrt[3]{\frac{3}{a}}t+\frac{1}{\sqrt{2}}\sqrt[3]{\frac{a}{3}}\right)dt$$

$$= \frac{3}{4\sqrt{2}}\left(\sqrt[3]{\frac{3z_0^4}{a}}+2\sqrt[3]{\frac{az_0^2}{3}}\right).$$

【4235】 $x^2+y^2 = cz, \frac{y}{x} = \tan\frac{z}{c}$,从 $O(0,0,0)$ 到 $A(x_0, y_0, z_0)$.

解 取曲线的参数方程为 $x = \sqrt{cz}\cos\frac{z}{c}, y = \sqrt{cz}\sin\frac{z}{c}, z = z$,则弧长的微分为

$$ds = \left[\left(\frac{\sqrt{c}}{2\sqrt{z}}\cos\frac{z}{c}-\sqrt{\frac{z}{c}}\sin\frac{z}{c}\right)^2+\left(\frac{\sqrt{c}}{2\sqrt{z}}\sin\frac{z}{c}-\sqrt{\frac{z}{c}}\cos\frac{z}{c}\right)^2+1\right]^{\frac{1}{2}}dz$$

$$= \sqrt{\frac{c}{4z}+\frac{z}{c}+1}\,dz = \frac{2z+c}{\sqrt{4cz}}dz.$$

于是,弧长为

$$s = \int_0^{z_0}\frac{2z+c}{\sqrt{4cz}}dz = \int_0^{z_0}\sqrt{\frac{z}{c}}dz+\int_0^{z_0}\frac{\sqrt{c}}{2\sqrt{z}}dz = \sqrt{cz_0}\left(1+\frac{2z_0}{3c}\right).$$

【4236】 $x^2+y^2+z^2 = a^2, \sqrt{x^2+y^2}\,\mathrm{ch}\left(\arctan\frac{y}{x}\right) = a$,从点 $(a,0,0)$ 到点 $B(x,y,z)$.

解 令 $x = \sqrt{a^2-z^2}\cos\theta, y = \sqrt{a^2-z^2}\sin\theta$,不妨设 $z>0$,则有

$$z = \sqrt{a^2-(x^2+y^2)} = \sqrt{a^2\left(1-\frac{1}{\mathrm{ch}^2\theta}\right)} = a\,\mathrm{th}\,\theta,$$

而 $\sqrt{a^2-z^2} = \sqrt{a^2(1-\mathrm{th}^2\theta)} = \frac{a}{\mathrm{ch}\,\theta}$,故曲线的参数方程为 $x = \frac{a\cos\theta}{\mathrm{ch}\,\theta}, y = \frac{a\sin\theta}{\mathrm{ch}\,\theta}, z = a\,\mathrm{th}\,\theta$. 弧长的微分

为

$$ds=\sqrt{\left(\frac{dx}{d\theta}\right)^2+\left(\frac{dy}{d\theta}\right)^2+\left(\frac{dz}{d\theta}\right)^2}\,d\theta=a\sqrt{\frac{\mathrm{ch}^2\theta+\mathrm{sh}^2\theta+1}{\mathrm{ch}^4\theta}}\,d\theta=\sqrt{2}a\frac{d\theta}{\mathrm{ch}\,\theta}.$$

于是,弧长为

$$s=\int_0^\theta\sqrt{2}a\frac{d\theta}{\mathrm{ch}\,\theta}=\sqrt{2}a\int_0^\theta\frac{2}{e^\theta+e^{-\theta}}d\theta=2\sqrt{2}a\int_0^\theta\frac{1}{1+(e^\theta)^2}d(e^\theta)$$

$$=2\sqrt{2}a\arctan e^\theta\Big|_0^\theta=2\sqrt{2}a\left(\arctan\frac{a+z}{\sqrt{a^2-z^2}}-\frac{\pi}{4}\right)=\sqrt{2}\arctan\frac{z}{\sqrt{a^2-z^2}}.$$

容易推证,当 $z<0$ 时,弧长为 $s=\sqrt{2}a\arctan\frac{-z}{\sqrt{a^2-z^2}}$.

总之,$s=\sqrt{2}a\arctan\frac{|z|}{\sqrt{a^2-z^2}}$.

注 (1) 由 $z=a\tan\varphi$ 知 $z(e^\theta+e^{-\theta})=a(e^\theta-e^{-\theta})$,$z(e^{2\theta}+1)=a(e^{2\theta}-1)$,从而

$$e^{2\theta}=\frac{a+z}{a-z}\text{ 或 }e^\theta=\frac{a+z}{\sqrt{a^2-z^2}}.$$

(2) 由于

$$\tan\left(\arctan\frac{a+z}{\sqrt{a^2-z^2}}-\frac{\pi}{4}\right)=\frac{a-\sqrt{a^2-z^2}}{z},\tan\frac{1}{2}\left(\arctan\frac{z}{\sqrt{a^2-z^2}}\right)=\frac{a-\sqrt{a^2-z^2}}{z},$$

故在主值范围内有

$$\arctan\frac{a+z}{\sqrt{a^2-z^2}}-\frac{\pi}{4}=\frac{1}{2}\arctan\frac{z}{\sqrt{a^2-z^2}}.$$

习题 4237—4240 计算空间第一型曲线积分

【计算下列沿空间曲线的第一型曲线积分(4237—4240)】

【4237】 $\int_C(x^2+y^2+z^2)ds$,其中 C 为螺线 $x=a\cos t, y=a\sin t, z=bt\,(0\leqslant t\leqslant 2\pi)$ 的一段.

解 弧长的微分为 $ds=\sqrt{a^2+b^2}\,dt$. 于是

$$\int_C(x^2+y^2+z^2)ds=\sqrt{a^2+b^2}\int_0^{2\pi}(a^2+b^2t^2)dt=\frac{2\pi}{3}(3a^2+4\pi^2b^2)\sqrt{a^2+b^2}.$$

【4238】 $\int_C x^2ds$,其中 C 为圆周 $x^2+y^2+z^2=a^2, x+y+z=0$.

解 **方法一** 由对称性知 $\int_C x^2ds=\int_C y^2ds=\int_C z^2ds$. 于是

$$\int_C x^2ds=\frac{1}{3}\int_C(x^2+y^2+z^2)ds=\frac{a^2}{3}\int_C ds=\frac{2\pi a^3}{3}.$$

方法二 作代换 $u=\frac{x-y}{\sqrt{2}}, v=\frac{x+y-2z}{\sqrt{6}}, w=\frac{x+y+z}{\sqrt{3}}$,则圆周 C 化为

$$u^2+v^2+w^2=a^2, w=0\text{ 且 }x=\frac{u}{\sqrt{2}}+\frac{v}{\sqrt{6}}+\frac{w}{\sqrt{3}}.$$

于是

$$\begin{aligned}\int_C x^2\mathrm{d}s&=\int_C\left(\frac{u}{\sqrt{2}}+\frac{v}{\sqrt{6}}+\frac{w}{\sqrt{3}}\right)^2\mathrm{d}s=\int_C\left(\frac{u}{\sqrt{2}}+\frac{v}{\sqrt{6}}\right)^2\mathrm{d}s\\&=\frac{1}{6}\int_C(3u^2+v^2)\mathrm{d}s+\frac{1}{\sqrt{3}}\int_C uv\mathrm{d}s=\frac{1}{6}\int_C a^2\mathrm{d}s+\frac{1}{3}\int_C u^2\mathrm{d}s+\frac{1}{\sqrt{3}}\int_C uv\mathrm{d}s\\&=\frac{1}{3}\pi a^3+\frac{1}{3}\int_0^{2\pi}a^3\cos^2\theta\mathrm{d}\theta+\frac{1}{\sqrt{3}}\int_0^{2\pi}a^3\cos\theta\sin\theta\mathrm{d}\theta\\&=\frac{1}{3}\pi a^3+\frac{1}{3}\pi a^3=\frac{2}{3}\pi a^3.\end{aligned}$$

方法三 由 $x^2+y^2+z^2=a^2$，$x+y+z=0$ 可得 $x^2+y^2+(-x-y)^2=a^2$，即

$$\left(x+\frac{y}{2}\right)^2+\frac{3}{4}y^2=\frac{a^2}{2},$$

令 $x+\frac{y}{2}=\frac{a}{\sqrt{2}}\cos\theta$，$\frac{\sqrt{3}}{2}y=\frac{a}{\sqrt{2}}\sin\theta$，则曲线的参数方程为

$$x=\frac{a}{\sqrt{2}}\cos\theta-\frac{a}{\sqrt{6}}\sin\theta,y=\frac{2a}{\sqrt{6}}\sin\theta,z=-\frac{a}{\sqrt{2}}\cos\theta-\frac{a}{\sqrt{6}}\sin\theta.$$

弧长的微分为

$$\mathrm{d}s=\sqrt{\left(-\frac{a}{\sqrt{2}}\sin\theta-\frac{a}{\sqrt{6}}\cos\theta\right)^2+\left(\frac{2a}{\sqrt{6}}\cos\theta\right)^2+\left(\frac{a}{\sqrt{2}}\sin\theta-\frac{a}{\sqrt{6}}\cos\theta\right)^2}\mathrm{d}\theta=a\mathrm{d}\theta.$$

于是

$$\begin{aligned}\int_C x^2\mathrm{d}s&=\int_0^{2\pi}\left(\frac{a}{\sqrt{2}}\cos\theta-\frac{a}{\sqrt{6}}\sin\theta\right)^2a\mathrm{d}\theta=a\int_0^{2\pi}\left(\frac{a^2}{2}\cos^2\theta+\frac{a^2}{6}\sin^2\theta-\frac{a^2}{\sqrt{3}}\sin\theta\cos\theta\right)\mathrm{d}\theta\\&=a^3\int_0^{2\pi}\left(\frac{1}{2}\cos^2\theta+\frac{1}{6}\sin^2\theta\right)\mathrm{d}\theta=\frac{2a^3}{3}\int_0^{2\pi}\sin^2\theta\mathrm{d}\theta=\frac{8a^3}{3}\int_0^{\frac{\pi}{2}}\sin^2\theta\mathrm{d}\theta=\frac{8a^3}{3}\cdot\frac{\pi}{4}=\frac{2}{3}\pi a^3.\end{aligned}$$

【4239】 $\int_C z\mathrm{d}s$，其中 C 为圆锥螺旋线 $x=t\cos t,y=t\sin t,z=t(0\leqslant t\leqslant t_0)$.

解 弧长的微分为 $\mathrm{d}s=\sqrt{(\cos t-t\sin t)^2+(\sin t+t\cos t)^2+1}\mathrm{d}t=\sqrt{2+t^2}\mathrm{d}t$. 于是

$$\int_C z\mathrm{d}s=\int_0^{t_0}t\sqrt{2+t^2}\mathrm{d}t=\frac{1}{3}[(2+t_0^2)^{\frac{3}{2}}-2^{\frac{3}{2}}].$$

【4240】 $\int_C z\mathrm{d}s$，其中 C 为曲线 $x^2+y^2=z^2$，$y^2=ax$ 上从点 $O(0,0,0)$ 到点 $A(a,a,a\sqrt{2})$ 的弧.

解 由曲线方程得

$$z=\sqrt{x^2+y^2}=\sqrt{\frac{y^4}{a^2}+y^2}=\frac{y}{a}\sqrt{y^2+a^2}.$$

从而，曲线的参数方程可取为 $x=\frac{y^2}{a}$，$y=y$，$z=\frac{y}{a}\sqrt{y^2+a^2}$. 弧长的微分为

$$\mathrm{d}s=\sqrt{\left(\frac{2y}{a}\right)^2+1+\left(\frac{2y^2+a^2}{a\sqrt{y^2+a^2}}\right)^2}\mathrm{d}y=\sqrt{\frac{8y^4+9a^2y^2+2a^4}{a^2(y^2+a^2)}}\mathrm{d}y.$$

于是

$$\begin{aligned}\int_C z\mathrm{d}s&=\int_0^a\frac{y}{a}\sqrt{y^2+a^2}\sqrt{\frac{8y^4+9a^2y^2+2a^4}{a^2(y^2+a^2)}}\mathrm{d}y=\frac{\sqrt{8}}{a^2}\int_0^a y\sqrt{y^4+\frac{9}{8}a^2y^2+\frac{1}{4}a^4}\mathrm{d}y\\&=\frac{\sqrt{2}}{a^2}\int_0^a\sqrt{\left(y^2+\frac{9a^2}{16}\right)^2-\frac{17a^4}{16^2}}\mathrm{d}\left(y^2+\frac{9a^2}{16}\right)\\&=\frac{\sqrt{2}}{a^2}\left[\frac{y^2+\frac{9a^2}{16}}{2}\sqrt{y^4+\frac{9}{8}a^2y^2+\frac{1}{4}a^4}-\frac{17a^4}{2\cdot16^2}\ln\left(y^2+\frac{9a^2}{16}+\sqrt{y^4+\frac{9}{8}a^2y^2+\frac{1}{4}a^4}\right)\right]\Bigg|_0^a\end{aligned}$$

$$=\frac{\sqrt{2}}{a^2}\left[\left(\frac{25a^4}{64}\sqrt{\frac{19}{2}}-\frac{17a^4}{2\cdot 16^2}\ln\frac{25a^2+8\sqrt{\frac{19}{2}}a^2}{16}\right)-\left(\frac{9a^4}{64}-\frac{17a^4}{2\cdot 16^2}\ln\frac{17a^2}{16}\right)\right]$$

$$=\frac{\sqrt{2}}{a^2}\frac{25a^4\sqrt{38}-18a^4}{128}+\frac{\sqrt{2}}{a^2}\frac{17a^4}{2\cdot 16^2}\ln\frac{\frac{17a^2}{16}}{\frac{25a^2+8\sqrt{\frac{19}{2}}a^2}{16}}$$

$$=\frac{a^2}{256\sqrt{2}}\left(100\sqrt{38}-72-17\ln\frac{25+4\sqrt{38}}{17}\right).$$

知识点 2 第一型曲线积分在力学上的应用

1. 质量 若 $\rho=\rho(x,y,z)$ 为曲线 C 在点 (x,y,z) 的线密度，则曲线 C 的质量为

$$M=\int_C\rho(x,y,z)\mathrm{d}s.$$

2. 质心坐标 此曲线的质心坐标 (x_0,y_0,z_0) 由以下公式来表示：

$$x_0=\frac{1}{M}\int_C x\rho(x,y,z)\mathrm{d}s,\ y_0=\frac{1}{M}\int_C y\rho(x,y,z)\mathrm{d}s,\ z_0=\frac{1}{M}\int_C z\rho(x,y,z)\mathrm{d}s.$$

习题 4241—4242 求曲线的质量

【4241】 设曲线 $x=a\cos t, y=b\sin t(0\leqslant t\leqslant 2\pi)$ 在点 (x,y) 的线密度 $\rho=|y|$，求其质量.

解 质量 $M=\int_C|y|\mathrm{d}s$，其中 C 为椭圆 $x=a\cos t, y=b\sin t(0\leqslant t\leqslant 2\pi)$.

首先设 $a>b$. 这时 $\mathrm{d}s=\sqrt{a^2\sin^2 t+b^2\cos^2 t}\,\mathrm{d}t=a\sqrt{1-\varepsilon^2\cos^2 t}\,\mathrm{d}t$，其中 $\varepsilon=\frac{\sqrt{a^2-b^2}}{a}$. 于是

$$M=\int_0^{\pi}ab\sin t\sqrt{1-\varepsilon^2\cos^2 t}\,\mathrm{d}t+\int_{\pi}^{2\pi}a(-b\sin t)\sqrt{1-\varepsilon^2\cos^2 t}\,\mathrm{d}t$$

$$=-ab\int_0^{\pi}\sqrt{1-\varepsilon^2\cos^2 t}\,\mathrm{d}(\cos t)+ab\int_{\pi}^{2\pi}\sqrt{1-\varepsilon^2\cos^2 t}\,\mathrm{d}(\cos t)$$

$$=ab\int_{-1}^{1}\sqrt{1-\varepsilon^2u^2}\,\mathrm{d}u+ab\int_{-1}^{1}\sqrt{1-\varepsilon^2u^2}\,\mathrm{d}u=4ab\int_0^1\sqrt{1-\varepsilon^2u^2}\,\mathrm{d}u$$

$$=\frac{4ab}{\varepsilon}\left[\frac{1}{2}\varepsilon u\sqrt{1-\varepsilon^2u^2}+\frac{1}{2}\arcsin(\varepsilon u)\right]\Bigg|_{u=0}^{u=1}=2b^2+2ab\frac{\arcsin\varepsilon}{\varepsilon}.$$

其次设 $a<b$. 这时 $\mathrm{d}s=\sqrt{a^2\sin^2 t+b^2\cos^2 t}\,\mathrm{d}t=a\sqrt{1+\varepsilon_1^2\cos^2 t}\,\mathrm{d}t$，其中 $\varepsilon_1=\frac{\sqrt{b^2-a^2}}{a}$. 于是有

$$M=\int_0^{\pi}ab\sin t\sqrt{1+\varepsilon_1^2\cos^2 t}\,\mathrm{d}t+\int_{\pi}^{2\pi}a(-b\sin t)\sqrt{1+\varepsilon_1^2\cos^2 t}\,\mathrm{d}t=4ab\int_0^1\sqrt{1+\varepsilon_1^2u^2}\,\mathrm{d}u$$

$$=\frac{4ab}{\varepsilon_1}\left[\frac{1}{2}\varepsilon_1 u\sqrt{1+\varepsilon_1^2u^2}+\frac{1}{2}\ln(\varepsilon_1 u+\sqrt{1+\varepsilon_1^2u^2})\right]\Bigg|_{u=0}^{u=1}=2b^2+2ab\frac{\ln(\varepsilon_1+\sqrt{1+\varepsilon_1^2})}{\varepsilon_1}.$$

最后，若 $a=b$，则椭圆退化成圆，这时 $\mathrm{d}s=a\mathrm{d}t$，故

$$M=\int_0^{\pi}a^2\sin t\,\mathrm{d}t+\int_{\pi}^{2\pi}(-a\sin t)a\,\mathrm{d}t=4a^2.$$

综上可得

$$M=\begin{cases}2b^2+\dfrac{2ab\arcsin\varepsilon}{\varepsilon}, & a>b,\\ 2b^2+\dfrac{2ab\ln(\varepsilon_1+\sqrt{1+\varepsilon_1^2})}{\varepsilon_1}, & a<b,\\ 4a^2, & a=b,\end{cases}$$

其中 $\varepsilon=\dfrac{\sqrt{a^2-b^2}}{a}(a>b)$，$\varepsilon_1=\dfrac{\sqrt{b^2-a^2}}{a}(a<b)$.

【4242】 求曲线 $x=at,y=\dfrac{a}{2}t^2,z=\dfrac{a}{3}t^3(0\leqslant t\leqslant 1)$ 的弧的质量，其密度 $\rho=\sqrt{\dfrac{2y}{a}}$.

解 弧长的微分为 $\mathrm{d}s=\sqrt{a^2+a^2t^2+a^2t^4}\,\mathrm{d}t=a\sqrt{1+t^2+t^4}\,\mathrm{d}t$，而密度 $\rho=\sqrt{\dfrac{2y}{a}}=t$.

于是，质量为

$$M=\int_C\sqrt{\frac{2y}{a}}\,\mathrm{d}s=a\int_0^1 t\sqrt{1+t^2+t^4}\,\mathrm{d}t\xlongequal{u=t^2}\frac{a}{2}\int_0^1\sqrt{1+u+u^2}\,\mathrm{d}u$$

$$=\frac{a}{2}\left[\frac{u+\frac{1}{2}}{2}\sqrt{1+u+u^2}+\frac{3}{8}\ln\left(u+\frac{1}{2}+\sqrt{1+u+u^2}\right)\right]\Bigg|_0^1$$

$$=\frac{a}{8}\left[(3\sqrt{3}-1)+\frac{3}{2}\ln\frac{3+2\sqrt{3}}{3}\right].$$

习题 4243—4246　求曲线的质心

【4243】 计算均匀曲线 $y=a\,\mathrm{ch}\,\dfrac{x}{a}$ 从点 $A(0,a)$ 到点 $B(b,h)$ 的弧的质心的坐标.

解 弧长的微分为 $\mathrm{d}s=\sqrt{1+\mathrm{sh}^2\dfrac{x}{a}}\,\mathrm{d}x=\mathrm{ch}\,\dfrac{x}{a}\mathrm{d}x$，质量为

$$M=\rho_0\int_0^b\mathrm{ch}\,\frac{x}{a}\mathrm{d}x=a\rho_0\,\mathrm{sh}\,\frac{b}{a}=\rho_0\sqrt{h^2-a^2}.$$

于是，质心的坐标为

$$x_0=\frac{\rho_0}{M}\int_0^b x\,\mathrm{ch}\,\frac{x}{a}\mathrm{d}x=\frac{\rho_0}{M}\left[ab\,\mathrm{sh}\,\frac{b}{a}-a^2\left(\mathrm{ch}\,\frac{b}{a}-1\right)\right]$$

$$=\frac{1}{\sqrt{h^2-a^2}}\left[b\sqrt{h^2-a^2}-a^2\left(\frac{h}{a}-1\right)\right]=b-a\sqrt{\frac{h-a}{h+a}};$$

$$y_0=\frac{\rho_0}{M}\int_0^b y\,\mathrm{ch}\,\frac{x}{a}\mathrm{d}x=\frac{a\rho_0}{M}\int_0^b\mathrm{ch}^2\,\frac{x}{a}\mathrm{d}x=\frac{a\rho_0}{M}\int_0^b\frac{1+\mathrm{ch}\,2x}{2}\mathrm{d}x$$

$$=\frac{a\rho_0}{M}\left(\frac{x}{2}+\frac{a}{4}\mathrm{sh}\,\frac{2x}{a}\right)\Bigg|_0^b=\frac{a\rho_0}{M}\left(\frac{b}{2}+\frac{a}{4}\mathrm{sh}\,\frac{2b}{a}\right)$$

$$=\frac{a}{\sqrt{h^2-a^2}}\left(\frac{b}{2}+\frac{h}{2}\,\frac{\sqrt{h^2-a^2}}{a}\right)=\frac{h}{2}+\frac{ab}{2\sqrt{h^2-a^2}}.$$

注 其中用到：由 $h=a\,\mathrm{ch}\,\dfrac{b}{a}$ 知 $\mathrm{ch}\,\dfrac{b}{a}=\dfrac{h}{a}$，从而 $\mathrm{sh}\,\dfrac{b}{a}=\sqrt{\mathrm{ch}^2\,\dfrac{b}{a}-1}=\dfrac{\sqrt{h^2-a^2}}{a}$.

【4244】 求摆线 $x=a(t-\sin t),y=a(1-\cos t)(0\leqslant t\leqslant\pi)$ 的弧的质心.

解 弧长的微分为 $\mathrm{d}s=\sqrt{a^2(1-\cos t)^2+a^2\sin^2t}\,\mathrm{d}t=2a\sin\dfrac{t}{2}\mathrm{d}t$，质量为

$$M=2a\rho_0\int_0^\pi\sin\frac{t}{2}\mathrm{d}t=4a\rho_0.$$

于是,质心的坐标为

$$x_0=\frac{\rho_0}{M}\int_0^b a(t-\sin t)\cdot 2a\sin\frac{t}{2}\mathrm{d}t=\frac{a}{2}\int_0^{\pi}t\sin\frac{t}{2}\mathrm{d}t-\frac{a}{2}\int_0^{\pi}\sin t\sin\frac{t}{2}\mathrm{d}t$$

$$=-at\cos\frac{t}{2}\Big|_0^{\pi}+a\int_0^{\pi}\cos\frac{t}{2}\mathrm{d}t+\frac{a}{4}\int_0^{\pi}\left(\cos\frac{3t}{2}-\cos\frac{t}{2}\right)\mathrm{d}t=\frac{4}{3}a;$$

$$y_0=\frac{\rho_0}{M}\int_0^b a(1-\cos t)\cdot 2a\sin\frac{t}{2}\mathrm{d}t=\frac{a}{2}\int_0^{\pi}\sin\frac{t}{2}\mathrm{d}t-\frac{a}{4}\int_0^{\pi}\left(\sin\frac{3t}{2}-\sin\frac{t}{2}\right)\mathrm{d}t=\frac{4}{3}a.$$

【4245】 计算球面上的三角形 $x^2+y^2+z^2=a^2,x\geqslant 0,y\geqslant 0,z\geqslant 0$ 的围线的质心的坐标.

解 作球面坐标变换

$$x=r\cos\theta\sin\varphi,y=r\sin\theta\sin\varphi,z=r\cos\varphi,$$

则球面上的三角形三条曲边的方程分别是

$$x=a\cos\theta,y=a\sin\theta,z=0\left(0\leqslant\theta\leqslant\frac{\pi}{2}\right);$$

$$x=\sin\varphi,y=0,z=a\cos\varphi\left(0\leqslant\varphi\leqslant\frac{\pi}{2}\right);$$

$$x=0,y=a\sin\varphi,z=a\cos\varphi\left(0\leqslant\varphi\leqslant\frac{\pi}{2}\right).$$

又因围线的周长为 $s=3\cdot\frac{\pi a}{2}=\frac{3\pi a}{2}$. 于是,质心的坐标为

$$x_0=\frac{\int_0^{\frac{\pi}{2}}a\cos\theta\cdot a\mathrm{d}\theta+\int_0^{\frac{\pi}{2}}a\sin\varphi\cdot a\mathrm{d}\varphi}{\frac{3\pi a}{2}}=\frac{2a^2}{\frac{3\pi a}{2}}=\frac{4a}{3\pi}.$$

利用对称性知 $x_0=y_0=z_0=\frac{4a}{3\pi}$.

【4246】 求均匀弧 $x=\mathrm{e}^t\cos t,y=\mathrm{e}^t\sin t,z=\mathrm{e}^t(-\infty<t\leqslant 0)$ 的质心的坐标.

解 弧长的微分为 $\mathrm{d}s=\sqrt{\mathrm{e}^{2t}(\cos t-\sin t)^2+\mathrm{e}^{2t}(\sin t+\cos t)^2+\mathrm{e}^{2t}}\,\mathrm{d}t=\sqrt{3}\,\mathrm{e}^t\mathrm{d}t$. 质量为

$$M=\int_{-\infty}^0\sqrt{3}\,\mathrm{e}^t\mathrm{d}t=\sqrt{3}.$$

于是,质心的坐标为

$$x_0=\frac{1}{M}\int_{-\infty}^0\mathrm{e}^t\cos t\cdot\sqrt{3}\,\mathrm{e}^t\mathrm{d}t=\int_{-\infty}^0\mathrm{e}^{2t}\cos t\mathrm{d}t=\frac{2\cos t+\sin t}{5}\mathrm{e}^{2t}\Big|_{-\infty}^0=\frac{2}{5},$$

$$y_0=\frac{1}{M}\int_{-\infty}^0\mathrm{e}^t\sin t\cdot\sqrt{3}\,\mathrm{e}^t\mathrm{d}t=\int_{-\infty}^0\mathrm{e}^{2t}\sin t\mathrm{d}t=\frac{2\sin t-\cos t}{5}\mathrm{e}^{2t}\Big|_{-\infty}^0=-\frac{1}{5}.$$

$$z_0=\frac{1}{M}\int_{-\infty}^0\mathrm{e}^t\cdot\sqrt{3}\,\mathrm{e}^t\mathrm{d}t=\int_{-\infty}^0\mathrm{e}^{2t}\mathrm{d}t=\frac{1}{2}.$$

习题 4247—4247 求转动惯量

【4247】 求螺线 $x=a\cos t,y=a\sin t,z=\frac{h}{2\pi}t(0\leqslant t\leqslant 2\pi)$ 的一支对坐标轴的转动惯量.

解 弧长的微分为 $\mathrm{d}s=\sqrt{a^2\sin^2t+a^2\cos^2t+\frac{h^2}{4\pi^2}}\,\mathrm{d}t=\frac{\sqrt{4\pi^2a^2+h^2}}{2\pi}\mathrm{d}t$,于是,转动惯量为

$$I_x=\int_C(y^2+z^2)\mathrm{d}s=\int_0^{2\pi}\left(a^2\sin^2 t+\frac{h^2}{4\pi^2}t^2\right)\frac{\sqrt{4\pi^2a^2+h^2}}{2\pi}\mathrm{d}t$$

$$=\frac{a^2}{2\pi}\sqrt{4\pi^2a^2+h^2}\cdot\pi+\frac{h^2}{4\pi^2}\cdot\frac{1}{2\pi}\sqrt{4\pi^2a^2+h^2}\cdot\frac{1}{3}(2\pi)^3$$

$$=\left(\frac{a^2}{2}+\frac{h^2}{3}\right)\sqrt{4\pi^2a^2+h^2},$$

$$I_y=\int_C(x^2+z^2)\mathrm{d}s=\int_0^{2\pi}\left(a^2\cos^2 t+\frac{h^2}{4\pi^2}t^2\right)\cdot\frac{1}{2\pi}\sqrt{4\pi^2a^2+h^2}\,\mathrm{d}t$$

$$=\frac{a^2}{2\pi}\sqrt{4\pi^2a^2+h^2}\cdot\pi+\frac{h^2}{4\pi^2}\cdot\frac{1}{2\pi}\sqrt{4\pi^2a^2+h^2}\cdot\frac{1}{3}(2\pi)^3$$

$$=\left(\frac{a^2}{2}+\frac{h^2}{3}\right)\sqrt{4\pi^2a^2+h^2},$$

$$I_z=\int_C(x^2+y^2)\mathrm{d}s=\int_0^{2\pi}a^2\cdot\frac{1}{2\pi}\sqrt{4\pi^2a^2+h^2}\,\mathrm{d}t=a^2\sqrt{4\pi^2a^2+h^2}.$$

知识点3 第二型曲线积分

若函数 $P=P(x,y,z),Q=Q(x,y,z),R=R(x,y,z)$ 在曲线 C

$$x=x(t),y=y(t),z=z(t)(t_0\leqslant t\leqslant T)$$

上的各点是连续的，且曲线的方向是使参数 t 增加的方向，则

$$\int_C P(x,y,z)\mathrm{d}x+Q(x,y,z)\mathrm{d}y+R(x,y,z)\mathrm{d}z$$

$$=\int_{t_0}^{T}\Big\{P[x(t),y(t),z(t)]x'(t)+Q[x(t),y(t),z(t)]y'(t)+$$

$$R[x(t),y(t),z(t)]z'(t)\Big\}\mathrm{d}t. \quad ①$$

当沿曲线C的方向变更时，此积分的符号也变更. 在力学上积分①是当其作用点描绘出曲线 C 时，变力$\{P,Q,R\}$ 所作的功.

习题 4248—4257 计算第二型曲线积分

【4248】 计算第二型曲线积分$\int_{OA}x\mathrm{d}y-y\mathrm{d}x$，式中$O$为坐标原点，$A$点的坐标为(1,2)并设：(1)$OA$ 为直线段；(2)OA 为抛物线，其轴为Oy；(3)OA 为由Ox 轴上的线段OB 和平行于 Oy 轴的线段 BA 组成的折线.

解 (1) 直线段的方程为 $y=2x$. 于是

$$\int_{OA}x\mathrm{d}y-y\mathrm{d}x=\int_0^1(2x-2x)\mathrm{d}x=0.$$

(2) 抛物线的方程为 $y=2x^2$. 于是

$$\int_{OA}x\mathrm{d}y-y\mathrm{d}x=\int_0^1(4x^2-2x^2)\mathrm{d}x=\frac{2}{3}.$$

(3) 线段 OB 的方程为 $y=0$，BA 的方程为 $x=1$. 于是

$$\int_{OA}x\mathrm{d}y-y\mathrm{d}x=\int_0^2 0\cdot\mathrm{d}x+\int_0^2\mathrm{d}y=2.$$

【4249】 对于上题中所指示的路径(1)，(2)，(3)，计算$\int_{OA}x\mathrm{d}y+y\mathrm{d}x$.

解 (1)$\int_{OA} x\mathrm{d}y + y\mathrm{d}x = \int_0^1 (2x + 2x)\mathrm{d}x = 2.$

(2)$\int_{OA} x\mathrm{d}y + y\mathrm{d}x = \int_0^1 (4x^2 + 2x^2)\mathrm{d}x = 2.$

(3)$\int_{OA} x\mathrm{d}y + y\mathrm{d}x = \int_0^2 \mathrm{d}y = 2.$

【在参数增加的方向,沿所指示的曲线计算下列第二型曲线积分(4250—4257)】

【4250】 $\int_C (x^2 - 2xy)\mathrm{d}x + (y^2 - 2xy)\mathrm{d}y$,其中 C 为抛物线 $y = x^2(-1 \leqslant x \leqslant 1)$.

解 由题设 $y = x^2$,从而 $\mathrm{d}y = 2x\mathrm{d}x$,于是

$$\int_C (x^2 - 2xy)\mathrm{d}x + (y^2 - 2xy)\mathrm{d}y = \int_{-1}^1 [(x^2 - 2x^3) + 2x(x^4 - 2x^3)]\mathrm{d}x = -\frac{14}{15}.$$

【4251】 $\int_C (x^2 + y^2)\mathrm{d}x + (x^2 - y^2)\mathrm{d}y$,其中 C 为曲线 $y = 1 - |1 - x|\ (0 \leqslant x \leqslant 2)$.

解 当 $0 \leqslant x \leqslant 1$ 时,$y = 1 - (1 - x) = x$,从而 $\mathrm{d}y = \mathrm{d}x$;
当 $1 \leqslant x \leqslant 2$ 时,$y = 1 - (x - 1) = 2 - x$,从而 $\mathrm{d}y = -\mathrm{d}x$. 于是

$$\int_C (x^2 + y^2)\mathrm{d}x + (x^2 - y^2)\mathrm{d}y = \int_0^1 2x^2\mathrm{d}x + \int_1^2 [x^2 + (2 - x)^2 - x^2 + (2 - x)^2]\mathrm{d}x = \frac{4}{3}.$$

【4252】 $\oint_C (x + y)\mathrm{d}x + (x - y)\mathrm{d}y$,其中 C 为依逆时针方向通过的椭圆周 $\frac{x^2}{a^2} + \frac{y^2}{b^2} = 1$.

解 利用椭圆的参数方程 $x = a\cos t, y = b\sin t(0 \leqslant t \leqslant 2\pi)$,则有

$$\oint_C (x + y)\mathrm{d}x + (x - y)\mathrm{d}y = \int_0^{2\pi} [(a\cos t + b\sin t)(-a\sin t) + (a\cos t - b\sin t)b\cos t]\mathrm{d}t$$
$$= \int_0^{2\pi} \left(ab\cos 2t - \frac{a^2 + b^2}{2}\sin 2t\right)\mathrm{d}t = 0.$$

【4253】 $\int_C (2a - y)\mathrm{d}x + x\mathrm{d}y$,其中 C 为摆线 $x = a(t - \sin t), y = a(1 - \cos t)(0 \leqslant t \leqslant 2\pi)$ 的一拱.

解 由题设知 $\mathrm{d}x = a(1 - \cos t)\mathrm{d}t, \mathrm{d}y = a\sin t\mathrm{d}t$. 于是

$$\int_C (2a - y)\mathrm{d}x + x\mathrm{d}y = \int_0^{2\pi} \{[2a - a(1 - \cos t)]a(1 - \cos t) + a(t - \sin t)a\sin t\}\mathrm{d}t$$
$$= a^2\int_0^{2\pi} t\sin t\mathrm{d}t = -a^2(t\cos t - \sin t)\Big|_0^{2\pi} = -2\pi a^2.$$

【4254】 $\oint_C \frac{(x + y)\mathrm{d}x - (x - y)\mathrm{d}y}{x^2 + y^2}$,其中 C 为依逆时针方向通过的圆周 $x^2 + y^2 = a^2$.

解 利用圆的参数方程 $x = a\cos t, y = a\sin t(0 \leqslant t \leqslant 2\pi)$,则有

$$\oint_C \frac{(x + y)\mathrm{d}x - (x - y)\mathrm{d}y}{x^2 + y^2} = \int_0^{2\pi} \frac{-(a\cos t + a\sin t)a\sin t - (a\cos t - a\sin t)a\cos t}{a^2}\mathrm{d}t$$
$$= -\int_0^{2\pi} \mathrm{d}t = -2\pi.$$

【4255】 $\oint_{ABCDA} \frac{\mathrm{d}x + \mathrm{d}y}{|x| + |y|}$,其中 $ABCDA$ 为以 $A(1,0), B(0,1), C(-1,0), D(0,-1)$ 为顶点的正方形的围线.

解 正方形各边的方程分别为

$$AB: y = 1 - x; BC: y = 1 + x; CD: y = -1 - x; DA: y = -1 + x.$$

于是

$$\oint_{ABCDA}\frac{\mathrm{d}x+\mathrm{d}y}{|x|+|y|}=\int_{AB}\frac{\mathrm{d}x+\mathrm{d}y}{x+y}+\int_{BC}\frac{\mathrm{d}x+\mathrm{d}y}{-x+y}+\int_{CD}\frac{\mathrm{d}x+\mathrm{d}y}{-x-y}+\int_{DA}\frac{\mathrm{d}x+\mathrm{d}y}{x-y}$$

$$=\int_1^0(1-1)\mathrm{d}x+\int_0^{-1}2\mathrm{d}x+\int_{-1}^0(1-1)\mathrm{d}x+\int_0^1 2\mathrm{d}x=0.$$

【4256】 $\int_{AB}\sin y\mathrm{d}x+\sin x\mathrm{d}y$，其中 AB 为介于点 $A(0,\pi)$ 和点 $B(\pi,0)$ 之间的直线段.

解 AB 的方程为 $y=\pi-x$. 于是

$$\int_{AB}\sin y\mathrm{d}x+\sin x\mathrm{d}y=\int_0^{\pi}[\sin(\pi-x)-\sin x]\mathrm{d}x=\int_0^{\pi}(\sin x-\sin x)\mathrm{d}x=0.$$

注 原题为$\int_{AB}\mathrm{d}x\sin y+\mathrm{d}y\sin x$，若把它理解为$\int_{AB}\mathrm{d}(x\sin y)+\mathrm{d}(y\sin x)$，其值仍为零，与原答案也符合.

【4257】 $\oint_{OmAnO}\arctan\frac{y}{x}\mathrm{d}y-\mathrm{d}x$，其中 OmA 为抛物线段 $y=x^2$，OnA 为直线段 $y=x$.

解 如图 8.62 所示，有

$$\oint_{OmAnO}\arctan\frac{y}{x}\mathrm{d}y-\mathrm{d}x=\int_{OmA}\arctan\frac{y}{x}\mathrm{d}y-\mathrm{d}x+\int_{AnO}\arctan\frac{y}{x}\mathrm{d}y-\mathrm{d}x$$

$$=\int_0^1 2x\arctan x\mathrm{d}x-\int_0^1\mathrm{d}x+\int_1^0(\arctan 1-1)\mathrm{d}x$$

$$=x^2\arctan x\Big|_0^1-\int_0^1\frac{x^2}{1+x^2}\mathrm{d}x-1+\left(1-\frac{\pi}{4}\right)$$

$$=\frac{\pi}{4}-(x-\arctan x)\Big|_0^1-\frac{\pi}{4}=\frac{\pi}{4}-1.$$

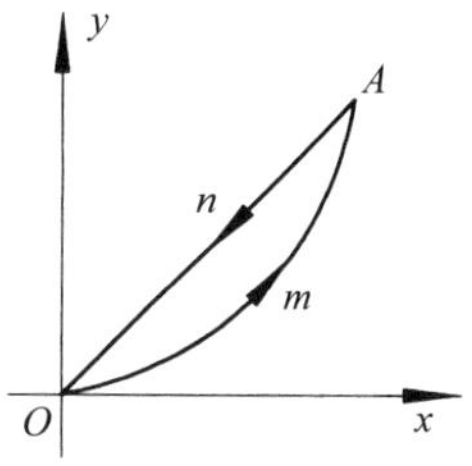

图 8.62

注 原题为$\int_{O_{mAnO}}\mathrm{d}y\arctan\frac{y}{x}-\mathrm{d}x$，若把它理解为

$$\int_{OmAnO}\mathrm{d}\left(y\arctan\frac{y}{x}\right)-\mathrm{d}x,$$

则其值为零，与原答案不符.

习题 4258—4262 计算空间曲线的积分

【计算沿空间曲线的积分（假定坐标系是右手的）(4258—4262)】

【4258】 $\int_C(y^2-z^2)\mathrm{d}x+2yz\mathrm{d}y-x^2\mathrm{d}z$，式中 C 为曲线 $x=t,y=t^2,z=t^3(0\leqslant t\leqslant 1)$，以参数增加的方向为正.

解 $$\int_C(y^2-z^2)\mathrm{d}x+2yz\mathrm{d}y-x^2\mathrm{d}z=\int_0^1[(t^4-t^6)+2t^5\cdot 2t-t^2\cdot 3t^2]\mathrm{d}t$$

$$=\int_0^1(3t^6-2t^4)\mathrm{d}t=\frac{1}{35}.$$

【4259】 $\int_C y\mathrm{d}x+z\mathrm{d}y+x\mathrm{d}z$，式中 C 为纽形螺线 $x=a\cos t,y=a\sin t,z=bt(0\leqslant t\leqslant 2\pi)$，以参数增加方向为正.

解 $$\int_C y\mathrm{d}x+z\mathrm{d}y+x\mathrm{d}z=\int_0^{2\pi}(-a^2\sin t\sin t+abt\cos t+ab\cos t)\mathrm{d}t$$

$$= \left(-\frac{at^2}{2}+\frac{a^2\sin 2t}{4}+abt\sin t+ab\cos t+ab\sin t\right)\Bigg|_0^{2\pi}=-\pi a^2.$$

【4260】 $\int_C (y-z)\mathrm{d}x+(z-x)\mathrm{d}y+(x-y)\mathrm{d}z$,其中 C 为圆周 $x^2+y^2+z^2=a^2$, $y=x\tan\alpha(0<\alpha<\pi)$,若从 Ox 轴的正向看去,沿逆时针方向为正.

解 如图 8.63 所示.利用球面的参数方程

$$x=a\cos\theta\sin\varphi, y=a\sin\theta\sin\varphi, z=a\cos\varphi.$$

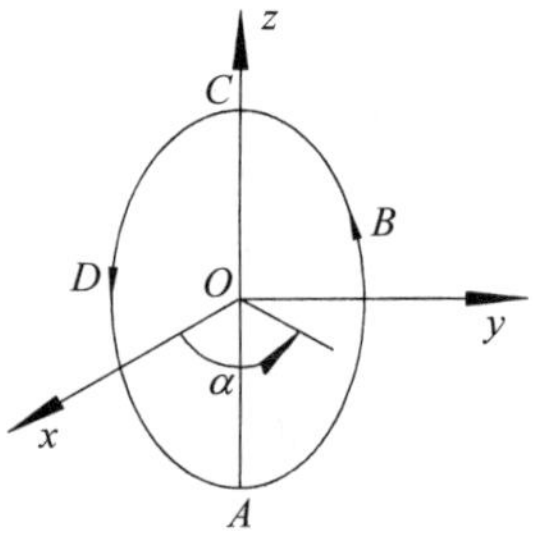

图 8.63

在 $\overset{\frown}{ABC}$ 上,$\theta=\alpha$,因而有

$$x=a\cos\alpha\sin\varphi, \mathrm{d}x=a\cos\alpha\cos\varphi\mathrm{d}\varphi,$$
$$y=a\sin\alpha\sin\varphi, \mathrm{d}y=a\sin\alpha\cos\varphi\mathrm{d}\varphi,$$
$$z=a\cos\varphi, \mathrm{d}z=-a\sin\varphi\mathrm{d}\varphi,$$

$$\int_{\overset{\frown}{ABC}}(y-z)\mathrm{d}x+(z-x)\mathrm{d}y+(x-y)\mathrm{d}z$$

$$=a^2\int_\pi^0[(\sin\alpha\sin\varphi-\cos\varphi)\cos\alpha\cos\varphi+(\cos\varphi-\cos\alpha\sin\varphi)\sin\alpha\cos\varphi-(\cos\alpha\sin\varphi-\sin\alpha\sin\varphi)\sin\varphi]\mathrm{d}\varphi$$

$$=a^2\int_0^\pi(\cos\alpha-\sin\alpha)d\varphi=\pi a^2(\cos\alpha-\sin\alpha)=\sqrt{2}\pi a^2\sin(\frac{\pi}{4}-\alpha).$$

在 $\overset{\frown}{CDA}$ 上,$\theta=\alpha+\pi$ 同样可得

$$\int_{\overset{\frown}{CDA}}(y-z)\mathrm{d}x+(z-x)\mathrm{d}y+(x-y)\mathrm{d}z=-a^2\int_0^\pi(\sin\alpha-\cos\alpha)\mathrm{d}\varphi=\sqrt{2}\pi a^2\sin\left(\frac{\pi}{4}-\alpha\right).$$

于是,最后得

$$\int_C(y-z)\mathrm{d}x+(z-x)\mathrm{d}y+(x-y)\mathrm{d}z=2\sqrt{2}\pi a^2\sin\left(\frac{\pi}{4}-\alpha\right).$$

【4261】 $\int_C y^2\mathrm{d}x+z^2\mathrm{d}y+x^2\mathrm{d}z$,式中 C 为维维亚尼曲线

$$x^2+y^2+z^2=a^2, x^2+y^2=ax(z\geqslant 0, a>0),$$

若从 Ox 轴的正向($x>0$)看去,沿逆时针方向为正.

解 将柱面 $x^2+y^2=ax$ 变为 $\left(x-\frac{a}{2}\right)^2+y^2=\left(\frac{a}{2}\right)^2$,令

$$x-\frac{a}{2}=\frac{a}{2}\cos t, y=\frac{a}{2}\sin t(0\leqslant t\leqslant 2\pi),$$

则

$$z=\sqrt{a^2-x^2-y^2}=\sqrt{a^2-\frac{a^2(1+\cos t)^2}{4}-\frac{a^2\sin^2 t}{4}}=a\sin\frac{t}{2}.$$

从而,曲线的参数方程为 $x=\frac{a(1+\cos t)}{2}$,$y=\frac{a\sin t}{2}$,$z=a\sin\frac{t}{2}(0\leqslant t\leqslant 2\pi)$. 于是

$$\int_C y^2\mathrm{d}x+z^2\mathrm{d}y+x^2\mathrm{d}z=\int_0^{2\pi}\left(-\frac{a^3\sin^3 t}{8}+\frac{a^3\sin^2\frac{t}{2}\cos t}{2}+\frac{a^3\cos^3\frac{t}{2}}{2}\right)\mathrm{d}t$$

$$=\frac{a^3}{8}\int_0^{2\pi}(1-\cos^2 t)\mathrm{d}(\cos t)+\frac{a^3}{2}\int_0^{2\pi}\frac{1-\cos t}{2}\cos t\mathrm{d}t+a^3\int_0^{2\pi}\left(1-\sin^2\frac{t}{2}\right)\mathrm{d}\left(\sin\frac{t}{2}\right)$$

$$=\frac{a^3}{8}\left(\cos t-\frac{1}{3}\cos^3 t\right)\Bigg|_0^{2\pi}+\frac{a^3}{4}\left[\sin t-\left(\frac{t}{2}+\frac{1}{4}\sin 2t\right)\right]\Bigg|_0^{2\pi}+a^3\left(\sin\frac{t}{2}-\frac{1}{3}\sin^3\frac{t}{2}\right)\Bigg|_0^{2\pi}$$

$$=-\frac{\pi a^3}{4}.$$

【4262】 $\int_C (y^2 - z^2)\mathrm{d}x + (z^2 - x^2)\mathrm{d}y + (x^2 - y^2)\mathrm{d}z$，其中 C 为球面的一部分 $x^2 + y^2 + z^2 = 1, x \geqslant 0, y \geqslant 0, z \geqslant 0$ 的边界，当沿着它的正向移动时，这部分球面的外侧面保持在左方.

解 边界在 xOy 平面部分的方程为

$$x = \cos\theta, y = \sin\theta, z = 0\left(0 \leqslant \theta \leqslant \frac{\pi}{2}\right).$$

根据轮换对称性知，只要沿这部分计算线积分，再三倍之，便得要求的结果，即

$$\begin{aligned}
&\int_C (y^2 - z^2)\mathrm{d}x + (z^2 - x^2)\mathrm{d}y + (x^2 - y^2)\mathrm{d}z \\
&= 3\int_0^{\frac{\pi}{2}} [\sin^2\theta \cdot (-\sin\theta) - \cos^2\theta \cdot \cos\theta]\mathrm{d}\theta \\
&= 3\int_0^{\frac{\pi}{2}} (1 - \cos^2\theta)\mathrm{d}(\cos\theta) - 3\int_0^{\frac{\pi}{2}} (1 - \sin^2\theta)\mathrm{d}(\sin\theta) \\
&= 3\left(\cos\theta - \frac{1}{3}\cos^3\theta - \sin\theta + \frac{1}{3}\sin^3\theta\right)\Big|_0^{\frac{\pi}{2}} = -4.
\end{aligned}$$

知识点4 曲线积分与路径无关的条件

若

$$P(x,y,z)\mathrm{d}x + Q(x,y,z)\mathrm{d}y + R(x,y,z)\mathrm{d}z = \mathrm{d}u,$$

其中 $u = u(x,y,z)$ 为区域 V 内的单值函数，则积分值与完全位于区域 V 内的曲线 C 的形状无关，且

$$\int_C P\mathrm{d}x + Q\mathrm{d}y + R\mathrm{d}z = u(x_2, y_2, z_2) - u(x_1, y_1, z_1),$$

式中 (x_1, y_1, z_1) 为积分路径的始点，(x_2, y_2, z_2) 为其终点. 最简单的情况下，若区域 V 是单联通的，而函数 P, Q, R 有连续的一阶偏导数，则上式成立的充分必要条件为：在区域 V 内，下列条件恒满足：

$$\frac{\partial P}{\partial y} = \frac{\partial Q}{\partial x}, \frac{\partial Q}{\partial z} = \frac{\partial R}{\partial y}, \frac{\partial R}{\partial x} = \frac{\partial P}{\partial z}.$$

这时，在区域 V 是标准长方体这种简单情形下，函数 u 可按下面的公式求得

$$u(x,y,z) = \int_{x_0}^{x} P(x,y,z)\mathrm{d}x + \int_{y_0}^{y} Q(x_0,y,z)\mathrm{d}y + \int_{z_0}^{z} R(x_0,y_0,z)\mathrm{d}z + C,$$

其中 (x_0, y_0, z_0) 为区域 V 内某一固定的点，而 C 是任意常数.

习题 4263—4275 利用全微分计算第二型曲线积分

【验证被积函数为全微分，并计算下列曲线积分(4263—4274)】

【4263】 $\int_{(-1,2)}^{(2,3)} x\mathrm{d}y + y\mathrm{d}x.$

解 显然 $x\mathrm{d}y + y\mathrm{d}x = \mathrm{d}(xy)$ 是全微分. 于是

$$\int_{(-1,2)}^{(2,3)} x\mathrm{d}y + y\mathrm{d}x = \int_{(-1,2)}^{(2,3)} \mathrm{d}(xy) = xy\Big|_{(-1,2)}^{(2,3)} = 8.$$

【4264】 $\int_{(0,1)}^{(3,-4)} x\mathrm{d}x + y\mathrm{d}y$.

解 显然 $x\mathrm{d}x + y\mathrm{d}y = \mathrm{d}\left(\frac{x^2+y^2}{2}\right)$是全微分. 于是

$$\int_{(0,1)}^{(3,-4)} x\mathrm{d}x + y\mathrm{d}y = \int_{(0,1)}^{(3,-4)} \mathrm{d}\left(\frac{x^2+y^2}{2}\right) = \frac{x^2+y^2}{2}\Bigg|_{(0,1)}^{(3,-4)} = 12.$$

【4265】 $\int_{(0,1)}^{(2,3)} (x+y)\mathrm{d}x + (x-y)\mathrm{d}y$.

解 显然,有

$$(x+y)\mathrm{d}x + (x-y)\mathrm{d}y = (y\mathrm{d}x + x\mathrm{d}y) + (x\mathrm{d}x - y\mathrm{d}y) = \mathrm{d}\left(xy + \frac{x^2-y^2}{2}\right)$$

是全微分. 于是

$$\int_{(0,1)}^{(2,3)} (x+y)\mathrm{d}x + (x-y)\mathrm{d}y = \int_{(0.1)}^{(2.3)} \mathrm{d}\left(xy + \frac{x^2-y^2}{2}\right) = \left(xy + \frac{x^2-y^2}{2}\right)\Bigg|_{(0.1)}^{(2,3)} = 4.$$

【4266】 $\int_{(1,-1)}^{(1,1)} (x-y)(\mathrm{d}x - \mathrm{d}y)$.

解 显然$(x-y)(\mathrm{d}x-\mathrm{d}y) = \mathrm{d}\,\frac{(x-y)^2}{2}$ 是全微分. 于是

$$\int_{(1,-1)}^{(1,1)} (x-y)(\mathrm{d}x-\mathrm{d}y) = \int_{(1,-1)}^{(1,1)} \mathrm{d}\,\frac{(x-y)^2}{2} = \frac{(x-y)^2}{2}\Bigg|_{(1,-1)}^{(1,1)} = -2.$$

【4267】 $\int_{(0,0)}^{(a,b)} f(x+y)(\mathrm{d}x+\mathrm{d}y)$,其中 $f(u)$ 为连续函数.

解 令 $F(x,y) = \int_0^{x+y} f(u)\mathrm{d}u$. 由于 $f(u)$ 连续,故

$$F'_x(x,y) = f(x+y), F'_y(x,y) = f(x+y),$$

并且它们都是 x,y 的连续函数. 因此,$F(x,y)$ 可微,且

$$\mathrm{d}F(x,y) = F'_x(x,y)\mathrm{d}x + F'_y(x,y)\mathrm{d}y = f(x+y)(\mathrm{d}x+\mathrm{d}y),$$

故 $f(x+y)(\mathrm{d}x+\mathrm{d}y)$ 是全微分,并且

$$\int_{(0,0)}^{(a,b)} f(x,y)(\mathrm{d}x+\mathrm{d}y) = F(a,b) - F(0,0) = \int_0^{a+b} f(u)\mathrm{d}u.$$

【4268】 $\int_{(2,1)}^{(1,2)} \frac{y\mathrm{d}x - x\mathrm{d}y}{x^2}$ 沿着不与 Oy 轴相交的路径.

解 显然,当 $x\neq 0$ 时,$\frac{y\mathrm{d}x - x\mathrm{d}y}{x^2} = \mathrm{d}\left(-\frac{y}{x}\right)$是全微分. 于是

$$\int_{(2,1)}^{(1,2)} \frac{y\mathrm{d}x - x\mathrm{d}y}{x^2} = \int_{(2,1)}^{(1,2)} \mathrm{d}\left(-\frac{y}{x}\right) = -\frac{y}{x}\Bigg|_{(2,1)}^{(1,2)} = -\frac{3}{2}.$$

【4269】 $\int_{(1,0)}^{(6.8)} \frac{x\mathrm{d}x + y\mathrm{d}y}{\sqrt{x^2+y^2}}$ 沿着不通过坐标原点的路径.

解 显然,当$(x,y)\neq(0,0)$ 时,$\frac{x\mathrm{d}x + y\mathrm{d}y}{\sqrt{x^2+y^2}} = \mathrm{d}(\sqrt{x^2+y^2})$ 是全微分. 于是

$$\int_{(1,0)}^{(6,8)} \frac{x\mathrm{d}x + y\mathrm{d}y}{\sqrt{x^2+y^2}} = \int_{(1,0)}^{(6,8)} \mathrm{d}(\sqrt{x^2+y^2}) = \sqrt{x^2+y^2}\Bigg|_{(1,0)}^{(6,8)} = 9.$$

【4270】 $\int_{(x_1,y_1)}^{(x_2,y_2)} \varphi(x)\mathrm{d}x + \psi(y)\mathrm{d}y$,其中 φ 和 ψ 为连续函数.

解 由于 φ 和 ψ 都是连续函数,故显然有

$$\varphi(x)\mathrm{d}x + \psi(y)\mathrm{d}y = \mathrm{d}F(x) + \mathrm{d}G(y) = \mathrm{d}[F(x)+G(y)],$$

其中 $F(x)=\int_{x_1}^{x}\varphi(u)\mathrm{d}u, G(y)=\int_{y_1}^{y}\psi(v)\mathrm{d}v$. 从而 $\varphi(x)\mathrm{d}x+\psi(y)\mathrm{d}y$ 是函数 $F(x)+G(y)$ 的全微分，于是

$$\begin{aligned}\int_{(x_1,y_1)}^{(x_2,y_2)}\varphi(x)\mathrm{d}x+\psi(y)\mathrm{d}y&=[F(x)+G(y)]\Big|_{(x_1,y_1)}^{(x_2,y_2)}\\&=[F(x_2)+G(y_2)]-[F(x_1)+G(y_1)]\\&=\int_{x_1}^{x_2}\varphi(u)\mathrm{d}u+\int_{y_1}^{y_2}\psi(v)\mathrm{d}v.\end{aligned}$$

【4271】 $\int_{(-2,-1)}^{(3,0)}(x^4+4xy^3)\mathrm{d}x+(6x^2y^2-5y^4)\mathrm{d}y$.

解　方法一　$P=x^4+4xy^3, Q=6x^2y^2-5y^4$. 显然 P、Q 在全平面上具有连续偏导数，并且

$$\frac{\partial Q}{\partial x}=12xy^2, \frac{\partial P}{\partial y}=12xy^2.$$

故 $\frac{\partial Q}{\partial x}=\frac{\partial P}{\partial y}$. 故曲线积分 $\int_C P\mathrm{d}x+Q\mathrm{d}y$ 与路径无关，于是

$$\begin{aligned}\int_{(-2,-1)}^{(3,0)}(x^4+4xy^3)\mathrm{d}x+(6x^2y^2-5y^4)\mathrm{d}y&=\int_{-2}^{3}(x^4+4x\cdot 0^3)\mathrm{d}x+\int_{-1}^{0}[6(-2)^2y^2-5y^4]\mathrm{d}y\\&=55+7=62.\end{aligned}$$

方法二　利用简单的技巧求出函数 $u(x,y)$，事实上

$$\begin{aligned}&(x^4+4xy^3)\mathrm{d}x+(6x^2y^2-5y^4)\mathrm{d}y\\&=\mathrm{d}\left(\frac{x^5}{5}\right)+2y^3\mathrm{d}(x^2)+2x^2\mathrm{d}(y^3)-\mathrm{d}(y^5)=\mathrm{d}\left(\frac{x^5}{5}+2x^2y^3-y^5\right),\end{aligned}$$

从而 $\int_{(-2,-1)}^{(3,0)}(x^4+4xy^3)\mathrm{d}x+(6x^2y^2-5y^4)\mathrm{d}y=\left(\frac{x^5}{5}+2x^2y^3-y^5\right)\Big|_{(-2,-1)}^{(3,0)}=62$.

【4272】 $\int_{(0,-1)}^{(1,0)}\frac{x\mathrm{d}y-y\mathrm{d}x}{(x-y)^2}$ 沿着不与直线 $y=x$ 相交的路径.

解　方法一　$P=-\frac{y}{(x-y)^2}, Q=\frac{x}{(x-y)^2}\ (x\neq y)$. 容易验证

$$\frac{\partial Q}{\partial x}=\frac{\partial P}{\partial y}=-\frac{x+y}{(x-y)^3}\ (x\neq y).$$

考虑平面上的区域 $\Omega=\{(x,y)\mid x>y\}$. 由于 Ω 是单连通区域，且在其上 $\frac{\partial Q}{\partial x}=\frac{\partial P}{\partial y}$，故在 Ω 上线积分 $\int_C P\mathrm{d}x+Q\mathrm{d}y$ 与路径无关. 于是

$$\int_{(0,-1)}^{(1,0)}\frac{x\mathrm{d}y-y\mathrm{d}x}{(x-y)^2}=\int_0^1\frac{-(-1)\mathrm{d}x}{(x+1)^2}+\int_{-1}^{0}\frac{\mathrm{d}y}{(1-y)^2}=\frac{1}{2}+\frac{1}{2}=1.$$

方法二　利用简单的技巧求出函数 $u(x,y)$，事实上

$$\frac{x\mathrm{d}y-y\mathrm{d}x}{(x-y)^2}=\frac{(x-y)\mathrm{d}y-y\mathrm{d}(x-y)}{(x-y)^2}=\mathrm{d}\left(\frac{y}{x-y}\right),$$

从而 $\int_{(0,-1)}^{(1,0)}\frac{x\mathrm{d}y-y\mathrm{d}x}{(x-y)^2}=\frac{y}{x-y}\Big|_{(0,-1)}^{(1,0)}=1$.

【4273】 $\int_{(1,\pi)}^{(2,\pi)}\left(1-\frac{y^2}{x^2}\cos\frac{y}{x}\right)\mathrm{d}x+\left(\sin\frac{y}{x}+\frac{y}{x}\cos\frac{y}{x}\right)\mathrm{d}y$ 沿着不与 Oy 轴相交的路径.

解　当 $x\neq 0$ 时，有

$$P = 1 - \frac{y^2}{x^2}\cos\frac{y}{x}, Q = \sin\frac{y}{x} + \frac{y}{x}\cos\frac{y}{x},$$

$$\frac{\partial P}{\partial y} = -\frac{2y}{x^2}\cos\frac{y}{x} + \frac{y^3}{x^3}\sin\frac{y}{x},$$

$$\frac{\partial Q}{\partial x} = -\frac{y}{x^2}\cos\frac{y}{x} - \frac{y}{x^2}\cos\frac{y}{x} + \frac{y^2}{x^3}\sin\frac{y}{x} = -\frac{2y}{x^2}\cos\frac{y}{x} + \frac{y^2}{x^3}\sin\frac{y}{x}.$$

考虑右半平面 $\Omega = \{(x,y) \mid x > 0\}$. 由于 Ω 是单连通区域，且在其上 $\frac{\partial Q}{\partial x} = \frac{\partial P}{\partial y}$，故在 Ω 上必是某函数 $u(x,y)$ 的全微分，且可取

$$u(x,y) = \int_1^x \left(1 - \frac{y^2}{x^2}\cos\frac{y}{x}\right)dx + \int_\pi^y (\sin y + y\cos y)dy$$

$$= \left(x + y\sin\frac{y}{x}\right)\Big|_1^x + y\sin y\Big|_\pi^y = x - 1 + y\sin\frac{y}{x}.$$

于是 $\int_{(1,\pi)}^{(2,\pi)} \left(1 - \frac{y^2}{x^2}\cos\frac{y}{x}\right)dx + \left(\sin\frac{y}{x} + \frac{y}{x}\cos\frac{y}{x}\right)dy = \left(x - 1 + y\sin\frac{y}{x}\right)\Big|_{(1,\pi)}^{(2,\pi)} = \pi + 1.$

【4274】 $\int_{(0,0)}^{(a,b)} e^x(\cos y dx - \sin y dy).$

解 显然，有 $e^x(\cos y dx - \sin y dy) = d(e^x\cos y)$，于是

$$\int_{(0,0)}^{(a,b)} e^x(\cos y dx - \sin y dy) = \int_{(0,0)}^{(a,b)} d(e^x\cos y) = (e^x\cos y)\Big|_{(0,0)}^{(a,b)} = e^a\cos b - 1.$$

【4275】 证明：若 $f(u)$ 为连续函数且 C 为分段光滑的封闭曲线，则

$$\oint_C f(x^2+y^2)(xdx + ydy) = 0.$$

证 令 $F(x,y) = \frac{1}{2}\int_0^{x^2+y^2} f(u)du$. 由于 $f(u)$ 是连续函数，故

$$F'_x(x,y) = xf(x^2+y^2), F'_y(x,y) = yf(x^2+y^2),$$

并且显然 $F'_x(x,y), F'_y(x,y)$ 都是 x,y 的连续函数. 因此 $F(x,y)$ 可微，且

$$dF(x,y) = F'_x(x,y)dx + F'_y(x,y)dy = f(x^2+y^2)(xdx + ydy).$$

于是，任取 C 上一点 (x_0, y_0)，有

$$\oint_C f(x^2+y^2)(xdx+ydy) = F(x,y)\Big|_{(x_0,y_0)}^{(x_0,y_0)} = F(x_0,y_0) - F(x_0,y_0) = 0.$$

证毕.

习题 4276—4281 利用积分与路径无关求原函数

【求原函数 z(4276—4281)】

【4276】 $dz = (x^2 + 2xy - y^2)dx + (x^2 + 2xy - y^2)dy.$

解 记 $P = x^2 + 2xy - y^2, Q = x^2 + 2xy - y^2$，则 $\frac{\partial P}{\partial y} = 2x - 2y = \frac{\partial Q}{\partial x}$，故曲线积分与路径无关，因而有

$$z = \int_0^x (x^2 + 2xy - y^2)dx + \int_0^y (0 - 0 - y^2)dy + C = \frac{x^3}{3} + x^2y - xy^2 - \frac{1}{3}y^2 + C.$$

【4277】 $dz = \frac{ydx - xdy}{3x^2 - 2xy + 3y^2}.$

解 记 $P = \frac{y}{3x^2 - 2xy + 3y^2}, Q = -\frac{x}{3x^2 - 2xy + 3y^2}$，则 $\frac{\partial P}{\partial y} = \frac{3x^2 - 3y^2}{(3x^2 - 2xy + 3y^2)^2} = \frac{\partial Q}{\partial x}$，故曲线积

分与路径无关,因而有

$$z=\int_0^x \frac{y\mathrm{d}x}{3x^2-2xy+3y^2}+\int_1^y 0\mathrm{d}y+C=\frac{y}{3}\int_0^x \frac{\mathrm{d}x}{\left(x-\frac{1}{3}y\right)^2+\frac{8y^2}{9}}+C$$

$$=\frac{y}{3}\cdot\frac{3}{2\sqrt{2}y}\arctan\frac{3\left(x-\frac{y}{3}\right)}{2\sqrt{2}y}\Bigg|_0^x+C=\frac{1}{2\sqrt{2}}\arctan\frac{3x-y}{2\sqrt{2}y}+C_1.$$

【4278】 $\mathrm{d}z=\dfrac{(x^2+2xy+5y^2)\mathrm{d}x+(x^2-2xy+y^2)\mathrm{d}y}{(x+y)^3}$.

解 记 $P=\dfrac{x^2+2xy+5y^2}{(x+y)^3}$,$Q=\dfrac{x^2-2xy+y^2}{(x+y)^3}$,则$\dfrac{\partial P}{\partial y}=\dfrac{-x^2+6xy-5y^2}{(x+y)^4}=\dfrac{\partial Q}{\partial x}$,故曲线积分与路径无关,因而有

$$z=\int_0^x \frac{x^2+2xy+5y^2}{(x+y)^3}\mathrm{d}x+\int_1^y \frac{0-0+y^2}{(0+y)^3}\mathrm{d}y+C=\int_0^x \frac{(x+y)^2+4y^2}{(x+y)^3}\mathrm{d}x+\int_1^y \frac{\mathrm{d}y}{y}+C$$

$$=[\ln|x+y|]\Big|_0^x-\frac{2y^2}{(x+y)^2}\Bigg|_0^x+[\ln|y|]\Big|_1^y+C=\ln|x+y|-\frac{2y^2}{(x+y)^2}+C_1.$$

【4279】 $\mathrm{d}z=\mathrm{e}^x[\mathrm{e}^y(x-y+2)+y]\mathrm{d}x+\mathrm{e}^x[\mathrm{e}^y(x-y)+1]\mathrm{d}y$.

解 记 $P=\mathrm{e}^x[\mathrm{e}^y(x-y+2)+y]$,$Q=\mathrm{e}^x[\mathrm{e}^y(x-y)+1]$,则$\dfrac{\partial P}{\partial y}=\mathrm{e}^x[\mathrm{e}^y(x-y+1)+1]=\dfrac{\partial Q}{\partial x}$,故曲线积分与路径无关,因而有

$$z=\int_0^x[(x-y+2)\mathrm{e}^{x+y}+y\mathrm{e}^x]\mathrm{d}x+\int_0^y(1-y\mathrm{e}^y)\mathrm{d}y+C$$

$$=[(x-y+1)\mathrm{e}^{x+y}+y\mathrm{e}^x]\Big|_{x=0}^{x=x}+(y-y\mathrm{e}^y+\mathrm{e}^y)\Big|_{y=0}^{y=y}+C$$

$$=(x-y+1)\mathrm{e}^{x+y}+y\mathrm{e}^x+C_1.$$

【4280】 $\mathrm{d}z=\dfrac{\partial^{n+m+1}u}{\partial x^{n+1}\partial y^m}\mathrm{d}x+\dfrac{\partial^{n+m+1}u}{\partial x^n\partial y^{m+1}}\mathrm{d}y$.

解 因为 $\mathrm{d}z=\dfrac{\partial^{n+m+1}u}{\partial x^{n+1}\partial y^m}\mathrm{d}x+\dfrac{\partial^{n+m+1}u}{\partial x^n\partial y^{m+1}}\mathrm{d}y=\mathrm{d}\left(\dfrac{\partial^{n+m}u}{\partial x^n\partial y^m}\right)$,故有 $z=\dfrac{\partial^{n+m}u}{\partial x^n\partial y^m}+C$.

【4281】 $\mathrm{d}z=\dfrac{\partial^{n+m+1}}{\partial x^{n+2}\partial y^{m-1}}\left(\ln\dfrac{1}{r}\right)\mathrm{d}x-\dfrac{\partial^{n+m+1}}{\partial x^{n-1}\partial y^{m+2}}\left(\ln\dfrac{1}{r}\right)\mathrm{d}y$,其中 $r=\sqrt{x^2+y^2}$.

解 易知当$(x,y)\neq(0,0)$时,有

$$\frac{\partial}{\partial x}\left(\ln\frac{1}{r}\right)=-\frac{x}{r^2},\qquad \frac{\partial}{\partial y}\left(\ln\frac{1}{r}\right)=-\frac{y}{r^2},$$

$$\frac{\partial^2}{\partial x^2}\left(\ln\frac{1}{r}\right)=-\frac{r^2-2x^2}{r^4},\qquad \frac{\partial^2}{\partial y^2}\left(\ln\frac{1}{r}\right)=-\frac{r^2-2y^2}{r^4},$$

故

$$\frac{\partial^2}{\partial x^2}\left(\ln\frac{1}{r}\right)+\frac{\partial^2}{\partial y^2}\left(\ln\frac{1}{r}\right)=0. \qquad ①$$

$$P=\frac{\partial^{n+m+1}}{\partial x^{n+2}\partial y^{m-1}}\left(\ln\frac{1}{r}\right),\ Q=-\frac{\partial^{n+m+1}}{\partial x^{n-1}\partial y^{m+2}}\left(\ln\frac{1}{r}\right),$$

则当$(x,y)\neq(0,0)$时,由 ① 式知

$$\frac{\partial P}{\partial y}-\frac{\partial Q}{\partial x}=\frac{\partial^{n+m}}{\partial x^n\partial y^m}\left[\frac{\partial^2}{\partial x^2}\left(\ln\frac{1}{r}\right)+\frac{\partial^2}{\partial y^2}\left(\ln\frac{1}{r}\right)\right]=0.$$

故在任何不含原点$(0,0)$的单连通域中,$P\mathrm{d}x+Q\mathrm{d}y$ 都是某函数 z 的全微分,并且对上半平面的点(x,y)(即 $y>0$),可取

$$z(x,y)=\int_0^x P(x,y)\mathrm{d}x+\int_1^y Q(0,y)\mathrm{d}y+C$$

$$= \int_0^x \frac{\partial^{n+m+1}}{\partial x^{n+2}\partial y^{m-1}}\left(\ln\frac{1}{r}\right)dx - \int_1^y \frac{\partial^{n+m+1}}{\partial x^{n-1}\partial y^{m+2}}\left(\ln\frac{1}{r}\right)\Big|_{x=0} dy + C$$

$$= \frac{\partial^{n+m}}{\partial x^{n+1}\partial y^{m-1}}\left(\ln\frac{1}{r}\right) - \frac{\partial^{n+m}}{\partial x^{n+1}\partial y^{m-1}}\left(\ln\frac{1}{r}\right)\Big|_{x=0} - \frac{\partial^{n+m}}{\partial x^{n-1}\partial y^{m+1}}\left(\ln\frac{1}{r}\right)\Big|_{x=0} +$$

$$\frac{\partial^{n+m}}{\partial x^{n-1}\partial y^{m+1}}\left(\ln\frac{1}{r}\right)\Big|_{\substack{x=0\\y=1}} + C$$

$$= \frac{\partial^{n+m-1}}{\partial x^{n}\partial y^{m-1}}\left(\frac{\partial}{\partial x}\ln\frac{1}{r}\right) - \frac{\partial^{n+m-2}}{\partial x^{n-1}\partial y^{m-1}}\left(\frac{\partial^2}{\partial x^2}\ln\frac{1}{r} + \frac{\partial^2}{\partial y^2}\ln\frac{1}{r}\right)\Big|_{x=0} + C_1$$

$$= \frac{\partial^{n+m-1}}{\partial x^{n}\partial y^{m-1}}\left(-\frac{x}{r^2}\right) + C_1 = \frac{\partial^{n+m-1}}{\partial x^{n}\partial y^{m-1}}\left(\frac{\partial}{\partial y}\arctan\frac{x}{y}\right) + C_1$$

$$= \frac{\partial^{n+m}}{\partial x^{n}\partial y^{m}}\left(\arctan\frac{x}{y}\right) + C_1,$$

其中 $C_1 = \left[\frac{\partial^{n+m}}{\partial x^{n-1}\partial y^{m+1}}\left(\ln\frac{1}{r}\right)\right]\Big|_{\substack{x=0\\y=1}} + C$ 是任意常数.

同理,对下半平面上的点(x,y)(即 $y<0$),可取

$$z(x,y) = \int_0^x P(x,y)dx + \int_{-1}^y Q(0,y)dy + C.$$

经过和前面完全类似的计算,可得

$$z(x,y) = \frac{\partial^{n+m}}{\partial x^{n}\partial y^{m}}\left(\arctan\frac{x}{y}\right) + C_2,$$

其中 $C_2 = \left[\frac{\partial^{n+m}}{\partial x^{n-1}\partial y^{m+1}}\left(\ln\frac{1}{r}\right)\right]\Big|_{\substack{x=0\\y=-1}} + C$ 也是任意常数.

习题 4282—4283 积分估计

【4282】 证明下面的估计对于曲线积分是正确的:

$$\left|\int_C P\,dx + Q\,dy\right| \leqslant LM,$$

其中 L 为积分路径的长,$M = \max\sqrt{P^2+Q^2}$(在弧 C 上).

证 $\left|\int_C P\,dx + Q\,dy\right| = \left|\int_C (P\cos\alpha + Q\sin\alpha)ds\right| \leqslant \int_C |P\cos\alpha + Q\sin\alpha|\,ds$

$$\leqslant \int_C \sqrt{P^2+Q^2}\sqrt{\cos^2\alpha+\sin^2\alpha}\,ds = \int_C \sqrt{P^2+Q^2}\,ds \leqslant M\int_C ds = ML.$$

【4283】 估计积分 $I_R = \oint_{x^2+y^2=R^2}\frac{y\,dx - x\,dy}{(x^2+xy+y^2)^2}$,证明:$\lim\limits_{R\to+\infty} I_R = 0$.

解 在圆 $x^2+y^2=R^2$ 上,有

$$P^2+Q^2 = \frac{y^2}{(x^2+xy+y^2)^4} + \frac{x^2}{(x^2+xy+y^2)^4} = \frac{x^2+y^2}{(x^2+xy+y^2)^4}$$

$$= \frac{R^2}{(R^2+xy)^4} \leqslant \frac{R^2}{(R^2-|xy|)^4} \leqslant \frac{R^2}{\left(R^2-\frac{x^2+y^2}{2}\right)^4} = \frac{16}{R^6}.$$

于是 $M \leqslant \frac{4}{R^3}$. 利用 4282 题的结果,即得 I_R 的估计式:

$$|I_R| \leqslant \frac{4}{R^2}\cdot 2\pi R = \frac{8\pi}{R^2}.$$

由此可知

$$\lim_{R\to+\infty} I_R = 0.$$

习题 4284—4289 计算全微分的曲线积分

【计算下列全微分的曲线积分(4284—4289)】

【4284】 $\int_{(1,1,1)}^{(2,3,-4)} x\mathrm{d}x + y^2\mathrm{d}y - z^3\mathrm{d}z.$

解 $\int_{(1,1,1)}^{(2,3,-4)} x\mathrm{d}x + y^2\mathrm{d}y - z^3\mathrm{d}z = \left(\frac{1}{2}x^2 + \frac{1}{3}y^3 - \frac{1}{4}z^4\right)\Big|_{(1,1,1)}^{(2,3,-4)} = -\frac{643}{12}.$

【4285】 $\int_{(1,2,3)}^{(6,1,1)} yz\mathrm{d}x + xz\mathrm{d}y + xy\mathrm{d}z.$

解 $\int_{(1,2,3)}^{(6,1,1)} yz\mathrm{d}x + xz\mathrm{d}y + xy\mathrm{d}z = xyz\Big|_{(1,2,3)}^{(6,1,1)} = 0.$

【4286】 $\int_{(x_1,y_1,z_1)}^{(x_2,y_2,z_2)} \frac{x\mathrm{d}x + y\mathrm{d}y + z\mathrm{d}z}{\sqrt{x^2+y^2+z^2}}$,其中点$(x_1,y_1,z_1)$位于球$x^2+y^2+z^2=a^2$之上,而点$(x_2,y_2,z_2)$位于球$x^2+y^2+z^2=b^2$之上$(a>0,b>0)$.

解 由题设知:$x_1^2+y_1^2+z_1^2=a^2, x_2^2+y_2^2+z_2^2=b^2$. 于是

$$\int_{(x_1,y_1,z_1)}^{(x_2,y_2,z_2)} \frac{x\mathrm{d}x + y\mathrm{d}y + z\mathrm{d}z}{\sqrt{x^2+y^2+z^2}} = \sqrt{x^2+y^2+z^2}\Big|_{(x_1,y_1,z_1)}^{(x_2,y_2,z_2)}$$

$$= \sqrt{x_2^2+y_2^2+z_2^2} - \sqrt{x_1^2+y_1^2+z_1^2} = b-a.$$

【4287】 $\int_{(x_1,y_1,z_1)}^{(x_2,y_2,z_2)} \varphi(x)\mathrm{d}x + \psi(y)\mathrm{d}y + \chi(z)\mathrm{d}z$,式中$\varphi,\psi,\chi$为连续函数.

解 因为$\varphi(x)\mathrm{d}x + \psi(y)\mathrm{d}y + \chi(z)\mathrm{d}z = \mathrm{d}\left(\int_{x_1}^{x}\varphi(u)\mathrm{d}u + \int_{y_1}^{y}\psi(v)\mathrm{d}v + \int_{z_1}^{z}\chi(w)\mathrm{d}w\right)$,故有

$$\int_{(x_1,y_1,z_1)}^{(x_2,y_2,z_2)} \varphi(x)\mathrm{d}x + \psi(x)\mathrm{d}x + \chi(z)\mathrm{d}z$$

$$= \left(\int_{x_1}^{x}\varphi(u)\mathrm{d}u + \int_{y_1}^{y}\psi(v)\mathrm{d}v + \int_{\varepsilon_1}^{s}\chi(w)\mathrm{d}w\right)\Big|_{(x_1,y_1,z_1)}^{(x_2,y_2,z_2)}$$

$$= \int_{x_1}^{x_2}\varphi(u)\mathrm{d}u + \int_{y_1}^{y_2}\psi(v)\mathrm{d}v + \int_{z_1}^{z_2}\chi(w)\mathrm{d}w.$$

【4288】 $\int_{(x_1,y_1,z_1)}^{(x_2,y_2,z_2)} f(x+y+z)(\mathrm{d}x+\mathrm{d}y+\mathrm{d}z)$,其中$f$为连续函数.

解 令$F(x,y,z) = \int_0^{x+y+z} f(u)\mathrm{d}u$. 由于$f(u)$是连续函数,故

$$F'_x(x,y,z) = f(x+y+z), F'_y(x,y,z) = f(x+y+z), F'_z(x,y,z) = f(x+y+z).$$

并且这些偏导数都是连续的. 因此$F(x,y,z)$可微,且

$$\mathrm{d}F(x,y,z) = F'_x(x,y,z)\mathrm{d}x + F'_y(x,y,z)\mathrm{d}y + F'_z(x,y,z)\mathrm{d}z = f(x+y+z)(\mathrm{d}x+\mathrm{d}y+\mathrm{d}z).$$

于是

$$\int_{(x_1,y_1,z_1)}^{(x_2,y_2,z_2)} f(x+y+z)(\mathrm{d}x+\mathrm{d}y+\mathrm{d}z)$$

$$= F(x,y,z)\Big|_{(x_1,y_1,z_1)}^{(x_2,y_2,z_2)} = F(x_2,y_2,z_2) - F(x_1,y_1,z_1)$$

$$= \int_0^{x_2+y_2+z_2} f(u)\mathrm{d}u - \int_0^{x_1+y_1+z_1} f(u)\mathrm{d}u = \int_{x_1+y_1+z_1}^{x_2+y_2+z_2} f(u)\mathrm{d}u.$$

【4289】 $\int_{(x_1,y_1,z_1)}^{(x_2,y_2,z_2)} f(\sqrt{x^2+y^2+z^2})(x\mathrm{d}x+y\mathrm{d}y+z\mathrm{d}z)$,其中$f$为连续函数.

解 令$F(x,y,z) = \frac{1}{2}\int_0^{x^2+y^2+z^2} f(\sqrt{v})\mathrm{d}v$. 由于$f$是连续函数,故

$$F'_x(x,y,z) = xf(\sqrt{x^2+y^2+z^2}),$$
$$F'_y(x,y,z) = yf(\sqrt{x^2+y^2+z^2}),$$
$$F'_z(x,y,z) = zf(\sqrt{x^2+y^2+z^2}),$$

并且这些偏导数都是连续的. 因此,$F(x,y,z)$ 可微,且

$$\begin{aligned} dF(x,y,z) &= F'_x(x,y,z)dx + F'_y(x,y,z)dy + F'_z(x,y,z)dz \\ &= f(\sqrt{x^2+y^2+z^2})(xdx+ydy+zdz). \end{aligned}$$

于是

$$\int_{(x_1,y_1,z_1)}^{(x_2,y_2,z_2)} f(\sqrt{x^2+y^2+z^2})(xdx+ydy+zdz) = F(x_2,y_2,z_2) - F(x_1,y_1,z_1)$$
$$= \frac{1}{2}\int_{x_1^2+y_1^2+z_1^2}^{x_2^2+y_2^2+z_2^2} f(\sqrt{v})dv \xlongequal{\sqrt{v}=u} \int_{\sqrt{x_1^2+y_1^2+z_1^2}}^{\sqrt{x_2^2+y_2^2+z_2^2}} uf(u)du.$$

习题 4290—4292 凑微分法求原函数

【求原函数 u(4290—4292)】

【4290】 $du = (x^2-2yz)dx + (y^2-2xz)dy + (z^2-2xy)dz.$

解 $du = (x^2dx + y^2dy + z^2dz) - 2(yzdx + xzdy + xydz) = d\left(\dfrac{x^3+y^3+z^3}{3} - 2xyz\right)$. 于是

$$u = \frac{1}{3}(x^3+y^3+z^3) - 2xyz + C.$$

【4291】 $du = \left(1-\dfrac{1}{y}+\dfrac{y}{z}\right)dx + \left(\dfrac{x}{z}+\dfrac{x}{y^2}\right)dy - \dfrac{xy}{z^2}dz.$

解
$$\begin{aligned} du &= dx + \left(-\frac{1}{y}dx + \frac{x}{y^2}dy\right) + \frac{1}{z}(ydx+xdy) - \frac{xy}{z^2}dz \\ &= dx + \left[-\frac{1}{y}dx + xd\left(-\frac{1}{y}\right)\right] + \frac{1}{z}d(xy) + xyd\left(\frac{1}{z}\right) \\ &= dx + d\left(-\frac{x}{y}\right) + d\left(\frac{xy}{z}\right) = d\left(x - \frac{x}{y} + \frac{xy}{z}\right). \end{aligned}$$

于是 $u = x - \dfrac{x}{y} + \dfrac{xy}{z} + C$.

【4292】 $du = \dfrac{(x+y-z)dx + (x+y-z)dy + (x+y+z)dz}{x^2+y^2+z^2+2xy}.$

解 由于

$$\begin{aligned} &(x+y-z)dx + (x+y-z)dy + (x+y+z)dz \\ &= (xdx+ydy) + (ydx+xdy) + (x+y)dz - z(dx+dy) + zdz \\ &= \frac{1}{2}d[(x^2+y^2+2xy)+z^2] + (x+y)dz - zd(x+y), \end{aligned}$$

故

$$\begin{aligned} du &= \frac{1}{2}\frac{d[(x+y)^2+z^2]}{(x+y)^2+z^2} + \frac{(x+y)dz - zd(x+y)}{(x+y)^2+z^2} \\ &= \frac{1}{2}d\ln[(x+y)^2+z^2] + d\left(\arctan\frac{z}{x+y}\right) \\ &= d\left[\ln\sqrt{(x+y)^2+z^2} + \arctan\frac{z}{x+y}\right]. \end{aligned}$$

于是 $u = \ln\sqrt{(x+y)^2+z^2} + \arctan\dfrac{z}{x+y} + C$.

习题 4293—4295 第二型曲线积分的物理应用

【4293】 求当质量为 m 的点从位置(x_1,y_1,z_1)移动到位置(x_2,y_2,z_2)时，重力所作的功(Oz 轴的方向是竖直向上).

解 设 $\boldsymbol{i},\boldsymbol{j},\boldsymbol{k}$ 为各坐标轴上的单位矢量，则重力 $\boldsymbol{F}=-mg\boldsymbol{k}$，而 $\mathrm{d}\boldsymbol{s}=\mathrm{d}x\boldsymbol{i}+\mathrm{d}y\boldsymbol{j}+\mathrm{d}z\boldsymbol{k}$. 从而功的微分为

$$\mathrm{d}A=\boldsymbol{F}\cdot\mathrm{d}\boldsymbol{s}=-mg\,\mathrm{d}z=\mathrm{d}(-mgz).$$

于是，重力所作的功为 $A=\int_{(x_1,y_1,z_1)}^{(x_2,y_2,z_2)}(-mg)\mathrm{d}z=(-mgz)\Big|_{(x_1,y_1,z_1)}^{(x_2,y_2,z_2)}=-mg(z_2-z_1)$.

【4294】 弹性力指向坐标原点，力的大小与质点到坐标原点的距离成正比. 设此点依逆时针方向描绘出椭圆$\dfrac{x^2}{a^2}+\dfrac{y^2}{b^2}=1$的正四分之一，求弹性力所作的功.

解 弹性力 $\boldsymbol{F}=-k(x\boldsymbol{i}+y\boldsymbol{j})$，其中 k 为弹性系数. 功的微分为

$$\mathrm{d}A=\boldsymbol{F}\cdot\mathrm{d}\boldsymbol{s}=-k(x\boldsymbol{i}+y\boldsymbol{j})(\mathrm{d}x\boldsymbol{i}+\mathrm{d}y\boldsymbol{j})=-k(x\mathrm{d}x+y\mathrm{d}y)=\mathrm{d}\left[-\frac{k}{2}(x^2+y^2)\right].$$

于是，弹性力所作的功为

$$A=-k\int_{(a,0)}^{(0,b)}x\mathrm{d}x+y\mathrm{d}y=-\frac{k}{2}(x^2+y^2)\Big|_{(a,0)}^{(0,b)}=\frac{k}{2}(a^2-b^2).$$

【4295】 当单位质量从点 $M_1(x_1,y_1,z_1)$ 移动到点 $M_2(x_2,y_2,z_2)$ 时，求引力 $F=\dfrac{G}{r^2}$(其中 $r=\sqrt{x^2+y^2+z^2}$)对它所作的功，其中 G 是引力常量.

解 引力指向坐标原点，故它的方向余弦为

$$\cos\alpha=-\frac{x}{r},\cos\beta=-\frac{y}{r},\cos\gamma=-\frac{z}{r},$$

而引力的投影为

$$X=-\frac{Gx}{r^3},Y=-\frac{Gy}{r^3},Z=-\frac{Gz}{r^3}.$$

于是，引力所作的功为

$$A=-G\int_{(x_1,y_1,z_1)}^{(x_2,y_2,z_2)}\frac{x\mathrm{d}x+y\mathrm{d}y+z\mathrm{d}z}{r^3}=-\frac{G}{2}\int_{(x_1,y_1,z_1)}^{(x_2,y_2,z_2)}\frac{\mathrm{d}(x^2+y^2+z^2)}{(x^2+y^2+z^2)^{\frac{3}{2}}}$$
$$=\frac{G}{\sqrt{x^2+y^2+z^2}}\Bigg|_{(x_1,y_1,z_1)}^{(x_2,y_2,z_2)}=G\left(\frac{1}{x_2^2+y_2^2+z_2^2}-\frac{1}{x_1^2+y_1^2+z_1^2}\right).$$

这里假设从 M_1 点到 M_2 点的路径是不经过原点的，上式表明功与路径无关，仅决定于起始点的坐标.

第12节 格林公式（习题4296—4325）

知识点预览

序号	知识点	题目序号	所在页码
1	曲线积分与二重积分的关系 — 格林公式	4296—4307	P154
2	平面区域的面积	4308—4325	P159

知识点 1 曲线积分与二重积分的关系 — 格林公式

设 C 为分段光滑的简单封闭围线，它围成单连通的有界区域 D，并且当沿着围线正方向移动时，区域 D 保持在左边；此外，函数 $P(x,y)$，$Q(x,y)$ 及其一阶偏导数 $P'_y(x,y)$，$Q'_x(x,y)$ 在区域 D 内及其边界上皆是连续的，则成立格林公式

$$\oint_C P(x,y)\mathrm{d}x+Q(x,y)\mathrm{d}y=\iint_D\left(\frac{\partial Q}{\partial x}-\frac{\partial P}{\partial y}\right)\mathrm{d}x\mathrm{d}y. \quad ①$$

若把区域 D 的边界 C 理解为一切边界围线之和，并且这样选取沿围线的环绕方向，使得区域 D 始终位于左边，则公式 ① 对于由几个简单围线围成的有界区域 D 也成立.

在这一节中，若没有相反的约定，则假定积分的封闭围线是简单的(无自交点)，并这样选取围线的正方向，使得所围不含无穷远点的区域始终位于曲线的左边.

习题 4296—4297 利用格林公式变换曲线积分为二重积分

【4296】 利用格林公式变换曲线积分

$$I=\oint_C\sqrt{x^2+y^2}\,\mathrm{d}x+y[xy+\ln(x+\sqrt{x^2+y^2})]\mathrm{d}y,$$

其中围线 C 是有界区域 D 的边界.

解 此处 $P=\sqrt{x^2+y^2}$，$Q=xy^2+y\ln(x+\sqrt{x^2+y^2})$. 从而

$$\frac{\partial Q}{\partial x}-\frac{\partial P}{\partial y}=y^2+\frac{y}{\sqrt{x^2+y^2}}-\frac{y}{\sqrt{x^2+y^2}}=y^2,$$

$$I=\iint_D\left(\frac{\partial Q}{\partial x}-\frac{\partial P}{\partial y}\right)\mathrm{d}x\mathrm{d}y=\iint_D y^2\,\mathrm{d}x\mathrm{d}y.$$

> **注** 这里应假定 C 不与 Ox 轴的左半部分(即 $x\leqslant 0, y=0$) 相交，这时在 D 中有
> $$x+\sqrt{x^2+y^2}>0.$$

【4297】 应用格林公式，计算曲线积分

$$I=\oint_k(x+y)^2\mathrm{d}x-(x^2+y^2)\mathrm{d}y,$$

其中 k 是以 $A(1,1)$，$B(3,2)$，$C(2,5)$ 为顶点的三角形围线 ABC，且积分时的环绕方向为正. 直接计算积分，以验证所求得的结果.

解 如图 8.64 所示. AB，BC 及 CA 的方程分别为

$$y=\frac{1}{2}(x+1),\ y=-3x+11,\ y=4x-3.$$

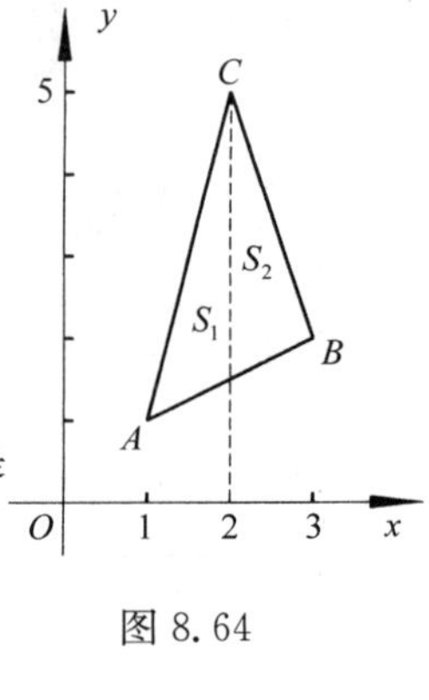

图 8.64

由于 $P=(x+y)^2$，$Q=-(x^2+y^2)$，故

$$\frac{\partial Q}{\partial x}-\frac{\partial P}{\partial y}=-2x-2(x+y)=-4x-2y.$$

通过顶点 C 引直线垂直于 Ox 轴，它把三角形域 D 分成 D_1 和 D_2 两部分. 于是

$$I=\iint_D(-4x-2y)\mathrm{d}x\mathrm{d}y=\iint_{D_1}(-4x-2y)\mathrm{d}x\mathrm{d}y+\iint_{D_2}(-4x-2y)\mathrm{d}x\mathrm{d}y$$

$$=\int_1^2 dx\int_{\frac{1}{2}(x+1)}^{4x-3}(-4x-2y)dy+\int_2^3 dx\int_{\frac{1}{2}(x+1)}^{-3x+11}(-4x-2y)dy$$

$$=\int_1^2\left(-\frac{119}{4}x^2+\frac{77}{2}x-\frac{35}{4}\right)dx+\int_2^3\left(\frac{21}{4}x^2+\frac{49}{2}x-\frac{483}{4}\right)dx$$

$$=-\frac{245}{12}-\frac{105}{4}=-\frac{140}{3}.$$

如果直接计算，则有

$$I=\int_{AB}+\int_{BC}+\int_{CA}=\int_1^3\left[\left(x+\frac{x}{2}+\frac{1}{2}\right)^2-\frac{1}{2}\left(x^2+\frac{x^2}{4}+\frac{x}{2}+\frac{1}{4}\right)\right]dx+$$

$$\int_3^2[(x-3x+11)^2-(-3)(x^2+9x^2-66x+121)]dx+$$

$$\int_2^1[(x+4x-3)^2-4(x^2+16x^2-24x+9)]dx$$

$$=\int_1^3\left(\frac{13}{8}x^2+\frac{5}{4}x+\frac{1}{8}\right)dx+\int_3^2(34x^2-242x+484)dx+\int_2^1(-43x^2+66x-27)dx$$

$$=\frac{58}{3}-\frac{283}{3}+\frac{85}{3}=-\frac{140}{3}.$$

习题 4298—4304 利用格林公式计算曲线积分

【应用格林公式，计算下列曲线积分(4298—4301)】

【4298】 $\oint_C xy^2dy-x^2ydx$，式中 C 为圆周 $x^2+y^2=a^2$.

解 **方法一** 由于 $P=-x^2y,Q=xy^2$，故有

$$\oint_C xy^2dy-x^2ydx=\iint\limits_{x^2+y^2\leqslant a^2}(x^2+y^2)dxdy=\int_0^{2\pi}d\theta\int_0^a r^3dr=\frac{\pi a^4}{2}.$$

方法二 令 $x=a\cos\theta,y=a\sin\theta$，则

$$\oint_C xy^2dy-x^2ydx=a^4\int_0^{2\pi}(\cos^2\theta\sin^2\theta+\cos^2\theta\sin^2\theta)d\theta=\frac{a^4}{2}\int_0^{2\pi}\sin^2 2\theta d\theta=\frac{\pi a^4}{2}.$$

【4299】 $\oint_C(x+y)dx-(x-y)dy$，其中 C 为椭圆 $\frac{x^2}{a^2}+\frac{y^2}{b^2}=1$.

解 **方法一** 由于 $P=x+y,Q=-(x-y)$，故有

$$\oint_C(x+y)dx-(x-y)dy=\iint\limits_{\frac{x^2}{a^2}+\frac{y^2}{b^2}\leqslant 1}(-1-1)dxdy=-2\pi ab.$$

方法二 令 $x=a\cos\theta,y=b\sin\theta$，则

$$\oint_C(x+y)dx-(x-y)dy=\int_0^{2\pi}(a\cos\theta+b\sin\theta)(-a\sin\theta)-(a\cos\theta-b\sin\theta)(b\cos\theta)d\theta$$

$$=\int_0^{2\pi}[(b^2-a^2)\cos\theta\sin\theta-ab]d\theta=-2\pi ab.$$

【4300】 $\oint_C e^x[(1-\cos y)dx-(y-\sin y)dy]$，其中 C 为区域 $0<x<\pi,0<y<\sin x$ 的边界，并且积分时的围绕方向为正.

解 由于 $\frac{\partial Q}{\partial x}-\frac{\partial P}{\partial y}=e^x(\sin y-y)-e^x\sin y=-ye^x$，故有

$$\oint_C e^x[(1-\cos y)dx-(y-\sin y)dy]=-\iint\limits_{\substack{0\leqslant x\leqslant\pi\\0\leqslant y\leqslant\sin x}} ye^x dxdy=-\int_0^{\pi}e^x dx\int_0^{\sin x}ydy$$

$$=-\frac{1}{2}\int_0^{\pi}e^x\sin^2 xdx=-\frac{1}{4}\int_0^{\pi}e^x dx+\frac{1}{4}\int_0^{\pi}e^x\cos 2xdx$$

$$=-\frac{1}{4}(e^{\pi}-1)+\frac{1}{4}\left(\frac{\cos 2x+2\sin 2x}{5}e^x\right)\bigg|_0^{\pi}$$

$$=-\frac{1}{5}(e^{\pi}-1).$$

【4301】 $\oint_{x^2+y^2=R^2} e^{-(x^2+y^2)}(\cos 2xydx+\sin 2xydy)$.

解　由于$\frac{\partial Q}{\partial x}-\frac{\partial P}{\partial y}=e^{-(x^2+y^2)}[(-2x\sin 2xy+2y\cos 2xy)-(2y\cos 2xy-2x\sin 2xy)]=0$,故

$$\oint_{x^2+y^2=R^2} e^{-(x^2+y^2)}(\cos 2xydx+\sin 2xydy)=\iint\limits_{x^2+y^2\leqslant R^2}0dxdy=0.$$

【4302】 设 AmB 为连接点 $A(1,1)$ 和点 $B(2,6)$ 的直线段,AnB 是连接点 A,B 及坐标原点的抛物线段,且该抛物线的轴垂直于 x 轴. 积分

$$I_1=\int_{AnB}(x+y)^2dx-(x-y)^2dy,\ I_2=\int_{AmB}(x+y)^2dx-(x-y)^2dy$$

相差多少?

解　由于$\frac{\partial Q}{\partial x}-\frac{\partial P}{\partial y}=-2(x-y)-2(x+y)=-4x$,故 I_1 与 I_2 之差为

$$I_2-I_1=\oint_{AnBmA}(x+y)^2dx-(x-y)^2dy=\iint\limits_D(-4x)dxdy=\int_1^2dx\int_{2x^2-x}^{5x-4}(-4x)dy$$

$$=-\int_1^2 4x(-2x^2+6x-4)dx=(2x^4-8x^3+8x^2)\Big|_1^2=-2.$$

【4303】 计算曲线积分$\int_{AmO}(e^x\sin y-my)dx+(e^x\cos y-m)dy$,其中 AmO 为由点 $A(a,0)$ 至点 $O(0,0)$ 的上半圆周 $x^2+y^2=ax$.

解　在 Ox 轴上连接点 $O(0,0)$ 与点 $A(a,0)$,这样,便构成封闭的半圆形 $AmOA$,且在线段 OA 上,有

$$\int_{OA}(e^x\sin y-my)dx+(e^x\cos y-m)dy=0.$$

从而$\oint_{AmOA}=\int_{AmO}+\int_{OA}=\int_{AmO}$. 另一方面,利用格林公式可得

$$\oint_{AmOA}(e^x\sin y-my)dx+(e^x\cos y-m)dy=\iint\limits_{x^2+y^2\leqslant ax}mdxdy=\frac{\pi ma^2}{8}.$$

于是

$$\int_{AmO}(e^x\sin y-my)dx+(e^x\cos y-m)dy=\frac{\pi ma^2}{8}.$$

【4304】 计算曲线积分$\int_{AmB}[\varphi(y)e^x-my]dx+[\varphi'(y)e^x-m]dy$,式中 $\varphi(y)$ 和 $\varphi'(y)$ 为连续函数,AmB 为连接点 $A(x_1,y_1)$ 和点 $B(x_2,y_2)$ 的任意路径,但要求此路径与线段 AB 一起围成具有已知面积 S 的区域 $AmBA$.

解　首先有$\oint_{AmBA}=\int_{AmB}+\int_{BA}$,而

$$\oint_{AmBA}[\varphi(y)e^x-my]dx+[\varphi'(y)e^x-m]dy=\iint\limits_D mdxdy=mS.$$

另一方面，

$$\int_{BA}[\varphi(y)e^x-my]dx+[\varphi'(y)e^x-m]dy=\int_{BA}d[e^x\varphi(y)]-\int_{BA}m(ydx+dy)$$

$$=e^x\varphi(y)\Big|_{(x_2,y_2)}^{(x_1,y_1)}-m\int_{x_2}^{x_1}\left[y_1+\frac{y_2-y_1}{x_2-x_1}(x-x_1)+\frac{y_2-y_1}{x_2-x_1}\right]dx$$

$$=e^{x_1}\varphi(y_1)-e^{x_2}\varphi(y_2)-m\left(y_1+\frac{y_2-y_1}{x_2-x_1}\right)(x_1-x_2)+\frac{m}{2}\frac{y_2-y_1}{x_2-x_1}(x_2-x_1)^2$$

$$=e^{x_1}\varphi(y_1)-e^{x_2}\varphi(y_2)+m(y_2-y_1)+\frac{m}{2}(x_2-x_1)(y_2+y_1).$$

于是

$$\int_{AmB}[\varphi(y)e^x-my]dx+[\varphi'(y)e^x-m]dy$$

$$=mS+e^{x_2}\varphi(y_2)-e^{x_1}\varphi(y_1)-m(y_2-y_1)-\frac{m}{2}(x_2-x_1)(y_2+y_1).$$

注 利用此题的结果可计算 4303 题. 事实上，由于

$$\varphi(y)=\sin y,x_1=a,y_1=0,x_2=y_2=0,S=\frac{\pi a^2}{8},$$

代入即得$\int_{AmO}(e^x\sin y-my)dx+(e^x\cos y-m)dy=\frac{\pi ma^2}{8}$.

习题 4305—4307 曲线积分与路径无关

【4305】 求二阶可微的两个连续函数 $P(x,y)$ 和 $Q(x,y)$，使得曲线积分

$$I=\oint_C P(x+\alpha,y+\beta)dx+Q(x+\alpha,y+\beta)dy$$

对于任何封闭的围线 C 与常数 α 和 β 无关.

解 由格林公式，得

$$I=\iint_D\left[\frac{\partial Q(x+\alpha,y+\beta)}{\partial x}-\frac{\partial P(x+\alpha,y+\beta)}{\partial y}\right]dxdy=\tau. \qquad ①$$

由假定 τ 为一常数，它与 α,β 无关(只与围线 C 有关)，上式中的 D 表示围线 C 所围成的闭区域. 由假定 P,Q 具有连续二阶导数，故式 ① 中二重积分的被积函数具有关于 α,β 的一阶连续偏导数. 因此，可以在积分号下关于 α、β 求偏导数，得

$$\iint_D\left[\frac{\partial^2 Q(x+\alpha,y+\beta)}{\partial\alpha\partial x}-\frac{\partial^2 P(x+\alpha,y+\beta)}{\partial\alpha\partial y}\right]dxdy=\frac{\partial}{\partial\alpha}\tau=0. \qquad ②$$

$$\iint_D\left[\frac{\partial^2 Q(x+\alpha,y+\beta)}{\partial\beta\partial x}-\frac{\partial^2 P(x+\alpha,y+\beta)}{\partial\beta\partial y}\right]dxdy=\frac{\partial}{\partial\beta}\tau=0. \qquad ③$$

于是，② 式和 ③ 式对任何 α,β 以及任何 D 都成立. 再注意到 ② 式和 ③ 式中二重积分的被积函数都是连续的，故被积函数必恒为零(参看 4097 题，此题对二重积分也成立)，即

$$\frac{\partial^2 Q(x+\alpha,y+\beta)}{\partial\alpha\partial x}-\frac{\partial^2 P(x+\alpha,y+\beta)}{\partial\alpha\partial y}\equiv 0. \qquad ④$$

$$\frac{\partial^2 Q(x+\alpha,y+\beta)}{\partial\beta\partial x}-\frac{\partial^2 P(x+\alpha,y+\beta)}{\partial\beta\partial y}\equiv 0. \qquad ⑤$$

对任何 x,y,α,β，记 $x+\alpha=u,y+\beta=v$，显然有

$$\frac{\partial^2 Q(x+\alpha,y+\beta)}{\partial\alpha\partial x}=\frac{\partial^2 Q(u,v)}{\partial u^2},\frac{\partial^2 P(x+\alpha,y+\beta)}{\partial\alpha\partial y}=\frac{\partial^2 P(u,v)}{\partial u\partial v},$$

$$\frac{\partial^2 Q(x+\alpha,y+\beta)}{\partial\beta\partial x}=\frac{\partial^2 Q(u,v)}{\partial v\partial u},\frac{\partial^2 P(x+\alpha,y+\beta)}{\partial\beta\partial y}=\frac{\partial^2 P(u,v)}{\partial v^2},$$

于是，④ 式与 ⑤ 式为

$$\frac{\partial}{\partial u}\left[\frac{\partial Q(u,v)}{\partial u}-\frac{\partial P(u,v)}{\partial v}\right]=\frac{\partial^2 Q(u,v)}{\partial u^2}-\frac{\partial^2 P(u,v)}{\partial u\partial v}\equiv 0,$$

$$\frac{\partial}{\partial v}\left[\frac{\partial Q(u,v)}{\partial u}-\frac{\partial P(u,v)}{\partial v}\right]=\frac{\partial^2 Q(u,v)}{\partial v\partial u}-\frac{\partial^2 P(u,v)}{\partial v^2}\equiv 0.$$

对任何 u,v，由此可知$\dfrac{\partial Q(u,v)}{\partial u}-\dfrac{\partial P(u,v)}{\partial v}\equiv k$(常数).

将 u,v 改记为 x,y 则上式为

$$\frac{\partial Q(x,y)}{\partial x}-\frac{\partial P(x,y)}{\partial y}\equiv k(\text{常数}).\qquad ⑥$$

令 $u(x,y)=\int_0^x P(t,y)\mathrm{d}t$，则 $u(x,y)$ 具有连续的二阶偏导数，且

$$\frac{\partial u(x,y)}{\partial x}=P(x,y).\qquad ⑦$$

由 ⑥ 式知：$\dfrac{\partial Q(x,y)}{\partial x}=k+\dfrac{\partial P(x,y)}{\partial y}=k+\dfrac{\partial}{\partial y}\left(\dfrac{\partial u(x,y)}{\partial x}\right)=k+\dfrac{\partial}{\partial x}\left(\dfrac{\partial u(x,y)}{\partial y}\right)$. 两端积分，得

$$Q(x,y)=kx+\frac{\partial u(x,y)}{\partial y}+\varphi(y),\qquad ⑧$$

其中 $\varphi(y)$ 为具有二阶连续导数的任意函数. 由 ⑦,⑧ 两式又知 $u(x,y)$ 具有连续的三阶偏导数.

反之，若 $u(x,y)$ 是任一具有三阶连续偏导数的函数，而 $\varphi(y)$ 是任一具有二阶连续导数的函数，则由 ⑦ 式和 ⑧ 式确定的 $P(x,y)$ 与 $Q(x,y)$ 必具有连续的二阶偏导数，且使 ⑥ 式成立，从而使

$$I=\oint_C P(x+\alpha,y+\beta)\mathrm{d}x+Q(x+\alpha,y+\beta)\mathrm{d}y=\iint_D\left[\frac{\partial Q(x+\alpha,y+\beta)}{\partial x}-\frac{\partial P(x+\alpha,y+\beta)}{\partial y}\right]\mathrm{d}x\mathrm{d}y$$

$$=\iint_D k\,\mathrm{d}x\mathrm{d}y=kS,$$

故 I 是与 α、β 无关的常数(对于任意固定的 C).

综上所述，可知：使曲线积分 I 对于任何封闭围线 C 与常数 α,β 无关的二阶连续可微函数 $P(x,y)$ 与 $Q(x,y)$ 的全体由公式 ⑦ 与 ⑧ 给出，其中 k 为常数，$u(x,y)$ 为具有三阶连续可微的任一函数，$\varphi(y)$ 为具有二阶连续可微的任意一个一元函数.

【4306】 为了使$\int_{AmB}F(x,y)(y\mathrm{d}x+x\mathrm{d}y)$与积分路径无关，可微函数$F(x,y)$应满足怎样的条件？

解 由于 $P=yF(x,y)$，$Q=xF(x,y)$，故由格林公式知所求的条件为

$$\frac{\partial}{\partial x}[xF(x,y)]=\frac{\partial}{\partial y}[yF(x,y)],$$

即 $xF'_x(x,y)=yF'_y(x,y)$.

【4307】 计算

$$I=\oint_C\frac{x\mathrm{d}y-y\mathrm{d}x}{x^2+y^2},$$

其中 C 为不经过坐标原点的简单封闭围线，且积分时的环绕方向为正.

解 令 $P=-\dfrac{y}{x^2+y^2}$，$Q=\dfrac{x}{x^2+y^2}$. 易知，当$(x,y)\neq(0,0)$ 时，恒有

$$\frac{\partial Q}{\partial x}=\frac{\partial P}{\partial y}=\frac{y^2-x^2}{(x^2+y^2)^2}.$$

分两种情况讨论：

(1) 坐标原点在围线 C 之外，这时，在由 C 围成的有界闭区域 D 上，P 与 Q 以及它们的偏导数都连续，故可应用格林公式，得

$$I=\oint_C P\mathrm{d}x+Q\mathrm{d}y=\iint_D\left(\frac{\partial Q}{\partial x}-\frac{\partial P}{\partial y}\right)\mathrm{d}x\mathrm{d}y=0.$$

(2) 围线 C 包围坐标原点，这时，由于 P,Q 在原点无定义，故不能直接对由 C 围成的区域应用格林公式. 取 $\varepsilon>0$ 充分小，使中心在原点半径为 ε 的圆周 $L_\varepsilon: x^2+y^2=\varepsilon^2$ 完全位于围线 C 之内. 用 D_ε 表示界于 C 和 L_ε 之间的环形闭区域. 显然，在 D_ε 上，P,Q 及其偏导数均连续，故可应用格林公式，得

$$\left(\oint_C+\oint_{-L_\varepsilon}\right)P\mathrm{d}x+Q\mathrm{d}y=\iint_{D_\varepsilon}\left(\frac{\partial Q}{\partial x}-\frac{\partial P}{\partial y}\right)\mathrm{d}x\mathrm{d}y=0,$$

其中 $-L_\varepsilon$ 表示沿 L_ε 的负方向（即顺时针方向）.

于是

$$I=\oint_C P\mathrm{d}x+Q\mathrm{d}y=\oint_{L_\varepsilon}P\mathrm{d}x+Q\mathrm{d}y,$$

其中 L_ε 沿正方向（即逆时针方向）. 利用 L_ε 的参数方程 $x=\varepsilon\cos\theta, y=\varepsilon\sin\theta(0\leqslant\theta\leqslant2\pi)$ 即得

$$\begin{aligned}I&=\oint_{L_\varepsilon}P\mathrm{d}x+Q\mathrm{d}y=\oint_{L_\varepsilon}\frac{x\mathrm{d}y+y\mathrm{d}x}{x^2+y^2}\\&=\frac{1}{\varepsilon^2}\int_0^{2\pi}[(\varepsilon\cos\theta)(\varepsilon\cos\theta)-\varepsilon\sin\theta(-\varepsilon\sin\theta)]\mathrm{d}\theta=\int_0^{2\pi}\mathrm{d}\theta=2\pi.\end{aligned}$$

知识点2 平面区域的面积

以分段光滑的简单围线 C 为界的图形的面积 S 为

$$S=\oint_C x\mathrm{d}y=-\oint_C y\mathrm{d}x=\frac{1}{2}\oint_C x\mathrm{d}y-y\mathrm{d}x.$$

习题4308—4320 计算曲线所围面积

【利用曲线积分计算由下列曲线所围的面积(4308—4313)】

【4308】 椭圆 $x=a\cos t, y=b\sin t(0\leqslant t\leqslant2\pi)$.

解 所求面积为 $S=\frac{1}{2}\oint_C x\mathrm{d}y-y\mathrm{d}x=\frac{1}{2}\int_0^{2\pi}ab(\cos^2t+\sin^2t)\mathrm{d}t=\pi ab.$

【4309】 星形线 $x=a\cos^3t, y=b\sin^3t(0\leqslant t\leqslant2\pi)$.

解 所求面积为

$$S=\frac{1}{2}\oint_C x\mathrm{d}y-y\mathrm{d}x=\frac{3ab}{2}\int_0^{2\pi}(\cos^4t\sin^2t+\cos^2t\sin^4t)\mathrm{d}t=\frac{3}{8}ab\int_0^{2\pi}\sin^22t\mathrm{d}t=\frac{3}{8}\pi ab.$$

【4310】 抛物线 $(x+y)^2=ax(a>0)$ 和 Ox 轴.

解 作代换 $y=tx$，则原方程化为 $x^2(1+t)^2=ax$. 从而，曲线的参数方程为

$$x=\frac{a}{(1+t)^2}, y=\frac{at}{(1+t)^2}(0\leqslant t<+\infty).$$

它与 Ox 轴的交点为 $(a,0)$ 与 $(0,0)$. 在 Ox 轴上从点 $(0,0)$ 到点 $(a,0)$ 的一段上，有

$$x\mathrm{d}y-y\mathrm{d}x=0.$$

在抛物线上，有

$$x\mathrm{d}y - y\mathrm{d}x = \frac{a^2}{(1+t)^4}\mathrm{d}t(0 \leqslant t \leqslant +\infty).$$

于是,所求面积为 $S = \frac{1}{2}\oint_C x\mathrm{d}y - y\mathrm{d}x = \frac{a^2}{2}\int_0^{+\infty}\frac{\mathrm{d}t}{(1+t)^4} = -\frac{a^2}{6}\frac{1}{(1+t)^3}\Big|_0^{+\infty} = \frac{a^2}{6}$.

【4311】 笛卡儿叶形线 $x^3 + y^3 = 3axy(a > 0)$.

解 作代换 $y = tx$,则得曲线的参数方程为 $x = \frac{3at}{1+t^3}, y = \frac{3at^2}{1+t^3}(0 \leqslant t < +\infty)$. 由于

$$\mathrm{d}x = \frac{3a(1-2t^3)}{(1+t^3)^2}\mathrm{d}t, \mathrm{d}y = \frac{3at(2-t^3)}{(1+t^3)^2}\mathrm{d}t,$$

从而

$$x\mathrm{d}y - y\mathrm{d}x = \frac{9a^2t^2}{(1+t^3)^2}\mathrm{d}t(0 \leqslant t < +\infty).$$

于是,所求面积为 $S = \frac{1}{2}\oint_C x\mathrm{d}y - y\mathrm{d}x = \frac{9a^2}{2}\int_0^{+\infty}\frac{t^2}{(1+t^3)^2}\mathrm{d}t = \frac{3a^2}{2}\left(-\frac{1}{1+t^3}\right)\Big|_0^{+\infty} = \frac{3a^2}{2}$.

【4312】 双纽线 $(x^2 + y^2)^2 = a^2(x^2 - y^2)$.

解 考虑到对称性,只需求曲线所围的区域的 $\frac{1}{4}$ 面积(位于第一象限).

利用极坐标 $x = r\cos\theta, y = r\sin\theta$,得双纽线的方程为 $r^2 = a^2\cos 2\theta$,故

$$x = a\cos\theta\sqrt{\cos 2\theta}, y = a\sin\theta\sqrt{\cos 2\theta}.$$

从而,在曲线上,$x\mathrm{d}y - y\mathrm{d}x = a^2\cos 2\theta\mathrm{d}\theta$;在 Ox 轴上,$x\mathrm{d}y - y\mathrm{d}x = 0$,且 $0 \leqslant \theta \leqslant \frac{\pi}{2}$.

于是,所求面积为 $S = 4\cdot\frac{1}{2}\oint_C x\mathrm{d}y - y\mathrm{d}x = 2\int_0^{\frac{\pi}{4}} a^2\cos 2\theta\mathrm{d}\theta = a^2$.

【4313】 曲线 $x^3 + y^3 = x^2 + y^2$ 及坐标轴.

解 作代换 $y = tx$,即得曲线的参数方程为

$$x = \frac{1+t^2}{1+t^3}, y = \frac{t(1+t^2)}{1+t^3}(0 \leqslant t < +\infty).$$

曲线的起点为(1,0),终点为(0,1). 在曲线段上,

$$x\mathrm{d}y - y\mathrm{d}x = \frac{(1+t^2)^2}{(1+t^3)^2}\mathrm{d}t(0 \leqslant t < +\infty).$$

在 Oy 轴上从点(0,1)到(0,0)一段,以及在 Ox 轴上从点(0,0)到点(1,0)一段上,均有

$$x\mathrm{d}y - y\mathrm{d}x = 0.$$

于是,所求面积为

$$\begin{aligned}
S &= \frac{1}{2}\oint_C x\mathrm{d}y - y\mathrm{d}x = \frac{1}{2}\int_0^{+\infty}\frac{(1+t^2)^2}{(1+t^3)^2}\mathrm{d}t \\
&= \frac{1}{2}\left[\int_0^{+\infty}\frac{t^4}{(1+t^3)^2}\mathrm{d}t + 2\int_0^{+\infty}\frac{t^2}{(1+t^3)^2}\mathrm{d}t + \int_0^{+\infty}\frac{1}{(1+t^3)^2}\mathrm{d}t\right] \\
&= \frac{1}{2}\left[\frac{1}{3}\mathrm{B}\left(2-\frac{1}{3},\frac{1}{3}\right) + \frac{2}{3}\mathrm{B}(1,1) + \frac{1}{3}\mathrm{B}\left(\frac{1}{3},2-\frac{1}{3}\right)\right] \\
&= \frac{1}{3} + \frac{1}{3}\frac{\Gamma\left(2-\frac{1}{3}\right)\Gamma\left(\frac{1}{3}\right)}{\Gamma(2)} = \frac{1}{3} + \frac{1}{3}\left(1-\frac{1}{3}\right)\Gamma\left(1-\frac{1}{3}\right)\Gamma\left(\frac{1}{3}\right) \\
&= \frac{1}{3} + \frac{2}{9}\frac{\pi}{\sin\frac{\pi}{3}} = \frac{1}{3} + \frac{4\pi}{9\sqrt{3}}.
\end{aligned}$$

注 本题用到 3853 题的结果.

【4314】 计算由曲线$(x+y)^{n+m+1}=ax^n y^m(a>0,n>0,m>0)$所围的面积.

解 作代换 $y=tx$,得曲线的参数方程为

$$x=\frac{at^m}{(1+t)^{n+m+1}},y=\frac{at^{m+1}}{(1+t)^{n+m+1}}(0\leqslant t<+\infty).$$

从而

$$x\mathrm{d}y-y\mathrm{d}x=\frac{a^2t^{2m}}{(1+t)^{2n+2m+2}}\mathrm{d}t(0\leqslant t<+\infty).$$

于是,所求面积为 $S=\frac{1}{2}\oint_C x\mathrm{d}y-y\mathrm{d}x=\frac{a^2}{2}\int_0^{+\infty}\frac{t^{2m}}{(1+t)^{2n+2m+2}}\mathrm{d}t=\frac{a^2}{2}\mathrm{B}(2m+1,2n+1).$

注 本题用到 3852 题的结果.

【4315】 计算由曲线$\left(\frac{x}{a}\right)^n+\left(\frac{y}{b}\right)^n=1(a>0,b>0,n>0)$和坐标轴所围的面积.

解 作代换 $x=a\cos^{\frac{2}{n}}\theta,y=b\sin^{\frac{2}{n}}\theta\ \left(0\leqslant\theta\leqslant\frac{\pi}{2}\right)$,即得

$$x\mathrm{d}y-y\mathrm{d}x=\frac{2ab}{n}\cos^{\frac{2}{n}-1}\theta\sin^{\frac{2}{n}-1}\theta\mathrm{d}\theta\ \left(0\leqslant\theta\leqslant\frac{\pi}{2}\right).$$

曲线与坐标轴交于点$(a,0)$和点$(0,b)$. 在Oy轴上,从点$(0,b)$到点$(0,0)$一段,以及在Ox轴上从点$(0,0)$到点$(a,0)$一段上,显然有$x\mathrm{d}y-y\mathrm{d}x=0$. 于是,所求面积为

$$S=\frac{1}{2}\oint_C x\mathrm{d}y-y\mathrm{d}x=\frac{1}{2}\int_0^{\frac{\pi}{2}}\frac{2ab}{n}\cos^{\frac{2}{n}-1}\theta\sin^{\frac{2}{n}-1}\theta\mathrm{d}\theta=\frac{ab}{n}\cdot\frac{1}{2}\mathrm{B}\left(\frac{1}{n},\frac{1}{n}\right)=\frac{ab}{2n}\frac{\Gamma^2\left(\frac{1}{n}\right)}{\Gamma\left(\frac{2}{n}\right)}.$$

注 本题用到 3856 题的结果.

【4316】 计算由曲线$\left(\frac{x}{a}\right)^n+\left(\frac{y}{b}\right)^n=\left(\frac{x}{a}\right)^{n-1}+\left(\frac{y}{b}\right)^{n-1}(a>0,b>0,n>1)$和坐标轴所围的面积.

解 作代换 $y=\frac{b}{a}xt$,得曲线的参数方程为

$$x=\frac{a(1+t^{n-1})}{1+t^n},y=\frac{bt(1+t^{n-1})}{1+t^n}(0<t<+\infty).$$

易知

$$x\mathrm{d}y-y\mathrm{d}x=ab\frac{(1+t^{n-1})^2}{(1+t^n)^2}\mathrm{d}t.$$

又在两坐标轴上,显然有 $x\mathrm{d}y-y\mathrm{d}x=0$. 于是,面积为

$$\begin{aligned}S&=\frac{1}{2}\oint_C x\mathrm{d}y-y\mathrm{d}x=\frac{ab}{2}\int_0^{+\infty}\frac{(1+t^{n-1})^2}{(1+t^n)^2}\mathrm{d}t\\&=\frac{ab}{2}\left[\int_0^{+\infty}\frac{t^{2n-2}}{(1+t^n)^2}\mathrm{d}t+2\int_0^{+\infty}\frac{t^{n-1}}{(1+t^n)^2}\mathrm{d}t+\int_0^{+\infty}\frac{1}{(1+t^n)^2}\mathrm{d}t\right]\\&=\frac{ab}{2}\left[\frac{1}{n}\mathrm{B}\left(2-\frac{1}{n},\frac{1}{n}\right)+\frac{2}{n}\mathrm{B}(1,1)+\frac{1}{n}\mathrm{B}\left(\frac{1}{n},2-\frac{1}{n}\right)\right]\\&=\frac{ab}{n}\left[1+\mathrm{B}\left(2-\frac{1}{n},\frac{1}{n}\right)\right]=\frac{ab}{n}\left[1+\left(1-\frac{1}{n}\right)\frac{\Gamma\left(1-\frac{1}{n}\right)\Gamma\left(\frac{1}{n}\right)}{\Gamma(1)}\right]\\&=\frac{ab}{n}\left[1+\frac{\left(1-\frac{1}{n}\right)\pi}{\sin\frac{\pi}{n}}\right].\end{aligned}$$

注 本题用到 3853 题的结果.

【4317】 计算由曲线$\left(\frac{x}{a}\right)^{2n+1}+\left(\frac{y}{b}\right)^{2n+1}=c\left(\frac{x}{a}\right)^{n}\left(\frac{y}{b}\right)^{n}(a>0,b>0,c>0,n>0)$所围的面积.

解 作代换 $y=\frac{b}{a}xt$，得曲线的参数方程为

$$x=\frac{act^{n}}{1+t^{2n+1}},y=\frac{bct^{n+1}}{1+t^{2n+1}}(0\leqslant t<+\infty).$$

易知 $x\mathrm{d}y-y\mathrm{d}x=\frac{abc^{2}t^{2n}}{(1+t^{2n+1})^{2}}\mathrm{d}t$. 于是，所求面积为

$$S=\frac{1}{2}\oint_{C}x\mathrm{d}y-y\mathrm{d}x=\frac{abc^{2}}{2}\int_{0}^{+\infty}\frac{t^{2n}}{(1+t^{2n+1})^{2}}\mathrm{d}t$$

$$=-\frac{abc^{2}}{2(2n+1)}\cdot\frac{1}{1+t^{2n+1}}\bigg|_{0}^{+\infty}=\frac{abc^{2}}{2(2n+1)}.$$

【4318】 一个半径为r的圆周沿半径为R的固定圆周外部滚动而无滑动，动圆周上的一点所描绘的曲线称为外摆线. 假定比值$\frac{R}{r}=n$是整数($n\geqslant 1$)，求外摆线所围的面积. 研究特殊情况 $r=R$(心脏线).

解 取定圆的中心O作坐标原点，取Ox轴通过点A，点A是动点的始点，即为两圆的公切点时的位置(图 8.65). 当动圆滚到如图的新位置时，点A移到点M. 动点M的轨迹便是外摆线，其方程推导如下：设动圆的圆心为C，两圆的切点为B，记$\angle MCB=t$(运动开始时，设$t=0$). 切点在定圆上所移过的弧$\overset{\frown}{AB}$应等于它在动圆上所移过的弧$\overset{\frown}{MB}$，即

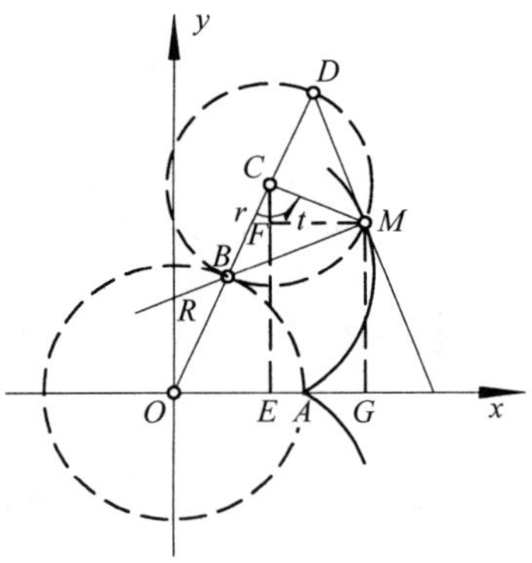

图 8.65

$$R\cdot\angle AOB=\frac{R}{n}\cdot\angle MCB=\frac{R}{n}t.$$

从而$\angle AOB=\frac{t}{n}$，设动点M的坐标为(x,y)，则

$$x=OG=OE+FM=\left(R+\frac{R}{n}\right)\cos\frac{t}{n}+\frac{R}{n}\sin\angle FCM,$$

但$\angle FCM=\angle BCM-\angle OCE$，且$\angle OCE=\frac{\pi}{2}-\frac{t}{n}$，从而

$$\angle FCM=\left(1+\frac{1}{n}\right)t-\frac{\pi}{2},\sin\angle FCM=-\cos\left(1+\frac{1}{n}\right)t.$$

于是，最后得

$$x=R\left(1+\frac{1}{n}\right)\cos\frac{t}{n}-\frac{R}{n}\cos\left(1+\frac{1}{n}\right)t.$$

类似地，可求得

$$y=R\left(1+\frac{1}{n}\right)\sin\frac{t}{n}-\frac{R}{n}\sin\left(1+\frac{1}{n}\right)t.$$

记$\theta=\frac{t}{n}$，并注意到$R=nr$，则外摆线可用如下的参数方程表示：

$$x=(n+1)r\cos\theta-r\cos(n+1)\theta,y=(n+1)r\sin\theta-r\sin(n+1)\theta.$$

由$R=nr$知，当动圆滚n圈后，起点与终点重合，即θ的变化范围为$0\leqslant\theta\leqslant 2\pi$，注意到

$$x\mathrm{d}y-y\mathrm{d}x=r^{2}(n+1)(n+2)(1-\cos n\theta)\mathrm{d}\theta,$$

于是,所求的面积为

$$S=\frac{1}{2}\oint_C x\mathrm{d}y-y\mathrm{d}x=\frac{r^2(n+1)(n+2)}{2}\int_0^{2\pi}(1-\cos n\theta)\mathrm{d}\theta=\pi r^2(n+1)(n+2).$$

特别地,当 $r=R$ 时,即 $n=1$,则得心脏线的面积为 $S=6\pi r^2$.

【4319】 一个半径为 r 的圆周沿半径为 R 的固定圆周内部滚动而无滑动,动圆周上的一点所描绘的曲线称为内摆线.假定比值 $\dfrac{R}{r}=n$ 是整数($n\geqslant 2$),求内摆线所围的面积.研究特殊情况 $r=\dfrac{R}{4}$(星形线).

解 仿上题,容易求得内摆线的参数方程为

$$x=R\left(1-\frac{1}{n}\right)\cos\frac{t}{n}+\frac{R}{n}\cos\left(1-\frac{1}{n}\right)t,\ y=R\left(1-\frac{1}{n}\right)\sin\frac{t}{n}-\frac{R}{n}\sin\left(1-\frac{1}{n}\right)t.$$

以 $\theta=\dfrac{t}{n}$ 为参数,并注意到 $R=nr$,则得

$$x=(n-1)r\cos\theta+r\cos(n-1)\theta,\ y=(n-1)r\sin\theta-r\sin(n-1)\theta.$$

注意到 $x\mathrm{d}y-y\mathrm{d}x=r^2(n-1)(n-2)(1-\cos n\theta)\mathrm{d}\theta$,于是,所求的面积为

$$S=\frac{1}{2}\oint_C x\mathrm{d}y-y\mathrm{d}x=\frac{r^2(n-1)(n-2)}{2}\int_0^{2\pi}(1-\cos n\theta)\mathrm{d}\theta=\pi r^2(n-1)(n-2).$$

特别地,当 $\dfrac{R}{r}=4$ 时,即 $n=4$,则得星形线所围的面积为 $S=6\pi r^2$.

【4320】 计算圆柱面 $x^2+y^2=ax$ 被曲面 $x^2+y^2+z^2=a^2$ 所截那部分的面积.

解 两曲面的交线为

$$x^2+y^2=ax,\ z^2=a^2-ax.$$

将平面 xOy 上的圆周 $x^2+y^2=ax$ 记为 C,其弧长记为 s,则所求的面积为

$$S=2\oint_C\sqrt{a^2-ax}\,\mathrm{d}s.$$

由于 $x^2+y^2=ax$ 即 $\left(x-\dfrac{a}{2}\right)^2+y^2=\left(\dfrac{a}{2}\right)^2$,故令

$$x=\frac{a}{2}+\frac{a}{2}\cos\theta,\ y=\frac{a}{2}\sin\theta,$$

则弧长的微分为 $\mathrm{d}s=\sqrt{x'^2(\theta)+y'^2(\theta)}\,\mathrm{d}\theta=\dfrac{a}{2}\mathrm{d}\theta$.于是,所求面积为

$$S=2\oint_C\sqrt{a^2-ax}\,\mathrm{d}s=2\int_0^{2\pi}\sqrt{\frac{a}{2}(1-\cos\theta)}\cdot\frac{a}{2}\mathrm{d}\theta=2\int_0^{2\pi}a^2\sin\frac{\theta}{2}\mathrm{d}\left(\frac{\theta}{2}\right)=4a^2.$$

习题 4321—4325 计算封闭曲线积分

【4321】 计算

$$I=\frac{1}{2\pi}\oint_C\frac{X\mathrm{d}Y-Y\mathrm{d}X}{X^2+Y^2},$$

其中 $X=ax+by$,$Y=cx+dy$,且 C 为包围坐标原点的简单封闭围线($ad-bc\neq 0$).

解 由于 $ad-bc\neq 0$,故只有原点(0,0)使 $X^2+Y^2=0$.易知

$$X\mathrm{d}Y-Y\mathrm{d}X=(ax+by)(c\mathrm{d}x+d\mathrm{d}y)-(cx+dy)(a\mathrm{d}x+b\mathrm{d}y)=(ad-bc)(x\mathrm{d}y-y\mathrm{d}x),$$

故

$$I=\frac{1}{2\pi}\oint_C\frac{X\mathrm{d}Y-Y\mathrm{d}X}{X^2+Y^2}=\frac{1}{2\pi}\oint_C P(x,y)\mathrm{d}x+Q(x,y)\mathrm{d}y,$$

其中

$$P=-\frac{(ad-bc)y}{(ax+by)^2+(cx+dy)^2},Q=\frac{(ad-bc)x}{(ax+by)^2+(cx+dy)^2}.$$

容易算得$\frac{\partial Q}{\partial x}=\frac{\partial P}{\partial y}=-\frac{(ad-bc)[(a^2+c^2)x^2-(b^2+d^2)y^2]}{[(ax+by)^2+(cx+dy)^2]^2}((x,y)\neq(0,0))$，故由格林公式知

$$\oint_C P(x,y)\mathrm{d}x+Q(x,y)\mathrm{d}y=\oint_{C'} P(x,y)\mathrm{d}x+Q(x,y)\mathrm{d}y,$$

其中 C' 可为包围原点(0,0) 的任一位于 C 内的围线.

特别地，可取 C' 为围线$(ax+by)^2+(cx+\mathrm{d}y)^2=r^2$(即 $X^2+Y^2=r^2$)，$r>0$ 充分小，于是，利用格林公式得

$$\begin{aligned}I&=\frac{1}{2\pi}\oint_C\frac{X\mathrm{d}Y-Y\mathrm{d}X}{X^2+Y^2}=\frac{1}{2\pi}\oint_{X^2+Y^2=r^2}\frac{X\mathrm{d}Y-Y\mathrm{d}X}{X^2+Y^2}\\&=\frac{1}{2\pi r^2}\oint_{X^2+Y^2=r^2}X\mathrm{d}Y-Y\mathrm{d}X=\frac{ad-bc}{2\pi r^2}\oint_{X^2+Y^2=r^2}x\mathrm{d}y-y\mathrm{d}x\\&=\frac{ad-bc}{2\pi r^2}\iint\limits_{X^2+Y^2\leqslant r^2}2\mathrm{d}x\mathrm{d}y=\frac{ad-bc}{\pi r^2}\iint\limits_{X^2+Y^2\leqslant r^2}\left|\frac{D(x,y)}{D(X,Y)}\right|\mathrm{d}X\mathrm{d}Y.\end{aligned}$$

由于$\frac{D(X,Y)}{D(x,y)}=ad-bc$，故$\frac{D(x,y)}{D(X,Y)}=\frac{1}{ad-bc}$. 于是，代入上式得

$$I=\frac{ad-bc}{\pi r^2}\iint\limits_{X^2+Y^2\leqslant r^2}\frac{1}{|ad-bc|}\mathrm{d}X\mathrm{d}Y=\frac{ad-bc}{\pi r^2}\cdot\frac{1}{|ad-bc|}\pi r^2=\operatorname{sgn}(ad-bc).$$

【4322】 若简单围线 C 包围坐标原点，$X=\varphi(x,y)$，$Y=\psi(x,y)$，而曲线 $\varphi(x,y)=0$ 和 $\psi(x,y)=0$ 在围线 C 以内有几个单交点，计算积分 I(参阅 4321 题).

解 设 $\varphi(x,y)=0$，$\psi(x,y)=0$ 在 C 内的交点为 $P_i(x_i,y_i)(i=1,2,\cdots,m)$. 首先注意，本题应假定函数 $\varphi(x,y)$ 与 $\psi(x,y)$ 在 C 围成的区域内具有连续的二阶偏导数，并且在各点 $P_i(x_i,y_i)(i=1,2,\cdots,m)$ 处有$\frac{D(X,Y)}{D(x,y)}=\varphi'_x\psi'_y-\varphi'_y\psi'_x\neq0$. 容易算得

$$X\mathrm{d}Y-Y\mathrm{d}X=(\varphi\psi'_x-\varphi'_x\psi)\mathrm{d}x+(\varphi\psi'_y-\varphi'_y\psi)\mathrm{d}y.$$

从而

$$I=\frac{1}{2\pi}\oint_C\frac{X\mathrm{d}Y-Y\mathrm{d}X}{X^2+Y^2}=\frac{1}{2\pi}\oint_C P(x,y)\mathrm{d}x+Q(x,y)\mathrm{d}y,$$

其中 $P=\frac{\varphi\psi'_x-\varphi'_x\psi}{\varphi^2+\psi^2}$，$Q=\frac{\varphi\psi'_y-\varphi'_y\psi}{\varphi^2+\psi^2}$.

又可算得

$$\begin{aligned}\frac{\partial Q}{\partial x}=\frac{\partial P}{\partial y}=\frac{1}{(\varphi^2+\psi^2)^2}[&(\varphi\psi''_{xy}-\varphi''_{xy}\psi)(\varphi^2+\psi^2)-(\varphi'_x\psi'_y+\varphi'_y\psi'_x)\varphi^2+(\varphi'_y\psi'_x+\varphi'_x\psi'_y)\psi^2+\\&2(\varphi'_x\varphi'_y-\psi'_x\psi'_y)\varphi\psi],(x,y)\neq(x_i,y_i)(i=1,2,\cdots,m).\end{aligned}$$

围绕点 $P_i(x_i,y_i)$ 作围线 C_i：$[\varphi(x,y)]^2+[\psi(x,y)]^2=r^2$(即 $X^2+Y^2=r^2$)，取 $r>0$ 充分小，使诸 C_i 互不相交且都位于 C 内(这是办得到的，因为在各点 P_i 处，$\frac{D(X,Y)}{D(x,y)}\neq0$. 从而由连续性可知，在 P_i 的某邻域内$\frac{D(X,Y)}{D(x,y)}\neq0$ 且保持定号. 于是由隐函数存在定理，变换 $X=\varphi(x,y)$，$Y=\psi(x,y)$ 在点$(x,y)=(x_i,y_i)$ 邻近及点$(X,Y)=(0,0)$ 邻近是双方单值双方连续的)，并使$\frac{D(X,Y)}{D(x,y)}$ 在 P_i 的邻近 $X^2+Y^2\leqslant r^2$(记为 D_i)上保持定号，将格林公式应用于诸围线 $C,C_1,\cdots,C_m$ 之间的区域，可得

$$\oint_C P(x,y)\mathrm{d}x+Q(x,y)\mathrm{d}y=\sum_{i=1}^{m}\oint_{C_i}P(x,y)\mathrm{d}x+Q(x,y)\mathrm{d}y,$$

故

$$I=\frac{1}{2\pi}\sum_{i=1}^{m}\oint_{C_i}\frac{X\mathrm{d}Y-Y\mathrm{d}X}{X^2+Y^2}. \qquad ①$$

但

$$\oint_{C_i}\frac{X\mathrm{d}Y-Y\mathrm{d}X}{X^2+Y^2}=\frac{1}{r^2}\oint_{C_i}X\mathrm{d}Y-Y\mathrm{d}X=\frac{1}{r^2}\oint_{C_i}(\varphi\psi_x'-\varphi_x'\psi)\mathrm{d}x+(\varphi\psi_y'-\varphi_y'\psi)\mathrm{d}y$$

$$=\frac{1}{r^2}\iint_{D_i}2(\varphi_x'\psi_y'-\varphi_y'\psi_x')\mathrm{d}x\mathrm{d}y=\frac{2}{r^2}\iint_{D_i}\left|\frac{D(X,Y)}{D(x,y)}\right|\mathrm{d}x\mathrm{d}y$$

$$=\frac{2}{r^2}\left(\operatorname{sgn}\frac{D(X,Y)}{D(x,y)}\right)_{P_i}\iint_{D_i}\frac{D(X,Y)}{D(x,y)}\mathrm{d}x\mathrm{d}y=\frac{2}{r^2}\left(\operatorname{sgn}\frac{D(X,Y)}{D(x,y)}\right)_{P_i}\iint_{X^2+Y^2\leqslant r^2}2\mathrm{d}X\mathrm{d}Y$$

$$=\frac{2}{r^2}\left(\operatorname{sgn}\frac{D(X,Y)}{D(x,y)}\right)_{P_i}\cdot\pi r^2=2\pi\left(\operatorname{sgn}\frac{D(X,Y)}{D(x,y)}\right)_{P_i},$$

代入①式，即得 $I=\sum_{i=1}^{m}\left(\operatorname{sgn}\frac{D(\varphi,\psi)}{D(x,y)}\right)_{P_i}$，或写为 $I=\sum\operatorname{sgn}\frac{D(\varphi,\psi)}{D(x,y)}$，其中$\sum$是对曲线 $\varphi(x,y)=0$ 与 $\psi(x,y)=0$ 在 C 内的各交点相加.

注 显然 4321 题是 4322 题的特例，这时，曲线 $ax+by=0$ 与 $cx+dy=0$ 在 C 内只有一个交点，即原点 $(0,0)$，而 $\frac{D(\varphi,\psi)}{D(x,y)}=ad-bc$.

【4323】 证明：若 C 为封闭围线，l 为任意的方向，则有

$$\oint_C\cos(\boldsymbol{l},\boldsymbol{n})\mathrm{d}s=0,$$

式中 $\boldsymbol{n}$ 为围线 C 的外法向量.

证 如图 8.66 所示. 不妨规定 C 的方向为逆时针，以 $\boldsymbol{t}$ 表示. 由于夹角

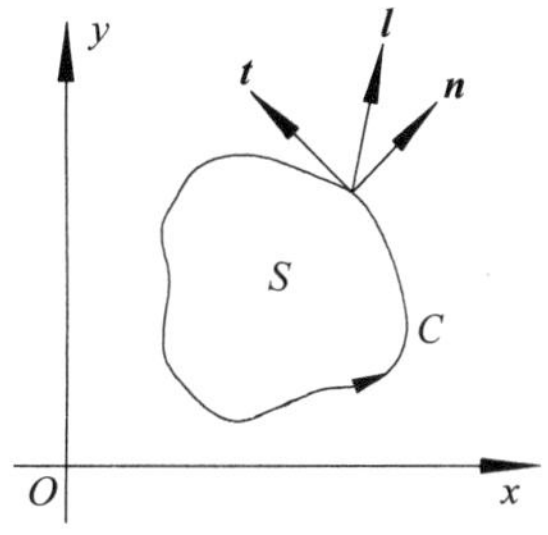

图 8.66

$$(\boldsymbol{l},\boldsymbol{n})=(\boldsymbol{l},x)-(\boldsymbol{n},x),$$

故得 $\cos(\boldsymbol{l},\boldsymbol{n})=\cos(\boldsymbol{l},x)\cos(\boldsymbol{n},x)+\sin(\boldsymbol{l},x)\sin(\boldsymbol{n},x)$.

但是

$$\sin(\boldsymbol{n},x)=\sin\left[(\boldsymbol{t},x)-\frac{\pi}{2}\right]=-\cos(\boldsymbol{t},x),$$

$$\cos(\boldsymbol{n},x)=\cos\left[(\boldsymbol{t},x)-\frac{\pi}{2}\right]=\sin(\boldsymbol{t},x),$$

$$\cos(\boldsymbol{t},x)=\frac{\mathrm{d}x}{\mathrm{d}s},\sin(\boldsymbol{t},x)=\frac{\mathrm{d}y}{\mathrm{d}s},$$

因此，有 $\cos(\boldsymbol{l},\boldsymbol{n})\mathrm{d}s=\cos(\boldsymbol{l},x)\mathrm{d}y-\sin(\boldsymbol{l},x)\mathrm{d}x$. 再利用格林公式，并注意到 $\sin(\boldsymbol{l},x)$ 和 $\cos(\boldsymbol{l},x)$ 均为常数，即得

$$\oint_C\cos(\boldsymbol{l},\boldsymbol{n})\mathrm{d}s=\oint_C\cos(\boldsymbol{l},x)\mathrm{d}y-\sin(\boldsymbol{l},x)\mathrm{d}x=\iint_D 0\mathrm{d}x\mathrm{d}y=0.$$

【4324】 求积分

$$I=\oint_C[x\cos(\boldsymbol{n},x)+y\cos(\boldsymbol{n},y)]\mathrm{d}S$$

的值，其中 C 为有界区域 S 的边界，是简单封闭曲线，$\boldsymbol{n}$ 为它的外法向量.

解 如 4323 题所述，已知

$$\cos(\boldsymbol{n},x)=\cos\left[(\boldsymbol{t},x)-\frac{\pi}{2}\right]=\sin(\boldsymbol{t},x)=\frac{\mathrm{d}y}{\mathrm{d}s},$$

$$\cos(\boldsymbol{n},y)=\cos\left[\frac{\pi}{2}-(\boldsymbol{n},x)\right]=\sin(\boldsymbol{n},x)=\sin\left[(\boldsymbol{t},x)-\frac{\pi}{2}\right]=-\cos(\boldsymbol{t},x)=-\frac{\mathrm{d}x}{\mathrm{d}s},$$

于是

$$I=\oint_C x\mathrm{d}y-y\mathrm{d}x=2\cdot\frac{1}{2}\oint_C x\mathrm{d}y-y\mathrm{d}x=2S,$$

这里 S 为封闭曲线 C 所围的面积.

【4325】 求

$$\lim_{d(D)\to 0}\frac{1}{S}\oint_C(\boldsymbol{F}\cdot\boldsymbol{n})\mathrm{d}s,$$

其中 S 为包围点 (x_0,y_0) 的围线 C 所围的面积，$d(D)$ 为区域 D 的直径，$\boldsymbol{n}$ 为围线 C 的单位外法向量，$\boldsymbol{F}\{X,Y\}$ 为 $S+C$ 上的连续可微向量.

解 由 4323 题的推导过程知，向量 $\boldsymbol{n}$ 在坐标轴上的投影为

$$n_x=\cos(\boldsymbol{n},x)=\frac{\mathrm{d}y}{\mathrm{d}s},n_y=\cos(\boldsymbol{n},y)=-\frac{\mathrm{d}x}{\mathrm{d}s}.$$

于是

$$(\boldsymbol{F}\cdot\boldsymbol{n})\mathrm{d}s=(Xn_x+Yn_y)\mathrm{d}s=X\mathrm{d}y-Y\mathrm{d}x.$$

因此，利用格林公式有

$$\oint_C(\boldsymbol{F}\cdot\boldsymbol{n})\mathrm{d}s=\oint_C X\mathrm{d}y-Y\mathrm{d}x=\iint_D\left(\frac{\partial X}{\partial x}+\frac{\partial Y}{\partial y}\right)\mathrm{d}x\mathrm{d}y=\left(\frac{\partial X}{\partial x}+\frac{\partial Y}{\partial y}\right)\bigg|_{(\xi,\eta)}\cdot S,$$

其中点 $(\xi,\eta)\in$ 区域 S. 于是

$$\lim_{d(D)\to 0}\frac{1}{S}\oint_C(\boldsymbol{F}\cdot\boldsymbol{n})\mathrm{d}s=\lim_{d(D)\to 0}\left(\frac{\partial X}{\partial x}+\frac{\partial Y}{\partial y}\right)\bigg|_{(\xi,\eta)}=X'_x(x_0,y_0)+Y'_y(x_0,y_0).$$

第13节 曲线积分在物理学上的应用（习题4326—4340）

知识点预览

知识点	题目序号	所在页码
曲线积分在物理学上的应用	4326—4340	P166

知识点 曲线积分在物理学上的应用

曲线积分在物理学上的应用主要有：

(1) 求对数势；

(2) 调和函数；

(3) 格林公式的应用.

习题 4326—4330 求对数势

【4326】 均匀分布在圆 $x^2+y^2=a^2,y\geqslant 0$ 的上半部的质量 M 以怎样的力吸引位于

(0,0)、质量为 m 的质点？

解 由对称性知，引力在 Ox 轴上的投影 $X=0$，故只要计算引力在 Oy 轴上的投影.

设圆心角为 θ，由 $ds=ad\theta$ 知，对于长为 ds 一段圆弧吸引质量为 m 的质点的力在 Oy 轴上的投影为

$$dY=\frac{km\frac{M}{\pi a}}{a^2}\sin\theta\cdot a d\theta=\frac{kmM}{\pi a^2}\sin\theta d\theta,$$

其中 k 为引力常数.

于是，所求的引力在 Oy 轴上的投影为

$$Y=\frac{kmM}{\pi a^2}\int_0^{\pi}\sin\theta d\theta=\frac{2kmM}{\pi a^2}.$$

【4327】 计算单层的对数势

$$u(x,y)=\oint_C \kappa\ln\frac{1}{r}ds,$$

式中 $\kappa=$ 常数，$r=\sqrt{(\xi-x)^2+(\eta-y)^2}$，设围线 C 是圆周 $\xi^2+\eta^2=R^2$.

解 由对称性知，单层的对数势为

$$u(x,y)=2\kappa\int_0^{\pi}\ln\frac{1}{r}\cdot Rd\theta=2R\kappa\int_0^{\pi}\ln\frac{1}{\sqrt{R^2-2R\rho\cos\theta+\rho^2}}d\theta$$
$$=-R\kappa\int_0^{\pi}\ln R^2\left[1-2\frac{\rho}{R}\cos\theta+\left(\frac{\rho}{R}\right)^2\right]d\theta,$$

其中 $\rho=\sqrt{x^2+y^2}$，$\xi x+\eta y=R\rho\cos\theta$，而 θ 是向量 $\boldsymbol{r}=x\boldsymbol{i}+y\boldsymbol{j}$ 与 $r_i=\xi\boldsymbol{i}+\eta\boldsymbol{j}$ 的正向夹角.

利用 3733 题（或 2192 题）的结果，可得

$$\int_0^{\pi}\ln\left[1-2\frac{\rho}{R}\cos\theta+\left(\frac{\rho}{R}\right)^2\right]d\theta=\begin{cases}0, & \rho\leqslant R,\\ 2\pi\ln\frac{\rho}{R}, & \rho>R.\end{cases}$$

于是，$$u(x,y)=-2R\kappa\int_0^{\pi}\ln Rd\theta-R\kappa\int_0^{\pi}\ln\left[1-2\frac{\rho}{R}\cos\theta+\left(\frac{\rho}{R}\right)^2\right]d\theta=\begin{cases}2\pi R\kappa\ln\frac{1}{R}, \rho\leqslant R,\\ 2\pi R\kappa\ln\frac{1}{\rho}, \rho>R.\end{cases}$$

【4328】 采用极坐标 ρ 和 θ，计算单层的对数势

$$I_1=\int_0^{2\pi}\cos m\varphi\ln\frac{1}{r}d\varphi \text{ 和 } I_2=\int_0^{2\pi}\sin m\varphi\ln\frac{1}{r}d\varphi,$$

式中 r 为点 (ρ,θ) 与动点 $(1,\varphi)$ 间的距离，m 为正整数.

解 由于

$$r=\sqrt{(\rho\cos\theta-\cos\varphi)^2+(\rho\sin\theta-\sin\varphi)^2}=\sqrt{1-2\rho\cos(\varphi-\theta)+\rho^2},$$

于是，当 $\rho<1$ 时，有

$$I_1=-\frac{1}{2}\int_0^{2\pi}\cos m\varphi\ln[1-2\rho\cos(\varphi-\theta)+\rho^2]d\varphi$$
$$=-\frac{1}{2}\int_{-\theta}^{2\pi-\theta}\cos(mu+m\theta)\ln(1-2\rho\cos u+\rho^2)du$$
$$=-\frac{1}{2}\int_{-\theta}^{2\pi-\theta}\cos m\theta\cos mu\ln(1-2\rho\cos u+\rho^2)du+\frac{1}{2}\int_{-\theta}^{2\pi-\theta}\sin m\theta\sin mu\ln(1-2\rho\cos u+\rho^2)du.$$

因为上述右端两个积分中被积函数均为以 2π 为周期的函数，并注意到奇偶函数在对称区间上的积分性质，则有

$$I_1=-\cos m\theta\int_0^{\pi}\cos mu\ln(1-2\rho\cos u+\rho^2)du+\frac{\sin m\theta}{2}\int_{-\pi}^{\pi}\sin mu\ln(1-2\rho\cos u+\rho^2)du$$

$$=-\cos m\theta\int_0^{\pi}\cos mu\ln(1-2\rho\cos u+\rho^2)\mathrm{d}u$$

$$=-(\cos m\theta)\left(-\frac{\pi}{m}\rho^m\right)=\frac{\pi}{m}\rho^m\cos m\theta.$$

同理,有

$$I_2=-\frac{1}{2}\int_0^{2\pi}\sin m\varphi\ln[1-2\rho\cos(\varphi-\theta)+\rho^2]\mathrm{d}\varphi$$

$$=-\frac{1}{2}\int_{-\theta}^{2\pi-\theta}\sin(mu+m\theta)\ln(1-2\rho\cos u+\rho^2)\mathrm{d}u$$

$$=-\frac{\cos m\theta}{2}\int_{-\pi}^{\pi}\sin mu\ln(1-2\rho\cos u+\rho^2)\mathrm{d}u-\sin m\theta\int_0^{\pi}\cos mu\ln(1-2\rho\cos u+\rho^2)\mathrm{d}u$$

$$=-\sin m\theta\int_0^{\pi}\cos mu\ln(1-2\rho\cos u+\rho^2)\mathrm{d}u=-\sin m\theta(-\frac{\pi}{m}\rho^m)=\frac{\pi}{m}\rho^m\sin m\theta.$$

当 $\rho>1$ 时,则有

$$I_1=-\cos m\theta\int_0^{\pi}\cos mu\ln(1-2\rho\cos u+\rho^2)\mathrm{d}u$$

$$=-\cos m\theta\int_0^{\pi}\cos mu\ln\rho^2\left(1-2\frac{1}{\rho}\cos u+\frac{1}{\rho^2}\right)\mathrm{d}u$$

$$=-\cos m\theta\int_0^{\pi}\cos mu\ln\left(1-2\frac{1}{\rho}\cos u+\frac{1}{\rho^2}\right)\mathrm{d}u$$

$$=-\cos m\theta\left(-\frac{\pi}{m\rho^m}\right)=\frac{\pi}{m}\rho^{-m}\cos m\theta.$$

同理有

$$I_2=-\sin m\theta\int_0^{\pi}\cos mu\ln\left(1-2\frac{1}{\rho}\cos u+\frac{1}{\rho^2}\right)\mathrm{d}u=-(\sin m\theta)\left(-\frac{\pi}{m\rho^m}\right)=\frac{\pi}{m}\rho^{-m}\sin m\theta.$$

对于 $\rho=0$,显然有 $I_1=I_2=0$.

对于 $\rho=1$. 首先,积分 $I_1=\int_0^{\pi}\cos mu\ln(1-2\rho\cos u+\rho^2)\mathrm{d}u$,对于 ρ 在区间$[1,1+\delta]$上一致收敛,其中 δ 为很小的正数. 事实上,对于充分小的 η,当 u 在$(0,\eta)$内取值时,有

$$1>1-2\rho\cos u+\rho^2=(1-\rho)^2+2\rho(1-\cos u)\geqslant 2(1-\cos u)>0.$$

于是,当 $1\leqslant\rho\leqslant 1+\delta, u\in(0,\eta)$ 时,有

$$|\cos mu\ln(1-2\rho\cos u+\rho^2)|\leqslant|\ln 2(1-\cos u)|,$$

而积分$\int_0^{\eta}|\ln 2(1-\cos u)|\mathrm{d}u$ 收敛. 这是由于当 $0<2\beta<1$,有

$$\lim_{u\to 0^+}u^{2\beta}|\ln 2(1-\cos u)|=-\lim_{u\to 0^+}[2(1-\cos u)]^{\beta}\ln[2(1-\cos u)]\frac{u^{2\beta}}{2^{\beta}(1-\cos u)^{\beta}}=0\cdot 1=0.$$

于是,积分$\int_0^{\eta}\cos mu\ln(1-2\rho\cos u+\rho^2)\mathrm{d}u$ 在 $1\leqslant\rho\leqslant 1+\delta$ 上一致收敛,故知积分 $I_1=\int_0^{\pi}\cos mu\ln(1-2\rho\cos u+\rho^2)\mathrm{d}u$ 在 $1\leqslant\rho\leqslant 1+\delta$ 上一致收敛,从而,I_1 作为参数 $\rho=1$ 的函数在 $\rho=1$ 是右连续的. 由此,根据上面已求出 $\rho>1$ 时 $I_1=\frac{\pi}{m}\rho^{-m}\cos m\theta$,故当 $\rho=1$ 时,有

$$I_1=\lim_{\rho\to 1^+}\frac{\pi}{m}\rho^{-m}\cos m\theta=\frac{\pi}{m}\cos m\theta.$$

同理,可得 $I_2=\lim\limits_{\rho\to 1^+}\frac{\pi}{m}\rho^{-m}\sin m\theta=\frac{\pi}{m}\sin m\theta.$

综上所述,得

$$I_1=\frac{\pi}{m}\rho^m\cos m\theta,\quad I_2=\frac{\pi}{m}\rho^m\sin m\theta,\quad 0\leqslant\rho\leqslant 1;$$

$$I_1=\frac{\pi}{m}\rho^{-m}\cos m\theta,\quad I_2=\frac{\pi}{m}\rho^{-m}\sin m\theta,\quad \rho>1.$$

注 根据上面公式，当 $p^2>1$ 时，有

$$\begin{aligned}\int_0^{\pi}\ln(1-2p\cos x+p^2)\cos\alpha x\,dx&=\int_0^{\pi}\ln p^2\left(1-2\frac{1}{p}\cos x+\frac{1}{p^2}\right)\cos\alpha x\,dx\\&=\int_0^{\pi}2\ln p\cdot\cos\alpha x\,dx+\int_0^{\pi}\ln\left(1-2\frac{1}{p}\cos x+\frac{1}{p^2}\right)\cos\alpha x\,dx\\&=\int_0^{\pi}\ln\left(1-2\frac{1}{p}\cos x+\frac{1}{p^2}\right)\cos\alpha x\,dx=-\frac{\pi}{\alpha}p^{-\alpha},\end{aligned}$$

其中 α 为正整数.

【4329】 计算高斯积分

$$u(x,y)=\oint_C\frac{\cos(\boldsymbol{r},\boldsymbol{n})}{r}ds,$$

式中 $r=\sqrt{(\xi-x)^2+(\eta-y)^2}$ 为向量 $\boldsymbol{r}$ 的长度，此向量连接点 $A(x,y)$ 和简单封闭光滑围线 C 上的动点 $M(\xi,\eta)$，$(\boldsymbol{r},\boldsymbol{n})$ 为向量 $\boldsymbol{r}$ 与曲线 C 在点 M 的外法向量 $\boldsymbol{n}$ 之间的夹角.

解 设 n 与 Ox 轴的夹角为 α，$\boldsymbol{r}$ 与 Ox 轴的夹角为 β，则 $(\boldsymbol{r},\boldsymbol{n})=\alpha-\beta$. 于是

$$\cos(\boldsymbol{r},\boldsymbol{n})=\cos\alpha\cos\beta+\sin\alpha\sin\beta=\frac{\xi-x}{r}\cos\alpha+\frac{\eta-y}{r}\sin\alpha.$$

代入高斯积分，得

$$u(x,y)=\oint_C\left(\frac{\eta-y}{r^2}\sin\alpha+\frac{\xi-x}{r^2}\cos\alpha\right)ds=\oint_C\frac{\xi-x}{r^2}d\eta-\frac{\eta-y}{r^2}d\xi.$$

令 $P=-\frac{\eta-y}{r^2}$，$Q=\frac{\xi-x}{r^2}$，则有

$$\frac{\partial P}{\partial\eta}=\frac{-(\xi-x)^2+(\eta-y)^2}{r^4},\ \frac{\partial Q}{\partial\xi}=\frac{-(\xi-x)^2+(\eta-y)^2}{r^4},$$

因而 P,Q 的偏导数除去点 A（此处 $r=0$）外，在全平面上连续，并且 $\frac{\partial Q}{\partial\xi}=\frac{\partial P}{\partial\eta}$. 于是，利用格林公式知，当点 A 在曲线 C 之外时，有

$$u(x,y)=\oint_C\frac{\cos(\boldsymbol{r},\boldsymbol{n})}{r}ds=0.$$

当点 A 在曲线 C 之内时，则在曲线 C 内以 A 为圆心，R 为半径作一圆 l，即得

$$u(x,y)=\oint_l\frac{\cos(\boldsymbol{r},\boldsymbol{n})}{r}ds=\oint_l\frac{1}{R}ds=2\pi.$$

当点 A 在曲线 C 上时，不妨利用关系式 $\frac{\cos(\boldsymbol{r},\boldsymbol{n})}{r}ds=d\varphi$，其中 $d\varphi$ 为从点 A 看曲线 C 上弧长的微分 ds 所张的角度. 以 A 为圆心，r_1 为半径作一小圆，交 C 于 B_1 及 B_2 两点，将曲线 C 除去小圆内的部分记以 $\overset{\frown}{B_1B_2}$，则有

$$\int_{\overset{\frown}{B_1B_2}}\frac{\cos(\boldsymbol{r},\boldsymbol{n})}{r}ds=\int_{\overset{\frown}{B_1B_2}}d\varphi=\angle B_1AB_2.$$

于是，有

$$u(x,y)=\oint_C\frac{\cos(\boldsymbol{r},\boldsymbol{n})}{r}ds=\lim_{r_1\to0^+}\int_{\overset{\frown}{B_1B_2}}\frac{\cos(\boldsymbol{r},\boldsymbol{n})}{r}ds=\lim_{r_1\to0^+}\angle B_1AB_2=\pi.$$

综上所述，得高斯积分

$$u(x,y)=\oint_C\frac{\cos(\boldsymbol{r},\boldsymbol{n})}{r}ds=\begin{cases}0, & \text{点 } A \text{ 在 } C \text{ 外},\\ \pi, & \text{点 } A \text{ 在 } C \text{ 上},\\ 2\pi, & \text{点 } A \text{ 在 } C \text{ 内}.\end{cases}$$

【4330】 采用极坐标系 ρ 和 θ，计算双层的对数势

$$K_1=\int_0^{2\pi}\cos m\varphi\,\frac{\cos(\boldsymbol{r},\boldsymbol{n})}{r}\mathrm{d}\varphi \text{ 和 } K_2=\int_0^{2\pi}\sin m\varphi\,\frac{\cos(\boldsymbol{r},\boldsymbol{n})}{r}\mathrm{d}\varphi,$$

其中 r 为点 $A(\rho,\theta)$ 和动点 $M(1,\varphi)$ 之间的距离，$(\boldsymbol{r},\boldsymbol{n})$ 为方向 $\overrightarrow{AM}=\boldsymbol{r}$ 与引自点 $O(0,0)$ 的半径 $\overrightarrow{OM}=\boldsymbol{n}$ 之间的夹角，m 为正整数.

解 由题意知

$$\frac{\cos(\boldsymbol{r},\boldsymbol{n})}{r}=\frac{(\cos\varphi-\rho\cos\theta)\cos\varphi+(\sin\varphi-\rho\sin\theta)\sin\varphi}{(\cos\varphi-\rho\cos\theta)^2+(\sin\varphi-\rho\sin\theta)^2}=\frac{1-\rho\cos(\varphi-\theta)}{1+\rho^2-2\rho\cos(\varphi-\theta)}.$$

从而，当 $\rho=1$ 时，$\dfrac{\cos(\boldsymbol{r},\boldsymbol{n})}{r}=\dfrac{1}{2}$. 又因 m 为正整数，故此时有

$$K_1=\frac{1}{2}\int_0^{2\pi}\cos m\varphi\mathrm{d}\varphi=0,K_2=\frac{1}{2}\int_0^{2\pi}\sin m\varphi\mathrm{d}\varphi=0.$$

当 $\rho<1$ 时，因为级数(利用 2968 题的结果)

$$\frac{1-\rho\cos(\varphi-\theta)}{1+\rho^2-2\rho\cos(\varphi-\theta)}=1+\sum_{n=1}^{\infty}\rho^n\cos n(\varphi-\theta)$$

在$[0,2\pi]$上一致收敛，乘 $\cos m(\varphi-\theta)$ 和 $\sin m(\varphi-\theta)$ 以后在$[0,2\pi]$上也一致收敛，故可逐项积分. 于是

$$\begin{aligned}K_1&=\int_0^{2\pi}\cos m\varphi\,\frac{1-\rho\cos(\varphi-\theta)}{1+\rho^2-2\rho\cos(\varphi-\theta)}\mathrm{d}\varphi\\&=\int_0^{2\pi}[\cos m(\varphi-\theta)\cos m\theta-\sin m(\varphi-\theta)\sin m\theta][1+\sum_{n=1}^{\infty}\rho^n\cos n(\varphi-\theta)]\mathrm{d}\varphi\\&=\cos m\theta\int_0^{2\pi}\cos m(\varphi-\theta)\rho^m\cos m(\varphi-\theta)\mathrm{d}\varphi\\&=\rho^m\cos m\theta\int_0^{2\pi}\cos^2 m(\varphi-\theta)\mathrm{d}\varphi=\pi\rho^m\cos m\theta.\end{aligned}$$

同理，容易求得 $K_2=\displaystyle\int_0^{2\pi}\sin m\varphi\,\frac{1-\rho\cos(\varphi-\theta)}{1+\rho^2-2\rho\cos(\varphi-\theta)}\mathrm{d}\varphi=\pi\rho^m\sin m\theta$.

当 $\rho>1$ 时，有

$$\begin{aligned}K_1&=\int_0^{2\pi}\cos m\varphi\,\frac{1-\rho\cos(\varphi-\theta)}{1+\rho^2-2\rho\cos(\varphi-\theta)}\mathrm{d}\varphi=\frac{1}{2}\int_0^{2\pi}\cos m\varphi\,\frac{2-2\rho\cos(\varphi-\theta)}{1+\rho^2-2\rho\cos(\varphi-\theta)}\mathrm{d}\varphi\\&=\frac{1}{2}\int_0^{2\pi}\cos m\varphi\,\frac{[1+\rho^2-2\rho\cos(\varphi-\theta)]+(1-\rho^2)}{1+\rho^2-2\rho\cos(\varphi-\theta)}\mathrm{d}\varphi\\&=\frac{1}{2}\int_0^{2\pi}\cos m\varphi\,\frac{1-\rho^2}{1+\rho^2-2\rho\cos(\varphi-\theta)}\mathrm{d}\varphi\\&=-\frac{1}{2}\int_0^{2\pi}\cos m\varphi\,\frac{1-r^2}{1+r^2-2r\cos(\varphi-\theta)}\mathrm{d}\varphi\\&=-\frac{1}{2}\int_0^{2\pi}\cos m\varphi\,\frac{(1-r^2)+[1+r^2-2r\cos(\varphi-\theta)]}{1+r^2-2r\cos(\varphi-\theta)}\mathrm{d}\varphi\\&=-\int_0^{2\pi}\cos m\varphi\,\frac{1-r\cos(\varphi-\theta)}{1+r^2-2r\cos(\varphi-\theta)}\mathrm{d}\varphi=-\pi r^m\cos m\theta=-\frac{\pi}{\rho^m}\cos m\theta,\end{aligned}$$

其中 $r=\dfrac{1}{\rho}<1$.

同理，可求得

$$K_2=\int_0^{2\pi}\sin m\varphi\,\frac{1-\rho\cos(\varphi-\theta)}{1+\rho^2-2\rho\cos(\varphi-\theta)}\mathrm{d}\varphi=-\frac{\pi}{\rho^m}\sin m\theta.$$

综上所述，得

$$\begin{aligned}&K_1=\pi\rho^m\cos m\theta,K_2=\pi\rho^m\sin m\theta, &&\rho<1,\\&K_1=K_2=0, &&\rho=1,\\&K_1=-\frac{\pi}{\rho^m}\cos m\theta,K_2=-\frac{\pi}{\rho^m}\sin m\theta, &&\rho>1.\end{aligned}$$

习题 4331—4337　调和函数

【4331】 若 $\Delta u \equiv \frac{\partial^2 u}{\partial x^2}+\frac{\partial^2 u}{\partial y^2}=0$，则称二阶可微函数 $u=u(x,y)$ 为调和函数，证明：当且仅当以下条件成立时，u 才是调和函数，即

$$\oint_C \frac{\partial u}{\partial \boldsymbol{n}}\mathrm{d}s=0,$$

其中 C 为任意封闭围线，$\frac{\partial u}{\partial \boldsymbol{n}}$ 为沿此围线之外法线方向的导数.

证　由于 $\frac{\partial u}{\partial \boldsymbol{n}}=\frac{\partial u}{\partial x}\cos(\boldsymbol{n},x)+\frac{\partial u}{\partial y}\sin(\boldsymbol{n},x)$，而（参看 4323 题的推导）

$$\cos(\boldsymbol{n},x)=\frac{\mathrm{d}y}{\mathrm{d}s},\sin(\boldsymbol{n},x)=-\frac{\mathrm{d}x}{\mathrm{d}s},$$

故利用格林公式（注意，题中应假定 $u(x,y)$ 具有连续的二阶偏导数），得

$$\oint_C \frac{\partial u}{\partial \boldsymbol{n}}\mathrm{d}s=\oint_C \frac{\partial u}{\partial x}\mathrm{d}y-\frac{\partial u}{\partial y}\mathrm{d}x=\iint_D\left(\frac{\partial^2 u}{\partial x^2}+\frac{\partial^2 u}{\partial y^2}\right)\mathrm{d}x\mathrm{d}y=\iint_D \Delta u\mathrm{d}x\mathrm{d}y,$$

其中 D 表示由封闭曲线 C 围成的区域. 由此式知 $\oint_C \frac{\partial u}{\partial \boldsymbol{n}}\mathrm{d}s=0$（对任何封闭围线 C）当且仅当 $\iint_D \Delta u\mathrm{d}x\mathrm{d}y=0$（对任何区域 D）. 但易知这又相当于 $\Delta u\equiv 0$. 事实上，若 $\Delta u\equiv 0$，则对任何 D，有 $\iint_D \Delta u\mathrm{d}x\mathrm{d}y=0$；反之，若对任何 D，有 $\iint_D \Delta u\mathrm{d}x\mathrm{d}y=0$，则必 $\Delta u\equiv 0$. 因为，若不然，在某点 (x_0,y_0)，$\Delta u\neq 0$. 例如，设在此点，$\Delta u>0$，则由连续性可知，必存在以 (x_0,y_0) 为中心，半径为 r_0（充分小）的圆域 D_0，使在其上每一点，都有 $\Delta u>0$. 由此可知，$\iint_{D_0}\Delta u\mathrm{d}x\mathrm{d}y>0$，矛盾，证毕.

【4332】 证明：

$$\iint_D\left[\left(\frac{\partial u}{\partial x}\right)^2+\left(\frac{\partial u}{\partial y}\right)^2\right]\mathrm{d}x\mathrm{d}y=-\iint_D u\Delta u\mathrm{d}x\mathrm{d}y+\oint_C u\frac{\partial u}{\partial \boldsymbol{n}}\mathrm{d}s,$$

式中光滑曲线 C 是有界区域 D 的边界.

证　由于

$$\begin{aligned}\oint_C u\frac{\partial u}{\partial \boldsymbol{n}}\mathrm{d}s&=\oint_C u\left[\frac{\partial u}{\partial x}\cos(\boldsymbol{n},x)+\frac{\partial u}{\partial y}\sin(\boldsymbol{n},x)\right]\mathrm{d}s=\oint_C u\frac{\partial u}{\partial x}\mathrm{d}y-u\frac{\partial u}{\partial y}\mathrm{d}x\\&=\iint_D\left[\frac{\partial}{\partial x}\left(u\frac{\partial u}{\partial x}\right)+\frac{\partial}{\partial y}\left(u\frac{\partial u}{\partial y}\right)\right]\mathrm{d}x\mathrm{d}y=\iint_D u\Delta u\mathrm{d}x\mathrm{d}y+\iint_D\left[\left(\frac{\partial u}{\partial x}\right)^2+\left(\frac{\partial u}{\partial y}\right)^2\right]\mathrm{d}x\mathrm{d}y,\end{aligned}$$

故得 $\iint_D\left[\left(\frac{\partial u}{\partial x}\right)^2+\left(\frac{\partial u}{\partial y}\right)^2\right]\mathrm{d}x\mathrm{d}y=-\iint_D u\Delta u\mathrm{d}x\mathrm{d}y+\oint_C u\frac{\partial u}{\partial \boldsymbol{n}}\mathrm{d}s.$

【4333】 证明：若一函数在有界区域 D 内及其边界 C 上为调和函数，则此函数单值地由它在边界 C 上的值确定（参考 4332 题）.

证　由题意知，只要证明：如在有界区域 D 上的两个调和函数 u_1 和 u_2，在其边界 C 上有相同的数值，则它们在整个区域上恒等. 这也就是要证明：若调和函数 $u=u_1-u_2$ 在边界 C 上等于零，则它在整个区域上恒为零. 事实上，利用 4332 题的结果，得

$$\iint_D\left[\left(\frac{\partial u}{\partial x}\right)^2+\left(\frac{\partial u}{\partial y}\right)^2\right]\mathrm{d}x\mathrm{d}y=0.$$

于是，在整个区域 D 上，有$\frac{\partial u}{\partial x}=\frac{\partial u}{\partial y}=0$. 这表明，在 D 上 u 为常数. 但在边界 C 上 $u=0$，故在 D 上 $u\equiv 0$，即 $u_1=u_2$.

【4334】 证明平面上的格林第二公式：

$$\iint\limits_D \begin{vmatrix} \Delta u & \Delta v \\ u & v \end{vmatrix} \mathrm{d}x\mathrm{d}y=\oint_C \begin{vmatrix} \frac{\partial u}{\partial \boldsymbol{n}} & \frac{\partial v}{\partial \boldsymbol{n}} \\ u & v \end{vmatrix} \mathrm{d}s,$$

式中光滑围线 C 是有界区域 D 的边界，$\frac{\partial}{\partial \boldsymbol{n}}$ 为沿 C 的外法线方向的导数.

证 $\oint_C v\frac{\partial v}{\partial \boldsymbol{n}}\mathrm{d}s=\oint_C v\left[\frac{\partial u}{\partial x}\cos(\boldsymbol{n},x)+\frac{\partial u}{\partial y}\sin(\boldsymbol{n},x)\right]\mathrm{d}x=\oint_C v\frac{\partial u}{\partial x}\mathrm{d}y-v\frac{\partial u}{\partial y}\mathrm{d}x$

$$=\iint\limits_D\left[\frac{\partial}{\partial x}\left(v\frac{\partial u}{\partial x}\right)-\frac{\partial}{\partial y}\left(-v\frac{\partial u}{\partial y}\right)\right]\mathrm{d}x\mathrm{d}y=\iint\limits_D\left(\frac{\partial u}{\partial x}\frac{\partial v}{\partial x}+\frac{\partial u}{\partial y}\frac{\partial v}{\partial y}\right)\mathrm{d}x\mathrm{d}y+\iint\limits_D v\Delta u\mathrm{d}x\mathrm{d}y.$$

同理，有

$$\oint_C u\frac{\partial v}{\partial \boldsymbol{n}}\mathrm{d}s=\oint_C u\frac{\partial v}{\partial x}\mathrm{d}y-u\frac{\partial v}{\partial y}\mathrm{d}x=\iint\limits_D\left[\frac{\partial}{\partial x}\left(u\frac{\partial v}{\partial x}\right)-\frac{\partial}{\partial y}\left(-u\frac{\partial v}{\partial y}\right)\right]\mathrm{d}x\mathrm{d}y$$

$$=\iint\limits_D\left(\frac{\partial u}{\partial x}\frac{\partial v}{\partial x}+\frac{\partial u}{\partial y}\frac{\partial v}{\partial y}\right)\mathrm{d}x\mathrm{d}y+\iint\limits_D u\Delta v\mathrm{d}x\mathrm{d}y.$$

于是 $\oint_C \begin{vmatrix} \frac{\partial u}{\partial \boldsymbol{n}} & \frac{\partial v}{\partial \boldsymbol{n}} \\ u & v \end{vmatrix}\mathrm{d}s=\oint_C\left(v\frac{\partial u}{\partial \boldsymbol{n}}-u\frac{\partial v}{\partial \boldsymbol{n}}\right)\mathrm{d}s=\iint\limits_D v\Delta u\mathrm{d}x\mathrm{d}y-\iint\limits_D u\Delta v\mathrm{d}x\mathrm{d}y=\iint\limits_D \begin{vmatrix} \Delta u & \Delta v \\ u & v \end{vmatrix}\mathrm{d}x\mathrm{d}y.$

【4335】 利用格林第二公式证明：若 $u=u(x,y)$ 是有界闭区域 D 内的调和函数，则

$$u(x,y)=\frac{1}{2\pi}\oint_C\left(u\frac{\partial \ln r}{\partial \boldsymbol{n}}-\ln r\frac{\partial u}{\partial \boldsymbol{n}}\right)\mathrm{d}s,$$

式中 C 为 D 的边界，$\boldsymbol{n}$ 为围线 C 的外法向量，(x,y) 为 D 的内点，$r=\sqrt{(\xi-x)^2+(\eta-y)^2}$ 为点 (x,y) 与围线 C 上的动点 (ξ,η) 之间的距离.

证 先证 $v=\ln r$ 为 (ξ,η) $((\xi,\eta)\neq(x,y))$ 的调和函数. 事实上

$$\frac{\partial v}{\partial \xi}=\frac{\xi-x}{(\xi-x)^2+(\eta-y)^2},\ \frac{\partial^2 v}{\partial \xi^2}=\frac{(\eta-y)^2-(\xi-x)^2}{[(\xi-x)^2+(\eta-y)^2]^2},$$

$$\frac{\partial v}{\partial \eta}=\frac{\eta-y}{(\xi-x)^2+(\eta-y)^2},\ \frac{\partial^2 v}{\partial \eta^2}=\frac{(\xi-x)^2-(\eta-y)^2}{[(\xi-x)^2+(\eta-y)^2]^2},$$

因此，$\frac{\partial^2 v}{\partial \xi^2}+\frac{\partial^2 v}{\partial \eta^2}=0$，即 $\Delta v=0$.

当 $(\xi,\eta)\neq(x,y)$ 时，以点 (x,y) 为中心，ρ 为半径画一圆 C_0，使此圆包含在围线 C 内，C_0 及 C 的正向如图 8.67 所示. 曲线 C 的法线向外，C_0 的法线指向点 (x,y). 因此，在 C_0 上，有

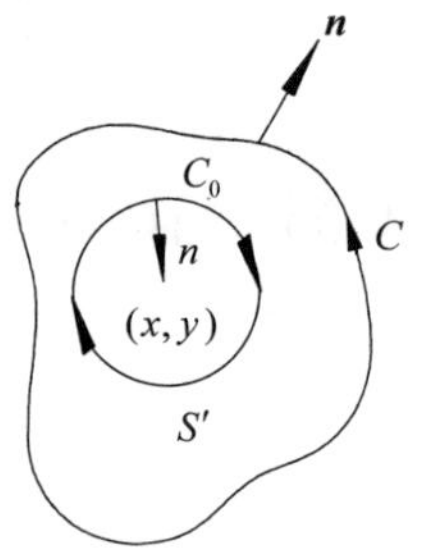

图 8.67

$$\left.\frac{\partial \ln r}{\partial \boldsymbol{n}}\right|_{r=\rho}=-\left.\frac{\mathrm{d}(\ln r)}{\mathrm{d}r}\right|_{r=\rho}=-\left.\frac{1}{r}\right|_{r=\rho}=-\frac{1}{\rho}.$$

将格林第二公式应用到由 C_0 及 C 所围的区域 D' 上去，即得

$$\iint\limits_{D'} \begin{vmatrix} \Delta u & \Delta \ln r \\ u & \ln r \end{vmatrix}\mathrm{d}\xi\mathrm{d}\eta=\oint\limits_{C_0+C} \begin{vmatrix} \frac{\partial u}{\partial \boldsymbol{n}} & \frac{\partial \ln r}{\partial \boldsymbol{n}} \\ u & \ln r \end{vmatrix}\mathrm{d}s,$$

由于 $\Delta\ln r=0$，$\Delta u=0$，故得

$$\oint\limits_{C_0+C} \begin{vmatrix} \frac{\partial u}{\partial \boldsymbol{n}} & \frac{\partial \ln r}{\partial \boldsymbol{n}} \\ u & \ln r \end{vmatrix}\mathrm{d}s=0.$$

将行列式展开，并利用曲线积分的性质，即得

$$\oint_C\left(\ln r\frac{\partial u}{\partial \boldsymbol{n}}-u\frac{\partial \ln r}{\partial \boldsymbol{n}}\right)\mathrm{d}s=-\oint_{C_0}\left(\ln r\frac{\partial u}{\partial \boldsymbol{n}}-u\frac{\partial \ln r}{\partial \boldsymbol{n}}\right)\mathrm{d}s.$$

由 4331 题的结果和第一型曲线积分的中值定理有

$$\oint_{C_0}\left(\ln r\frac{\partial u}{\partial \boldsymbol{n}}-u\frac{\partial \ln r}{\partial \boldsymbol{n}}\right)\mathrm{d}s=\oint_{C_0}\ln\rho\frac{\partial u}{\partial \boldsymbol{n}}\mathrm{d}s-\oint_{C_0}u\left(-\frac{1}{\rho}\right)\mathrm{d}s=0\cdot\ln\rho+\frac{1}{\rho}\oint_{C_0}u\mathrm{d}s$$

$$=\frac{1}{\rho}u(\xi',\eta')\oint_{C_0}\mathrm{d}s=2\pi u(\xi',\eta'),$$

其中 $u(\xi',\eta')$ 为 u 在圆 C_0 上某点的值，故得

$$u(\xi',\eta')=\frac{1}{2\pi}\oint_C\left(u\frac{\partial \ln r}{\partial \boldsymbol{n}}-\ln r\frac{\partial u}{\partial \boldsymbol{n}}\right)\mathrm{d}s.$$

两端令 $\rho\to 0^+$ 取极限，并注意到函数 u 在点 (x,y) 连续，即得

$$u(x,y)=\frac{1}{2\pi}\oint_C\left(u\frac{\partial \ln r}{\partial \boldsymbol{n}}-\ln r\frac{\partial u}{\partial \boldsymbol{n}}\right)\mathrm{d}s.$$

【4336】 证明对于调和函数 $u(M)=u(x,y)$ 的中值定理：

$$u(M)=\frac{1}{2\pi\rho}\oint_{C_\rho}u(\xi,\eta)\mathrm{d}s,$$

式中 C_ρ 是以点 M 为中心，ρ 为半径的圆周.

证 利用 4335 题的结果(取 C 为 C_ρ)，得

$$u(M)=\frac{1}{2\pi}\oint_{C_\rho}\left(u\frac{\partial \ln r}{\partial \boldsymbol{n}}-\ln r\frac{\partial u}{\partial \boldsymbol{n}}\right)\mathrm{d}s.$$

但在 C_ρ 上，有 $r=\rho$，故

$$\left.\frac{\partial \ln r}{\partial \boldsymbol{n}}\right|_{r=\rho}=\left.\frac{\mathrm{d}(\ln r)}{\mathrm{d}r}\right|_{r=\rho}=\left.\frac{1}{r}\right|_{r=\rho}=\frac{1}{\rho},$$

由此，再注意到 $\oint_{C_\rho}\frac{\partial u}{\partial \boldsymbol{n}}\mathrm{d}s=0$(利用 4331 题的结果)，得

$$u(M)=\frac{1}{2\pi}\oint_{C_\rho}\left(\frac{u}{\rho}-\ln\rho\frac{\partial u}{\partial \boldsymbol{n}}\right)\mathrm{d}s=\frac{1}{2\pi\rho}\oint_{C_\rho}u\mathrm{d}s-\frac{\ln\rho}{2\pi}\oint_{C_\rho}\frac{\partial u}{\partial \boldsymbol{n}}\mathrm{d}s=\frac{1}{2\pi\rho}\oint_{C_\rho}u(\xi,\eta)\mathrm{d}s.$$

注 *原题中漏掉了 ρ，即应将 $\frac{1}{2\pi}$ 改为 $\frac{1}{2\pi\rho}$.*

【4337】 证明：有界闭区域内的非常数调和函数 $u(x,y)$ 在此区域内不能达到其最大值或最小值(极大值原理).

证 设有界闭区域为 $\bar{\Omega}$，它是由有界开区域 Ω 及其边界 $\partial\Omega$ 构成.

下证：如果 $u(x,y)$ 在 $\bar{\Omega}$ 内的某点 $P_0(x_0,y_0)$ 达到其最大值或最小值(例如，设达到最大值)，则 $u(x,y)$ 在 $\bar{\Omega}$ 上必为常数. 分三步证明.

(1) 首先证：若 $S_\rho=\{(x,y)\mid(x-x_0)^2+(y-y_0)^2\leqslant\rho^2\}$ 完全属于 Ω，则 $u(x,y)$ 在 S_ρ 上为常数.

对任何的 $0<r\leqslant\rho$，用 C_r 表示圆周 $\{(x,y)\mid(x-x_0)^2+(y-y_0)^2=r^2\}$. 由 4336 题的结果可知

$$u(x_0,y_0)=\frac{1}{2\pi r}\oint_{C_r}u(\xi,\eta)\mathrm{d}s,$$

故

$$\frac{1}{2\pi r}\oint_{C_r}[u(x_0,y_0)-u(\xi,\eta)]\mathrm{d}s=0. \qquad ①$$

但因 $u(x_0,y_0)$ 为最大值，故在 C_r 上恒有

$$u(x_0,y_0)-u(\xi,\eta)\geqslant 0.$$

由此，根据①，易知在 C_r 上 $u(x_0,y_0)-u(\xi,\eta)\equiv 0$. 因为，若有某点 $(\xi_0,\eta_0)\in C_r$ 使

$$u(x_0,y_0)-u(\xi_0,\eta_0)=\tau>0,$$

则由 $u(x,y)$ 的连续性可知，必有以 (ξ_0,η_0) 为中心的某小圆域 σ 存在，当 $(\xi,\eta)\in\sigma$ 时，有

$$u(x_0,y_0)-u(\xi,\eta)\geqslant\frac{\tau}{2}.$$

用 C'_r 表示 C_r 含于 σ 内的部分，则

$$\oint_{C_r}[u(x_0,y_0)-u(\xi,\eta)]\mathrm{d}s\geqslant\int_{C'_r}[u(x_0,y_0)-u(\xi,\eta)]\mathrm{d}s\geqslant\oint_{C'_r}\frac{\tau}{2}\mathrm{d}s=\frac{1}{2}\tau l'_r>0,$$

其中 l'_r 表示圆弧 C'_r 之长，此显然与①式矛盾.

于是，在 C_r 上有 $u(x_0,y_0)-u(\xi,\eta)\equiv 0$. 再根据 r 的任意性 $(0<r\leqslant\rho)$，即知对任何 $(\xi,\eta)\in S_\rho$，都有 $u(\xi,\eta)=u(x_0,y_0)$. 换句话说，$u(x,y)$ 在 S_ρ 上是常数.

(2) 其次证：设 $P^*(x^*,y^*)$ 为 $\bar{\Omega}$ 的任一内点(即 $P^*\in\Omega$)，则必有 $u(x^*,y^*)=u(x_0,y_0)$.

用完全含于 Ω 内的折线 l 将点 $P_0(x_0,y_0)$ 与点 $P^*(x^*,y^*)$ 连接起来(图 8.68). 用 δ 表示 $\partial\Omega$ 与 l 之间的距离，即

$$\delta=\min\sqrt{(x-x')^2+(y-y')^2},$$

其中 min 是对一切 $(x,y)\in\partial\Omega$，$(x,y)\in l$ 来取的(由于 $\partial\Omega$ 与 l 是互不相交的有界闭集，可证 min 一定能达到，从而 $\delta>0$). 取 $0<\delta'<\delta$，以点 P_0 为中心，δ' 为半径作一圆，得圆域

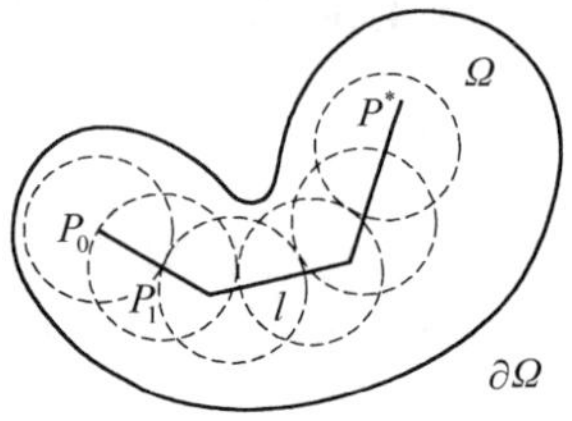

图 8.68

$$S_0=\{(x,y)\mid(x-x_0)^2+(y-y_0)^2\leqslant\delta'^2\},$$

此圆域完全含于 Ω 内，由(1)段已证的结论知，$u(x,y)$ 在 S_0 中为常数. 特别 $u(x_1,y_1)=u(x_0,y_0)$，这里点 $P_1(x_1,y_1)$ 代表圆周

$$C_0=\{(x,y)\mid(x-x_0)^2+(y-y_0)^2=\delta'^2\},$$

与 l 折线的交点. 又以点 P_1 为中心，δ' 半径作一圆，得圆域

$$S_1=\{(x,y)\mid(x-x_1)^2+(y-y_1)^2\leqslant\delta'^2\}.$$

由于 $u(x,y)$ 在点 $P_1(x_1,y_1)$ 也达到最大值，而 S_1 完全含于 Ω 内，故将(1)段结果用于 S_1 可知 $u(x,y)$ 在 S_1 上为常数，特别 $u(x_2,y_2)=u(x_1,y_1)$，这里点 $P_2(x_2,y_2)$ 表示圆周

$$C_1=\{(x,y)\mid(x-x_1)^2+(y-y_1)^2=\delta'^2\},$$

与 l 的交点(除 P_0 外的另一交点). 再以点 P_2 为中心，δ' 为半径作一圆域 S_2，…，这样继续作下去，显然，至多经过 n 次(n 表示大于 $\frac{s}{\delta'}$ 的最小正整数，s 表示 l 的长)，点 $P^*(x^*,y^*)$ 必属于 S_{n-1}，从而

$$u(x^*,y^*)=u(x_{n-1},y_{n-1})=\cdots=u(x_1,y_1)=u(x_0,y_0).$$

(3) 由(2)段的结果可知，$u(x,y)$ 在 Ω 上是常数. 根据 $u(x,y)$ 在 $\bar{\Omega}$ 上的连续性，通过由 Ω 的点趋向 $\partial\Omega$ 的点取极限，即知 $u(x,y)$ 在 $\bar{\Omega}$ 上是常数. 证毕.

注 从证明过程中看出，需假定区域 Ω(从而 $\bar{\Omega}$) 是连通的. 事实上，若 Ω 不连通，则结论不一定成立. 例如，设 $\bar{\Omega}=S_1+S_2$，其中 S_1 与 S_2 是两个互无公共点的闭圆域，而令

$$u(x,y)=\begin{cases}c_1, & (x,y)\in S_1,\\ c_2, & (x,y)\in S_2,\end{cases}$$

其中 $c_1\neq c_2$ 是两个常数，则 $u(x,y)$ 显然是 $\bar{\Omega}$ 上的调和函数且在 $\bar{\Omega}$ 上不是常数，但它却在其内点达到最大值与最小值.

习题 4338—4340 格林公式的应用

【4338】 证明黎曼公式：

$$\iint_D \begin{vmatrix} L[u] & M[v] \\ u & v \end{vmatrix} \mathrm{d}x\mathrm{d}y = \oint_C P\mathrm{d}x + Q\mathrm{d}y,$$

其中 $L[u]=\frac{\partial^2 u}{\partial x\partial y}+a\frac{\partial u}{\partial x}+b\frac{\partial u}{\partial y}+cu$，$M[v]=\frac{\partial^2 v}{\partial x\partial y}-a\frac{\partial v}{\partial x}-b\frac{\partial v}{\partial y}+cv$，$a,b,c$ 为常数，P 和 Q 为某些确定的函数，围线 C 是有界区域 D 的边界.

证 因为

$$\begin{aligned}\begin{vmatrix} L[u] & M[v] \\ u & v \end{vmatrix} &= vL[u]-uM[v] \\ &= v\frac{\partial^2 u}{\partial x\partial y}+av\frac{\partial u}{\partial x}+bv\frac{\partial u}{\partial y}+cuv-u\frac{\partial^2 v}{\partial x\partial y}+au\frac{\partial v}{\partial x}+bu\frac{\partial v}{\partial y}-cuv \\ &= \frac{\partial}{\partial x}\left(v\frac{\partial u}{\partial y}\right)-\frac{\partial}{\partial y}\left(u\frac{\partial v}{\partial x}\right)+a\frac{\partial}{\partial x}(uv)+b\frac{\partial}{\partial y}(uv) \\ &= \frac{\partial}{\partial x}\left(v\frac{\partial u}{\partial y}+avu\right)-\frac{\partial}{\partial y}\left(u\frac{\partial v}{\partial x}-buv\right).\end{aligned}$$

故利用格林公式，即得

$$\iint_D \begin{vmatrix} L[u] & M[v] \\ u & v \end{vmatrix} \mathrm{d}x\mathrm{d}y = \oint_C P\mathrm{d}x + Q\mathrm{d}y,$$

其中 $P=u\frac{\partial v}{\partial x}-buv$，$Q=v\frac{\partial u}{\partial y}+auv$.

【4339】 设 $u=u(x,y)$ 和 $v=v(x,y)$ 为定常流的速度分量，C 为区域 D 的边界，求区域 D 内流体质量的变化率. 若流体是不可压缩的，且在区域 D 内没有源和汇，则函数 u 和 v 应满足怎样的方程？

解 设流体的速度为 $\boldsymbol{w}$，则 $\boldsymbol{w}=u\boldsymbol{i}+v\boldsymbol{j}$，又 $\mathrm{d}\boldsymbol{s}=\mathrm{d}x\boldsymbol{i}+\mathrm{d}y\boldsymbol{j}$. 于是，由 4323 题知，流体量为

$$Q=\oint_C \boldsymbol{w}\cdot\boldsymbol{n}\mathrm{d}s=\oint_C[u\cos(\boldsymbol{n},x)+v\sin(\boldsymbol{n},x)]\mathrm{d}s=\oint_C u\mathrm{d}y-v\mathrm{d}x=\iint_D\left(\frac{\partial u}{\partial x}+\frac{\partial v}{\partial y}\right)\mathrm{d}x\mathrm{d}y,$$

其中 $\boldsymbol{n}$ 表示曲线 C 的外法线上的单位矢量，并且此处已假定流体的面密度等于 1，若流体是不可压缩的，且在区域 D 内没有源和汇，则流体的流出量与流入量的差 Q 应等于零，即

$$\iint_D\left(\frac{\partial u}{\partial x}+\frac{\partial v}{\partial y}\right)\mathrm{d}x\mathrm{d}y=0.$$

又显然，对于任意的围线 C，上述结果均正确. 于是，连续函数 u,v 应满足方程

$$\frac{\partial u}{\partial x}+\frac{\partial v}{\partial y}=0.$$

【4340】 根据毕奥—萨瓦尔定律，通过导线元 $\mathrm{d}\boldsymbol{s}$ 的电流 i 在空间的点 $M(x,y,z)$ 处所对应的磁场强度为

$$\mathrm{d}\boldsymbol{H}=ki\frac{(\boldsymbol{r}\times\mathrm{d}\boldsymbol{s})}{r^3},$$

其中 $\boldsymbol{r}$ 为连接导线元 $\mathrm{d}\boldsymbol{s}$ 与点 M 的向量，k 为比例系数. 对于封闭导线 C 的情形，求点 M 的磁场强度 $\boldsymbol{H}$ 的投影 H_x,H_y,H_z.

解 由题意知：设导线 C 上的动点为 (ξ,η,ζ)，则

$$\boldsymbol{r}=(\xi-x)\boldsymbol{i}+(\eta-y)\boldsymbol{j}+(\zeta-z)\boldsymbol{k}.$$

又 $\mathrm{d}\boldsymbol{s}=\mathrm{d}\xi\boldsymbol{i}+\mathrm{d}\eta\boldsymbol{j}+\mathrm{d}\zeta\boldsymbol{k}$，于是，磁场强度为

$$\boldsymbol{H}=ki\oint_C\frac{1}{r^3}\begin{vmatrix}\boldsymbol{i}&\boldsymbol{j}&\boldsymbol{k}\\\xi-x&\eta-y&\zeta-z\\\mathrm{d}\xi&\mathrm{d}\eta&\mathrm{d}\zeta\end{vmatrix}$$

$$=ki\oint_C\frac{1}{r^3}[(\eta-y)\mathrm{d}\zeta-(\zeta-z)\mathrm{d}\eta]\boldsymbol{i}+ki\oint_C\frac{1}{r^3}[(\zeta-z)\mathrm{d}\xi-(\xi-x)\mathrm{d}\zeta]\boldsymbol{j}+$$

$$ki\oint_C\frac{1}{r^3}[(\xi-x)\mathrm{d}\eta-(\zeta-z)\mathrm{d}\eta]\boldsymbol{k}.$$

从而投影为

$$H_x=ki\oint_C\frac{1}{r^3}[(\eta-y)\mathrm{d}\zeta-(\zeta-z)\mathrm{d}\eta],$$

$$H_y=ki\oint_C\frac{1}{r^3}[(\zeta-z)\mathrm{d}\xi-(\xi-x)\mathrm{d}\zeta],$$

$$H_z=ki\oint_C\frac{1}{r^3}[(\xi-x)\mathrm{d}\eta-(\eta-y)\mathrm{d}\xi].$$

第14节 曲面积分（习题4341—4366）

知识点预览

序号	知识点	题目序号	所在页码
1	第一型曲面积分	4341—4361	P176
2	第二型曲面积分	4362—4366	P185

知识点1 第一型曲面积分

若 S 为分片光滑的双侧曲面

$$x=x(u,v),y=y(u,v),z=z(u,v)((u,v)\in D),\quad ①$$

而 $f(x,y,z)$ 为在曲面 S 的各点上有定义并且连续的函数，则

$$\iint\limits_S f(x,y,z)\mathrm{d}S=\iint\limits_D f(x(u,v),y(u,v),z(u,v))\sqrt{EG-F^2}\,\mathrm{d}u\mathrm{d}v,\quad ②$$

其中

$$E=\left(\frac{\partial x}{\partial u}\right)^2+\left(\frac{\partial y}{\partial u}\right)^2+\left(\frac{\partial z}{\partial u}\right)^2,G=\left(\frac{\partial x}{\partial v}\right)^2+\left(\frac{\partial y}{\partial v}\right)^2+\left(\frac{\partial z}{\partial v}\right)^2,$$

$$F=\frac{\partial x}{\partial u}\frac{\partial x}{\partial v}+\frac{\partial y}{\partial u}\frac{\partial y}{\partial v}+\frac{\partial z}{\partial u}\frac{\partial z}{\partial v}.$$

特别地，若曲面的方程具有以下形式：

$$z=z(x,y)((x,y)\in D),$$

其中 $z(x,y)$ 为单值连续可微函数，则

$$\iint_S f(x,y,z)\mathrm{d}S=\iint_D f[x,y,z(x,y)]\sqrt{1+\left(\frac{\partial z}{\partial x}\right)^2+\left(\frac{\partial z}{\partial y}\right)^2}\,\mathrm{d}x\mathrm{d}y$$

此积分与曲面 S 的侧的选择无关.

若把函数 $f(x,y,z)$ 当作曲面 S 在点(x,y,z) 的面密度,则积分 ② 是此曲面的质量.

习题 4341—4350 计算第一型曲面积分

【4341】 求两积分 $I_1=\iint_S(x^2+y^2+z^2)\mathrm{d}S$ 和 $I_2=\iint_P(x^2+y^2+z^2)\mathrm{d}S$ 的差,其中 S 为球面 $x^2+y^2+z^2=a^2$,P 为其内接八面体的表面 $|x|+|y|+|z|=a$.

解 令 $x=a\cos\theta\sin\varphi,y=a\sin\theta\sin\varphi,z=a\cos\varphi$,则有

$$I_1=\iint_S(x^2+y^2+z^2)\mathrm{d}S=\int_0^{2\pi}\mathrm{d}\theta\int_0^{\pi}a^2\cdot a^2\sin\varphi\mathrm{d}\varphi=4\pi a^4.$$

为求 I_2,只要注意到 $|z|=a-(|x|+|y|)$,并利用对称性,即得

$$I_2=\iint_P(x^2+y^2+z^2)\mathrm{d}S=8\int_0^a\mathrm{d}x\int_0^{a-x}\sqrt{3}[x^2+y^2+(a-x-y)^2]\mathrm{d}y$$

$$=16\sqrt{3}\int_0^a\mathrm{d}x\int_0^{a-x}\left[x^2+y^2+xy+\frac{a^2}{2}-a(x+y)\right]\mathrm{d}y$$

$$=16\sqrt{3}\int_0^a\left[x^2(a-x)-\frac{1}{6}(a-x)^3-ax(a-x)+\frac{a^2}{2}(a-x)\right]\mathrm{d}x$$

$$=16\sqrt{3}\left(\frac{1}{3}-\frac{1}{4}-\frac{1}{24}-\frac{1}{2}+\frac{1}{3}+\frac{1}{2}-\frac{1}{4}\right)a^4=2\sqrt{3}a^4.$$

于是,两积分之差为 $I_1-I_2=2(2\pi-\sqrt{3})a^4$.

【4342】 计算$\iint_S z\mathrm{d}S$,其中 S 为曲面 $x^2+z^2=2az\,(a>0)$ 被曲面 $z=\sqrt{x^2+y^2}$ 所割下的部分.

解 作变换 $x=ar\sin\theta,y=y,z=a+ar\cos\theta$,则两曲面分别化为

$$r=1\text{ 和 }y^2=2a^2\cos\theta(1+\cos\theta).$$

两曲面交线的参数方程为

$$x=a\sin\theta,y=\pm\sqrt{2}a\sqrt{\cos\theta(1+\cos\theta)},z=a+a\cos\theta\left(-\frac{\pi}{2}\leqslant\theta\leqslant\frac{\pi}{2}\right).$$

于是

$$\iint_S z\mathrm{d}S=\int_{-\frac{\pi}{2}}^{\frac{\pi}{2}}\mathrm{d}\theta\int_{-\sqrt{2}a\sqrt{\cos\theta(1+\cos\theta)}}^{\sqrt{2}a\sqrt{\cos(1+\cos\theta)}}(a+a\cos\theta)a\mathrm{d}y=\int_{-\frac{\pi}{2}}^{\frac{\pi}{2}}2\sqrt{2}a^3\sqrt{\cos\theta}\sqrt{(1+\cos\theta)^3}\mathrm{d}\theta$$

$$=-4\sqrt{2}a^3\int_0^{\frac{\pi}{2}}\frac{\sqrt{\cos\theta}\sqrt{(1+\cos\theta)^3}}{\sin\theta}\mathrm{d}(\cos\theta)=-4\sqrt{2}a^3\int_0^{\frac{\pi}{2}}\frac{\sqrt{\cos\theta}(1+\cos\theta)}{\sqrt{(1-\cos\theta)}}\mathrm{d}(\cos\theta)$$

$$=4\sqrt{2}a^3\int_0^1\left[t^{\frac{1}{2}}(1-t)^{\frac{1}{2}}+t^{\frac{3}{2}}(1-t)^{-\frac{1}{2}}\right]\mathrm{d}t$$

$$=4\sqrt{2}a^3\left[\mathrm{B}\left(\frac{3}{2},\frac{1}{2}\right)+\mathrm{B}\left(\frac{5}{2},\frac{1}{2}\right)\right]=\frac{7}{2}\sqrt{2}\pi a^3.$$

【计算下列第一型曲面积分(4343—4350)】

【4343】 $\iint_S(x+y+z)\mathrm{d}S$,其中 S 为曲面 $x^2+y^2+z^2=a^2,z\geqslant0$.

解 由于$\sqrt{1+\left(\frac{\partial z}{\partial x}\right)^2+\left(\frac{\partial z}{\partial y}\right)^2}=\sqrt{1+\frac{x^2}{z^2}+\frac{y^2}{z^2}}=\frac{a}{\sqrt{a^2-x^2-y^2}}$，故有

$$\iint\limits_S(x+y+z)\mathrm{d}S=\int_{-a}^{a}\mathrm{d}x\int_{-\sqrt{a^2-x^2}}^{\sqrt{a^2-x^2}}\frac{a}{\sqrt{a^2-x^2-y^2}}(x+y+\sqrt{a^2-x^2-y^2})\mathrm{d}y$$

$$=\int_{-a}^{a}(\pi ax+2a\sqrt{a^2-x^2})\mathrm{d}x=4a\int_0^a\sqrt{a^2-x^2}\,\mathrm{d}x=4a\,\frac{\pi a^2}{4}=\pi a^3.$$

【4344】 $\iint\limits_S(x^2+y^2)\mathrm{d}S$，其中 S 为区域$\sqrt{x^2+y^2}\leqslant z\leqslant 1$ 的边界.

解 面积 S 由两部分组成. 一部分为 $S_1:z=\sqrt{x^2+y^2}$，它在 xOy 平面上的投影为 $x^2+y^2=1$；另一部分为 $S_2:z=1$，它在 xOy 平面上的投影也是 $x^2+y^2=1$. 对于这两部分分别有

$$\sqrt{1+\left(\frac{\partial z}{\partial x}\right)^2+\left(\frac{\partial z}{\partial y}\right)^2}=\sqrt{2},\sqrt{1+\left(\frac{\partial z}{\partial x}\right)^2+\left(\frac{\partial z}{\partial y}\right)^2}=1.$$

利用极坐标，令 $x=r\cos\theta,y=r\sin\theta$，有

$$\iint\limits_S(x^2+y^2)\mathrm{d}S=\iint\limits_{S_1}(x^2+y^2)\mathrm{d}S+\iint\limits_{S_2}(x^2+y^2)\mathrm{d}S=\sqrt{2}\int_0^{2\pi}\mathrm{d}\theta\int_0^1 r^3\mathrm{d}r+\int_0^{2\pi}\mathrm{d}\theta\int_0^1 r^3\mathrm{d}r=\frac{\pi}{2}(1+\sqrt{2}).$$

【4345】 $\iint\limits_S\frac{\mathrm{d}S}{(1+x+y)^2}$，其中 S 为四面体 $x+y+z\leqslant 1,x\geqslant 0,y\geqslant 0,z\geqslant 0$ 的边界.

解 曲面 S 由四部分组成，分别为

$$S_1:x+y+z=1,x>0,y>0,z>0;S_2:x=0;S_3:y=0;S_4:z=0.$$

于是，有

$$\iint\limits_S\frac{\mathrm{d}S}{(1+x+y)^2}=\sqrt{3}\int_0^1\mathrm{d}x\int_0^{1-x}\frac{\mathrm{d}y}{(1+x+y)^2}+\int_0^1\mathrm{d}y\int_0^{1-x}\frac{\mathrm{d}z}{(1+y)^2}+$$

$$\int_0^1\mathrm{d}x\int_0^{1-x}\frac{\mathrm{d}z}{(1+x)^2}+\int_0^1\mathrm{d}x\int_0^{1-x}\frac{\mathrm{d}y}{(1+x+y)^2}$$

$$=(\sqrt{3}+1)\int_0^1\mathrm{d}x\int_0^{1-x}\frac{\mathrm{d}y}{(1+x+y)^2}+2\int_0^1\mathrm{d}x\int_0^{1-x}\frac{\mathrm{d}z}{(1+x)^2}$$

$$=(\sqrt{3}+1)\left(\ln 2-\frac{1}{2}\right)+2(1-\ln 2)=\frac{3-\sqrt{3}}{2}+(\sqrt{3}-1)\ln 2.$$

【4346】 $\iint\limits_S|xyz|\,\mathrm{d}S$，式中 S 为曲面 $z=x^2+y^2$ 被平面 $z=1$ 所截下的部分.

解 由于$\sqrt{1+\left(\frac{\partial z}{\partial x}\right)^2+\left(\frac{\partial z}{\partial y}\right)^2}=\sqrt{1+4(x^2+y^2)}$，利用极坐标，令 $x=r\cos\theta,y=r\sin\theta$，并注意到对称性，即得

$$\iint\limits_S|xyz|\,\mathrm{d}S=4\int_0^{\frac{\pi}{2}}\mathrm{d}\theta\int_0^1 r^4\cos\theta\sin\theta\sqrt{1+4r^2}\,r\mathrm{d}r=2\int_0^1 r^5\sqrt{1+4r^2}\,\mathrm{d}r\xlongequal{r^2=t}\int_0^1 t^2\sqrt{1+4t}\,\mathrm{d}t$$

$$\xlongequal{\sqrt{1+4t}=y}\int_1^{\sqrt{5}}\frac{1}{32}(y^2-1)^2y^2\mathrm{d}y=\frac{1}{32}\left(\frac{y^7}{7}-\frac{2y^5}{5}+\frac{y^3}{3}\right)\Bigg|_1^{\sqrt{5}}=\frac{125\sqrt{5}-1}{420}.$$

【4347】 $\iint\limits_S\frac{\mathrm{d}S}{\rho}$，式中 S 为椭球面，ρ 为椭球中心到与椭球面微元 $\mathrm{d}S$ 相切的平面的距离.

解 设椭球面方程为$\frac{x^2}{a^2}+\frac{y^2}{b^2}+\frac{z^2}{c^2}=1$，则曲面上任一点$(x,y,z)$ 的法向量为$\left(\frac{x}{a^2},\frac{y}{b^2},\frac{z}{c^2}\right)$. 从而有

$$\rho=\sqrt{x^2+y^2+z^2}\cos(\boldsymbol{n},\boldsymbol{r}),$$

其中 $\boldsymbol{n},\boldsymbol{r}$ 分别表示点(x,y,z) 处的法向量和径向量，即

$$\rho=\frac{1}{\sqrt{\frac{x^2}{a^4}+\frac{y^2}{b^4}+\frac{z^2}{c^4}}},$$

而法线与 Oz 轴夹角的余弦为

$$\frac{\frac{z}{c^2}}{\sqrt{\frac{x^2}{a^4}+\frac{y^2}{b^4}+\frac{z^2}{c^4}}}.$$

于是

$$\iint\limits_S\frac{\mathrm{d}S}{\rho}=\iint\limits_{\frac{x^2}{a^2}+\frac{y^2}{b^2}\leqslant1}\frac{c^2\left(\frac{x^2}{a^4}+\frac{y^2}{b^4}+\frac{z^2}{c^4}\right)}{|z|}\mathrm{d}x\mathrm{d}y=2\iint\limits_{\frac{x^2}{a^2}+\frac{y^2}{b^2}\leqslant1}\frac{c\left[\left(\frac{x^2}{a^4}+\frac{y^2}{b^4}\right)+\frac{1}{c^2}\left(1-\frac{x^2}{a^2}-\frac{y^2}{b^2}\right)\right]}{\sqrt{1-\left(\frac{x^2}{a^2}+\frac{y^2}{b^2}\right)}}\mathrm{d}x\mathrm{d}y$$

$$\xlongequal[y=br\sin\theta]{x=ar\cos\theta}2\int_0^1\mathrm{d}r\int_0^{2\pi}\frac{c}{\sqrt{1-r^2}}\left(\frac{r^2\cos^2\theta}{a^2}+\frac{r^2\sin^2\theta}{b^2}+\frac{1}{c^2}-\frac{r^2}{c^2}\right)abr\,\mathrm{d}\theta$$

$$=2\pi abc\int_0^1\left[\frac{1}{\sqrt{1-r^2}}\left(\frac{1}{a^2}+\frac{1}{b^2}\right)-\sqrt{1-r^2}\left(\frac{1}{a^2}+\frac{1}{b^2}\right)+2\frac{\sqrt{1-r^2}}{c^2}\right]r\mathrm{d}r^{*)}$$

$$=-\pi abc\left[2\sqrt{1-r^2}\left(\frac{1}{a^2}+\frac{1}{b^2}\right)-\frac{2}{3}(1-r^2)^{\frac{3}{2}}\left(\frac{1}{a^2}+\frac{1}{b^2}\right)+\frac{4}{3c^2}(1-r^2)^{\frac{3}{2}}\right]\Bigg|_0^1$$

$$=\frac{4\pi}{3}abc\left(\frac{1}{a^2}+\frac{1}{b^2}+\frac{1}{c^2}\right).$$

注 *）利用关系式：$\frac{r^2}{\sqrt{1-r^2}}=\frac{1}{\sqrt{1-r^2}}-\sqrt{1-r^2}$.

【4348】 $\iint\limits_S z\mathrm{d}S$，式中 S 为螺旋面的一部分：

$$x=u\cos v,y=u\sin v,z=v(0<u<a;0<v<2\pi).$$

解 由于

$$E=\left(\frac{\partial x}{\partial u}\right)^2+\left(\frac{\partial y}{\partial u}\right)^2+\left(\frac{\partial z}{\partial u}\right)^2=\cos^2v+\sin^2v=1,$$

$$G=\left(\frac{\partial x}{\partial v}\right)^2+\left(\frac{\partial y}{\partial v}\right)^2+\left(\frac{\partial z}{\partial v}\right)^2=u^2\sin^2v+u^2\cos^2v+1=1+u^2,$$

$$F=\frac{\partial x}{\partial u}\frac{\partial x}{\partial v}+\frac{\partial y}{\partial u}\frac{\partial y}{\partial v}+\frac{\partial z}{\partial u}\frac{\partial z}{\partial v}=-u\sin v\cos v+u\cos v\sin v=0,$$

故 $\sqrt{EG-F^2}=\sqrt{1+u^2}$. 于是

$$\iint\limits_S z\mathrm{d}S=\int_0^a\mathrm{d}u\int_0^{2\pi}v\sqrt{1+u^2}\,\mathrm{d}v=2\pi^2\int_0^a\sqrt{1+u^2}\,\mathrm{d}u$$

$$=2\pi^2\left[\frac{u}{2}\sqrt{1+u^2}+\frac{1}{2}\ln(u+\sqrt{1+u^2})\right]\Bigg|_0^a$$

$$=\pi^2[a\sqrt{1+a^2}+\ln(a+\sqrt{1+a^2})].$$

【4349】 $\iint\limits_S z^2\mathrm{d}S$，其中 S 为圆锥面的一部分：$x=r\cos\theta\sin\alpha,y=r\sin\theta\sin\alpha,z=r\cos\alpha(0\leqslant r\leqslant a;0\leqslant\theta\leqslant2\pi)$，$\alpha$ 为常数$\left(0<\alpha<\frac{\pi}{2}\right)$.

解 由于

$$E=\cos^2\theta\sin^2\alpha+\sin^2\theta\sin^2\alpha+\cos^2\alpha=1,$$

$$G=r^2\cos^2\theta\sin^2\alpha+r^2\sin^2\theta\sin^2\alpha=r^2\sin^2\alpha,$$
$$F=(\cos\theta\sin\alpha)(-r\sin\theta\sin\alpha)+\sin\theta\sin\alpha(r\cos\theta\sin\alpha)=0,$$

故 $\sqrt{EG-F^2}=r\sin\alpha$. 于是

$$\iint_S z^2\,\mathrm{d}S=\int_0^{2\pi}\mathrm{d}\theta\int_0^a r^2\cos\alpha\cdot r\sin\alpha\,\mathrm{d}r=\frac{\pi a^4}{2}\sin\alpha\cos^2\alpha.$$

【4350】 $\iint\limits_S(xy+yz+zx)\mathrm{d}S$，其中 S 为圆锥面 $z=\sqrt{x^2+y^2}$ 被曲面 $x^2+y^2=2ax$ 所割下的部分.

解 由于 $\sqrt{1+\left(\frac{\partial z}{\partial x}\right)^2+\left(\frac{\partial z}{\partial y}\right)^2}=\sqrt{1+\frac{x^2}{x^2+y^2}+\frac{y^2}{x^2+y^2}}=\sqrt{2}$，又曲面 S 在 xOy 面上的投影为 $x^2+y^2\leqslant 2ax$. 于是，令 $x=r\cos\theta, y=r\sin\theta$，得

$$\iint_S(xy+yz+zx)\mathrm{d}S=\sqrt{2}\int_{-\frac{\pi}{2}}^{\frac{\pi}{2}}\mathrm{d}\theta\int_0^{2a\cos\theta}[r^2\cos\theta\sin\theta+r^2(\cos\theta+\sin\theta)]r\mathrm{d}r$$
$$=\sqrt{2}\int_{-\frac{\pi}{2}}^{\frac{\pi}{2}}\frac{1}{4}(2a\cos\theta)^4\cos\theta\mathrm{d}\theta=8\sqrt{2}a^4\int_0^{\frac{\pi}{2}}\cos^5\theta\mathrm{d}\theta=\frac{64}{15}\sqrt{2}a^4.$$

习题 4351—4358　第一型曲面积分的应用

【4351】 证明泊松公式：

$$\iint_S f(ax+by+cz)\mathrm{d}S=2\pi\int_{-1}^{1}f(u\sqrt{a^2+b^2+c^2})\mathrm{d}u,$$

其中 S 是球面 $x^2+y^2+z=1$.

证 取新坐标系 $Ouvw$，其中原点不变，平面 $ax+by+cz=0$ 即为 vOw 面，u 轴垂直于该面，则有

$$u=\frac{ax+by+cz}{\sqrt{a^2+b^2+c^2}}.$$

在新坐标系下，公式左端的积分为 $\iint\limits_S f(u\sqrt{a^2+b^2+c^2})\mathrm{d}S$.

显然，球面 S 的方程为 $u^2+v^2+w^2=1$ 或 $v^2+w^2=(\sqrt{1-u^2})^2$，表示成参数式为

$$u=u, v=\sqrt{1-u^2}\cos\theta, w=\sqrt{1-u^2}\sin\theta,$$

其中 $-1\leqslant u\leqslant 1, 0\leqslant\theta\leqslant 2\pi$. 从而

$$\mathrm{d}S=\sqrt{EG-F^2}\,\mathrm{d}u\mathrm{d}\theta=\sqrt{\frac{1}{1-u^2}(1-u)^2-0}\,\mathrm{d}u\mathrm{d}\theta=\mathrm{d}u\mathrm{d}\theta.$$

于是，最后得

$$\iint_S f(ax+by+cz)\mathrm{d}S=\iint_S f(u\sqrt{a^2+b^2+c^2})\mathrm{d}S=\int_0^{2\pi}\mathrm{d}\theta\int_{-1}^{1}f(u\sqrt{a^2+b^2+c^2})\mathrm{d}u$$
$$=2\pi\int_{-1}^{1}f(u\sqrt{a^2+b^2+c^2})\mathrm{d}u.$$

【4352】 求抛物面壳 $z=\frac{1}{2}(x^2+y^2)(0\leqslant z\leqslant 1)$ 的质量，此壳的面密度为 $\rho=z$.

解 质量为

$$M=\iint_S\rho\mathrm{d}S=\iint\limits_{x^2+y^2\leqslant 2}z\sqrt{1+x^2+y^2}\,\mathrm{d}x\mathrm{d}y=\frac{1}{2}\iint\limits_{x^2+y^2\leqslant 2}(x^2+y^2)\sqrt{1+x^2+y^2}\,\mathrm{d}x\mathrm{d}y$$
$$=\frac{1}{2}\int_0^{2\pi}\mathrm{d}\theta\int_0^{\sqrt{2}}r^3\sqrt{1+r^2}\,\mathrm{d}r=\pi\int_0^{\sqrt{2}}r^3\sqrt{1+r^2}\,\mathrm{d}r=\frac{\pi}{2}\int_0^{\sqrt{2}}r^2\sqrt{1+r^2}\,\mathrm{d}r^2$$

$$= \frac{\pi}{2}\left[\frac{2}{5}(1+r^2)^{\frac{5}{2}}\Big|_0^{\sqrt{2}} - \frac{2}{3}(1+r^2)^{\frac{3}{2}}\Big|_0^{\sqrt{2}}\right] = \frac{2\pi(1+6\sqrt{3})}{15}.$$

【4353】 求密度为 ρ_0 的均质球面壳 $x^2+y^2+z^2=a^2(z\geqslant 0)$ 对于 Oz 轴的转动惯量.

解 转动惯量为

$$I_z = \iint_S (x^2+y^2)\rho_0\,\mathrm{d}S = \rho_0 \iint_{x^2+y^2\leqslant a^2} (x^2+y^2)\frac{a}{\sqrt{a^2-x^2-y^2}}\mathrm{d}x\mathrm{d}y$$

$$= a\rho_0\int_0^{2\pi}\mathrm{d}\theta\int_0^a \frac{r^3}{\sqrt{a^2-r^2}}\mathrm{d}r = 2\pi a^4\rho_0\int_0^{\frac{\pi}{2}}\sin^3 t\mathrm{d}t = \frac{4}{3}\pi a^4\rho_0.$$

【4354】 求密度为 ρ_0 的均质锥面壳 $\frac{x^2}{a^2}+\frac{y^2}{a^2}-\frac{z^2}{b^2}=0(0\leqslant z\leqslant b)$ 对直线 $\frac{x}{1}=\frac{y}{0}=\frac{z-b}{0}$ 的转动惯量.

解 设 (x,y,z) 为均质锥面壳上任一点，它到直线 $\frac{x}{1}=\frac{y}{0}=\frac{z-b}{0}$ 的距离为

$$|d| = \frac{\sqrt{\begin{vmatrix} y-0 & z-b \\ 0 & 0\end{vmatrix} + \begin{vmatrix} z-b & x-0 \\ 0 & 1\end{vmatrix} + \begin{vmatrix} x-0 & y-0 \\ 1 & 0\end{vmatrix}}}{\sqrt{1^2+0^2+0^2}} = \sqrt{\left(\frac{b}{a}\sqrt{x^2+y^2}-b\right)^2+y^2}.$$

又因 $\sqrt{1+\left(\frac{\partial z}{\partial x}\right)^2+\left(\frac{\partial z}{\partial y}\right)^2} = \frac{\sqrt{a^2+b^2}}{a}$，于是，所求的转动惯量为

$$I = \iint_{x^2+y^2\leqslant a^2}\left(\frac{b}{a}\sqrt{x^2+y^2}-b\right)^2\rho_0\frac{\sqrt{a^2+b^2}}{a}\mathrm{d}x\mathrm{d}y$$

$$= \frac{\sqrt{a^2+b^2}\rho_0}{a}\int_0^{2\pi}\mathrm{d}\theta\int_0^a\left[\left(\frac{b}{a}r-b\right)^2+r^2\sin^2\theta\right]r\mathrm{d}r$$

$$= \frac{\sqrt{a^2+b^2}\rho_0}{a}\left[2\pi a^2b^2\left(\frac{1}{4}-\frac{2}{3}+\frac{1}{2}\right)+\frac{\pi a^4}{4}\right] = \frac{\pi a\rho_0(3a^2+2b^2)\sqrt{a^2+b^2}}{12}.$$

【4355】 求均质曲面 $z=\sqrt{x^2+y^2}$ 被曲面 $x^2+y^2=ax$ 所割下部分的质心坐标.

解 质量为 $M=\iint_S\rho_0\mathrm{d}S = \sqrt{2}\rho_0\iint_{x^2+y^2\leqslant ax}\mathrm{d}x\mathrm{d}y = \sqrt{2}\rho_0\left(\frac{a}{2}\right)^2\pi = \frac{\sqrt{2}\pi a^2\rho_0}{4}$. 从而，质心坐标为

$$x_0 = \frac{1}{M}\cdot\sqrt{2}\rho_0\iint_{x^2+y^2\leqslant ax} x\mathrm{d}x\mathrm{d}y = \frac{4}{\pi a^2}\int_0^a x\mathrm{d}x\int_{-\sqrt{ax-x^2}}^{\sqrt{ax-x^2}}\mathrm{d}y = \frac{8}{\pi a^2}\int_0^a x\sqrt{ax-x^2}\mathrm{d}x$$

$$\xlongequal{t=x-\frac{a}{2}} \frac{8}{\pi a^2}\int_{-\frac{a}{2}}^{\frac{a}{2}}\left(\frac{a}{2}+t\right)\sqrt{\left(\frac{a}{2}\right)^2-t^2}\mathrm{d}t = \frac{8}{\pi a}\int_0^{\frac{a}{2}}\sqrt{\left(\frac{a}{2}\right)^2-t^2}\mathrm{d}t = \frac{a}{2},$$

$$y_0 = \frac{1}{M}\cdot\sqrt{2}\rho_0\int_0^a x\mathrm{d}x\int_{-\sqrt{ax-x^2}}^{\sqrt{ax-x^2}} y\mathrm{d}y = 0,$$

$$z_0 = \frac{1}{M}\cdot\sqrt{2}\rho_0\iint_{x^2+y^2\leqslant ax} z\mathrm{d}x\mathrm{d}y = \frac{4}{\pi a^2}\int_{-\frac{\pi}{2}}^{\frac{\pi}{2}}\mathrm{d}\theta\int_0^{a\cos\theta} r^2\mathrm{d}r = \frac{8a}{3\pi}\int_{-\frac{\pi}{2}}^{\frac{\pi}{2}}\cos^3\theta\mathrm{d}\theta = \frac{16a}{9\pi},$$

即质心为 $\left(\frac{a}{2},0,\frac{16a}{9\pi}\right)$.

【4356】 求均质曲面 $z=\sqrt{a^2-x^2-y^2}(x\geqslant 0;y\geqslant 0;x+y\leqslant a)$ 的质心坐标.

解 因为 $\frac{\partial z}{\partial x} = \frac{-x}{\sqrt{a^2-x^2-y^2}}, \frac{\partial z}{\partial y} = \frac{-y}{\sqrt{a^2-x^2-y^2}}$，所以

$$\mathrm{d}S = \sqrt{1+\left(\frac{\partial z}{\partial x}\right)^2+\left(\frac{\partial z}{\partial y}\right)^2}\mathrm{d}x\mathrm{d}y = \frac{a}{\sqrt{a^2-x^2-y^2}}\mathrm{d}x\mathrm{d}y.$$

由对称性知，质心的横坐标与纵坐标相等，即

$$x_0=y_0=\frac{\iint\limits_S x\,\mathrm{d}S}{\iint\limits_S \mathrm{d}S}=\frac{\int_0^a\int_0^{a-y}\frac{ax}{\sqrt{a^2-x^2-y^2}}\mathrm{d}x\mathrm{d}y}{\int_0^a\int_0^{a-x}\frac{a}{\sqrt{a^2-x^2-y^2}}\mathrm{d}x\mathrm{d}y}.$$

由于

$$\int_0^a\int_0^{a-y}\frac{ax}{\sqrt{a^2-x^2-y^2}}\mathrm{d}x\mathrm{d}y=a\int_0^a\left(-\sqrt{a^2-x^2-y^2}\right)\Big|_{x=0}^{x=a-y}\mathrm{d}y$$

$$=a\left(\int_0^a\sqrt{a^2-y^2}\,\mathrm{d}y-\int_0^a\sqrt{2ay-2y^2}\,\mathrm{d}y\right)=a\left[\frac{\pi a^2}{4}-\sqrt{2}\cdot\frac{\pi\left(\frac{a}{2}\right)^2}{2}\right]^{*)}=\frac{\pi a^3}{4}\left(1-\frac{1}{\sqrt{2}}\right),$$

由 1957 题的结果可得

$$\int_0^a\int_0^{a-x}\frac{a}{\sqrt{a^2-x^2-y^2}}\mathrm{d}x\mathrm{d}y=a\int_0^a\arcsin\sqrt{\frac{a-x}{a+x}}\mathrm{d}x$$

$$=-4a^2\int_1^0\frac{u}{(1+u^2)^2}\arcsin u\mathrm{d}u=2a^2\left(\frac{\arcsin u}{1+u^2}\Big|_1^0-\int_1^0\frac{\mathrm{d}u}{(1+u^2)\sqrt{1-u^2}}\right)$$

$$=2a^2\left[-\frac{\pi}{4}+\frac{1}{\sqrt{2}}\arctan\frac{\sqrt{2}u}{\sqrt{1-u^2}}\Big|_0^1\right]=\pi a^2\left(\frac{1}{\sqrt{2}}-\frac{1}{2}\right),$$

故有

$$x_0=y_0=\frac{\pi a^3\left(1-\frac{1}{\sqrt{2}}\right)}{\pi a^2\left(\frac{1}{\sqrt{2}}-\frac{1}{2}\right)}=\frac{a}{2\sqrt{2}}.$$

又由于$\iint\limits_S z\mathrm{d}S=\int_0^a\int_0^{a-x}\sqrt{a^2-x^2-y^2}\frac{a}{\sqrt{a^2-x^2-y^2}}\mathrm{d}x\mathrm{d}y=a\int_0^a(a-x)\mathrm{d}x=\frac{a^3}{2}$，故

$$z_0=\frac{\iint\limits_S z\mathrm{d}S}{\iint\limits_S\mathrm{d}S}=\frac{\frac{a^3}{2}}{\pi a^2\left(\frac{1}{\sqrt{2}}-\frac{1}{2}\right)}=\frac{a}{\pi}(\sqrt{2}+1),$$

即质心为$\left(\frac{a}{2\sqrt{2}},\frac{a}{2\sqrt{2}},\frac{a}{\pi}(\sqrt{2}+1)\right)$.

注 *）由定积分的几何意义知

$$\int_0^a\sqrt{y(a-y)}\,\mathrm{d}y=\int_0^a\sqrt{\left(\frac{a}{2}\right)^2-\left(y-\frac{a}{2}\right)^2}\,\mathrm{d}y=\frac{\pi a^2}{8}.$$

【4357】 密度为 ρ_0 的均质截圆锥面

$$x=r\cos\theta,y=r\sin\theta,z=r(0\leqslant\theta\leqslant 2\pi,0<b\leqslant r\leqslant a)$$

以怎样的力吸引质量为 m、位于该圆锥面顶点的质点？

解 显然截圆锥面顶点为原点 $O(0,0,0)$. 对应于半径 r 处取斜高为 $\mathrm{d}s$ 的锥面带，其面积为

$$\mathrm{d}S=2\pi r\mathrm{d}s=2\sqrt{2}\pi r\mathrm{d}r.$$

它对顶点 O 处质量为 m 的质点的引力在 Ox 轴和 Oy 轴上的投影显然为零，而在 Oz 轴上的投影为

$$\mathrm{d}Z=\frac{km\cdot 2\sqrt{2}\pi r\mathrm{d}r\rho_0}{r^2+z^2}\frac{z}{\sqrt{r^2+z^2}}=\frac{k\pi m\rho_0\mathrm{d}r}{r}.$$

于是，截圆锥面吸引质量为 m 的质点（在顶点处）的引力在坐标轴上的投影为

$$X=0,Y=0,Z=\int_b^a \frac{k\pi m\rho_0 \mathrm{d}r}{r}=k\pi m\rho_0 \ln\frac{a}{b}.$$

【4358】 求密度为 ρ_0 的均质球面 $S:x^2+y^2+z^2=a^2$ 在点 $M_0(x_0,y_0,z_0)$ 的势，即计算积分

$$u=\iint_S \frac{\rho_0}{r}\mathrm{d}S,$$

其中 $r=\sqrt{(x-x_0)^2+(y-y_0)^2+(z-z_0)^2}$.

解 记 $r_0=\sqrt{x_0^2+y_0^2+z_0^2}$. 由对称性，在点 $M_0(x_0,y_0,z_0)$ 的势等于在点 $N_0(0,0,r_0)$ 的势. 由余弦定理知，球面上任一点 (x,y,z) 到点 N_0 的距离为

$$r=\sqrt{a^2+r_0^2-2r_0a\cos\varphi}\,(0\leqslant\varphi\leqslant\pi).$$

而球面带 $\mathrm{d}S=2\pi a^2\sin\varphi\mathrm{d}\varphi$. 于是，所求的势为

$$u=\iint_S\frac{\rho_0}{r}\mathrm{d}S=2\pi a^2\rho_0\int_0^\pi\frac{\sin\varphi\mathrm{d}\varphi}{\sqrt{a^2+r_0^2-2r_0a\cos\varphi}}.$$

令 $u^2=a^2+r_0^2-2r_0a\cos\varphi$，则 $2u\mathrm{d}u=2r_0a\sin\varphi\mathrm{d}\varphi$，即 $\sin\varphi\mathrm{d}\varphi=\frac{u}{r_0a}\mathrm{d}u$. 从而，所求的势为

$$u=\frac{2\pi a\rho_0}{r_0}\int_{|a-r_0|}^{a+r_0}\mathrm{d}u=\begin{cases}4\pi a\rho_0, & r_0<a,\\ \frac{4\pi a^2\rho_0}{r_0}, & r_0>a,\\ 4\pi a\rho_0, & r_0=a,\end{cases}$$

也即 $u=4\pi\rho_0\min\left\{a,\frac{a^2}{r_0}\right\}$.

上述结果表明：若 M_0 点在球面内，则势是个常量；若 M_0 在球面外，则在该点球面的势等于将球面质量集中于球心的势；当 M_0 点从球面内通过球面时具有连续性，从而，当 M_0 点在球面上时，势也是个常量，且等于球内任一点的势.

习题 4359—4361　一些特殊函数的第一型曲面积分

【4359】 计算

$$F(t)=\iint_{x+y+z=t} f(x,y,z)\mathrm{d}S,$$

其中 $f(x,y,z)=\begin{cases}1-x^2-y^2-z^2, & x^2+y^2+z^2\leqslant 1,\\ 0, & x^2+y^2+z^2>1.\end{cases}$ 作出函数 $u=F(t)$ 的图像.

解 显然，平面 $x+y+z=\pm\sqrt{3}$ 是球面 $x^2+y^2+z^2=1$ 的两个切平面，于是

$$f(x,y,z)=\begin{cases}1-x^2-y^2-z^2, & |t|\leqslant\sqrt{3},\\ 0, & |t|>\sqrt{3}.\end{cases}$$

由方程组

$$\begin{cases}x+y+z=t,\\ x^2+y^2+z^2=1,\end{cases}$$

得椭圆方程

$$x^2+y^2+[t-(x+y)]^2=1,\text{即 } x^2+y^2+xy-t(x+y)=\frac{1-t^2}{2}. \quad ①$$

记该椭圆围成的区域为 Ω，则

$$F(t)=\iint_\Omega\{1-x^2-y^2-[t-(x+y)]^2\}\sqrt{3}\mathrm{d}x\mathrm{d}y$$
$$=\sqrt{3}\iint_\Omega[1-t^2-2(x^2+y^2)-2xy+2t(x+y)]\mathrm{d}x\mathrm{d}y.$$

作平移变换 $x = x' + \frac{t}{3}, y = y' + \frac{t}{3}$，则方程 ① 变为

$$x'^2 + y'^2 + x'y' = \frac{1}{2}\left(1 - \frac{t^2}{3}\right), \qquad ②$$

记相应的区域为 Ω'，而函数为 $f = 1 - \frac{t^2}{3} - 2(x'^2 + y'^2) - 2x'y'$. 于是

$$F(t) = \sqrt{3}\iint_{\Omega'}\left[1 - \frac{t^2}{3} - 2(x'^2 + y'^2) - 2x'y'\right]dx'dy'.$$

再作旋转变换 $x' = \frac{x'' - y''}{\sqrt{2}}, y' = \frac{x'' + y''}{2}$，则方程 ② 变为椭圆的标准方程

$$\frac{x''^2}{\left(\frac{1}{\sqrt{3}}\sqrt{1 - \frac{t^2}{3}}\right)^2} + \frac{y''^2}{\left(\sqrt{1 - \frac{t^2}{3}}\right)^2} = 1. \qquad ③$$

记相应的区域为 Ω''，而函数为 $f = 1 - \frac{t^2}{3} - (3x''^2 + y''^2)$. 故

$$F(t) = \sqrt{3}\iint_{\Omega'}\left[1 - \frac{t^2}{3} - (3x''^2 + y''^2)\right]dx''dy''.$$

最后，作广义极坐标变换，即 $x'' = \frac{1}{\sqrt{3}}\sqrt{1 - \frac{t^2}{3}}\, r\cos\theta, y'' = \sqrt{1 - \frac{t^2}{3}}\, r\sin\theta$，则有

$$F(t) = \left(1 - \frac{t^2}{3}\right)\int_0^{2\pi}d\theta\int_0^1\left(1 - \frac{t^2}{3}\right)(r - r^3)dr = \left(1 - \frac{t^2}{3}\right)^2\int_0^{2\pi}\frac{1}{4}d\theta = \frac{\pi}{18}(3 - t^2)^2,$$

其中 $|t| \leqslant \sqrt{3}$，而当 $|t| > \sqrt{3}$，则有 $F(t) = 0$.

考虑函数 $u = F(t)(-\infty < t < +\infty)$，有

$$\frac{du}{dt} = -\frac{2\pi}{9}(3 - t^2)t(|t| < \sqrt{3}).$$

当 $t = \sqrt{3}$ 时，u 的左导数 $= -\frac{2\pi}{9}(3 - t^2)\Big|_{t=\sqrt{3}} = 0$，$u$ 的右导数显然为零(因为 $t \geqslant \sqrt{3}$ 时，$u \equiv 0$)，故 $t = \sqrt{3}$ 时 u 的导数存在且等于零. 同理可证，$t = -\sqrt{3}$ 时，u 的导数也存在且等于零. 于是，曲线 $u = F(t)$ 在 $t = 0$ 处以及 $|t| \geqslant \sqrt{3}$ 的各 t 处切线都平行于 Ot 轴. 又 $t = 0$ 处达极大值 $u = \frac{\pi}{2}$，且为最大值. 由于

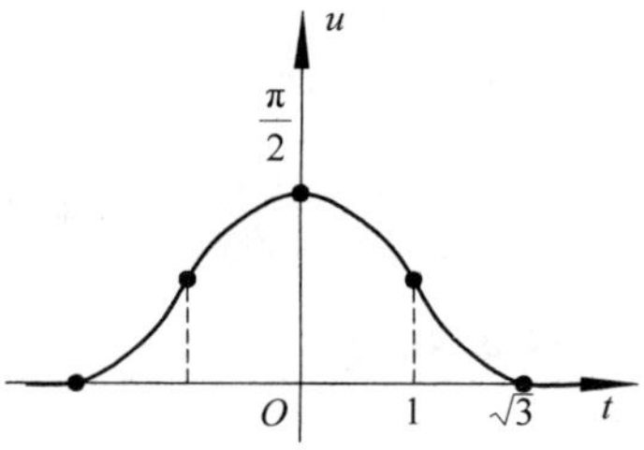

图 8.69

$$\frac{d^2u}{dt^2} = -\frac{2\pi}{3}(1 - t^2),$$

所以，当 $t = \pm 1$ 时为拐点. 显然，图像关于 Ou 轴是对称的. 函数 $u = F(t)$ 的图像如图 8.69 所示.

【4360】 计算积分

$$F(t) = \iint_{x^2+y^2+z^2=t^2} f(x, y, z)dS,$$

其中 $f(x, y, z) = \begin{cases} x^2 + y^2, & z \geqslant \sqrt{x^2 + y^2}, \\ 0, & z < \sqrt{x^2 + y^2}. \end{cases}$

解 由球面方程 $x^2 + y^2 + z^2 = t^2$ 知

$$\frac{\partial z}{\partial x} = \frac{-x}{\sqrt{t^2 - x^2 - y^2}}, \frac{\partial z}{\partial y} = \frac{-y}{\sqrt{t^2 - x^2 - y^2}}, \sqrt{1 + \left(\frac{\partial z}{\partial x}\right)^2 + \left(\frac{\partial z}{\partial y}\right)^2} = \frac{|t|}{\sqrt{t^2 - (x^2 + y^2)}}.$$

而由 $\begin{cases} x^2 + y^2 + z^2 = t^2, \\ z^2 = x^2 + y^2, \end{cases}$ 可得 $x^2 + y^2 = \frac{t^2}{2} = \left(\frac{t}{\sqrt{2}}\right)^2$. 于是，积分

$$F(t)=\iint\limits_{x^2+y^2+z^2=t^2} f(x,y,z)\mathrm{d}S=\iint\limits_{x^2+y^2\leqslant(\frac{t}{\sqrt{2}})^2}(x^2+y^2)\frac{|t|}{\sqrt{t^2-(x^2+y^2)}}\mathrm{d}x\mathrm{d}y$$

$$=|t|\int_0^{2\pi}\mathrm{d}\theta\int_0^{\frac{|t|}{\sqrt{2}}}\frac{r^3}{\sqrt{t^2-r^2}}\mathrm{d}r.$$

因为

$$\int\frac{r^3}{\sqrt{t^2-r^2}}\mathrm{d}r=\frac{1}{2}\int\frac{t^2-r^2-t^2}{\sqrt{t^2-r^2}}\mathrm{d}(t^2-r^2)=\frac{1}{3}(t^2-r^2)^{\frac{3}{2}}-t^2\sqrt{t^2-r^2}+C,$$

所以

$$\int_0^{\frac{|t|}{\sqrt{2}}}\frac{t^3}{\sqrt{t^2-r^2}}\mathrm{d}r=\left[\frac{1}{3}(t^2-r^2)^{\frac{3}{2}}-t^2\sqrt{t^2-r^2}\right]\Bigg|_0^{\frac{|t|}{\sqrt{2}}}=\frac{-5\sqrt{2}}{12}|t|^3+\frac{2}{3}|t|^3=\frac{8-5\sqrt{2}}{12}|t|^3.$$

于是，最后得 $F(t)=|t|\int_0^{2\pi}\frac{8-5\sqrt{2}}{12}|t|^3\mathrm{d}\theta=\frac{(8-5\sqrt{2})\pi}{6}t^4.$

【4361】 计算积分

$$F(x,y,z,t)=\iint\limits_S f(\xi,\eta,\zeta)\mathrm{d}S,$$

其中 S 是变球面 $(\xi-x)^2+(\eta-y)^2+(\zeta-z)^2=t^2$，$f(\xi,\eta,\zeta)=\begin{cases}1,\xi^2+\eta^2+\zeta^2<a^2,\\0,\xi^2+\eta^2+\zeta^2\geqslant a^2,\end{cases}$

且假设 $\sqrt{x^2+y^2+z^2}>a>0$.

解　记 $x^2+y^2+z^2=r^2$. 旋转坐标轴，使点 $P(x,y,z)$ 位于 Oz 轴的正方向上的点 $P_0(0,0,r)$，如图 8.70 所示.

显然，当 $0<t\leqslant r-a$ 及 $t\geqslant r+a$ 时，球面上的点满足 $\xi^2+\eta^2+\zeta^2\geqslant a^2$，此时 $f(\xi,\eta,\zeta)=0$. 从而，积分

$$f(x,y,z,t)=\iint\limits_S f(\xi,\eta,\zeta)\mathrm{d}S=0.$$

当 $r-a<t<r+a$ 时，则 $F(x,y,z,t)=\iint\limits_{S'}\mathrm{d}S'$，其中 S' 为 S 位于 $\xi^2+\eta^2+\zeta^2=a^2$ 内的部分. 从而有

$$F(x,y,z,t)=\int_0^{2\pi}\mathrm{d}\varphi\int_0^{\alpha}t^2\sin\theta\mathrm{d}\theta=2\pi t^2(1-\cos\alpha)$$

$$=2\pi t^2\left(1-\frac{t^2+r^2-a^2}{2rt}\right)=\frac{\pi t}{r}[a^2-(r-t)^2].$$

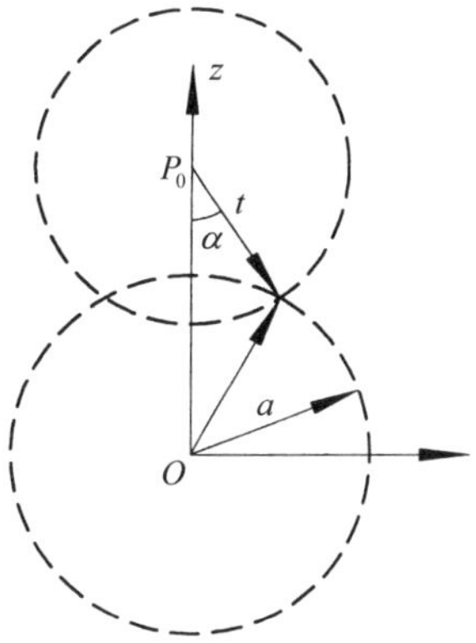

图 8.70

知识点2　第二型曲面积分

若 S 为光滑的双侧曲面，S^+ 为它的正侧，即由法向量 $\boldsymbol{n}=(\cos\alpha,\cos\beta,\cos\gamma)$ 确定的一侧，$P=P(x,y,z)$，$Q=Q(x,y,z)$，$R=R(x,y,z)$ 定义在曲面 S 上且连续，则

$$\iint\limits_{S^+}P\mathrm{d}y\mathrm{d}z+Q\mathrm{d}x\mathrm{d}z+R\mathrm{d}x\mathrm{d}y=\iint\limits_S(P\cos\alpha+Q\cos\beta+R\cos\gamma)\mathrm{d}S. \quad ①$$

若曲面 S 以参数方程

$$x=x(u,v),y=y(u,v),z=z(u,v)((u,v)\in D)$$

的形式给出，则法向量 $\boldsymbol{n}$ 的方向余弦由下列公式来确定：

$$\cos\alpha=\frac{A}{\pm\sqrt{A^2+B^2+C^2}},\cos\beta=\frac{B}{\pm\sqrt{A^2+B^2+C^2}},\cos\gamma=\frac{C}{\pm\sqrt{A^2+B^2+C^2}},$$

其中 $A=\frac{\partial(y,z)}{\partial(u,v)}$，$B=\frac{\partial(z,x)}{\partial(u,v)}$，$C=\frac{\partial(x,y)}{\partial(u,v)}$，且根式前的符号用适当的方法来选择.

当变换为曲面 S 的另一侧 S^- 时，积分 ① 的符号相反.

习题 4362—4366　计算第二型曲面积分

【4362】 求 $\iint\limits_S x\mathrm{d}y\mathrm{d}z+y\mathrm{d}z\mathrm{d}x+z\mathrm{d}x\mathrm{d}y$，其中 S 为球面 $x^2+y^2+z^2=a^2$ 的外侧.

解 根据轮换对称性知，只要计算 $\iint\limits_S z\mathrm{d}x\mathrm{d}y$. 注意到上半球面 $z=\sqrt{a^2-x^2-y^2}$ 应取上侧，下半球面 $z=-\sqrt{a^2-x^2-y^2}$ 应取下侧，则有

$$\iint\limits_S z\mathrm{d}x\mathrm{d}y=\iint\limits_{x^2+y^2\leqslant a^2}\sqrt{a^2-x^2-y^2}\,\mathrm{d}x\mathrm{d}y-\iint\limits_{x^2+y^2\leqslant a^2}\left(-\sqrt{a^2-x^2-y^2}\right)\mathrm{d}x\mathrm{d}y$$

$$=2\iint\limits_{x^2+y^2\leqslant a^2}\sqrt{a^2-x^2-y^2}\,\mathrm{d}x\mathrm{d}y=2\int_0^{2\pi}\mathrm{d}\theta\int_0^a r\sqrt{a^2-r^2}\,\mathrm{d}r=\frac{4}{3}\pi a^3.$$

于是，积分 $\iint\limits_S x\mathrm{d}y\mathrm{d}z+y\mathrm{d}z\mathrm{d}x+z\mathrm{d}x\mathrm{d}y=3\cdot\frac{4}{3}\pi a^3=4\pi a^3$.

【4363】 求 $\iint\limits_S f(x)\mathrm{d}y\mathrm{d}z+g(y)\mathrm{d}z\mathrm{d}x+h(z)\mathrm{d}x\mathrm{d}y$，其中 $f(x)$，$g(y)$，$h(z)$ 为连续函数，S 为平行六面体 $0\leqslant x\leqslant a$，$0\leqslant y\leqslant b$，$0\leqslant z\leqslant c$ 的外表面.

解 只要计算任何一个积分，其他两个可类似地写出结果. 例如，下面计算 $\iint\limits_S h(z)\mathrm{d}x\mathrm{d}y$. 由于六面体有四个面垂直于 xOy 平面，故曲面积分应为零. 从而

$$\iint\limits_S h(z)\mathrm{d}x\mathrm{d}y=\iint\limits_{\substack{0\leqslant x\leqslant a\\0\leqslant y\leqslant b}}h(c)\mathrm{d}x\mathrm{d}y-\iint\limits_{\substack{0\leqslant x\leqslant a\\0\leqslant y\leqslant b}}h(0)\mathrm{d}x\mathrm{d}y=abc\,\frac{h(c)-h(0)}{c}.$$

类似地，可得

$$\iint\limits_S f(x)\mathrm{d}x\mathrm{d}y=abc\,\frac{f(a)-f(0)}{a},\quad \iint\limits_S g(y)\mathrm{d}x\mathrm{d}y=abc\,\frac{g(b)-g(0)}{b}.$$

于是，所求的积分为

$$\iint\limits_S f(x)\mathrm{d}y\mathrm{d}z+g(y)\mathrm{d}z\mathrm{d}x+h(z)\mathrm{d}x\mathrm{d}y=abc\left[\frac{f(a)-f(0)}{a}+\frac{g(b)-g(0)}{b}+\frac{h(c)-h(0)}{c}\right].$$

【4364】 求 $\iint\limits_S (y-z)\mathrm{d}y\mathrm{d}z+(z-x)\mathrm{d}z\mathrm{d}x+(x-y)\mathrm{d}x\mathrm{d}y$，其中 S 为圆锥面 $x^2+y^2=z^2(0\leqslant z\leqslant h)$ 的外侧.

解 **方法一** 记 S_1、S_2 分别为锥面的底面和侧面，而 $\cos\alpha$，$\cos\beta$，$\cos\gamma$ 为锥面外法线的方向余弦. 一方面，有

$$\iint\limits_{S_1}(y-z)\mathrm{d}y\mathrm{d}z+(z-x)\mathrm{d}z\mathrm{d}x+(x-y)\mathrm{d}x\mathrm{d}y=\iint\limits_{x^2+y^2\leqslant h^2}(x-y)\mathrm{d}x\mathrm{d}y$$

$$=\int_0^{2\pi}\mathrm{d}\theta\int_0^h r^2(\cos\theta-\sin\theta)\mathrm{d}r=\frac{h^3}{3}\int_0^{2\pi}(\cos\theta-\sin\theta)\mathrm{d}\theta=0.$$

另一方面，在侧面 S_2 上，对于任一点 (x,y,z)，有

$$\frac{\cos\alpha}{x}=\frac{\cos\beta}{y}=\frac{\cos\gamma}{-z}.$$

从而，dS 在各坐标面上的投影分别为

$$\cos\gamma\mathrm{d}S=-\mathrm{d}\sigma_{xy},\cos\alpha\mathrm{d}S=-\frac{x}{z}\cos\gamma\mathrm{d}S=\frac{x}{z}\mathrm{d}\sigma_{xy},\cos\beta\mathrm{d}S=-\frac{y}{z}\cos\gamma\mathrm{d}S=\frac{y}{z}\mathrm{d}\sigma_{xy}.$$

于是

$$\begin{aligned}&\iint_{S_2}(y-z)\mathrm{d}y\mathrm{d}z+(z-x)\mathrm{d}z\mathrm{d}x+(x-y)\mathrm{d}x\mathrm{d}y\\&=\iint_{S_2}[(y-z)\cos\alpha+(z-x)\cos\beta+(x-y)\cos\gamma]\mathrm{d}S\\&=\iint_{x^2+y^2\leqslant h^2}\left[\frac{x}{z}(y-z)+\frac{y}{z}(z-x)-(x-y)\right]\mathrm{d}\sigma_{xy}\\&=-2\iint_{x^2+y^2\leqslant h^2}(x-y)\mathrm{d}x\mathrm{d}y=0.\end{aligned}$$

综上所述，$\iint_S(y-z)\mathrm{d}y\mathrm{d}z+(z-x)\mathrm{d}z\mathrm{d}x+(x-y)\mathrm{d}x\mathrm{d}y=\iint_{S_1}+\iint_{S_2}=0.$

方法二　记曲面 S 在各坐标面的投影域分别为 S_{xy}，S_{yz} 和 S_{zx}. 于是

$$\begin{aligned}&\iint_S(y-z)\mathrm{d}y\mathrm{d}z+(z-x)\mathrm{d}z\mathrm{d}x+(x-y)\mathrm{d}x\mathrm{d}y\\&=\iint_S(y-z)\mathrm{d}y\mathrm{d}z+\iint_S(z-x)\mathrm{d}z\mathrm{d}x+\iint_S(x-y)\mathrm{d}x\mathrm{d}y\\&=\left[\iint_{S_{yz}}(y-z)\mathrm{d}y\mathrm{d}z-\iint_{S_{yz}}(y-z)\mathrm{d}y\mathrm{d}z\right]+\left[\iint_{S_{zx}}(z-x)\mathrm{d}z\mathrm{d}x-\iint_{S_{zx}}(z-x)\mathrm{d}z\mathrm{d}x\right]+\\&\quad\left[\iint_{S_{xy}}(x-y)\mathrm{d}x\mathrm{d}y-\iint_{S_{xy}}(x-y)\mathrm{d}x\mathrm{d}y\right]\\&=0+0+0=0.\end{aligned}$$

【4365】　求$\iint_S\frac{\mathrm{d}y\mathrm{d}z}{x}+\frac{\mathrm{d}z\mathrm{d}x}{y}+\frac{\mathrm{d}x\mathrm{d}y}{z}$，其中 S 为椭球面$\frac{x^2}{a^2}+\frac{y^2}{b^2}+\frac{z^2}{c^2}=1$ 的外侧.

解　由轮换对称性知，只要计算一个积分. 例如，计算$\iint_S\frac{\mathrm{d}x\mathrm{d}y}{z}$. 利用广义极坐标 $x=ar\cos\theta$，$y=br\sin\theta$，即得

$$\begin{aligned}\iint_S\frac{\mathrm{d}x\mathrm{d}y}{z}&=\iint_{\frac{x^2}{a^2}+\frac{y^2}{b^2}\leqslant1}\frac{1}{c\sqrt{1-\frac{x^2}{a^2}-\frac{y^2}{b^2}}}\mathrm{d}x\mathrm{d}y-\iint_{\frac{x^2}{a^2}+\frac{y^2}{b^2}\leqslant1}\frac{-1}{c\sqrt{1-\frac{x^2}{a^2}-\frac{y^2}{b^2}}}\mathrm{d}x\mathrm{d}y\\&=\frac{2}{c}\iint_{\frac{x^2}{a^2}+\frac{y^2}{b^2}\leqslant1}\frac{1}{c\sqrt{1-\frac{x^2}{a^2}-\frac{y^2}{b^2}}}\mathrm{d}x\mathrm{d}y=\frac{2ab}{c}\int_0^{2\pi}\mathrm{d}\theta\int_0^1\frac{r}{\sqrt{1-r^2}}\mathrm{d}r\\&=\frac{4\pi ab}{c}\left[-\sqrt{1-r^2}\right]\Big|_0^1=4\pi\frac{ab}{c}.\end{aligned}$$

于是，有$\iint_S\frac{\mathrm{d}y\mathrm{d}z}{x}+\frac{\mathrm{d}z\mathrm{d}x}{y}+\frac{\mathrm{d}x\mathrm{d}y}{z}=4\pi\left(\frac{bc}{a}+\frac{ac}{b}+\frac{ab}{c}\right)=\frac{4\pi}{abc}(b^2c^2+a^2c^2+a^2b^2).$

【4366】　求$\iint_S x^2\mathrm{d}y\mathrm{d}z+y^2\mathrm{d}z\mathrm{d}x+z^2\mathrm{d}x\mathrm{d}y$，其中 S 为球面$(x-a)^2+(y-b)^2+(x-c)^2=R^2$ 的外侧.

解 根据轮换对称性知，只要计算$\iint\limits_S z^2\,\mathrm{d}x\mathrm{d}y$. 注意到 $z-c=\pm\sqrt{R^2-(x-a)^2-(y-b)^2}$，并利用极坐标，令 $x=r\cos\theta, y=r\sin\theta$，即得

$$\begin{aligned}\iint\limits_S z^2\,\mathrm{d}x\mathrm{d}y &= \iint\limits_{(x-a)^2+(y-b)^2\leqslant R^2}\left[c+\sqrt{R^2-(x-a)^2-(y-b)^2}\right]^2\mathrm{d}x\mathrm{d}y - \\ &\quad \iint\limits_{(x-a)^2+(y-b)^2\leqslant R^2}\left[c-\sqrt{R^2-(x-a)^2-(y-b)^2}\right]^2\mathrm{d}x\mathrm{d}y \\ &= 4c\iint\limits_{(x-a)^2+(y-b)^2\leqslant R^2}\sqrt{R^2-(x-a)^2-(y-b)^2}\,\mathrm{d}x\mathrm{d}y \\ &= 4c\int_0^{2\pi}\mathrm{d}\theta\int_0^R\sqrt{R^2-r^2}\,r\mathrm{d}r = 8\pi c\left[-\frac{1}{3}(R^2-r^2)^{\frac{3}{2}}\right]\Bigg|_0^R = \frac{8}{3}\pi R^3c.\end{aligned}$$

于是，有$\iint\limits_S x^2\,\mathrm{d}y\mathrm{d}z+y^2\,\mathrm{d}z\mathrm{d}x+z^2\,\mathrm{d}x\mathrm{d}y=\frac{8}{3}\pi R^3(a+b+c)$.

第15节 斯托克斯公式（习题4367—4375）

知识点预览

知识点	题目序号	所在页码
斯托克斯公式	4367—4375	P188

知识点 斯托克斯公式

若 $P=P(x,y,z), Q=Q(x,y,z), R=R(x,y,z)$ 为连续可微函数，S 为分片光滑的有界双侧曲面，其边界 C 为分段光滑的简单封闭围线，则成立斯托克斯公式

$$\oint_C P\mathrm{d}x+Q\mathrm{d}y+R\mathrm{d}z=\iint\limits_S\begin{vmatrix}\cos\alpha & \cos\beta & \cos\gamma\\ \dfrac{\partial}{\partial x} & \dfrac{\partial}{\partial y} & \dfrac{\partial}{\partial z}\\ P & Q & R\end{vmatrix}\mathrm{d}S,$$

式中 $\cos\alpha, \cos\beta, \cos\gamma$ 为曲面 S 的法线的方向余弦，并且从此法线所指方向来看，积分时围线 C 的环绕方向是逆时针的(对于右手坐标系).

习题 4367—4375 应用斯托克斯公式计算曲线积分

【4367】 应用斯托克斯公式，计算曲线积分

$$\oint_C y\mathrm{d}x+z\mathrm{d}y+x\mathrm{d}z,$$

式中 C 为圆周 $x^2+y^2+z^2=a^2, x+y+z=0$，并且从 Ox 轴的正向来看，积分时此圆周的环绕方向是逆时针. 用直接计算法检验结果.

解 平面 $x+y+z=0$ 的法线的方向余弦为 $\cos\alpha=\cos\beta=\cos\gamma=\dfrac{1}{\sqrt{3}}$. 于是

$$\oint_C P\mathrm{d}x+Q\mathrm{d}y+R\mathrm{d}z=\iint_S\begin{vmatrix}\cos\alpha & \cos\beta & \cos\gamma\\ \dfrac{\partial}{\partial x} & \dfrac{\partial}{\partial y} & \dfrac{\partial}{\partial z}\\ x & y & z\end{vmatrix}\mathrm{d}S=-\iint_S(\cos\alpha+\cos\beta+\cos\gamma)\mathrm{d}S$$

$$=-\pi a^2(\cos\alpha+\cos\beta+\cos\gamma)=-\sqrt{3}\pi a^2.$$

下面用直接计算法检验结果. 由方程 $x^2+y^2+z^2=a^2$，$x+y+z=0$ 消去 z，即得曲线 C 在 Oxy 面上的投影 $x^2+y^2+xy=\dfrac{a^2}{2}$.

作旋转变换 $x=\dfrac{x'-y'}{\sqrt{2}}$，$y=\dfrac{x'+y'}{\sqrt{2}}$，方程化为 $3x'^2+y'^2=a^2$. 取曲线 C 的参数方程为

$$x=\frac{a}{\sqrt{2}}\left(\frac{\cos t}{\sqrt{3}}-\sin t\right),\ y=\frac{a}{\sqrt{2}}\left(\frac{\cos t}{\sqrt{3}}+\sin t\right),\ z=\frac{a}{\sqrt{2}}\left(-\frac{2}{\sqrt{3}}\cos t\right)(0\leqslant t\leqslant 2\pi).$$

于是，所求的曲线积分为

$$\oint_C y\mathrm{d}x+z\mathrm{d}y+x\mathrm{d}z$$

$$=\frac{a^2}{2}\int_0^{2\pi}\left[-\left(\frac{\cos t}{\sqrt{3}}+\sin t\right)\left(\frac{\sin t}{\sqrt{3}}+\cos t\right)-\frac{2}{\sqrt{3}}\cos t\left(\frac{-\sin t}{\sqrt{3}}+\cos t\right)+\frac{2}{\sqrt{3}}\sin t\left(\frac{\cos t}{\sqrt{3}}-\sin t\right)\right]\mathrm{d}t$$

$$=\frac{a^2}{2}\int_0^{2\pi}\left(-\frac{1}{\sqrt{3}}-\frac{2}{\sqrt{3}}\right)\mathrm{d}t=\frac{a^2}{2}(-\sqrt{3})2\pi=-\sqrt{3}\pi a^2.$$

可见，两种计算法结果一样.

【4368】 计算积分 $\int_{AmB}(x^2-yz)\mathrm{d}x+(y^2-xz)\mathrm{d}y+(z^2-xy)\mathrm{d}z$，此积分是从点 $A(a,0,0)$ 至点 $B(a,0,h)$ 沿着螺旋线 $x=a\cos\theta$，$y=a\sin\theta$，$z=\dfrac{h}{2\pi}\theta$ 进行的.

解 连接 A，B 两点得线段 AB，它与 AmB 组成封闭围线并依正向进行，则由斯托克斯公式知

$$\oint_{AmBA}(x^2-yz)\mathrm{d}x+(y^2-xz)\mathrm{d}y+(z^2-xy)\mathrm{d}z=\iint_S 0\mathrm{d}y\mathrm{d}z+0\mathrm{d}z\mathrm{d}x+0\mathrm{d}x\mathrm{d}y=0.$$

在线段 AB 上，$x=a$，$y=0$，$\mathrm{d}x=\mathrm{d}y=0$，而 $0\leqslant z\leqslant h$. 于是

$$\int_{AmB}(x^2-yz)\mathrm{d}x+(y^2-xz)\mathrm{d}y+(z^2-xy)\mathrm{d}z$$

$$=\int_{AB}(x^2-yz)\mathrm{d}x+(y^2-xz)\mathrm{d}y+(z^2-xy)\mathrm{d}z=\int_0^h z^2\mathrm{d}z=\frac{h^3}{3}.$$

【4369】 设 C 为平面 $x\cos\alpha+y\cos\beta+z\cos\gamma-p=0$ 上的封闭围线，所围面积为 S，求

$$\oint_C\begin{vmatrix}\mathrm{d}x & \mathrm{d}y & \mathrm{d}z\\ \cos\alpha & \cos\beta & \cos\gamma\\ x & y & z\end{vmatrix},$$

其中 $\cos\alpha$，$\cos\beta$，$\cos\gamma$ 为平面的法线的方向余弦，且积分沿围线 C 的正方向进行.

解 记

$$P=\begin{vmatrix}\cos\beta & \cos\gamma\\ y & z\end{vmatrix}=z\cos\beta-y\cos\gamma,$$

$$Q=\begin{vmatrix}\cos\gamma & \cos\alpha\\ z & x\end{vmatrix}=x\cos\gamma-z\cos\alpha,$$

$$R=\begin{vmatrix}\cos\alpha & \cos\beta\\ x & y\end{vmatrix}=y\cos\alpha-x\cos\beta,$$

则得

$$\oint_C\begin{vmatrix}dx & dy & dz\\ \cos\alpha & \cos\beta & \cos\gamma\\ x & y & z\end{vmatrix}=\oint_C P\,dx+Q\,dy+R\,dz=\iint_S\begin{vmatrix}\cos\alpha & \cos\beta & \cos\gamma\\ \frac{\partial}{\partial x} & \frac{\partial}{\partial y} & \frac{\partial}{\partial z}\\ P & Q & R\end{vmatrix}dS$$

$$=2\iint_S(\cos^2\alpha+\cos^2\beta+\cos^2\gamma)dS=2\iint_S dS=2S.$$

【应用斯托克斯公式,计算下列积分(4370—4374)】

【4370】 $\oint_C(y+z)dx+(z+x)dy+(x+y)dz$,其中 C 为椭圆周 $x=a\sin^2 t,y=2a\sin t\cos t,z=a\cos^2 t(0\leqslant t\leqslant\pi)$,并且以参数 t 增大的方向为积分时的正方向.

解 $\oint_C(y+z)dx+(z+x)dy+(x+y)dz=\iint_S 0dydz+0dzdx+0dxdy=0.$

【4371】 $\oint_C(y-z)dx+(z-x)dy+(x-y)dz$,其中 C 为椭圆周 $x^2+y^2=a^2,\frac{x}{a}+\frac{z}{h}=1(a>0,h>0)$,并且若从 Ox 轴正向看去,积分是沿此椭圆依逆时针方向进行的.

解 椭圆如图 8.71 所示. 把平面 $\frac{x}{a}+\frac{z}{h}=1$ 上 C 所包围的区域记为 S,则 S 的法线方向为 $(h,0,a)$. 注意到 S 的法线方向和曲线 C 的方向符合右手法则,故

$$\oint_C(y-z)dx+(z-x)dy+(x-y)dz$$

$$=-2\iint_S dydz+dzdx+dxdy=-2(\cos\alpha+\cos\beta+\cos\gamma)\iint_S dS$$

$$=-2\left(\frac{h}{\sqrt{a^2+h^2}}+0+\frac{a}{\sqrt{a^2+h^2}}\right)\pi a\sqrt{a^2+h^2}$$

$$=-2\pi a(a+h).$$

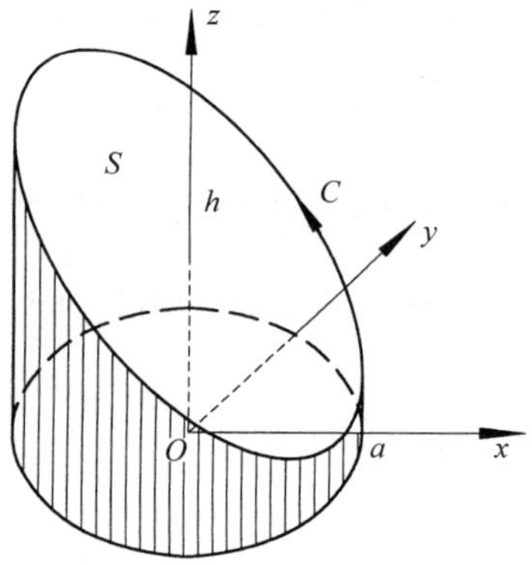

图 8.71

【4372】 $\oint_C(y^2+z^2)dx+(x^2+z^2)dy+(x^2+y^2)dz$,其中 C 是曲线 $x^2+y^2+z^2=2Rx,x^2+y^2=2rx(0<r<R,z>0)$,并且在沿此曲线进行积分时,球面 $x^2+y^2+z^2=2Rx$ 外侧被该曲线所围的最小区域始终位于左边.

解 注意到球面的法线的方向余弦为

$$\cos\alpha=\frac{x-R}{R},\cos\beta=\frac{y}{R},\cos\gamma=\frac{z}{R},$$

即得

$$\oint_C(y^2+z^2)dx+(x^2+z^2)dy+(x^2+y^2)dz$$

$$=2\iint_S[(y-z)\cos\alpha+(z-x)\cos\beta+(x-y)\cos\gamma]dS$$

$$=2\iint_S\left[(y-z)\left(\frac{x}{R}-1\right)+(z-x)\frac{y}{R}+(x-y)\frac{z}{R}\right]dS=2\iint_S(z-y)dS.$$

由于曲面 S 关于 xOy 面对称,故$\iint_S y\,dS=0$. 又$\iint_S z\,dS=\iint_S R\cos\gamma\,dS=R\cdot\pi r^2$,于是

$$\oint_C(y^2+z^2)dx+(x^2+z^2)dy+(x^2+y^2)dz=2\pi Rr^2.$$

【4373】 $\oint_C(y^2-z^2)dx+(z^2-x^2)dy+(x^2-y^2)dz$,其中 C 为用平面 $x+y+z=\frac{3}{2}a$ 截立方体 $0\leqslant x\leqslant a,0\leqslant y\leqslant a,0\leqslant z\leqslant a$ 所得截面的边界,并且若从 Ox 轴的正向看去,积分是沿 C 依逆时针方向进行的.

解 平面 $x+y+z=\frac{3}{2}a$ 含于立方体内的部分记为 S,它在 xOy 面上的投影域记为 S_{xy},其面积显然等于$\frac{3}{4}a^2$. 当平面 $x+y+z=\frac{3}{2}a$ 取上侧时,法线方向的单位向量为$\left(\frac{1}{\sqrt{3}},\frac{1}{\sqrt{3}},\frac{1}{\sqrt{3}}\right)$. 故由斯托克斯公式知

$$\oint_C(y^2-z^2)dx+(z^2-x^2)dy+(x^2-y^2)dz$$

$$=\iint_S\left[(-2y-2z)\frac{1}{\sqrt{3}}+(-2z-2x)\frac{1}{\sqrt{3}}+(-2x-2y)\frac{1}{\sqrt{3}}\right]dS$$

$$=-4\iint_S(x+y+z)\frac{1}{\sqrt{3}}dS=-6a\iint_S\frac{1}{\sqrt{3}}dS=-6a\iint_{S_{xy}}dxdy=-6a\,\frac{3}{4}a^2=-\frac{9}{2}a^3.$$

【4374】 $\oint_C y^2z^2dx+z^2x^2dy+x^2y^2dz$,其中 C 为封闭曲线 $x=a\cos t,y=a\cos 2t,z=a\cos 3t$,并且以参数 t 增大的方向为积分时的正方向.

解 取 S 为由参数方程

$$x=u\cos t,y=u\cos 2t,z=u\cos 3t(0\leqslant u\leqslant a,0\leqslant t\leqslant 2\pi)$$

表示的曲面,则所给曲线 C 为曲面 S 的边界.

于是,根据斯托克斯公式,有

$$\oint_C y^2z^2dx+z^2x^2dy+x^2y^2dz$$

$$=2\iint_S x^2(y-z)dydz+y^2(z-x)dzdx+z^2(x-y)dxdy$$

$$=\pm2\int_0^{2\pi}\int_0^a[u^2\cos^2t(u\cos 2t-u\cos 3t)(y'_uz'_t-y'_tz'_u)+u^2\cos^2 2t(u\cos 3t-u\cos t)(z'_ux'_t-z'_tx'_u)+$$

$$u^2\cos^2 3t(u\cos t-u\cos 2t)(x'_uy'_t-x'_ty'_u)]dudt$$

$$=\pm2\int_0^a u^4du\int_0^{2\pi}[\cos^2t(\cos 2t-\cos 3t)(2\sin 2t\cos 3t-3\cos 2t\sin 3t)+\cos^2 2t(\cos 3t-\cos t)$$

$$(3\sin 3t\cos t-\sin t\cos 3t)+\cos^2 3t(\cos t-\cos 2t)(\sin t\cos 2t-2\sin 2t\cos t)]dt$$

$$=\pm\frac{2}{5}a^5\int_{-\pi}^{\pi}[\cos^2t(\cos 2t-\cos 3t)(2\sin 2t\cos 3t-3\cos 2t\sin 3t)+\cos^2 2t(\cos 3t-\cos t)$$

$$(3\sin 3t\cos t-\sin t\cos 3t)+\cos^2 3t(\cos t-\cos 2t)(\sin t\cos 2t-2\sin 2t\cos t)]dt=0,$$

上式中正负号应这样选取:使得 S 的侧正好配合 C 的方向(t 增大的方向). 积分$\int_0^{2\pi}$ 可以换为$\int_{-\pi}^{\pi}$ 是因为被积函数(t 的函数)是周期为 2π 的函数,而$\int_{-\pi}^{\pi}$ 等于零是因为被积函数为奇函数.

注 本题若不用斯托克斯公式,而直接计算线积分,则较为简单.

$$\oint_C y^2z^2\mathrm{d}x+x^2z^2\mathrm{d}y+x^2y^2\mathrm{d}z$$

$$=-\int_0^{2\pi}a^5(\cos^2 2t\cos^2 3t\sin t+2\cos^2 t\cos^2 3t\sin 2t+3\cos^2 t\cos^2 2t\sin 3t)\mathrm{d}t$$

$$=-\int_{-\pi}^{\pi}a^5(\cos^2 2t\cos^2 3t\sin t+2\cos^2 t\cos^2 3t\sin 2t+3\cos^2 t\cos^2 2t\sin 3t)\mathrm{d}t=0.$$

$\int_0^{2\pi}$ 可以换为 $\int_{-\pi}^{\pi}$ 及 $\int_{-\pi}^{\pi}=0$ 的理由同上.

【4375】 有函数

$$W(x,y,z)=ki\iint_S\frac{\cos(\boldsymbol{r},\boldsymbol{n})}{r^2}\mathrm{d}S(k=\text{常数}),$$

其中曲面 S 的边界为围线 C,$\boldsymbol{n}$ 为曲面 S 的法向量,$\boldsymbol{r}$ 为连接空间的点 $M(x,y,z)$ 与围线 C 上的动点 $A(\xi,\eta,\zeta)$ 所成的径向量,证明:此函数为通过围线 C 的电流 i 所产生磁场 $\boldsymbol{H}$ 的势(参阅 4340 题).

证 利用 4340 题指出的定律,并注意到

$$\frac{\boldsymbol{r}}{r^3}=\frac{\partial}{\partial x}\left(\frac{1}{r}\right)\boldsymbol{i}+\frac{\partial}{\partial y}\left(\frac{1}{r}\right)\boldsymbol{j}+\frac{\partial}{\partial z}\left(\frac{1}{r}\right)\boldsymbol{k},$$

其中 $\boldsymbol{r}=(\xi-x)\boldsymbol{i}+(\eta-y)\boldsymbol{j}+(\zeta-z)\boldsymbol{k}$,即得

$$\boldsymbol{H}=ki\oint_C\frac{\boldsymbol{r}\cdot\mathrm{d}\boldsymbol{s}}{r^3}=ki\left\{\left[\oint_C\frac{\partial}{\partial y}\left(\frac{1}{r}\right)\mathrm{d}\zeta-\frac{\partial}{\partial z}\left(\frac{1}{r}\right)\mathrm{d}\eta\right]\boldsymbol{i}+\left[\oint_C\frac{\partial}{\partial z}\left(\frac{1}{r}\right)\mathrm{d}\xi-\frac{\partial}{\partial x}\left(\frac{1}{r}\right)\mathrm{d}\zeta\right]\boldsymbol{j}+\right.$$

$$\left.\left[\oint_C\frac{\partial}{\partial x}\left(\frac{1}{r}\right)\mathrm{d}\eta-\frac{\partial}{\partial y}\left(\frac{1}{r}\right)\mathrm{d}\xi\right]\boldsymbol{k}\right\},$$

利用斯托克斯公式,并注意到

$$\frac{\partial\left(\frac{1}{r}\right)}{\partial x}=-\frac{\partial\left(\frac{1}{r}\right)}{\partial\xi},\frac{\partial\left(\frac{1}{r}\right)}{\partial y}=-\frac{\partial\left(\frac{1}{r}\right)}{\partial\eta},\frac{\partial\left(\frac{1}{r}\right)}{\partial z}=-\frac{\partial\left(\frac{1}{r}\right)}{\partial\zeta}\text{ 及 }\Delta\left(\frac{1}{r}\right)=0,$$

从而

$$\frac{\partial^2}{\partial\eta\partial y}\left(\frac{1}{r}\right)+\frac{\partial^2}{\partial\zeta\partial z}\left(\frac{1}{r}\right)=-\frac{\partial^2}{\partial y^2}\left(\frac{1}{r}\right)-\frac{\partial^2}{\partial z^2}\left(\frac{1}{r}\right)=\frac{\partial^2}{\partial x^2}\left(\frac{1}{r}\right),$$

即得

$$H_x=ki\oint_C\frac{\partial}{\partial y}\left(\frac{1}{r}\right)\mathrm{d}\zeta-\frac{\partial}{\partial z}\left(\frac{1}{r}\right)\mathrm{d}\eta$$

$$=ki\iint_S\left[\left(\frac{\partial^2\left(\frac{1}{r}\right)}{\partial\eta\partial y}+\frac{\partial^2\left(\frac{1}{r}\right)}{\partial\zeta\partial z}\right)\boldsymbol{i}-\frac{\partial^2\left(\frac{1}{r}\right)}{\partial\xi\partial y}\boldsymbol{j}-\frac{\partial^2\left(\frac{1}{r}\right)}{\partial\xi\partial z}\boldsymbol{k}\right]\cdot\boldsymbol{n}\mathrm{d}S$$

$$=ki\frac{\partial}{\partial x}\iint_S\left[\frac{\partial}{\partial x}\left(\frac{1}{r}\right)\boldsymbol{i}+\frac{\partial}{\partial y}\left(\frac{1}{r}\right)\boldsymbol{j}+\frac{\partial}{\partial z}\left(\frac{1}{r}\right)\boldsymbol{k}\right]\cdot\boldsymbol{n}\mathrm{d}S$$

$$=ki\frac{\partial}{\partial x}\iint_S\frac{\boldsymbol{r}\cdot\boldsymbol{n}}{r^2}\mathrm{d}S=ki\frac{\partial}{\partial x}\iint_S\frac{\cos(\boldsymbol{r},\boldsymbol{n})}{r^2}\mathrm{d}S,$$

同理得

$$H_y=ki\frac{\partial}{\partial y}\iint_S\frac{\cos(\boldsymbol{r},\boldsymbol{n})}{r^2}\mathrm{d}S,H_z=ki\frac{\partial}{\partial z}\iint_S\frac{\cos(\boldsymbol{r},\boldsymbol{n})}{r^2}\mathrm{d}S.$$

于是,最后得

$$\boldsymbol{H}=\frac{\partial W}{\partial x}\boldsymbol{i}+\frac{\partial W}{\partial y}\boldsymbol{j}+\frac{\partial W}{\partial z}\boldsymbol{k},$$

即函数 $W(x,y,z)$ 是磁场 $\boldsymbol{H}$ 的势.

第16节 高斯公式（习题4376—4400）

知识点预览

知识点	题目序号	所在页码
高斯公式	4376—4400	P193

知识点 高斯公式

若空间区域 V 的边界 S 为分片光滑曲面，$P=P(x,y,z)$，$Q=Q(x,y,z)$，$R=R(x,y,z)$ 和它们的一阶偏导数均为区域 $V\cup S$ 内的连续函数，则成立高斯公式

$$\iint_S(P\cos\alpha+Q\cos\beta+R\cos\gamma)\mathrm{d}S=\iiint_V\left(\frac{\partial P}{\partial x}+\frac{\partial Q}{\partial y}+\frac{\partial R}{\partial z}\right)\mathrm{d}x\mathrm{d}y\mathrm{d}z,$$

式中 $\cos\alpha,\cos\beta,\cos\gamma$ 为曲面 S 的外法线的方向余弦.

习题 4376—4384 应用高斯公式计算曲面积分

【应用高斯公式变换下列曲面积分，设光滑曲面 S 是有界区域 V 的边界，$\cos\alpha,\cos\beta,\cos\gamma$ 为曲面 S 的外法线的方向余弦(4376—4380)】

【4376】 $\iint_S x^3\mathrm{d}y\mathrm{d}z+y^3\mathrm{d}z\mathrm{d}x+z^3\mathrm{d}x\mathrm{d}y.$

解 由于 $P=x^3,Q=y^3,R=z^3$. 从而 $\frac{\partial P}{\partial x}+\frac{\partial Q}{\partial y}+\frac{\partial R}{\partial z}=3(x^2+y^2+z^2)$. 于是

$$\iint_S x^3\mathrm{d}y\mathrm{d}z+y^3\mathrm{d}z\mathrm{d}x+z^3\mathrm{d}x\mathrm{d}y=3\iiint_V(x^2+y^2+z^2)\mathrm{d}x\mathrm{d}y\mathrm{d}z.$$

【4377】 $\iint_S xy\mathrm{d}x\mathrm{d}y+xz\mathrm{d}z\mathrm{d}x+yz\mathrm{d}y\mathrm{d}z.$

解 由于 $\frac{\partial P}{\partial x}+\frac{\partial Q}{\partial y}+\frac{\partial R}{\partial z}=0$，故得

$$\iint_S xy\mathrm{d}x\mathrm{d}y+xz\mathrm{d}z\mathrm{d}x+yz\mathrm{d}y\mathrm{d}z=\iiint_V 0\mathrm{d}x\mathrm{d}y\mathrm{d}z=0.$$

【4378】 $\iint_S\frac{x\cos\alpha+y\cos\beta+z\cos\gamma}{\sqrt{x^2+y^2+z^2}}\mathrm{d}S.$

解 由于 $P=\frac{x}{\sqrt{x^2+y^2+z^2}}$，$Q=\frac{y}{\sqrt{x^2+y^2+z^2}}$，$R=\frac{z}{\sqrt{x^2+y^2+z^2}}$，从而

$$\frac{\partial P}{\partial x}+\frac{\partial Q}{\partial y}+\frac{\partial R}{\partial z}=\frac{2}{\sqrt{x^2+y^2+z^2}}.$$

于是

$$\iint_S \frac{x\cos\alpha + y\cos\beta + z\cos\gamma}{\sqrt{x^2+y^2+z^2}}\mathrm{d}S = 2\iiint_V \frac{\mathrm{d}x\mathrm{d}y\mathrm{d}z}{\sqrt{x^2+y^2+z^2}}.$$

【4379】 $\iint_S \left(\frac{\partial u}{\partial x}\cos\alpha + \frac{\partial u}{\partial y}\cos\beta + \frac{\partial u}{\partial z}\cos\gamma\right)\mathrm{d}S.$

解 由于$\frac{\partial P}{\partial x} + \frac{\partial Q}{\partial y} + \frac{\partial R}{\partial z} = \frac{\partial^2 u}{\partial x^2} + \frac{\partial^2 u}{\partial y^2} + \frac{\partial^2 u}{\partial z^2} = \Delta u$,故得

$$\iint_S \left(\frac{\partial u}{\partial x}\cos\alpha + \frac{\partial u}{\partial y}\cos\beta + \frac{\partial u}{\partial z}\cos\gamma\right)\mathrm{d}S = \iiint_V \Delta u\mathrm{d}x\mathrm{d}y\mathrm{d}z.$$

【4380】 $\iint_S \left[\left(\frac{\partial R}{\partial y} - \frac{\partial Q}{\partial z}\right)\cos\alpha + \left(\frac{\partial P}{\partial z} - \frac{\partial R}{\partial x}\right)\cos\beta + \left(\frac{\partial Q}{\partial x} - \frac{\partial P}{\partial y}\right)\cos\gamma\right]\mathrm{d}S.$

解 记$P^* = \frac{\partial R}{\partial y} - \frac{\partial Q}{\partial z}, Q^* = \frac{\partial P}{\partial z} - \frac{\partial R}{\partial x}, R^* = \frac{\partial Q}{\partial x} - \frac{\partial P}{\partial y}$,则$\frac{\partial P^*}{\partial x} + \frac{\partial Q^*}{\partial y} + \frac{\partial R^*}{\partial z} = 0$. 于是,原曲面积分等于零.

【利用高斯公式计算下列曲面积分(4381—4383)】

【4381】 $\iint_S x^2\mathrm{d}y\mathrm{d}z + y^2\mathrm{d}z\mathrm{d}x + z^2\mathrm{d}x\mathrm{d}y$,其中 S 为立方体 $0 \leqslant x \leqslant a, 0 \leqslant y \leqslant a, 0 \leqslant z \leqslant a$ 的外表面.

解 $\iint_S x^2\mathrm{d}y\mathrm{d}z + y^2\mathrm{d}z\mathrm{d}x + z^2\mathrm{d}x\mathrm{d}y = 2\iiint_V (x+y+z)\mathrm{d}x\mathrm{d}y\mathrm{d}z$

$$= 2\int_0^a \mathrm{d}x\int_0^a \mathrm{d}y\int_0^a (x+y+z)\mathrm{d}z = 6\int_0^a \mathrm{d}x\int_0^a \mathrm{d}y\int_0^a z\mathrm{d}z = 3a^4.$$

【4382】 $\iint_S x^3\mathrm{d}y\mathrm{d}z + y^3\mathrm{d}z\mathrm{d}x + z^3\mathrm{d}x\mathrm{d}y$,其中 S 为球 $x^2+y^2+z^2 = a^2$ 的外表面.

解 $\iint_S x^3\mathrm{d}y\mathrm{d}z + y^3\mathrm{d}z\mathrm{d}x + z^3\mathrm{d}x\mathrm{d}y = 3\iiint_V (x^2+y^2+z^2)\mathrm{d}x\mathrm{d}y\mathrm{d}z$

$$= 3\int_0^{2\pi}\mathrm{d}\theta\int_0^{\pi}\mathrm{d}\varphi\int_0^a r^4\sin\varphi\mathrm{d}r = 6\pi\int_0^{\pi}\sin\varphi\mathrm{d}\varphi\int_0^a r^4\mathrm{d}r = \frac{12}{5}\pi a^5.$$

【4383】 $\iint_S (x-y+z)\mathrm{d}y\mathrm{d}z + (y-z+x)\mathrm{d}z\mathrm{d}x + (z-x+y)\mathrm{d}x\mathrm{d}y$,其中 S 为曲面

$$|x-y+z| + |y-z+x| + |z-x+y| = 1$$

的外侧.

解 $\iint_S (x-y+z)\mathrm{d}y\mathrm{d}z + (y-z+x)\mathrm{d}z\mathrm{d}x + (z-x+y)\mathrm{d}x\mathrm{d}y = \iiint_V 3\mathrm{d}x\mathrm{d}y\mathrm{d}z$,

其中 V 为由曲面 $|x-y+z| + |y-z+x| + |z-x+y| = 1$ 围成的区域. 作变换

$$u = x-y+z, v = y-z+x, w = z-x+y,$$

则$\frac{D(u,v,w)}{D(x,y,z)} = 4$,且由 $|u|+|v|+|w| = 1$ 围成的体积等于$\frac{4}{3}$. 于是,所求的积分为

$$\iint_S (x-y+z)\mathrm{d}y\mathrm{d}z + (y-z+x)\mathrm{d}z\mathrm{d}x + (z-x+y)\mathrm{d}x\mathrm{d}y$$

$$= \iiint_{|u|+|v|+|w|\leqslant 1} 3\cdot\frac{1}{4}\mathrm{d}u\mathrm{d}v\mathrm{d}w = \frac{3}{4}\cdot\frac{4}{3} = 1.$$

注 $|u|+|v|+|w|=1$ 围成的体积是对称于坐标原点的正八面体的体积，其大小等于由平面 $u+v+w=1, u=0, v=0, w=0$ 所围成的四面体体积的 8 倍，即为

$$8\cdot\frac{1}{3}\cdot\frac{1}{2}\cdot 1=\frac{4}{3}.$$

【4384】 计算

$$\iint_S (x^2\cos\alpha+y^2\cos\beta+z^2\cos\gamma)\,\mathrm{d}S,$$

其中 S 为部分圆锥面 $x^2+y^2=z^2(0\leqslant z\leqslant h)$，$\cos\alpha,\cos\beta,\cos\gamma$ 为此曲面外法线的方向余弦.

解 合并平面 $S_1: z=h, x^2+y^2\leqslant h^2$ 的部分组成封闭曲面：$S\cup S_1$，它是空间区域 V 的边界，利用高斯公式，即得

$$\iint_{S\cup S_1}(x^2\cos\alpha+y^2\cos\beta+z^2\cos\gamma)\,\mathrm{d}S=2\iiint_V (x+y+z)\,\mathrm{d}x\mathrm{d}y\mathrm{d}z$$

$$=2\int_0^{2\pi}\mathrm{d}\theta\int_0^h r\mathrm{d}r\int_r^h[r(\cos\theta+\sin\theta)+z]\mathrm{d}z=2\pi\int_0^h(rh^2-r)\mathrm{d}r=\frac{\pi h^4}{2}.$$

又因 $\iint_{S_1}(x^2\cos\alpha+y^2\cos\beta+z^2\cos\gamma)\,\mathrm{d}S=h^2\iint_{x^2+y^2\leqslant h^2}\mathrm{d}x\mathrm{d}y=\pi h^4$，于是

$$\iint_S (x^2\cos\alpha+y^2\cos\beta+z^2\cos\gamma)\,\mathrm{d}S=\frac{\pi h^4}{2}-\pi h^4=-\frac{\pi h^4}{2}.$$

习题 4385—4389 应用高斯公式证明等量关系

【4385】 证明：若 S 为封闭的简单曲面，而 $\boldsymbol{l}$ 为任何的固定方向，则

$$\iint_S \cos(\boldsymbol{n},\boldsymbol{l})\,\mathrm{d}S=0,$$

式中 $\boldsymbol{n}$ 为曲面 S 的外法向量.

证 因为

$$\cos(\boldsymbol{n},\boldsymbol{l})=\cos\alpha\cos(\boldsymbol{l},x)+\cos\beta\cos(\boldsymbol{l},y)+\cos\gamma\cos(\boldsymbol{l},z),$$

其中 $\cos\alpha,\cos\beta,\cos\gamma$ 为 $\boldsymbol{n}$ 的方向余弦，故有

$$\iint_S\cos(\boldsymbol{n},\boldsymbol{l})\,\mathrm{d}S=\iint_S\cos(\boldsymbol{l},x)\mathrm{d}y\mathrm{d}z+\cos(\boldsymbol{l},y)\mathrm{d}z\mathrm{d}x+\cos(\boldsymbol{l},z)\mathrm{d}x\mathrm{d}y.$$

由于 $\boldsymbol{l}$ 为固定方向，从而 $\cos(\boldsymbol{l},x),\cos(\boldsymbol{l},y),\cos(\boldsymbol{l},z)$ 均为常数. 于是

$$\iint_S\cos(\boldsymbol{n},\boldsymbol{l})\,\mathrm{d}S=\iiint_V\left[\frac{\partial\cos(\boldsymbol{l},x)}{\partial x}+\frac{\partial\cos(\boldsymbol{l},y)}{\partial y}+\frac{\partial\cos(\boldsymbol{l},z)}{\partial z}\right]\mathrm{d}x\mathrm{d}y\mathrm{d}z=\iiint_V 0\,\mathrm{d}x\mathrm{d}y\mathrm{d}z=0.$$

【4386】 证明：以曲面 S 为界的物体的体积等于

$$V=\frac{1}{3}\iint_S(x\cos\alpha+y\cos\beta+z\cos\gamma)\,\mathrm{d}S,$$

式中 $\cos\alpha,\cos\beta,\cos\gamma$ 为曲面 S 的外法线的方向余弦.

证 由高斯公式，有

$$\iint_S(x\cos\alpha+y\cos\beta+z\cos\gamma)\,\mathrm{d}S=\iint_S x\mathrm{d}y\mathrm{d}z+y\mathrm{d}z\mathrm{d}x+z\mathrm{d}x\mathrm{d}y$$

$$= \iiint_V \left(\frac{\partial x}{\partial x}+\frac{\partial y}{\partial y}+\frac{\partial z}{\partial z}\right)\mathrm{d}x\mathrm{d}y\mathrm{d}z = \iiint_V 3\mathrm{d}x\mathrm{d}y\mathrm{d}z = 3V.$$

由此可知 $V=\frac{1}{3}\iint_S (x\cos\alpha+y\cos\beta+z\cos\gamma)\mathrm{d}S$.

【4387】 证明:以光滑锥面 $F(x,y,z)=0$ 和平面 $Ax+By+Cz+D=0$ 为界的锥体的体积等于

$$V=\frac{1}{3}SH,$$

其中 S 为位于该平面上的锥底的面积,H 为锥体的高.

证 **方法一** 不失一般性,设坐标原点位于锥面 $F(x,y,z)=0$ 的顶点. 于是 $F(x,y,z)$ 是 x,y,z 的二次齐次函数. 因此,根据齐次函数的欧拉定理知

$$x\frac{\partial F}{\partial x}+y\frac{\partial F}{\partial y}+z\frac{\partial F}{\partial z}=2F(x,y,z). \qquad ①$$

由 4386 题的结果,有

$$\begin{aligned} V &= \frac{1}{3}\iint_{S\cup S_1}(x\cos\alpha+y\cos\beta+z\cos\gamma)\mathrm{d}S \\ &= \frac{1}{3}\iint_S (x\cos\alpha+y\cos\beta+z\cos\gamma)\mathrm{d}S+\frac{1}{3}\iint_{S_1}(x\cos\alpha+y\cos\beta+z\cos\gamma)\mathrm{d}S, \end{aligned} \qquad ②$$

其中 S 为锥底(位于平面 $Ax+By+Cz+D=0$ 上),S_1 是锥的侧面. 在锥面 S_1(即 $F(x,y,z)=0$)上,有

$$\cos\alpha=\frac{F'_x}{\pm\sqrt{F'^2_x+F'^2_y+F'^2_z}},\cos\beta=\frac{F'_y}{\pm\sqrt{F'^2_x+F'^2_y+F'^2_z}},\cos\gamma=\frac{F'_z}{\pm\sqrt{F'^2_x+F'^2_y+F'^2_z}}.$$

于是,注意到 ① 式,即知在 S_1 上有

$$x\cos\alpha+y\cos\beta+z\cos\gamma=\frac{xF'_x+yF'_y+zF'_z}{\pm\sqrt{F'^2_x+F'^2_y+F'^2_z}}=\frac{2F(x,y,z)}{\pm\sqrt{F'^2_x+F'^2_y+F'^2_z}}=0.$$

从而

$$\iint_{S_1}(x\cos\alpha+y\cos\beta+z\cos\gamma)\mathrm{d}S=0. \qquad ③$$

又在平面 $Ax+By+Cz+D=0$ 上,有

$$x\cos\alpha+y\cos\beta+z\cos\gamma=\boldsymbol{r}\cdot\boldsymbol{n}=H,$$

其中 $\boldsymbol{r}=x\boldsymbol{i}+y\boldsymbol{j}+z\boldsymbol{k}$ 是从原点 $(0,0,0)$ 到点 (x,y,z) 的向径,$\boldsymbol{n}$ 为平面(锥底)的单位外法向量,H 为从原点到平面的距离(即锥体的高). 于是

$$\iint_S (x\cos\alpha+y\cos\beta+z\cos\gamma)\mathrm{d}S=H\iint_S \mathrm{d}S=HS.$$

由此,再注意到 ② 式与 ③ 式,即得 $V=\frac{1}{3}SH$.

方法二 取坐标系 $Ox'y'z'$,使锥的顶点在坐标原点,$Ox'y'$ 面平行于锥的底面,由于在 z 处的锥的截面面积为

$$S(z')=\frac{Sz'^2}{H^2},$$

故所求的体积为

$$V=\int_0^H S(z')\mathrm{d}z'=\int_0^H \frac{S}{H^2}z'^2\mathrm{d}z'=\frac{1}{3}SH.$$

【4388】 证明公式:

$$\frac{\mathrm{d}}{\mathrm{d}t}\left\{\iiint_{x^2+y^2+z^2\leqslant t^2} f(x,y,z,t)\mathrm{d}x\mathrm{d}y\mathrm{d}z\right\}=\iint_{x^2+y^2+z^2=t^2} f(x,y,z,t)\mathrm{d}S+\iiint_{x^2+y^2+z^2\leqslant t^2}\frac{\partial f}{\partial t}\mathrm{d}x\mathrm{d}y\mathrm{d}z(t>0).$$

证 **方法一** 作变量代换 $x=tu,y=tv,z=tw$($t>0$ 固定),则由高斯公式

$$\frac{\mathrm{d}}{\mathrm{d}t}\Big\{\iiint\limits_{x^2+y^2+z^2\leqslant t^2} f(x,y,z,t)\mathrm{d}x\mathrm{d}y\mathrm{d}z\Big\}=\frac{\mathrm{d}}{\mathrm{d}t}\Big\{\iiint\limits_{u^2+v^2+w^2\leqslant 1} t^3 f(tu,tv,tw,t)\mathrm{d}u\mathrm{d}v\mathrm{d}w\Big\}$$

$$=\iiint\limits_{u^2+v^2+w^2\leqslant 1}\Big[t^3\Big(\frac{\partial f}{\partial x}u+\frac{\partial f}{\partial y}v+\frac{\partial f}{\partial z}w+\frac{\partial f}{\partial t}\Big)+3t^2 f\Big]\mathrm{d}u\mathrm{d}v\mathrm{d}w$$

$$=\iiint\limits_{u^2+v^2+w^2\leqslant 1} t^3\Big\{\frac{1}{t}\Big[\frac{\partial}{\partial x}(fx)+\frac{\partial}{\partial y}(fy)+\frac{\partial}{\partial z}(fz)\Big]\Big\}\mathrm{d}u\mathrm{d}v\mathrm{d}w+\iiint\limits_{u^2+v^2+w^2\leqslant 1} t^3\frac{\partial f}{\partial t}\mathrm{d}u\mathrm{d}v\mathrm{d}w$$

$$=\frac{1}{t}\iiint\limits_{x^2+y^2+z^2\leqslant t^2}\Big[\frac{\partial}{\partial x}(fx)+\frac{\partial}{\partial y}(fy)+\frac{\partial}{\partial z}(fz)\Big]\mathrm{d}x\mathrm{d}y\mathrm{d}z+\iiint\limits_{x^2+y^2+z^2\leqslant t^2}\frac{\partial f}{\partial t}\mathrm{d}x\mathrm{d}y\mathrm{d}z$$

$$=\frac{1}{t}\iint\limits_{x^2+y^2+z^2=t^2}(fx\cos\alpha+fy\cos\beta+fz\cos\gamma)\mathrm{d}S+\iiint\limits_{x^2+y^2+z^2\leqslant t^2}\frac{\partial f}{\partial t}\mathrm{d}x\mathrm{d}y\mathrm{d}z\,(t>0),$$

其中 $\cos\alpha,\cos\beta,\cos\gamma$ 为球面 $x^2+y^2+z^2=t^2$ 上向外法线的方向余弦. 显然

$$\cos\alpha=\frac{x}{t},\cos\beta=\frac{y}{t},\cos\gamma=\frac{z}{t},$$

故

$$\iint\limits_{x^2+y^2+z^2=t^2}(fx\cos\alpha+fy\cos\beta+fz\cos\gamma)\mathrm{d}S=\iint\limits_{x^2+y^2+z^2=t^2} f\cdot\frac{x^2+y^2+z^2}{t}\mathrm{d}S=t\iint\limits_{x^2+y^2+z^2=t^2} f\mathrm{d}S.$$

于是,最后得

$$\frac{\mathrm{d}}{\mathrm{d}t}\Big\{\iiint\limits_{x^2+y^2+z^2\leqslant t^2} f(x,y,z,t)\mathrm{d}x\mathrm{d}y\mathrm{d}z\Big\}=\iint\limits_{x^2+y^2+z^2=t^2} f(x,y,z,t)\mathrm{d}S+\iiint\limits_{x^2+y^2+z^2\leqslant t^2}\frac{\partial f}{\partial t}\mathrm{d}x\mathrm{d}y\mathrm{d}z\,(t>0).$$

方法二 采用球面坐标,令 $x=r\cos\theta\sin\varphi, y=r\sin\theta\sin\varphi, z=r\cos\varphi$,有

$$\frac{\mathrm{d}}{\mathrm{d}x}\Big\{\iiint\limits_{x^2+y^2+z^2\leqslant t^2} f(x,y,z,t)\mathrm{d}x\mathrm{d}y\mathrm{d}z\Big\}=\frac{\mathrm{d}}{\mathrm{d}t}\{\int_0^t[\int_0^{2\pi}\mathrm{d}\theta\int_0^{\pi} f(r\cos\theta\sin\varphi,r\sin\theta\sin\varphi,r\cos\varphi,t)r^2\sin\varphi\mathrm{d}\varphi]\mathrm{d}r\}$$

$$=\int_0^{2\pi}\mathrm{d}\varphi\int_0^{\pi} f(t\cos\theta\sin\varphi,t\sin\theta\sin\varphi,t\cos\varphi,t)t^2\sin\varphi\mathrm{d}\varphi+$$

$$\int_0^t\int_0^{2\pi}\int_0^{\pi}\frac{\partial}{\partial t}f(r\cos\theta\sin\varphi,r\sin\theta\sin\varphi,r\cos\varphi,t)r^2\sin\varphi\mathrm{d}\varphi\mathrm{d}\theta\mathrm{d}r$$

$$=\iint\limits_{x^2+y^2+z^2=t^2} f(x,y,z,t)\mathrm{d}S+\iiint\limits_{x^2+y^2+z^2\leqslant t^2}\frac{\partial f}{\partial t}\mathrm{d}x\mathrm{d}y\mathrm{d}z.$$

【4389】 证明公式:

$$\iiint\limits_V\frac{\mathrm{d}\xi\mathrm{d}\eta\mathrm{d}\zeta}{r}=\frac{1}{2}\iint\limits_S\cos(\boldsymbol{r},\boldsymbol{n})\mathrm{d}S,$$

其中封闭曲面 S 为区域 V 的表面, $\boldsymbol{n}$ 为封闭曲面 S 上的点 (ξ,η,ζ) 处的外法向量,而

$$r=\sqrt{(\xi-x)^2+(\eta-y)^2+(\zeta-z)^2},$$

$\boldsymbol{r}$ 为从点 (x,y,z) 到点 (ξ,η,ζ) 的径向量.

证 首先设曲面 S 不包围点 (x,y,z)(即点 (x,y,z) 在 V 之外),则

$$\cos(\boldsymbol{r},\boldsymbol{n})=\cos(\boldsymbol{r},x)\cos\alpha+\cos(\boldsymbol{r},y)\cos\beta+\cos(\boldsymbol{r},z)\cos\gamma,$$

其中 $\cos\alpha,\cos\beta,\cos\gamma$ 为 $\boldsymbol{n}$ 的方向余弦. 由于

$$\cos(\boldsymbol{r},x)=\frac{\xi-x}{r},\cos(\boldsymbol{r},y)=\frac{\eta-y}{r},\cos(\boldsymbol{r},z)=\frac{\zeta-z}{r},$$

故 $\cos(\boldsymbol{r},\boldsymbol{n})=\frac{\xi-x}{r}\cos\alpha+\frac{\eta-y}{r}\cos\beta+\frac{\zeta-z}{r}\cos\gamma$. 于是,利用高斯公式,即得

$$\iint\limits_S\cos(\boldsymbol{r},\boldsymbol{n})\mathrm{d}S=\iint\limits_S\Big(\frac{\xi-x}{r}\cos\alpha+\frac{\eta-y}{r}\cos\beta+\frac{\zeta-z}{r}\cos\gamma\Big)\mathrm{d}S$$

$$=\iiint\limits_V\Big[\frac{\partial}{\partial\xi}\Big(\frac{\xi-x}{r}\Big)+\frac{\partial}{\partial\eta}\Big(\frac{\eta-y}{r}\Big)+\frac{\partial}{\partial\zeta}\Big(\frac{\zeta-z}{r}\Big)\Big]\mathrm{d}\xi\mathrm{d}\eta\mathrm{d}\zeta=\iiint\limits_V\frac{2}{r}\mathrm{d}\xi\mathrm{d}\eta\mathrm{d}\zeta,$$

故$\iiint\limits_V \frac{d\xi d\eta d\zeta}{r} = \frac{1}{2}\iint\limits_S \cos(\boldsymbol{r},\boldsymbol{n})dS.$

其次设曲面 S 包围点(x,y,z). 用一小区域将点(x,y,z)挖掉，即以点(x,y,z)为中心、ε 为半径作一开球域 V_ε(ε 充分小)，其边界(球面)以 S_ε 表示. 对闭区域 $V\backslash V_\varepsilon$，应用高斯公式，仿上可得

$$\iint\limits_S \cos(\boldsymbol{r},\boldsymbol{n})dS+\iint\limits_{S_\varepsilon} \cos(\boldsymbol{r},\boldsymbol{n})dS = \iiint\limits_{V\backslash V_\varepsilon}\left[\frac{\partial}{\partial\xi}\left(\frac{\xi-x}{r}\right)+\frac{\partial}{\partial\eta}\left(\frac{\eta-y}{r}\right)+\frac{\partial}{\partial\zeta}\left(\frac{\zeta-z}{r}\right)\right]d\xi d\eta d\zeta = 2\iiint\limits_{V\backslash V_\varepsilon}\frac{d\xi d\eta d\zeta}{r}.$$

但在 S_ε 上，$\boldsymbol{n}$ 的方向与 $\boldsymbol{r}$ 的方向相反，故 $\cos(\boldsymbol{r},\boldsymbol{n})=-1$. 于是

$$\iint\limits_{S_\varepsilon}\cos(\boldsymbol{r},\boldsymbol{n})dS = -4\pi\varepsilon^2.$$

由此可知，在前式中令 $\varepsilon\to 0^+$ 取极限，即得

$$\iiint\limits_V \frac{d\xi d\eta d\zeta}{r} = \lim_{r\to 0^+}\iiint\limits_{V\backslash V_\varepsilon}\frac{d\xi d\eta d\zeta}{r} = \frac{1}{2}\iint\limits_S \cos(\boldsymbol{r},\boldsymbol{n})dS.$$

习题 4390—4391 应用高斯公式计算体积

【4390】 求以曲面 $z=\pm c$ 及

$$x=a\cos u\cos v+b\sin u\sin v,\ y=a\cos u\sin v-b\sin u\cos v,\ z=c\sin u$$

为界的物体的体积.

解 方法一

$$x^2+y^2=a^2\cos^2 u+b^2\sin^2 u, \qquad ①$$

以 $z=c\sin u$ 代入得

$$x^2+y^2+\frac{a^2-b^2}{c^2}z^2=a^2, \qquad ②$$

故所界物体由平面 $z=c, z=-c$ 及曲面②围成. 利用 4386 题的结果，即知所求的体积为

$$V=\frac{1}{3}\iint\limits_{S_1+S_2+S_3}(x\cos\alpha+y\cos\beta+z\cos\gamma)dS,$$

其中 S_1, S_2 分别是平面 $z=c, z=-c$ 上的部分(此时 $u=\frac{\pi}{2}, u=-\frac{\pi}{2}$，从而 $x^2+y^2=b^2$，故 S_1, S_2 为圆盘 $x^2+y^2\leqslant b^2$)，S_3 表示曲面②的部分，$\cos\alpha, \cos\beta, \cos\gamma$ 表示外法线的方向余弦. 显然，在 S_1 上，$\cos\alpha=\cos\beta=0, \cos\gamma=\frac{c}{|c|}$. 于是

$$\iint\limits_{S_1}(x\cos\alpha+y\cos\beta+z\cos\gamma)dS=\iint\limits_{S_1}\frac{c^2}{|c|}dS=|c|\pi b^2.$$

同理可得$\iint\limits_{S_2}(x\cos\alpha+y\cos\beta+z\cos\gamma)dS=|c|\pi b^2.$

此外，有

$$\iint\limits_{S_3}(x\cos\alpha+y\cos\beta+z\cos\gamma)dS=\iint\limits_{S_3}x dydz+y dzdx+z dxdy$$

$$=\pm\int_0^{2\pi}dv\int_{-\frac{\pi}{2}}^{\frac{\pi}{2}}[(a\cos u\cos v+b\sin u\sin v)(y'_u z'_v-y'_v z'_u)+$$
$$(a\cos u\sin v-b\sin u\cos v)(z'_u x'_v-z'_v x'_u)+c\sin u(x'_u y'_v-x'_v y'_u)]du$$

$$=\pm\int_0^{2\pi}dv\int_{-\frac{\pi}{2}}^{\frac{\pi}{2}}ca^2\cos u\,du=\pm 4\pi|c|a^2, \qquad ④$$

其中正负号应这样选取，使对应于 S_3 的外侧. 下面确定此正负号. 由②，S_3 的方程可写为 $F(x,y,z)=a^2$，其中 $F(x,y,z)=x^2+y^2+\frac{a^2-b^2}{c^2}z^2$ 是二次齐次函数. 于是，在 S_3 上，有

$$\cos\alpha=\frac{F'_x}{\pm\sqrt{F'^2_x+F'^2_y+F'^2_z}},\cos\beta=\frac{F'_y}{\pm\sqrt{F'^2_x+F'^2_y+F'^2_z}},\cos\gamma=\frac{F'_z}{\pm\sqrt{F'^2_x+F'^2_y+F'^2_z}}.$$

其中正号对应于 S_3 的一侧，负号对应于 S_3 的另一侧. 于是，根据齐次函数的欧拉定理，在 S_3(外侧) 上有

$$x\cos\alpha+y\cos\beta+z\cos\gamma=\frac{xF'_x+yF'_y+zF'_z}{\pm\sqrt{F'^2_x+F'^2_y+F'^2_z}}$$

$$=\frac{2F(x,y,z)}{\pm\sqrt{F'^2_x+F'^2_y+F'^2_z}}=\frac{2a^2}{\pm\sqrt{F'^2_x+F'^2_y+F'^2_z}},\qquad ⑤$$

但在 S_3 与 xOy 面的交线(即 $x^2+y^2=a^2,z=0$) 的各点上，对 S_3 的外侧，显然有(注意到曲面 ② 关于 xOy 坐标平面对称)

$$x\cos\alpha+y\cos\beta+z\cos\gamma=\boldsymbol{r}\cdot\boldsymbol{n}>0,$$

这是因为此时径向量 $\boldsymbol{r}=x\boldsymbol{i}+y\boldsymbol{j}+z\boldsymbol{k}$ 与单位外法向量 $\boldsymbol{n}$ 的方向一致，由此可知，在 ⑤ 式中应取正号. 故

$$\iint_{S_3}(x\cos\alpha+y\cos\beta+z\cos\gamma)\mathrm{d}S=\iint_{S_3}\frac{2a^2}{\sqrt{F'^2_x+F'^2_y+F'^2_z}}\mathrm{d}S>0.$$

从而，由 ④ 式知

$$\iint_{S_3}(x\cos\alpha+y\cos\beta+z\cos\gamma)\mathrm{d}S=4\pi\mid c\mid a^2.$$

综上所述，最后得

$$V=\frac{1}{3}(4\pi\mid c\mid a^2+\mid c\mid\pi b^2+\mid c\mid\pi b^2)=\frac{4\pi}{3}\left(a^2+\frac{b^2}{2}\right)\mid c\mid.$$

方法二 不用曲面积分求体积的公式③，而直接计算体积较为简单. 由 ① 式知，平面 $z=$ 常数(即 $u=$ 常数) 与曲面 ② 的截面 $S(z)$ 是圆，故所求的体积为

$$V=\int_{-c}^{c}\mathrm{d}z\iint_{S(z)}\mathrm{d}x\mathrm{d}y=\int_{-c}^{c}S(z)\mathrm{d}z=\int_{-\frac{\pi}{2}}^{\frac{\pi}{2}}\pi(a^2\cos^2u+b^2\sin^2u)\mid c\mid\mathrm{d}(\sin u)$$

$$=\mid c\mid\pi\int_{-\frac{\pi}{2}}^{\frac{\pi}{2}}[a^2+(b^2-a^2)\sin^2u]\mathrm{d}(\sin u)$$

$$=\pi\mid c\mid\left[2a^2+\frac{2}{3}(b^2-a^2)\right]=\frac{4\pi}{3}\left(a^2+\frac{b^2}{2}\right)\mid c\mid.$$

【4391】 求以曲面 $x=u\cos v,y=u\sin v,z=-u+a\cos v(u\geqslant0)$ 及平面 $x=0$，$z=0(a>0)$ 为界的物体的体积.

解 方法一 用 S_1 表物体位于平面 $z=0$ 上的那一部分，S_2 为物体表面由所给参数方程给出的曲面上那一部分，此外，物体表面在平面 $x=0$ 上的那部分显然是一线段 $x=0,y=0,0\leqslant z\leqslant a$. 于是，利用 4386 题的结果，即知所求体积为

$$V=\frac{1}{3}\iint_{S_1\cup S_2}(x\cos\alpha+y\cos\beta+z\cos\gamma)\mathrm{d}S,$$

其中 $\cos\alpha,\cos\beta,\cos\gamma$ 是外法线方向的方向余弦. 显然，在 S_1 上，有

$$\cos\alpha=0,\cos\beta=0,\cos\gamma=-1,z=0,$$

故 $\iint_{S_1}(x\cos\alpha+y\cos\beta+z\cos\gamma)\mathrm{d}S=0$. 此外，有

$$\iint_{S_2}(x\cos\alpha+y\cos\beta+z\cos\gamma)\mathrm{d}S=\iint_{S_2}x\mathrm{d}y\mathrm{d}z+y\mathrm{d}z\mathrm{d}x+z\mathrm{d}x\mathrm{d}y$$

$$=\pm\iint_{D}[u\cos v(y'_uz'_v-y'_vz'_u)+u\sin v(z'_ux'_v-z'_vx'_u)+(-u+a\cos v)(x'_uy'_v-x'_vy'_u)]\mathrm{d}u\mathrm{d}v$$

$$=\pm\iint_{D}[u\cos v(u\cos v-a\sin^2v)+u\sin v(a\sin v\cos v+u\sin v)+(-u+a\cos v)u]\mathrm{d}u\mathrm{d}v$$

$$=\pm\iint\limits_{D} au\cos v\mathrm{d}u\mathrm{d}v=\pm\int_{-\frac{\pi}{2}}^{\frac{\pi}{2}}\mathrm{d}v\int_{0}^{a\cos v}au\cos v\mathrm{d}u$$

$$=\pm\int_{-\frac{\pi}{2}}^{\frac{\pi}{2}}\frac{1}{2}a^{3}\cos^{3}v\mathrm{d}v=\pm a^{3}\int_{0}^{\frac{\pi}{2}}\cos^{3}v\mathrm{d}v=\pm a^{3}\cdot\frac{2}{3}\cdot 1=\pm\frac{2a^{3}}{3},$$

其中的正负号应这样选取，使对应于 S_2 的外侧，D 为 u,v 的变换区域（对应于 S_2）. 由此，再注意到①式与②式，即得 $V=\pm\frac{2}{9}a^{3}$. 但体积恒为正（$V>0$），故必有 $V=\frac{2}{9}a^{3}$.

方法二 本题若不利用曲面积分计算体积的公式①，而直接计算体积，则较为简单. 用 D 表示物体在 xOy 面上的投影，则

$$V=\iint\limits_{D}z\mathrm{d}x\mathrm{d}y=\iint\limits_{D'}(-u+a\cos v)\left|\frac{D(x,y)}{D(u,v)}\right|\mathrm{d}u\mathrm{d}v=\iint\limits_{D'}(-u+a\cos v)u\mathrm{d}u\mathrm{d}v$$

$$=\int_{-\frac{\pi}{2}}^{\frac{\pi}{2}}\mathrm{d}v\int_{0}^{a\cos v}(-u+a\cos v)u\mathrm{d}u=\frac{a^{3}}{6}\int_{-\frac{\pi}{2}}^{\frac{\pi}{2}}\cos^{3}v\mathrm{d}v=\frac{2}{9}a^{3}.$$

习题 4392—4400 高斯公式研究调和函数

【4392】 计算高斯积分

$$I(x,y,z)=\iint\limits_{S}\frac{\cos(\boldsymbol{r},\boldsymbol{n})}{r^{2}}\mathrm{d}S,$$

其中 S 为简单封闭光滑曲面，它是区域 V 的边界，$\boldsymbol{n}$ 为曲面 S 上在点 (ξ,η,ζ) 处的外法向量，$\boldsymbol{r}$ 为连接点 (x,y,z) 和点 (ξ,η,ζ) 的径向量，$r=\sqrt{(\xi-x)^{2}+(\eta-y)^{2}+(\zeta-z)^{2}}$.

研究两种情形：(1) 曲面 S 不包围点 (x,y,z)；(2) 曲面 S 包围点 (x,y,z).

解 设法线 $\boldsymbol{n}$ 的方向余弦为 $\cos\alpha,\cos\beta,\cos\gamma$，则

$$\cos(\boldsymbol{r},\boldsymbol{n})=\cos(\boldsymbol{r},x)\cos\alpha+\cos(\boldsymbol{r},y)\cos\beta+\cos(\boldsymbol{r},z)\cos\gamma=\frac{\xi-x}{r}\cos\alpha+\frac{\eta-y}{r}\cos\beta+\frac{\zeta-z}{r}\cos\gamma.$$

因此，高斯积分

$$I(x,y,z)=\iint\limits_{S}\frac{\xi-x}{r^{3}}\mathrm{d}\eta\mathrm{d}\zeta+\frac{\eta-y}{r^{3}}\mathrm{d}\zeta\mathrm{d}\xi+\frac{\zeta-z}{r^{3}}\mathrm{d}\xi\mathrm{d}\eta,$$

这里 $P=\frac{\xi-x}{r^{3}},Q=\frac{\eta-y}{r^{3}},R=\frac{\zeta-z}{r^{3}}$. 于是

$$\frac{\partial P}{\partial\xi}=\frac{1}{r^{3}}-\frac{3(\xi-x)^{2}}{r^{3}},\frac{\partial Q}{\partial\eta}=\frac{1}{r^{3}}-\frac{3(\eta-y)^{2}}{r^{5}},\frac{\partial R}{\partial\zeta}=\frac{1}{r^{3}}-\frac{3(\zeta-z)^{2}}{r^{5}},$$

它们仅在点 (x,y,z) 处不连续.

(1) 当曲面 S 不包围点 (x,y,z) 时，则 $\frac{\partial P}{\partial\xi}+\frac{\partial Q}{\partial\eta}+\frac{\partial R}{\partial\zeta}=0$. 于是，利用高斯公式，有

$$I(x,y,z)=\iint\limits_{S}\frac{\cos(\boldsymbol{r},\boldsymbol{n})}{r^{2}}\mathrm{d}S=0.$$

(2) 当曲面 S 包围点 (x,y,z) 时，以点 (x,y,z) 为中心，ε 为半径作一球 V_ε 包围在 S 内，此球面记以 S_ε，将高斯公式用于 $V\backslash V_\varepsilon$ 上，即得

$$\iint\limits_{S\cup S_{\varepsilon}}\frac{\cos(\boldsymbol{r},\boldsymbol{n})}{r^{2}}\mathrm{d}S=0.$$

但因 $\iint\limits_{S_{\varepsilon}}\frac{\cos(\boldsymbol{r},\boldsymbol{n})}{r^{2}}\mathrm{d}S=\iint\limits_{S\cup S_{\varepsilon}}\left(-\frac{1}{\varepsilon^{2}}\right)\mathrm{d}S=-4\pi$，故

$$I(x,y,z)=\iint\limits_{S}\frac{\cos(\boldsymbol{r},\boldsymbol{n})}{r^{2}}\mathrm{d}S=4\pi.$$

【4393】 证明:若

$$\Delta u \equiv \frac{\partial^2 u}{\partial x^2}+\frac{\partial^2 u}{\partial y^2}+\frac{\partial^2 u}{\partial z^2},$$

有界区域 V 的边界 S 为光滑曲面,则成立下列公式:

(1) $\iint\limits_S \frac{\partial u}{\partial \boldsymbol{n}}\mathrm{d}S=\iiint\limits_V \Delta u\mathrm{d}x\mathrm{d}y\mathrm{d}z$;

(2) $\iint\limits_S u\frac{\partial u}{\partial \boldsymbol{n}}\mathrm{d}S=\iiint\limits_V\left[\left(\frac{\partial u}{\partial x}\right)^2+\left(\frac{\partial u}{\partial y}\right)^2+\left(\frac{\partial u}{\partial z}\right)^2\right]\mathrm{d}x\mathrm{d}y\mathrm{d}z+\iiint\limits_V u\Delta u\mathrm{d}x\mathrm{d}y\mathrm{d}z$,

其中 u 及其二阶偏导数是在区域 $V\cup S$ 内连续的函数,$\frac{\partial u}{\partial \boldsymbol{n}}$ 为沿曲面 S 的外法线方向的方向导数.

解 (1) 由于 $\frac{\partial u}{\partial n}=\frac{\partial u}{\partial x}\cos\alpha+\frac{\partial u}{\partial y}\cos\beta+\frac{\partial u}{\partial z}\cos\gamma$,因此,利用高斯公式即得

$$\iint\limits_S \frac{\partial u}{\partial \boldsymbol{n}}\mathrm{d}S=\iint\limits_S\left(\frac{\partial u}{\partial x}\cos\alpha+\frac{\partial u}{\partial y}\cos\beta+\frac{\partial u}{\partial z}\cos\gamma\right)\mathrm{d}S$$

$$=\iiint\limits_V\left(\frac{\partial^2 u}{\partial x^2}+\frac{\partial^2 u}{\partial y^2}+\frac{\partial^2 u}{\partial z^2}\right)\mathrm{d}x\mathrm{d}y\mathrm{d}z=\iiint\limits_V \Delta u\mathrm{d}x\mathrm{d}y\mathrm{d}z.$$

(2) $$\iint\limits_S u\frac{\partial u}{\partial \boldsymbol{n}}\mathrm{d}S=\iint\limits_S\left(u\frac{\partial u}{\partial x}\cos\alpha+u\frac{\partial u}{\partial y}\cos\beta+u\frac{\partial u}{\partial z}\cos\gamma\right)\mathrm{d}S$$

$$=\iiint\limits_V\left[\frac{\partial}{\partial x}\left(u\frac{\partial u}{\partial x}\right)+\frac{\partial}{\partial y}\left(u\frac{\partial u}{\partial y}\right)+\frac{\partial}{\partial z}\left(u\frac{\partial u}{\partial z}\right)\right]\mathrm{d}x\mathrm{d}y\mathrm{d}z$$

$$=\iiint\limits_V u\Delta u\mathrm{d}x\mathrm{d}y\mathrm{d}z+\iiint\limits_V\left(\frac{\partial^2 u}{\partial x^2}+\frac{\partial^2 u}{\partial y^2}+\frac{\partial^2 u}{\partial z^2}\right)\mathrm{d}x\mathrm{d}y\mathrm{d}z.$$

【4394】 证明三维情形下的格林第二公式:

$$\iiint\limits_V\begin{vmatrix}\frac{\partial u}{\partial \boldsymbol{n}} & \frac{\partial v}{\partial \boldsymbol{n}}\\ u & v\end{vmatrix}\mathrm{d}x\mathrm{d}y\mathrm{d}z=\iint\limits_S\begin{vmatrix}\frac{\partial u}{\partial \boldsymbol{n}} & \frac{\partial v}{\partial \boldsymbol{n}}\\ u & v\end{vmatrix}\mathrm{d}S,$$

其中区域 V 以曲面 S 为界,$\boldsymbol{n}$ 是曲面 S 的外法向量,函数 $u=u(x,y,z)$,$v=v(x,y,z)$ 在区域 $V\cup S$ 内二阶可微.

证 $$\iint\limits_S\begin{vmatrix}\frac{\partial u}{\partial \boldsymbol{n}} & \frac{\partial v}{\partial \boldsymbol{n}}\\ u & v\end{vmatrix}\mathrm{d}S=\iint\limits_S\left[\left(v\frac{\partial u}{\partial x}-u\frac{\partial v}{\partial x}\right)\cos\alpha+\left(v\frac{\partial u}{\partial y}-u\frac{\partial v}{\partial y}\right)\cos\beta+\left(v\frac{\partial u}{\partial z}-u\frac{\partial v}{\partial z}\right)\cos\gamma\right]\mathrm{d}S$$

$$=\iiint\limits_V\frac{\partial}{\partial x}\left(v\frac{\partial u}{\partial x}-u\frac{\partial v}{\partial x}\right)\cos\alpha+\frac{\partial}{\partial y}\left(v\frac{\partial u}{\partial y}-u\frac{\partial v}{\partial y}\right)\cos\beta+\frac{\partial}{\partial z}\left(v\frac{\partial u}{\partial z}-u\frac{\partial v}{\partial z}\right)\cos\gamma\mathrm{d}x\mathrm{d}y\mathrm{d}z$$

$$=\iiint\limits_V\left[v\left(\frac{\partial^2 u}{\partial x^2}+\frac{\partial^2 u}{\partial y^2}+\frac{\partial^2 u}{\partial z^2}\right)-u\left(\frac{\partial^2 v}{\partial x^2}+\frac{\partial^2 v}{\partial y^2}+\frac{\partial^2 v}{\partial z^2}\right)\right]\mathrm{d}x\mathrm{d}y\mathrm{d}z$$

$$=\iiint\limits_V\begin{vmatrix}\frac{\partial u}{\partial \boldsymbol{n}} & \frac{\partial v}{\partial \boldsymbol{n}}\\ u & v\end{vmatrix}\mathrm{d}x\mathrm{d}y\mathrm{d}z.$$

【4395】 设函数 $u=u(x,y,z)$ 在某区域内具有连续的一阶和二阶导数,若

$$\Delta u\equiv\frac{\partial^2 u}{\partial x^2}+\frac{\partial^2 u}{\partial y^2}+\frac{\partial^2 u}{\partial z^2}=0,$$

则 $u(x,y,z)$ 称为此区域内的调和函数.

证明:若有界闭区域 V 以光滑曲面 S 为界,u 是此区域内的调和函数,则成立下列公式:

(1) $\iint\limits_S \frac{\partial u}{\partial \boldsymbol{n}} \mathrm{d}S = 0$;

(2) $\iiint\limits_V \left[\left(\frac{\partial u}{\partial x}\right)^2 + \left(\frac{\partial u}{\partial y}\right)^2 + \left(\frac{\partial u}{\partial z}\right)^2\right] \mathrm{d}x\mathrm{d}y\mathrm{d}z = \iint\limits_S u \frac{\partial u}{\partial \boldsymbol{n}} \mathrm{d}S$,

其中 $\boldsymbol{n}$ 为曲面 S 的外法向量.

用公式(2) 证明:区域 V 内的调和函数由它在边界 S 上的值唯一地确定.

证 (1) 由于 $\Delta u = 0$,故利用 4393 题(1) 的结果,即得

$$\iint\limits_S \frac{\partial u}{\partial \boldsymbol{n}} \mathrm{d}S = \iiint\limits_V 0 \mathrm{d}x\mathrm{d}y\mathrm{d}z = 0.$$

(2) 利用 4393 题(2) 的结果,即得

$$\begin{aligned}\iint\limits_S u \frac{\partial u}{\partial \boldsymbol{n}} \mathrm{d}S &= \iiint\limits_V u \cdot 0 \mathrm{d}x\mathrm{d}y\mathrm{d}z + \iiint\limits_V \left[\left(\frac{\partial u}{\partial x}\right)^2 + \left(\frac{\partial u}{\partial y}\right)^2 + \left(\frac{\partial u}{\partial z}\right)^2\right] \mathrm{d}x\mathrm{d}y\mathrm{d}z \\ &= \iiint\limits_V \left[\left(\frac{\partial u}{\partial x}\right)^2 + \left(\frac{\partial u}{\partial y}\right)^2 + \left(\frac{\partial u}{\partial z}\right)^2\right] \mathrm{d}x\mathrm{d}y\mathrm{d}z.\end{aligned}$$

与 4333 题一样,只要证明:若在边界 S 上 $u = 0$,则在区域 V 上也恒有 $u = 0$. 事实上,利用本题(2),得

$$\iiint\limits_V \left[\left(\frac{\partial u}{\partial x}\right)^2 + \left(\frac{\partial u}{\partial y}\right)^2 + \left(\frac{\partial u}{\partial z}\right)^2\right] \mathrm{d}x\mathrm{d}y\mathrm{d}z = 0,$$

因此 $\frac{\partial u}{\partial x} \equiv \frac{\partial u}{\partial y} \equiv \frac{\partial u}{\partial z} \equiv 0$,即在区域 V 上 $u \equiv$ 常数. 但在 S 上 $u = 0$,故在区域 V 上 $u = 0$,这说明:在区域 V 内的调和函数由它在边界 S 上的值唯一地确定.

【4396】 证明:若函数 $u = u(x,y,z)$ 是以光滑曲面 S 为界的有界闭区域 V 内的调和函数,则

$$u(x,y,z) = \frac{1}{4\pi}\iint\limits_S \left[u \frac{\cos(\boldsymbol{r},\boldsymbol{n})}{r^2} + \frac{1}{r}\frac{\partial u}{\partial \boldsymbol{n}}\right] \mathrm{d}S,$$

式中 $\boldsymbol{r}$ 是从 V 的内点 (x,y,z) 引至曲面上的点 (ξ,η,ζ) 的径向量,$\boldsymbol{n}$ 为曲面 S 上在点 (ξ,η,ζ) 的外法向量,$r = \sqrt{(\xi - x)^2 + (\eta - y)^2 + (\zeta - z)^2}$.

证 在 4394 题中令 $v = \frac{1}{r}$,则当 $(\xi,\eta,\zeta) \neq (x,y,z)$ 时,有 $\Delta v = 0$. 现以点 $P(x,y,z)$ 为中心,ρ 为半径作一球面 S_ρ 含于曲面 S 内,再将 4394 题应用到由曲面 $S \cup S_\rho$ 所包围的区域 V 内,即得

$$\iint\limits_{S \cup S_\rho} \left(\frac{1}{r}\frac{\partial u}{\partial \boldsymbol{n}} - u \frac{\partial\left(\frac{1}{r}\right)}{\partial \boldsymbol{n}}\right) \mathrm{d}S = 0,$$

或

$$\iint\limits_{S_\rho} \left(\frac{1}{r}\frac{\partial u}{\partial \boldsymbol{n}} - u \frac{\partial\left(\frac{1}{r}\right)}{\partial \boldsymbol{n}}\right) \mathrm{d}S = -\iint\limits_S \left(\frac{1}{r}\frac{\partial u}{\partial \boldsymbol{n}} - u \frac{\partial\left(\frac{1}{r}\right)}{\partial \boldsymbol{n}}\right) \mathrm{d}S.$$

显然,S 上的法线是向外的,而 S_ρ 上的法线是指向球心的,即指向半径减少的一方. 因此

$$\frac{\partial\left(\frac{1}{r}\right)}{\partial \boldsymbol{n}} = -\left.\frac{\partial\left(\frac{1}{r}\right)}{\partial r}\right|_{r=\rho} = \frac{1}{\rho^2}.$$

于是有 $\iint\limits_{S_\rho} \left(\frac{1}{\rho}\frac{\partial u}{\partial \boldsymbol{n}} - \frac{u}{\rho^2}\right) \mathrm{d}S = -\iint\limits_S \left(\frac{1}{r}\frac{\partial u}{\partial \boldsymbol{n}} - u \frac{\partial\left(\frac{1}{r}\right)}{\partial \boldsymbol{n}}\right) \mathrm{d}S.$

但 $\iint\limits_{S_\rho} \frac{1}{\rho}\frac{\partial u}{\partial \boldsymbol{n}} \mathrm{d}S = -\frac{1}{\rho}\iint\limits_{S_\rho} \frac{\partial u}{\partial \boldsymbol{n}} \mathrm{d}S = 0$,又利用中值定理,得

$$\iint_{S_\rho}\frac{u}{\rho^2}\mathrm{d}S=\frac{1}{\rho^2}u(x',y',z')4\pi\rho^2=4\pi u(x',y',z'),$$

其中 $u(x',y',z')$ 为函数 u 在球面 S_ρ 上某点之值. 从而

$$u(x',y',z')=\frac{1}{4\pi}\iint_S\left(\frac{1}{r}\frac{\partial u}{\partial \boldsymbol{n}}-u\frac{\partial\left(\frac{1}{r}\right)}{\partial \boldsymbol{n}}\right)\mathrm{d}S,$$

上式右端与 ρ 无关. 而 $\lim\limits_{\rho\to0^+}u(x',y',z')=u(x,y,z)$. 因而,令 $\rho\to0^+$,即得

$$u(x,y,z)=\frac{1}{4\pi}\iint_S\left(\frac{1}{r}\frac{\partial u}{\partial \boldsymbol{n}}-u\frac{\partial\left(\frac{1}{r}\right)}{\partial \boldsymbol{n}}\right)\mathrm{d}S.$$

又由于

$$\frac{\partial\left(\frac{1}{r}\right)}{\partial \boldsymbol{n}}=\frac{\partial\left(\frac{1}{r}\right)}{\partial r}\frac{\partial r}{\partial \boldsymbol{n}}=-\frac{1}{r^2}\left(\frac{\partial r}{\partial\xi}\cos\alpha+\frac{\partial r}{\partial\eta}\cos\beta+\frac{\partial r}{\partial\zeta}\cos\gamma\right)$$
$$=-\frac{1}{r^2}\left(\frac{\xi-x}{r}\cos\alpha+\frac{\eta-y}{r}\cos\beta+\frac{\zeta-z}{r}\cos\gamma\right)=-\frac{\cos(\boldsymbol{r},\boldsymbol{n})}{r^2},$$

故最后得

$$u(x,y,z)=\frac{1}{4\pi}\iint_S\left[u\frac{\cos(\boldsymbol{r},\boldsymbol{n})}{r^2}+\frac{1}{r}\frac{\partial u}{\partial \boldsymbol{n}}\right]\mathrm{d}S.$$

【4397】 证明:若半径为 R 的球的球心位于点 (x_0,y_0,z_0),$u=u(x,y,z)$ 为此球内的调和函数,则

$$u(x_0,y_0,z_0)=\frac{1}{4\pi R^2}\iint_S u(x,y,z)\mathrm{d}S(\text{中值定理}).$$

证 在球 S 上应用 4396 题的结果,即得

$$u(x_0,y_0,z_0)=\frac{1}{4\pi}\iint_S\left(\frac{u\cos(\boldsymbol{r},\boldsymbol{n})}{r^2}+\frac{1}{r}\frac{\partial u}{\partial \boldsymbol{n}}\right)\mathrm{d}S=\frac{1}{4\pi}\iint_S\left(\frac{u}{R^2}+\frac{1}{R}\frac{\partial u}{\partial \boldsymbol{n}}\right)\mathrm{d}S=\frac{1}{4\pi R^2}\iint_S u(x,y,z)\mathrm{d}S.$$

注 本题用到 4395 题的结果:$\frac{1}{4\pi R}\iint_S\frac{\partial u}{\partial \boldsymbol{n}}\mathrm{d}S=0$.

【4398】 证明:若有界闭区域 V 内的连续函数 $u=u(x,y,z)$,在此区域内部是调和函数,并且它不是常数,则此函数在区域内的点不能达到最大值和最小值(极大值原理).

证 证明与 4337 题(平面情形)完全类似. 设有界闭区域为 $\bar{\Omega}$,它是由有界开区域 Ω 及其边界 $\partial\Omega$ 构成. 下证:若 $u(x,y,z)$ 在 $\bar{\Omega}$ 的某内点 $P_0(x_0,y_0,z_0)$ 达到其最大值或最小值(设达到最大值),则 $u(x,y,z)$ 在 $\bar{\Omega}$ 上必为常数. 分三步证明:

(1) 证明:若球域 $V_\rho=\{(x,y,z)\mid(x-x_0)^2+(y-y_0)^2+(z-z_0)^2\leqslant\rho^2\}$ 完全属于 Ω,则 $u(x,y,z)$ 在 V_ρ 上为常数.

对任何的 $0<r\leqslant\rho$,用 S_r 表示球面 $\{(x,y,z)\mid(x-x_0)^2+(y-y_0)^2+(z-z_0)^2=r^2\}$. 由 4397 题的结果可知

$$u(x_0,y_0,z_0)=\frac{1}{4\pi r^2}\iint_{S_r}u(x,y,z)\mathrm{d}S,$$

故

$$\frac{1}{4\pi r^2}\iint_{S_r}[u(x_0,y_0,z_0)-u(x,y,z)]\mathrm{d}S=0. \qquad ①$$

但因 $u(x_0,y_0,z_0)$ 是最大值,故在 S_r 上恒有

$$u(x_0,y_0,z_0)-u(x,y,z)\geqslant 0.$$

由此，根据①，易知在 S_r 上 $u(x_0,y_0,z_0)-u(x,y,z)\equiv 0$. 因为若有某点 $(x_1,y_1,z_1)\in S_r$ 使

$$u(x_0,y_0,z_0)-u(x_1,y_1,z_1)=\tau>0,$$

则由 $u(x,y,z)$ 的连续性可知，必有以 (x_1,y_1,z_1) 为中心的某小球域 σ 存在，使当 $(x,y,z)\in\sigma$ 时，恒有

$$u(x_0,y_0,z_0)-u(x,y,z)\geqslant\frac{\tau}{2}.$$

用 S'_r 表 S_r 含于 σ 内的部分，则

$$\iint\limits_{S_r}[u(x_0,y_0,z_0)-u(x,y,z)]\mathrm{d}S\geqslant\iint\limits_{S'_r}[u(x_0,y_0,z_0)-u(x,y,z)]\mathrm{d}S\geqslant\iint\limits_{S'_r}\frac{\tau}{2}\mathrm{d}S=\frac{1}{2}\tau D_r>0,$$

其中 D_r 表示 S'_r 的面积，此显然与①式矛盾. 于是，在 S_r 上有

$$u(x_0,y_0,z_0)-u(x,y,z)\equiv 0.$$

再由 r 的任意性 $(0<r\leqslant\rho)$，即知对 $\forall(x,y,z)\in V_\rho$，都有 $u(x,y,z)=u(x_0,y_0,z_0)$. 换句话说，$u(x,y,z)$ 在 V_ρ 上是常数.

(2) 证明：设 $P^*(x^*,y^*,z^*)$ 为 $\bar{\Omega}$ 的任一内点（即 $P^*\in\Omega$），则必有

$$u(x^*,y^*,z^*)=u(x_0,y_0,z_0).$$

用完全含于 Ω 内的折线 l 将点 $P(x_0,y_0,z_0)$ 与点 $P^*(x^*,y^*,z^*)$ 连接起来，用 δ 表 $\partial\Omega$ 与 l 之间的距离，即

$$\delta=\min\sqrt{(x-x')^2+(y-y')^2+(z-z')^2},$$

其中 min 是对 $\forall(x,y,z)\in\partial\Omega,(x',y',z')\in l$ 来取的（由于 $\partial\Omega$，l 是互不相交的有界闭集，可证 min 一定能达到，从而 $\delta>0$）. 取 $0<\delta'<\delta$.

以点 P_0 为中心，δ' 为半径作一球，得球域

$$V_0=\{(x,y,z)\mid(x-x_0)^2+(y-y_0)^2+(z-z_0)^2\leqslant\delta'^2\},$$

此球域完全含于 Ω 内，由(1)段已证的结果知，$u(x,y,z)$ 在 V_0 上为常数，特别是

$$u(x_1,y_1,z_1)=u(x_0,y_0,z_0).$$

这里点 $P_1(x_1,y_1,z_1)$ 代表球面

$$S_0=\{(x,y,z)\mid(x-x_0)^2+(y-y_0)^2+(z-z_0)^2=\delta'^2\}$$

与折线 l 的交点（参看 4337 题的图 8.68）.

又以点 P_1 为中心，δ' 为半径作一球，得球域

$$V_1=\{(x,y,z)\mid(x-x_1)^2+(y-y_1)^2+(z-z_1)^2\leqslant\delta'^2\}.$$

于是，V_1 也完全含于 Ω 内. 由于 $u(x,y,z)$ 也在 $P_1(x_1,y_1,z_1)$ 点达到最大值，故将(1)段的结果用于 V_1，可知 $u(x,y,z)$ 在 V_1 上是常数. 特别是 $u(x_2,y_2,z_2)=u(x_1,y_1,z_1)$. 这里点 $P_2(x_2,y_2,z_2)$ 为球面

$$S_1=\{(x,y,z)\mid(x-x_1)^2+(y-y_1)^2+(z-z_1)^2=\delta'^2\}$$

与 l 的交点（除 P_0 外的另一交点）.

再以点 P_2 为中心、δ' 为半径作一球域 V_2，…，这样继续下去. 显然，至多经过 n 次（n 为大于 $\frac{s}{\delta}$ 的最小正整数，s 表折线 l 的长），点 $P^*(x^*,y^*,z^*)$ 必属于 V_{n-1}. 从而

$$u(x^*,y^*,z^*)=u(x_{n-1},y_{n-1},z_{n-1})=\cdots=u(x_1,y_1,z_1)=u(x_0,y_0,z_0).$$

(3) 由(2)段的结果知，$u(x,y,z)$ 在 Ω 上是常数，根据 $u(x,y,z)$ 在 $\bar{\Omega}$ 上的连续性，通过由 Ω 的点趋向 $\partial\Omega$ 的点取极限，即知 $u(x,y,z)$ 在 $\bar{\Omega}$ 上是常数.

注 从证明过程中看出，需假定区域 Ω（从而 $\bar{\Omega}$）是连通的. 事实上，若 Ω 不连通，则结论不一定成立. 例如，设 $\bar{\Omega}=V_1\cup V_2$，其中 V_1 与 V_2 是两个互无公共点的闭球域，而令

$$u(x,y,z)=\begin{cases}C_1,(x,y,z)\in V_1,\\C_2,(x,y,z)\in V_2,\end{cases}$$

其中 $C_1\neq C_2$ 是两个常数，则 $u(x,y,z)$ 显然是 $\bar{\Omega}$ 上的调和函数且在 $\bar{\Omega}$ 上不是常数，但它却在其内点达到最大值与最小值.

【4399】 设 S_t 是动球面 $(\xi-x)^2+(\eta-y)^2+(\zeta-z)^2=t^2$，函数 $f(\xi,\eta,\zeta)$ 连续，证明：函数

$$u(x,y,z,t)=\frac{1}{4\pi}\iint\limits_{S_t}\frac{f(\xi,\eta,\zeta)}{t}\mathrm{d}S_t$$

满足波动方程

$$\frac{\partial^2 u}{\partial x^2}+\frac{\partial^2 u}{\partial y^2}+\frac{\partial^2 u}{\partial z^2}=\frac{\partial^2 u}{\partial t^2}$$

和初始条件

$$u\big|_{t=0}=0,\frac{\partial u}{\partial t}\bigg|_{t=0}=f(x,y,z).$$

证 首先指出，本题应设 $f(\xi,\eta,\zeta)$ 具有连续的二阶偏导数. 先验证函数 u 满足初始 $u\big|_{t=0}=0$ 条件（亦即 $\lim\limits_{t\to0}u=0$）及 $\frac{\partial u}{\partial t}\Big|_{t=0}=f(x,y,z)$（亦即 $\lim\limits_{t\to0}\frac{\partial u}{\partial t}=f(x,y,z)$）.

固定 (x,y,z)，由连续性知，$\exists M>0$，当 $(\xi-x)^2+(\eta-y)^2+(\zeta-z)^2\leqslant t^2$ 时，恒有

$$|f(\xi,\eta,\zeta)|\leqslant M,\ |f'_\xi(\xi,\eta,\zeta)|\leqslant M,\ |f'_\eta(\xi,\eta,\zeta)|\leqslant M,\ |f'_\zeta(\xi,\eta,\zeta)|\leqslant M.$$

当 $0<t<1$ 时，有

$$|u(x,y,z,t)|\leqslant\frac{1}{4\pi t}\iint\limits_{S_t}|f(\xi,\eta,\zeta)|\,\mathrm{d}S_t\leqslant\frac{1}{4\pi t}\iint\limits_{S}M\mathrm{d}S_t=\frac{1}{4\pi t}M4\pi t^2=Mt.$$

由此可知 $\lim\limits_{t\to0}u(x,y,z,t)=0$.

又作变量代换 $\xi=x+ut,\eta=y+vt,\zeta=z+wt$，则有

$$u(x,y,z,t)=\frac{1}{4\pi}\iint\limits_{S}f(x+ut,y+vt,z+wt)t\mathrm{d}S, \qquad ①$$

其中 S 是单位球面 $u^2+v^2+w^2=1$. 于是

$$\begin{aligned}\frac{\partial u}{\partial t}&=\frac{1}{4\pi}\frac{\partial}{\partial t}\iint\limits_{S}f(x+ut,y+vt,z+wt)t\mathrm{d}S\\&=\frac{1}{4\pi}\iint\limits_{S}\left(\frac{\partial f}{\partial\xi}u+\frac{\partial f}{\partial\eta}v+\frac{\partial f}{\partial\zeta}w\right)t\mathrm{d}S+\frac{1}{4\pi}\iint\limits_{S}f(x+ut,y+vt,z+wt)\mathrm{d}S\\&=I_1+I_2.\end{aligned} \qquad ②$$

显然，当 $0<t<1$ 时，$|I_1|\leqslant\frac{t}{4\pi}\iint\limits_{S}3M\mathrm{d}S=3Mt$，故 $\lim\limits_{t\to0^+}I_1=0$.

又显然（由于连续性）

$$\lim_{t\to0^+}I_2=\frac{1}{4\pi}\iint\limits_{S}f(x,y,z)\mathrm{d}S=\frac{f(x,y,z)}{4\pi}\iint\limits_{S}\mathrm{d}S=f(x,y,z),$$

因此，得

$$\lim_{t\to0^+}\frac{\partial u}{\partial t}=f(x,y,z).$$

下面再验证 u 满足波动方程. 由②式，利用高斯公式，有（V 为球体 $u^2+v^2+w^2\leqslant1$，V_t 为球体 $u_1^2+v_1^2+w_1^2\leqslant t^2$）

$$\begin{aligned}I_1&=\frac{t}{4\pi}\iint\limits_{S}\left(\frac{\partial f}{\partial\xi}\cos\alpha+\frac{\partial f}{\partial\eta}\cos\beta+\frac{\partial f}{\partial\zeta}\cos\gamma\right)\mathrm{d}S\\&=\frac{t^2}{4\pi}\iiint\limits_{V}\left(\frac{\partial^2}{\partial\xi^2}+\frac{\partial^2}{\partial\eta^2}+\frac{\partial^2}{\partial\zeta^2}\right)f(x+ut,y+vt,z+wt)\mathrm{d}u\mathrm{d}v\mathrm{d}w\end{aligned}$$

$$= \frac{1}{4\pi t}\iiint\limits_{V_t}\left(\frac{\partial^2}{\partial \xi^2}+\frac{\partial^2}{\partial \eta^2}+\frac{\partial^2}{\partial \zeta^2}\right)f(x+u_1,y+v_1,z+w_1)\mathrm{d}u_1\mathrm{d}v_1\mathrm{d}w_1$$

$$= \frac{1}{4\pi t}\iiint\limits_{V_t}\left(\frac{\partial^2}{\partial x^2}+\frac{\partial^2}{\partial y^2}+\frac{\partial^2}{\partial z^2}\right)f(x+u_1,y+v_1,z+w_1)\mathrm{d}u_1\mathrm{d}v_1\mathrm{d}w_1$$

$$= \frac{1}{4\pi t}\Delta\left(\iiint\limits_{V_t}f(x+u_1,y+v_1,z+w_1)\mathrm{d}u_1\mathrm{d}v_1\mathrm{d}w_1\right)$$

$$= \frac{1}{4\pi t}\Delta\left(\int_0^t \mathrm{d}r\int_0^{2\pi}\mathrm{d}\theta\int_0^{\pi} f(x+r\cos\theta\sin\varphi,y+r\sin\theta\sin\varphi,z+r\cos\varphi)r^2\sin\varphi\mathrm{d}\varphi\right)=\frac{I_3}{4\pi t},$$

其中 $\cos\alpha=u,\cos\beta=v,\cos\gamma=w$ 为 S 的外法线的方向余弦,又由 ② 式及 ① 式,有

$$I_2=\frac{1}{4\pi t}\iint\limits_{S}f(x+ut,y+vt,z+wt)t\mathrm{d}S=\frac{u}{t},$$

从而$\frac{\partial u}{\partial t}=\frac{I_3}{4\pi t}+\frac{u}{t}(t>0)$. 于是

$$\frac{\partial^2 u}{\partial t^2}=\frac{1}{4\pi t}\frac{\partial I_3}{\partial t}-\frac{I_3}{4\pi t^2}-\frac{u}{t^2}+\frac{1}{t}\frac{\partial u}{\partial t}=\frac{1}{4\pi t}\frac{\partial I_3}{\partial t}-\frac{I_3}{4\pi t^2}-\frac{u}{t^2}+\frac{1}{t}\left(\frac{I_3}{4\pi t}+\frac{u}{t}\right)=\frac{1}{4\pi t}\frac{\partial I_3}{\partial t}(t>0).$$

但

$$\frac{\partial I_3}{\partial t}=\frac{\partial}{\partial t}\Delta\left[\int_0^t\mathrm{d}r\int_0^{2\pi}\mathrm{d}\theta\int_0^{\pi}f(x+r\cos\theta\sin\varphi,y+r\sin\theta\sin\varphi,z+r\cos\varphi)r^2\sin\varphi\mathrm{d}\varphi\right]$$

$$=\Delta\left[\frac{\partial}{\partial t}\int_0^t\mathrm{d}r\int_0^{2\pi}\mathrm{d}\theta\int_0^{\pi}f(x+r\cos\theta\sin\varphi,y+r\sin\theta\sin\varphi,z+r\cos\varphi)r^2\sin\varphi\mathrm{d}\varphi\right].$$

$$=\Delta\left[\int_0^{2\pi}\mathrm{d}\theta\int_0^{\pi}f(x+t\cos\theta\sin\varphi,y+t\sin\theta\sin\varphi,z+t\cos\varphi)t^2\sin\varphi\mathrm{d}\varphi\right]$$

$$=\Delta\left[\iint\limits_{S_t}f(\xi,\eta,\zeta)\mathrm{d}S_t\right],$$

故

$$\frac{\partial^2 u}{\partial t^2}=\frac{1}{4\pi t}\Delta\left(\iint\limits_{S_t}f(\xi,\eta,\zeta)\mathrm{d}S_t\right)=\Delta\left(\frac{1}{4\pi}\iint\limits_{S_t}\frac{f(\xi,\eta,\zeta)}{t}\mathrm{d}S_t\right)=\Delta u=\frac{\partial^2 u}{\partial x^2}+\frac{\partial^2 u}{\partial y^2}+\frac{\partial^2 u}{\partial z^2}(t>0).$$

【4400】 设物体 V 全部浸于液体中,利用帕斯卡定律证明:液体的浮力等于物体所排开的液体的重量,且方向是竖直向上的(阿基米德定律).

证 将 xOy 面取在液面上,而 Oz 轴垂直液面向下. 设液体密度为 ρ,浸入液体的物体 V 的表面积为 S. 若对应于面积元素 $\mathrm{d}S$ 液体的深度为 z,则在 $\mathrm{d}S$ 上所受的压力为 $\rho z\mathrm{d}S$,由于此压力总是垂直于 $\mathrm{d}S$ 面的,故压力在各坐标轴上的投影为 $-\rho z\cos\alpha\mathrm{d}S$, $-\rho z\cos\beta\mathrm{d}S$, $-\rho z\cos\gamma\mathrm{d}S$.

利用高斯公式,即得作用于物体整个表面的总压力在各坐标轴上的投影

$$P_x=-\rho\iint\limits_{S}z\cos\alpha\mathrm{d}S=-\rho\iiint\limits_{V}0\mathrm{d}x\mathrm{d}y\mathrm{d}z=0,$$

$$P_y=-\rho\iint\limits_{S}z\cos\beta\mathrm{d}S=-\rho\iiint\limits_{V}0\mathrm{d}x\mathrm{d}y\mathrm{d}z=0,$$

$$P_z=-\rho\iint\limits_{S}z\cos\gamma\mathrm{d}S=-\rho\iiint\limits_{V}\mathrm{d}x\mathrm{d}y\mathrm{d}z=-\rho V.$$

因此,压力的主向量即合力,朝着竖直向上的方向,其大小等于被物体排开的液体的重量. 这就是阿基米德定律.

第17节 场论初步（习题4401—4462）

知识点预览

序号	知识点	题目序号	所在页码
1	梯度	4401—4420	P207
2	向量场的散度与旋度	4421—4440	P213
3	向量通过曲面的通量	4441—4451	P221
4	向量的环量	4452—4456	P225
5	有势场	4457—4462	P227

知识点1 梯度

1. 梯度的定义 若 $u(\boldsymbol{r})=u(x,y,z)$（其中 $\boldsymbol{r}=x\boldsymbol{i}+y\boldsymbol{j}+z\boldsymbol{k}$）是连续可微标量场，则称向量

$$\mathbf{grad}\ u=\frac{\partial u}{\partial x}\boldsymbol{i}+\frac{\partial u}{\partial y}\boldsymbol{j}+\frac{\partial u}{\partial z}\boldsymbol{k}$$

为它的梯度，简记为 $\mathbf{grad}\ u=\nabla u$，其中$\nabla=\boldsymbol{i}\dfrac{\partial}{\partial x}+\boldsymbol{j}\dfrac{\partial}{\partial y}+\boldsymbol{k}\dfrac{\partial}{\partial z}$.

场 u 在已知点(x,y,z)的梯度的方向与过此点的等值面 $u(x,y,z)=C$ 的法线方向一致. 对于场的每一点，此向量给出函数 u 变化率最大的方向和大小，即

$$|\mathbf{grad}\ u|=\sqrt{\left(\frac{\partial u}{\partial x}\right)^2+\left(\frac{\partial u}{\partial y}\right)^2+\left(\frac{\partial u}{\partial z}\right)^2}.$$

2. 方向导数 场 u 在某方向 $\boldsymbol{l}=(\cos\alpha,\cos\beta,\cos\gamma)$ 上的方向导数为

$$\frac{\partial u}{\partial \boldsymbol{l}}=\mathbf{grad}\ u\cdot\boldsymbol{l}=\frac{\partial u}{\partial x}\cos\alpha+\frac{\partial u}{\partial y}\cos\beta+\frac{\partial u}{\partial z}\cos\gamma.$$

习题 4401—4420 梯度

【4401】 求场 $u=x^2+2y^2+3z^2+xy+3x-2y-6z$ 在下列各点的梯度大小和方向：

(1)$O(0,0,0)$； (2)$A(1,1,1)$； (3)$B(2,0,1)$.

在场中哪些点处的梯度等于零？

解 $\dfrac{\partial u}{\partial x}=2x+y+3,\dfrac{\partial u}{\partial y}=4y+x-2,\dfrac{\partial u}{\partial z}=6z-6.$

(1) 在 O 点，有 $\mathbf{grad}\ u=3\boldsymbol{i}-2\boldsymbol{j}-6\boldsymbol{k}$，$|\mathbf{grad}\ u|=7$，方向：$\cos\alpha=\dfrac{3}{7},\cos\beta=-\dfrac{2}{7},\cos\gamma=-\dfrac{6}{7}$；

(2) 在 A 点,有 $\mathbf{grad}\ u = 6\boldsymbol{i} + 3\boldsymbol{j}$, $|\mathbf{grad}\ u| = 3\sqrt{5}$,方向:$\cos\alpha = \frac{2}{\sqrt{5}}$,$\cos\beta = \frac{1}{\sqrt{5}}$,$\cos\gamma = 0$;

(3)在 B 点,有 $\mathbf{grad}\ u = 7\boldsymbol{i}$, $|\mathbf{grad}\ u| = 7$,方向:$\cos\alpha = 1$,$\cos\beta = \cos\gamma = 0$. 一般地,要使 $|\mathbf{grad}\ u| = \sqrt{(2x+y+3)^2 + (4y+x-2)^2 + (6z-6)^2} = 0$,只要

$$\begin{cases} 2x+y+3 = 0, \\ 4y+x-2 = 0, \\ 6z-6 = 0, \end{cases}$$

解得 $x = -2, y = 1, z = 1$,即在点$(-2,1,1)$处梯度为零.

【4402】 在空间 xOy 的哪些点,场 $u = x^3 + y^3 + z^3 - 3xyz$ 的梯度分别为以下情况:(1) 垂直于 Oz 轴; (2) 平行于 Oz 轴; (3) 等于零.

解 $\mathbf{grad}\ u = (3x^2 - 3yz)\boldsymbol{i} + (3y^2 - 3xz)\boldsymbol{j} + (3z^2 - 3xy)\boldsymbol{k}$.

(1) 要使 $\mathbf{grad}\ u \perp Oz$,只要 $\mathbf{grad}\ u \cdot \boldsymbol{k} = 0$,即 $3z^2 - 3xy = 0$ 即 $z^2 = xy$. 因此,在满足 $z^2 = xy$ 的点(x, y, z)处,其梯度垂直于 Oz 轴.

(2) 要使 $\mathbf{grad}\ u // Oz$,只要

$$\begin{cases} 3x^2 - 3yz = 0, \\ 3y^2 - 3xz = 0, \end{cases}$$

解得 $x = y = 0$ 及 $x = y = z$. 因此,在点$(0,0,z)$及(x,y,z)(其中 $x = y = z$)处,其梯度平行于 Oz 轴.

(3) 要使 $|\mathbf{grad}\ u| = 0$,只要

$$\begin{cases} 3x^2 - 3yz = 0, \\ 3y^2 - 3xz = 0, \\ 3z^2 - 3xy = 0, \end{cases}$$

解得 $x = y = z$. 因此,在满足 $x = y = z$ 的点(x,y,z)处,其梯度等于零.

【4403】 给定标量场

$$u = \ln\frac{1}{r},$$

其中 $r = \sqrt{(x-a)^2 + (y-b)^2 + (z-c)^2}$,在空间 xOy 的哪些点处成立等式

$$|\mathbf{grad}\ u| = 1\ ?$$

解 $\frac{\partial u}{\partial x} = -\frac{x-a}{r^2}, \frac{\partial u}{\partial y} = -\frac{y-b}{r^2}, \frac{\partial u}{\partial z} = -\frac{z-c}{r^2}$. 于是

$$|\mathbf{grad}\ u| = \sqrt{\left(\frac{\partial u}{\partial x}\right)^2 + \left(\frac{\partial u}{\partial y}\right)^2 + \left(\frac{\partial u}{\partial z}\right)^2} = \sqrt{\frac{1}{r^4}[(x-a)^2 + (y-b)^2 + (z-c)^2]} = \frac{1}{r},$$

要 $|\mathbf{grad}\ u| = 1$,只要 $r = 1$,即在以点(a,b,c)为中心,1 为半径的球面上,均有

$$\left|\mathbf{grad}\left(\ln\frac{1}{r}\right)\right| = 1,$$

其中 $r = \sqrt{(x-a)^2 + (y-b)^2 + (z-c)^2}$.

【4404】 作标量场 $u = \sqrt{x^2 + y^2 + (z+8)^2} + \sqrt{x^2 + y^2 + (z-8)^2}$ 的等值面. 求通过点 $M(9,12,28)$ 的等值面. 在区域 $x^2 + y^2 + z^2 \leqslant 36$ 内 $\max u$ 等于什么?

解 等值面可由 $u = \sqrt{x^2 + y^2 + (z+8)^2} + \sqrt{x^2 + y^2 + (z-8)^2}$ 化简得到. 显然有

$$u \geqslant \sqrt{(z+8)^2} + \sqrt{(z-8)^2} \geqslant z + 8 - (z-8) = 16.$$

于是,当 $u \geqslant 16$ 时,有

$$u-\sqrt{x^2+y^2+(z-8)^2}=\sqrt{x^2+y^2+(z+8)^2}.$$

平方化简可得

$$u^2-32z=2u\sqrt{x^2+y^2+(z-8)^2},$$

再平方化简，即得等值面方程 $\frac{4(x^2+y^2)}{u^2-256}+\frac{4z^2}{u^2}=1(u\geqslant 16)$，这是绕 Oz 轴旋转的一个旋转面. 图形省略.

当 $x=9,y=12,z=28$ 时，$u=64$. 因此，等值面方程为

$$\frac{x^2+y^2}{960}+\frac{z^2}{1\,024}=1.$$

在区域 $x^2+y^2+z^2\leqslant 36$ 内，由于

$$\begin{aligned}u&=\sqrt{x^2+y^2+z^2+16z+64}+\sqrt{x^2+y^2+z^2-16z+64}\\&\leqslant\sqrt{100+16z}+\sqrt{100-16z}(0\leqslant z\leqslant 6),\end{aligned}$$

故函数 $f(z)=\sqrt{100+16z}+\sqrt{100-16z}$ 在 $[0,6]$ 上的最大值即为 u 的最大值. 又因

$$f'(z)=8\left(\frac{1}{\sqrt{100+16z}}-\frac{1}{\sqrt{100-16z}}\right)<0(0<z\leqslant 6),$$

故 $f(z)$ 在 $[0,6]$ 上递减. 从而

$$\max_{0\leqslant z\leqslant 6}f(z)=f(0)=20.$$

因此，有 $\max u=20$.

【4405】 求场 $u=\frac{x}{x^2+y^2+z^2}$ 在点 $A(1,2,2)$ 及 $B(-3,1,0)$ 的梯度之间的夹角 θ.

解 $\frac{\partial u}{\partial x}=\frac{y^2+z^2-x^2}{(x^2+y^2+z^2)^2},\frac{\partial u}{\partial y}=-\frac{2xy}{(x^2+y^2+z^2)^2},\frac{\partial u}{\partial z}=-\frac{2xz}{(x^2+y^2+z^2)^2}.$

在点 A,B 的梯度分别为

$$\mathbf{grad}\,u(A)=\frac{7}{81}\boldsymbol{i}-\frac{4}{81}\boldsymbol{j}-\frac{4}{81}\boldsymbol{k},\mathbf{grad}\,u(B)=-\frac{2}{25}\boldsymbol{i}+\frac{3}{50}\boldsymbol{j}.$$

于是

$$\cos\theta=\frac{|\mathbf{grad}\,u(A)\cdot\mathbf{grad}\,u(B)|}{|\mathbf{grad}\,u(A)|\cdot|\mathbf{grad}\,u(B)|}=\frac{\left|-\frac{4}{405}\right|}{\frac{1}{9}\cdot\frac{1}{10}}=\frac{8}{9},$$

故 $\theta=\arccos\frac{8}{9}$.

【4406】 设已知标量场 $u=\frac{z}{\sqrt{x^2+y^2+z^2}}$，作出场的等值面和梯度的等值面.

求区域 $1<z<2$ 内的 $\inf u,\sup u,\inf|\mathbf{grad}\,u|,\sup|\mathbf{grad}\,u|$.

解 将 $u=\frac{z}{\sqrt{x^2+y^2+z^2}}$ 化简整理，即得 $x^2+y^2+\frac{u^2-1}{u^2}z^2=0$，显然有 $0<|u|<1$. 由此可知，等值面是一个以原点为顶点，Oz 轴为旋转轴的圆锥面，但要去掉原点 $O(0,0,0)$. 因此，它是一个圆锥孔，又

$$\frac{\partial u}{\partial x}=-\frac{xz}{\sqrt{(x^2+y^2+z^2)^3}},\frac{\partial u}{\partial y}=-\frac{yz}{\sqrt{(x^2+y^2+z^2)^3}},$$

$$\frac{\partial u}{\partial z}=\frac{1}{\sqrt{x^2+y^2+z^2}}-\frac{z^2}{\sqrt{(x^2+y^2+z^2)^3}}=\frac{x^2+y^2}{\sqrt{(x^2+y^2+z^2)^3}},$$

故有

$$|\mathbf{grad}\,u|=\frac{\sqrt{x^2+y^2}}{x^2+y^2+z^2}.$$

令$\frac{\sqrt{x^2+y^2}}{x^2+y^2+z^2}=c$，显见此等值面是一个以 Oz 轴为旋转轴的旋转面. 令 $y=0$，得

$$x=cx^2+cz^2 \text{ 即}\left(x-\frac{1}{2c}\right)^2+z^2=\frac{1}{4c^2}(c\neq 0),$$

它是 xOy 面上的圆. 因此，梯度的等值面是一个旋转环面.

当 $1<z<2$ 时，显然有 $0<u\leqslant 1$；且当 $x=y=0$ 时，$u=1$，而当 x^2+y^2 充分大时 u 可任意小，故

$$\inf_{1<z<2} u=0,\ \sup_{1<z<2} u=1.$$

此外，显然 $\inf\limits_{1<z<2}|\mathbf{grad}\, u|=\inf\limits_{1<z<2}\frac{\sqrt{x^2+y^2}}{x^2+y^2+z^2}=0.$

由于对于常数 $a>0$，函数 $f(t)=\frac{\sqrt{t}}{t+a}(0\leqslant t<+\infty)$ 在 $t=a$ 时取得最大值 $f(a)=\frac{1}{2\sqrt{a}}$，故对固定的 z，$\frac{\sqrt{x^2+y^2}}{x^2+y^2+z^2}$ 的最大值是$\frac{1}{2\sqrt{z^2}}=\frac{1}{2z}(z>0)$，由此可知

$$\sup_{1<z<2}|\mathbf{grad}\, u|=\sup_{1<z<2}\frac{\sqrt{x^2+y^2}}{x^2+y^2+z^2}=\frac{1}{2}.$$

【4407】 精确到高阶无穷小量，求在点 $M_0(x_0,y_0,z_0)$ 处两个无限接近的等值面

$$u(x,y,z)=c \text{ 及 } u(x,y,z)=c+\Delta c$$

之间的距离，其中 $u(x_0,y_0,z_0)=c(\mathbf{grad}\, u(x_0,y_0,z_0)\neq 0)$.

解 过点 M_0 作等值面 $u(x,y,z)=c$ 的垂线，交等值面 $u(x,y,z)=c+\Delta c$ 于点 $M_1(x_1,y_1,z_1)$，则显然两等值面 $u(x,y,z)=c$ 和 $u(x,y,z)=c+\Delta c$ 之间的距离 $d=|\overrightarrow{M_0M_1}|$. 由于梯度垂直于等值面，因此，$\mathbf{grad}\, u(x_0,y_0,z_0)$ 的方向与$\overrightarrow{M_0M_1}$ 的方向或者重合，或者相反. 于是，注意到

$$u(x_0,y_0,z_0)=c,u(x_1,y_1,z_1)=c+\Delta c,$$

即知

$$\begin{aligned}\Delta c&=u(x_1,y_1,z_1)-u(x_0,y_0,z_0)\\&\approx\left.\frac{\partial u}{\partial x}\right|_{(x_0,y_0,z_0)}(x_1-x_0)+\left.\frac{\partial u}{\partial y}\right|_{(x_0,y_0,z_0)}(y_1-y_0)+\left.\frac{\partial u}{\partial z}\right|_{(x_0,y_0,z_0)}(z_1-z_0)\\&=[\mathbf{grad}\, u(x_0,y_0,z_0)]\cdot\overrightarrow{M_0M_1}=\pm|\mathbf{grad}\, u(x_0,y_0,z_0)|\,|\overrightarrow{M_0M_1}|\\&=\pm|\mathbf{grad}\, u(x_0,y_0,z_0)|\,d,\end{aligned}$$

由此可知(精确到高阶无穷小)，$d\approx\frac{|\Delta c|}{|\mathbf{grad}\, u(x_0,y_0,z_0)|}$.

【4408】 证明公式：

(1)$\mathbf{grad}(u+c)=\mathbf{grad}\, u$($c$ 为常数)；　(2)$\mathbf{grad}\, cu=c\mathbf{grad}\, u$($c$ 为常数)；

(3)$\mathbf{grad}(u+v)=\mathbf{grad}\, u+\mathbf{grad}\, v$；　(4)$\mathbf{grad}\, uv=v\mathbf{grad}\, u+u\mathbf{grad}\, v$；

(5)$\mathbf{grad}(u^2)=2u\mathbf{grad}\, u$；　(6)$\mathbf{grad}\, f(u)=f'(u)\mathbf{grad}\, u$.

证 (1) 由于$\frac{\partial(u+c)}{\partial x}=\frac{\partial u}{\partial x},\frac{\partial(u+c)}{\partial y}=\frac{\partial u}{\partial y},\frac{\partial(u+c)}{\partial z}=\frac{\partial u}{\partial z}$，故 $\mathbf{grad}(u+c)=\mathbf{grad}\, u$.

(2) 由于$\frac{\partial(cu)}{\partial x}=c\frac{\partial u}{\partial x},\frac{\partial(cu)}{\partial y}=c\frac{\partial u}{\partial y},\frac{\partial(cu)}{\partial z}=c\frac{\partial u}{\partial z}$，故 $\mathbf{grad}\, cu=c\mathbf{grad}\, u$.

(3) 由于$\frac{\partial(u+v)}{\partial x}=\frac{\partial u}{\partial x}+\frac{\partial v}{\partial x},\frac{\partial(u+v)}{\partial y}=\frac{\partial u}{\partial y}+\frac{\partial v}{\partial y},\frac{\partial(u+v)}{\partial z}=\frac{\partial u}{\partial z}+\frac{\partial v}{\partial z}$，故

$$\mathbf{grad}(u+v)=\mathbf{grad}\, u+\mathbf{grad}\, v.$$

(4) 由于 $\frac{\partial(uv)}{\partial x}=u\frac{\partial v}{\partial x}+v\frac{\partial u}{\partial x},\frac{\partial(uv)}{\partial y}=u\frac{\partial u}{\partial y}+v\frac{\partial u}{\partial y},\frac{\partial(uv)}{\partial z}=u\frac{\partial v}{\partial z}+v\frac{\partial u}{\partial z}$，故

$$\textbf{grad}\ uv = u\textbf{grad}\ v + v\textbf{grad}\ u.$$

(5) 在(4) 中令 $v = u$,即得 $\textbf{grad}(u^2) = 2u\textbf{grad}\ u$.

(6) 由于$\frac{\partial f(u)}{\partial x} = f'(u)\frac{\partial u}{\partial x},\frac{\partial f(u)}{\partial y} = f'(u)\frac{\partial u}{\partial y},\frac{\partial f(u)}{\partial z} = f'(u)\frac{\partial u}{\partial z}$,故

$$\textbf{grad}\ f(u) = f'(u)\textbf{grad}\ u.$$

【4409】 计算:(1)$\textbf{grad}\ r$;(2)$\textbf{grad}\ r^2$;(3)$\textbf{grad}\ \frac{1}{r}$,其中 $r = \sqrt{x^2+y^2+z^2}$.

解 (1) $\frac{\partial r}{\partial x} = \frac{x}{r},\frac{\partial r}{\partial y} = \frac{y}{r},\frac{\partial r}{\partial z} = \frac{z}{r}$. 于是 $\textbf{grad}\ r = \frac{\boldsymbol{r}}{r}$,其中 $\boldsymbol{r} = x\boldsymbol{i}+y\boldsymbol{j}+z\boldsymbol{k}$.

(2)$\textbf{grad}(r^2) = 2r\textbf{grad}\ r = 2r\frac{\boldsymbol{r}}{r} = 2\boldsymbol{r}$.

(3)$\textbf{grad}\ \frac{1}{r} = -\frac{1}{r^2}\textbf{grad}\ r = -\frac{\boldsymbol{r}}{r^3}$.

【4410】 求 $\textbf{grad}\ f(r)$,其中 $r = \sqrt{x^2+y^2+z^2}$.

解 由 4408 题(6) 和 4409 题(1) 的结果可得

$$\textbf{grad}\ f(r) = f'(r)\textbf{grad}\ r = f'(r)\frac{\boldsymbol{r}}{r}.$$

【4411】 求 $\textbf{grad}(\boldsymbol{c}\cdot\boldsymbol{r})$,其中 $\boldsymbol{c}$ 为常向量,$\boldsymbol{r}$ 为引自坐标原点的径向量.

解 设 $\boldsymbol{c} = c_1\boldsymbol{i}+c_2\boldsymbol{j}+c_3\boldsymbol{k}$,其中 c_1,c_2,c_3 为常数. 由于

$$\boldsymbol{c}\cdot\boldsymbol{r} = c_1x+c_2y+c_3z \text{ 及} \frac{\partial(\boldsymbol{c}\cdot\boldsymbol{r})}{\partial x} = c_x,\frac{\partial(\boldsymbol{c}\cdot\boldsymbol{r})}{\partial y} = c_y,\frac{\partial(\boldsymbol{c}\cdot\boldsymbol{r})}{\partial z} = c_z,$$

故 $\textbf{grad}(\boldsymbol{c}\cdot\boldsymbol{r}) = c$.

【4412】 求 $\textbf{grad}\{|\boldsymbol{c}\times\boldsymbol{r}|^2\}$($\boldsymbol{c}$ 为常向量).

解 由 $|\boldsymbol{c}\times\boldsymbol{r}|^2 = (c_2z-c_3y)^2+(c_3x-c_1z)^2+(c_1y-c_2x)^2$,于是

$$\begin{aligned}\textbf{grad}\{|\boldsymbol{c}\times\boldsymbol{r}|^2\} &= [2c_3(c_3x-c_1z)-2c_2(c_1y-c_2x)]\boldsymbol{i}+[-2c_3(c_yz-c_3y)+2c_1(c_1y-c_2x)]\boldsymbol{j}+\\ &\quad [2c_y(c_yz-c_zy)-2c_x(c_zx-c_xz)]\boldsymbol{k}\\ &= 2[x(c_1^2+c_2^2+c_3^2)-c_1(c_1x+c_2y+c_3z)]\boldsymbol{i}+\\ &\quad 2[y(c_1^2+c_2^2+c_3^2)-c_2(c_1x+c_2y+c_3z)]\boldsymbol{j}+\\ &\quad 2[z(c_1^2+c_2^2+c_3^2)-c_z(c_1x+c_2y+c_3z)]\boldsymbol{k}\\ &= 2\boldsymbol{r}(\boldsymbol{c}\cdot\boldsymbol{c})-2c(\boldsymbol{c}\cdot\boldsymbol{r}).\end{aligned}$$

【4413】 证明公式:$\textbf{grad}\ f(u,v) = \frac{\partial f}{\partial u}\textbf{grad}\ u+\frac{\partial f}{\partial v}\textbf{grad}\ v$.

证 因$\frac{\partial f(u,v)}{\partial x} = \frac{\partial f}{\partial u}\frac{\partial u}{\partial x}+\frac{\partial f}{\partial v}\frac{\partial v}{\partial x},\frac{\partial f(u,v)}{\partial y} = \frac{\partial f}{\partial u}\frac{\partial u}{\partial y}+\frac{\partial f}{\partial v}\frac{\partial v}{\partial y},\frac{\partial f(u,v)}{\partial z} = \frac{\partial f}{\partial u}\frac{\partial u}{\partial z}+\frac{\partial f}{\partial v}\frac{\partial v}{\partial z}$,故

$$\textbf{grad}\ f(u,v) = \frac{\partial f}{\partial u}\left(\frac{\partial u}{\partial x}\boldsymbol{i}+\frac{\partial u}{\partial y}\boldsymbol{j}+\frac{\partial u}{\partial z}\boldsymbol{k}\right)+\frac{\partial f}{\partial v}\left(\frac{\partial v}{\partial x}\boldsymbol{i}+\frac{\partial v}{\partial y}\boldsymbol{j}+\frac{\partial v}{\partial z}\boldsymbol{k}\right) = \frac{\partial f}{\partial u}\textbf{grad}\ u+\frac{\partial f}{\partial v}\textbf{grad}\ v.$$

【4414】 证明公式:

$$\nabla^2(uv) = u\nabla^2v+v\nabla^2u+2\nabla u\nabla v,$$

其中 $\nabla = \boldsymbol{i}\frac{\partial}{\partial x}+\boldsymbol{j}\frac{\partial}{\partial y}+\boldsymbol{k}\frac{\partial}{\partial z},\nabla^2 = \nabla\cdot\nabla = \frac{\partial^2}{\partial x^2}+\frac{\partial^2}{\partial y^2}+\frac{\partial^2}{\partial z^2}$.

证 由于$\nabla(uv) = u\nabla v+v\nabla u$,故

$$\begin{aligned}\nabla^2(uv) &= \nabla[\nabla(uv)] = \nabla(u\nabla v+v\nabla u) = \nabla(u\nabla v)+\nabla(v\nabla u)\\ &= (u\nabla^2v+\nabla u\nabla v)+(v\nabla^2u+\nabla u\nabla v) = u\nabla^2v+v\nabla^2u+2\nabla u\nabla v.\end{aligned}$$

【4415】 证明：若函数 $u=u(x,y,z)$ 在凸区域 Ω 内可微，且 $|\mathbf{grad}\,u|\leqslant M$，其中 M 为常数，则对于 Ω 中任意两点 A,B，有

$$|u(A)-u(B)|\leqslant M\rho(A,B),$$

其中 $\rho(A,B)$ 为 A 与 B 两点之间的距离.

证 由 Ω 为凸区域知，线段 $\overline{AB}$ 整个属于 Ω. 设 B 的坐标为 (x_0,y_0,z_0)，A 的坐标为 (x_1,y_1,z_1)，且令

$$x_1-x_0=\Delta x,y_1-y_0=\Delta y,z_1-z_0=\Delta z,$$

并考虑一元函数

$$f(t)=u(x_0+t\Delta x,y_0+t\Delta y,z_0+t\Delta z)(0\leqslant t\leqslant 1),$$

显然 $f(0)=u(B)$，$f(1)=u(A)$，且 $f(t)$ 在 $[0,1]$ 上可微，并且

$$f'(t)=u'_x(x_0+t\Delta x,y_0+t\Delta y,z_0+t\Delta z)\Delta x+u'_y(x_0+t\Delta x,y_0+t\Delta y,z_0+t\Delta z)\Delta y+u'_z(x_0+t\Delta x,y_0+t\Delta y,z_0+t\Delta z)\Delta z.$$

于是，由微分中值定理知

$$\begin{aligned}u(A)-u(B)&=f(1)-f(0)=f'(\xi)\\&=u'_x(x_0+\xi\Delta x,y_0+\xi\Delta y,z_0+\xi\Delta z)\Delta x+u'_y(x_0+\xi\Delta x,y_0+\xi\Delta y,z_0+\xi\Delta z)\Delta y+\\&\quad u'_z(x_0+\xi\Delta x,y_0+\xi\Delta y,z_0+\xi\Delta z)\Delta z\\&=[\mathbf{grad}\,u(x_0+\xi\Delta x,y_0+\xi\Delta y,z_0+\xi\Delta z)]\cdot\overrightarrow{BA}.\end{aligned}$$

由此可知

$$\begin{aligned}|u(A)-u(B)|&=|[\mathbf{grad}\,u(x_0+\xi\Delta x,y_0+\xi\Delta y,z_0+\xi\Delta z)]\cdot\overrightarrow{BA}|\\&\leqslant|\mathbf{grad}\,u(x_0+\xi\Delta x,y_0+\xi\Delta y,z_0+\xi\Delta z)|\cdot|\overrightarrow{BA}|\leqslant M\rho(A,B).\end{aligned}$$

【4416】 求场 $u=\dfrac{x^2}{a^2}+\dfrac{y^2}{b^2}+\dfrac{z^2}{c^2}$ 在已知点 $M(x,y,z)$ 处沿此点的径向量 $\boldsymbol{r}$ 的方向导数. 在怎样的情况下，此导数等于梯度的大小？

解 $$\frac{\partial u}{\partial\boldsymbol{r}}=\frac{\partial u}{\partial x}\cos\alpha+\frac{\partial u}{\partial y}\cos\beta+\frac{\partial u}{\partial z}\cos\gamma,$$

其中 $\cos\alpha=\dfrac{x}{r}$，$\cos\beta=\dfrac{y}{r}$，$\cos\gamma=\dfrac{z}{r}$，$r=\sqrt{x^2+y^2+z^2}$. 于是

$$\frac{\partial u}{\partial\boldsymbol{r}}=\frac{2x}{a^2}\frac{x}{r}+\frac{2y}{b^2}\frac{y}{r}+\frac{2z}{c^2}\frac{z}{r}=\frac{2u}{r}.$$

又 $|\mathbf{grad}\,u|=2\sqrt{\dfrac{x^2}{a^4}+\dfrac{y^2}{b^4}+\dfrac{z^2}{c^4}}$，要使 $|\mathbf{grad}\,u|=\dfrac{\partial u}{\partial\boldsymbol{r}}$，只要 $\dfrac{u}{r}=\sqrt{\dfrac{x^2}{a^4}+\dfrac{y^2}{b^4}+\dfrac{z^2}{c^4}}$，整理可得

$$\left(\frac{1}{a^4}+\frac{1}{b^4}\right)x^2y^2=\frac{2x^2y^2}{a^2b^2},\left(\frac{1}{b^4}+\frac{1}{c^4}\right)y^2z^2=\frac{2y^2z^2}{b^2c^2},\left(\frac{1}{a^4}+\frac{1}{c^4}\right)x^2z^2=\frac{2x^2z^2}{a^2c^2},$$

故 $\dfrac{1}{a^4}+\dfrac{1}{b^4}=\dfrac{2}{a^2b^2}$，$\dfrac{1}{b^4}+\dfrac{1}{c^4}=\dfrac{2}{b^2c^2}$，$\dfrac{1}{a^4}+\dfrac{1}{c^4}=\dfrac{2}{a^2c^2}$，即只要 $a=b=c$，此即所求的解.

【4417】 求场 $u=\dfrac{1}{r}$ 在方向 $\boldsymbol{l}=\{\cos\alpha,\cos\beta,\cos\gamma\}$ 上的方向导数（其中 $r=\sqrt{x^2+y^2+z^2}$）. 在怎样的情况下，此导数等于零？

解 $$\frac{\partial u}{\partial x}=-\frac{x}{r^3},\frac{\partial u}{\partial y}=-\frac{y}{r^3},\frac{\partial u}{\partial z}=-\frac{z}{r^3}.$$

于是

$$\frac{\partial u}{\partial\boldsymbol{l}}=-\frac{x}{r^3}\cos\alpha-\frac{y}{r^3}\cos\beta-\frac{z}{r^3}\cos\gamma$$

$$=-\frac{1}{r^2}[\cos(\boldsymbol{r},x)\cos\alpha+\cos(\boldsymbol{r},y)\cos\beta+\cos(\boldsymbol{r},z)\cos\gamma]=-\frac{\cos(\boldsymbol{l},\boldsymbol{r})}{r^2}.$$

要使$\frac{\partial u}{\partial \boldsymbol{l}}=0$，只要 $\cos(\boldsymbol{l},\boldsymbol{r})=0$，即 $\boldsymbol{l}\perp\boldsymbol{r}$，此即所求的解.

【4418】 求场 $u=u(x,y,z)$ 在场 $v=v(x,y,z)$ 的梯度方向的方向导数. 在怎样的情况下，此导数等于零？

解
$$\boldsymbol{l}=\mathbf{grad}\ v,\boldsymbol{l}_0=\frac{\mathbf{grad}\ v}{|\mathbf{grad}\ v|}.$$

于是
$$\frac{\partial u}{\partial \boldsymbol{l}}=\mathbf{grad}\ u\cdot\boldsymbol{l}_0=\frac{\mathbf{grad}\ u\cdot\mathbf{grad}\ v}{|\mathbf{grad}\ v|}.$$

要使$\frac{\partial u}{\partial \boldsymbol{l}}=0$，只要 $\mathbf{grad}\ u\perp\mathbf{grad}\ v$，此即所求的解.

【4419】 设 $u=\arctan\frac{z}{\sqrt{x^2+y^2}}$，$\boldsymbol{c}=\boldsymbol{i}+\boldsymbol{j}+\boldsymbol{k}$，写出 $\boldsymbol{a}=\boldsymbol{c}\times\mathbf{grad}\ u$ 通过单位向量 $\boldsymbol{i}$，$\boldsymbol{j}$，$\boldsymbol{k}$ 的表达式.

解
$$\frac{\partial u}{\partial x}=\frac{1}{1+\frac{z^2}{x^2+y^2}}\left[-\frac{xz}{(x^2+y^2)^{\frac{3}{2}}}\right]=-\frac{xz}{(x^2+y^2+z^2)(x^2+y^2)^{\frac{1}{2}}},$$
$$\frac{\partial u}{\partial y}=-\frac{yz}{(x^2+y^2+z^2)(x^2+y^2)^{\frac{1}{2}}},\quad \frac{\partial u}{\partial z}=\frac{(x^2+y^2)^{\frac{1}{2}}}{x^2+y^2+z^2}.$$

于是
$$\boldsymbol{a}=\boldsymbol{c}\times\mathbf{grad}\ u=\begin{vmatrix}\boldsymbol{i}&\boldsymbol{j}&\boldsymbol{k}\\1&1&1\\\frac{\partial u}{\partial x}&\frac{\partial u}{\partial y}&\frac{\partial u}{\partial z}\end{vmatrix}$$
$$=\frac{1}{(x^2+y^2+z^2)(x^2+y^2)^{\frac{1}{2}}}[(x^2+y^2+yz)\boldsymbol{i}-(x^2+y^2+xz)\boldsymbol{j}+(x-y)z\boldsymbol{k}].$$

【4420】 确定向量场 $\boldsymbol{a}=x\boldsymbol{i}+y\boldsymbol{j}+2z\boldsymbol{k}$ 的向量线.

解 向量线是这样的一条曲线 C：在 C 上每一点的切线与向量场在该点的方向重合. 因此 $\mathrm{d}\boldsymbol{r}//\boldsymbol{a}$，即
$$\frac{\mathrm{d}x}{a_x}=\frac{\mathrm{d}y}{a_y}=\frac{\mathrm{d}z}{a_z},$$
其中 $\boldsymbol{a}=a_x\boldsymbol{i}+a_y\boldsymbol{j}+a_z\boldsymbol{k}$. 已知 $a_x=x,a_y=y,a_z=2z$，故得
$$\frac{\mathrm{d}x}{x}=\frac{\mathrm{d}y}{y}=\frac{\mathrm{d}z}{2z},$$
解得 $y=c_1x,z=c_2x^2$.

知识点2 向量场的散度与旋度

1. 散度 若 $\boldsymbol{a}(r)=a_x(x,y,z)\boldsymbol{i}+a_y(x,y,z)\boldsymbol{j}+a_z(x,y,z)\boldsymbol{k}$ 是连续可微的向量场，则称标量
$$\mathrm{div}\ \boldsymbol{a}=\nabla\cdot\boldsymbol{a}=\frac{\partial a_x}{\partial x}+\frac{\partial a_y}{\partial y}+\frac{\partial a_z}{\partial z}$$
为这个场的散度.

2. 旋度 向量

$$\mathbf{rot}\,\boldsymbol{a}=\nabla\times\boldsymbol{a}=\begin{vmatrix}\boldsymbol{i} & \boldsymbol{j} & \boldsymbol{k}\\ \dfrac{\partial}{\partial x} & \dfrac{\partial}{\partial y} & \dfrac{\partial}{\partial z}\\ a_x & a_y & a_z\end{vmatrix}$$

称为场的旋度.

习题 4421—4434 向量场的散度

【4421】 用直接计算的方法证明:向量 $\boldsymbol{a}$ 的散度与直角坐标系的选择无关.

证 设除直角坐标系 $Oxyz$(坐标轴的方向的单位向量为 $\boldsymbol{i},\boldsymbol{j},\boldsymbol{k}$) 外,另有直角坐标系(坐标轴方向的单位向量为 $\boldsymbol{i}',\boldsymbol{j}',\boldsymbol{k}'$). 下证

$$\frac{\partial a_x}{\partial x}+\frac{\partial a_y}{\partial y}+\frac{\partial a_z}{\partial z}=\frac{\partial a_{x'}}{\partial x'}+\frac{\partial a_{y'}}{\partial y'}+\frac{\partial a_{z'}}{\partial z'}.$$

设

$$\begin{cases}\boldsymbol{i}'=\cos\alpha_1\boldsymbol{i}+\cos\beta_1\boldsymbol{j}+\cos\gamma_1\boldsymbol{k},\\ \boldsymbol{j}'=\cos\alpha_2\boldsymbol{i}+\cos\beta_2\boldsymbol{j}+\cos\gamma_2\boldsymbol{k},\\ \boldsymbol{k}'=\cos\alpha_3\boldsymbol{i}+\cos\beta_3\boldsymbol{j}+\cos\gamma_3\boldsymbol{k}.\end{cases}$$

又设 $\boldsymbol{r}_0=\overrightarrow{OO'}=a\boldsymbol{i}+b\boldsymbol{j}+c\boldsymbol{k}$. 于是,空间一点 P 在两个坐标系中的坐标(x,y,z) 与(x',y',z') 之间的关系为(令 $\boldsymbol{r}=\overrightarrow{OP},\boldsymbol{r}'=\overrightarrow{O'P}$)

$$x'=\boldsymbol{r}'\cdot\boldsymbol{i}'=(\boldsymbol{r}-\boldsymbol{r}_0)\cdot\boldsymbol{i}'=(x-a)\cos\alpha_1+(y-b)\cos\beta_1+(z-c)\cos\gamma_1,$$
$$y'=\boldsymbol{r}'\cdot\boldsymbol{j}'=(\boldsymbol{r}-\boldsymbol{r}_0)\cdot\boldsymbol{j}'=(x-a)\cos\alpha_2+(y-b)\cos\beta_2+(z-c)\cos\gamma_2,$$
$$z'=\boldsymbol{r}'\cdot\boldsymbol{k}'=(\boldsymbol{r}-\boldsymbol{r}_0)\cdot\boldsymbol{k}'=(x-a)\cos\alpha_3+(y-b)\cos\beta_3+(z-c)\cos\gamma_3,$$

于是有

$$\begin{aligned}\boldsymbol{a}&=a_{x'}\boldsymbol{i}'+a_{y'}\boldsymbol{j}'+a_{z'}\boldsymbol{k}'\\&=a_{x'}(\cos\alpha_1\boldsymbol{i}+\cos\beta_1\boldsymbol{j}+\cos\gamma_1\boldsymbol{k})+a_{y'}(\cos\alpha_2\boldsymbol{i}+\cos\beta_2\boldsymbol{j}+\\&\quad\cos\gamma_2\boldsymbol{k})+a_{z'}(\cos\alpha_3\boldsymbol{i}+\cos\beta_3\boldsymbol{j}+\cos\gamma_3\boldsymbol{k}).\end{aligned}$$

由此可知

$$a_x=a_{x'}\cos\alpha_1+a_{y'}\cos\alpha_2+a_{z'}\cos\alpha_3,$$
$$a_y=a_{x'}\cos\beta_1+a_{y'}\cos\beta_2+a_{z'}\cos\beta_3,$$
$$a_z=a_{x'}\cos\gamma_1+a_{y'}\cos\gamma_2+a_{z'}\cos\gamma_3.$$

于是

$$\begin{aligned}\frac{\partial a_x}{\partial x}&=\frac{\partial a_x}{\partial x'}\frac{\partial x'}{\partial x}+\frac{\partial a_x}{\partial y'}\frac{\partial y'}{\partial x}+\frac{\partial a_x}{\partial z'}\frac{\partial z'}{\partial x}\\&=\left(\cos\alpha_1\frac{\partial a_{x'}}{\partial x'}+\cos\alpha_2\frac{\partial a_{y'}}{\partial x'}+\cos\alpha_3\frac{\partial a_{z'}}{\partial x'}\right)\cos\alpha_1+\\&\quad\left(\cos\alpha_1\frac{\partial a_{x'}}{\partial y'}+\cos\alpha_2\frac{\partial a_{y'}}{\partial y'}+\cos\alpha_3\frac{\partial a_{z'}}{\partial y'}\right)\cos\alpha_2+\\&\quad\left(\cos\alpha_1\frac{\partial a_{x'}}{\partial z'}+\cos\alpha_2\frac{\partial a_{y'}}{\partial z'}+\cos\alpha_3\frac{\partial a_{z'}}{\partial z'}\right)\cos\alpha_3.\end{aligned}$$

同理,可得

$$\frac{\partial a_y}{\partial y}=\left(\cos\beta_1\frac{\partial a_{x'}}{\partial x'}+\cos\beta_2\frac{\partial a_{y'}}{\partial x'}+\cos\beta_3\frac{\partial a_{z'}}{\partial x'}\right)\cos\beta_1+$$

$$\left(\cos\beta_1\frac{\partial a_{x'}}{\partial y'}+\cos\beta_2\frac{\partial a_{y'}}{\partial y'}+\cos\beta_3\frac{\partial a_{z'}}{\partial y'}\right)\cos\beta_2+$$

$$\left(\cos\beta_1\frac{\partial a_{x'}}{\partial z'}+\cos\beta_2\frac{\partial a_{y'}}{\partial z'}+\cos\beta_3\frac{\partial a_{z'}}{\partial z'}\right)\cos\beta_3.$$

$$\frac{\partial a_z}{\partial z}=\left(\cos\gamma_1\frac{\partial a_{x'}}{\partial x'}+\cos\gamma_2\frac{\partial a_{y'}}{\partial x'}+\cos\gamma_3\frac{\partial a_{z'}}{\partial x'}\right)\cos\gamma_1+$$

$$\left(\cos\gamma_1\frac{\partial a_{x'}}{\partial y'}+\cos\gamma_2\frac{\partial a_{y'}}{\partial y'}+\cos\gamma_3\frac{\partial a_{z'}}{\partial y'}\right)\cos\gamma_2+$$

$$\left(\cos\gamma_1\frac{\partial a_{x'}}{\partial z'}+\cos\gamma_2\frac{\partial a_{y'}}{\partial z'}+\cos\gamma_3\frac{\partial a_{z'}}{\partial z'}\right)\cos\gamma_3.$$

将这三式相加，得

$$\frac{\partial a_x}{\partial x}+\frac{\partial a_y}{\partial y}+\frac{\partial a_z}{\partial z}=(\boldsymbol{i}'\cdot\boldsymbol{i}')\frac{\partial a_{x'}}{\partial x'}+(\boldsymbol{j}'\cdot\boldsymbol{i}')\frac{\partial a_{y'}}{\partial x'}+(\boldsymbol{k}'\cdot\boldsymbol{i}')\frac{\partial a_{z'}}{\partial x'}+$$

$$(\boldsymbol{i}'\cdot\boldsymbol{j}')\frac{\partial a_{x'}}{\partial y'}+(\boldsymbol{j}'\cdot\boldsymbol{j}')\frac{\partial a_{y'}}{\partial y'}+(\boldsymbol{k}'\cdot\boldsymbol{j}')\frac{\partial a_{z'}}{\partial y'}+$$

$$(\boldsymbol{i}'\cdot\boldsymbol{k}')\frac{\partial a_{x'}}{\partial z'}+(\boldsymbol{j}'\cdot\boldsymbol{k}')\frac{\partial a_{y'}}{\partial z'}+(\boldsymbol{k}'\cdot\boldsymbol{k}')\frac{\partial a_{z'}}{\partial z'}$$

$$=\frac{\partial a_{x'}}{\partial x'}+\frac{\partial a_{y'}}{\partial y'}+\frac{\partial a_{z'}}{\partial z'}.$$

【4422】 证明：

$$\operatorname{div}\boldsymbol{a}(M)=\lim_{d(S)\to 0}\frac{1}{V}\iint_S\boldsymbol{a}_n\mathrm{d}S,$$

其中 S 表示围绕着点 M 的封闭曲面，V 是该曲面所围区域的体积，$\boldsymbol{n}$ 为曲面 S 的外法向量，$d(S)$ 为曲面 S 的直径.

证 由于 $\boldsymbol{a}_n=\boldsymbol{a}\cdot\boldsymbol{n}=a_x\cos\alpha+a_y\cos\beta+a_z\cos\gamma$，其中 $\cos\alpha,\cos\beta,\cos\gamma$ 是 $\boldsymbol{n}$ 的方向余弦. 应用高斯公式以及积分中值定理，得

$$\iint_S\boldsymbol{a}_n\mathrm{d}S=\iint_S(a_x\cos\alpha+a_y\cos\beta+a_z\cos\gamma)\mathrm{d}S$$

$$=\iiint_V\left(\frac{\partial a_x}{\partial x}+\frac{\partial a_y}{\partial y}+\frac{\partial a_z}{\partial z}\right)\mathrm{d}x\mathrm{d}y\mathrm{d}z=\iiint_V(\operatorname{div}\boldsymbol{a})\mathrm{d}x\mathrm{d}y\mathrm{d}z=\operatorname{div}\boldsymbol{a}(M_1)\cdot V,$$

其中 M_1 是 V 中某点，即

$$\operatorname{div}\boldsymbol{a}(M_1)=\frac{1}{V}\iint_S\boldsymbol{a}_n\mathrm{d}S,$$

令 $d(S)\to 0$，这时 V 缩向点 M，从而点 $M_1\to M$，取极限，即得

$$\operatorname{div}\boldsymbol{a}(M)=\lim_{d(S)\to 0}\frac{1}{V}\iint_S\boldsymbol{a}_n\mathrm{d}S.$$

【4423】 求 $\operatorname{div}\begin{vmatrix}\boldsymbol{i}&\boldsymbol{j}&\boldsymbol{k}\\ \dfrac{\partial}{\partial x}&\dfrac{\partial}{\partial y}&\dfrac{\partial}{\partial z}\\ w_x&w_y&w_z\end{vmatrix}$.

解 $$\operatorname{div}\begin{vmatrix}\boldsymbol{i}&\boldsymbol{j}&\boldsymbol{k}\\ \dfrac{\partial}{\partial x}&\dfrac{\partial}{\partial y}&\dfrac{\partial}{\partial z}\\ w_x&w_y&w_z\end{vmatrix}=\operatorname{div}\left[\left(\frac{\partial w_z}{\partial y}-\frac{\partial w_y}{\partial z}\right)\boldsymbol{i}+\left(\frac{\partial w_x}{\partial z}-\frac{\partial w_z}{\partial x}\right)\boldsymbol{j}+\left(\frac{\partial w_y}{\partial x}-\frac{\partial w_x}{\partial y}\right)\boldsymbol{k}\right]$$

$$=\frac{\partial}{\partial x}\left(\frac{\partial w_z}{\partial y}-\frac{\partial w_y}{\partial z}\right)+\frac{\partial}{\partial y}\left(\frac{\partial w_x}{\partial z}-\frac{\partial w_z}{\partial x}\right)+\frac{\partial}{\partial z}\left(\frac{\partial w_y}{\partial x}-\frac{\partial w_x}{\partial y}\right)=0.$$

【4424】 证明:

(1) $\operatorname{div}(\boldsymbol{a}+\boldsymbol{b})=\operatorname{div}\boldsymbol{a}+\operatorname{div}\boldsymbol{b}$; (2) $\operatorname{div}(u\boldsymbol{c})=\boldsymbol{c}\cdot\operatorname{\mathbf{grad}}u$($\boldsymbol{c}$ 为常量,u 为标量);

(3) $\operatorname{div}(u\boldsymbol{a})=u\operatorname{div}\boldsymbol{a}+\boldsymbol{a}\cdot\operatorname{\mathbf{grad}}u$.

解 (1) 设 $\boldsymbol{a}=a_x\boldsymbol{i}+a_y\boldsymbol{j}+a_z\boldsymbol{k}$,$\boldsymbol{b}=b_x\boldsymbol{i}+b_y\boldsymbol{j}+b_z\boldsymbol{k}$. 由于

$$\frac{\partial(a_x+b_x)}{\partial x}=\frac{\partial a_x}{\partial x}+\frac{\partial b_x}{\partial x},\frac{\partial(a_y+b_y)}{\partial y}=\frac{\partial a_y}{\partial y}+\frac{\partial b_y}{\partial y},\frac{\partial(a_z+b_z)}{\partial z}=\frac{\partial a_z}{\partial z}+\frac{\partial b_z}{\partial z},$$

故得 $\operatorname{div}(\boldsymbol{a}+\boldsymbol{b})=\operatorname{div}\boldsymbol{a}+\operatorname{div}\boldsymbol{b}$.

(2) 设 $\boldsymbol{c}=c_x\boldsymbol{i}+c_y\boldsymbol{j}+c_z\boldsymbol{k}$,其中 c_x,c_y,c_z 为常数.

由于$\frac{\partial(uc_x)}{\partial x}=c_x\frac{\partial u}{\partial x},\frac{\partial(uc_y)}{\partial y}=c_y\frac{\partial u}{\partial y},\frac{\partial(uc_z)}{\partial z}=c_z\frac{\partial u}{\partial z}$,故得 $\operatorname{div}(u\boldsymbol{c})=\boldsymbol{c}\cdot\operatorname{\mathbf{grad}}u$.

(3) 由于$\frac{\partial(ua_x)}{\partial x}=u\frac{\partial a_x}{\partial x}+a_x\frac{\partial u}{\partial x},\frac{\partial(uc_y)}{\partial y}=u\frac{\partial a_y}{\partial y}+a_y\frac{\partial u}{\partial y},\frac{\partial(ua_z)}{\partial z}=u\frac{\partial a_z}{\partial z}+a_z\frac{\partial u}{\partial z}$,故得

$$\operatorname{div}(u\boldsymbol{a})=u\operatorname{div}\boldsymbol{a}+\boldsymbol{a}\cdot\operatorname{\mathbf{grad}}u.$$

【4425】 求 $\operatorname{div}(\operatorname{\mathbf{grad}}u)$.

解 $\operatorname{div}(\operatorname{\mathbf{grad}}u)=\frac{\partial}{\partial x}\left(\frac{\partial u}{\partial x}\right)+\frac{\partial}{\partial y}\left(\frac{\partial u}{\partial y}\right)+\frac{\partial}{\partial z}\left(\frac{\partial u}{\partial z}\right)=\frac{\partial^2 u}{\partial x^2}+\frac{\partial^2 u}{\partial y^2}+\frac{\partial^2 u}{\partial z^2}=\Delta u$(或记成$\nabla^2 u$).

【4426】 (1) 求 $\operatorname{div}[\operatorname{\mathbf{grad}}f(r)]$,其中 $r=\sqrt{x^2+y^2+z^2}$.

(2) 在怎样的情况下 $\operatorname{div}[\operatorname{\mathbf{grad}}f(r)]=0$?

解 由 4410 题的结果知 $\operatorname{\mathbf{grad}}f(r)=f'(r)\frac{\boldsymbol{r}}{r}$. 于是

$$\begin{aligned}\operatorname{div}[\operatorname{\mathbf{grad}}f(r)]&=\frac{\partial}{\partial x}\left[f'(r)\frac{x}{r}\right]+\frac{\partial}{\partial y}\left[f'(r)\frac{y}{r}\right]+\frac{\partial}{\partial z}\left[f'(r)\frac{z}{r}\right]\\&=f''(r)\left(\frac{x^2}{r^2}+\frac{y^2}{r^2}+\frac{z^2}{r^2}\right)+f'(r)\left(\frac{r^2-x^2}{r^3}+\frac{r^2-y^2}{r^3}+\frac{r^2-z^2}{r^3}\right)\\&=f''(r)+\frac{2}{r}f'(r).\end{aligned}$$

要使 $\operatorname{div}[\operatorname{\mathbf{grad}}f(r)]=0$,只要 $f''(r)+\frac{2}{r}f'(r)=0$. 上述方程可写成

$$rf''(r)+2f'(r)=0\text{ 或 }[rf''(r)+f'(r)]+f'(r)=0,$$

积分上式,即得

$$rf'(r)+f(r)=C(C\text{ 为常数}).$$

再积分,得

$$rf(r)=Cr+C_1(C_1\text{ 为常数}).$$

于是,最后得 $f(r)=C+\frac{C_1}{r}$,此即所求的解.

【4427】 计算:(1) $\operatorname{div}\boldsymbol{r}$; (2) $\operatorname{div}\frac{\boldsymbol{r}}{r}$.

解 (1) $\operatorname{div}\boldsymbol{r}=\frac{\partial x}{\partial x}+\frac{\partial y}{\partial y}+\frac{\partial z}{\partial z}=3$.

$$\begin{aligned}(2)\operatorname{div}\frac{\boldsymbol{r}}{r}&=\frac{\partial}{\partial x}\left(\frac{x}{r}\right)+\frac{\partial}{\partial y}\left(\frac{y}{r}\right)+\frac{\partial}{\partial z}\left(\frac{z}{r}\right)=\left(\frac{1}{r}-\frac{x^2}{r^3}\right)+\left(\frac{1}{r}-\frac{y^2}{r^3}\right)+\left(\frac{1}{r}-\frac{z^2}{r^3}\right)\\&=\frac{3}{r}-\frac{x^2+y^2+z^2}{r^3}=\frac{3}{r}-\frac{1}{r}=\frac{2}{r}.\end{aligned}$$

【4428】 计算 $\operatorname{div}[f(v)\boldsymbol{c}]$,其中 $\boldsymbol{c}$ 为常向量.

解 由 4424 题(2) 及 4410 题的结果可得

$$\operatorname{div}[f(r)\boldsymbol{c}] = \boldsymbol{c} \cdot \mathbf{grad}\, f(r) = \boldsymbol{c} \cdot f'(r)\frac{\boldsymbol{r}}{r} = \frac{f'(r)}{r}(\boldsymbol{c} \cdot \boldsymbol{r}).$$

【4429】 求 $\operatorname{div}[f(r)\boldsymbol{r}]$. 在怎样的情况下该散度等于零?

解 由 4424 题(3) 及 4410 题的结果可得

$$\operatorname{div}[f(r)\boldsymbol{r}] = f(\boldsymbol{r})\operatorname{div}\boldsymbol{r} + \boldsymbol{r} \cdot \mathbf{grad}\, f(r) = 3f(r) + \boldsymbol{r} \cdot f'(r)\frac{\boldsymbol{r}}{r} = 3f(r) + rf'(r).$$

要使 $\operatorname{div}[f(r)\boldsymbol{r}] = 0$,只要 $3f(r) + rf'(r) = 0$,即$\dfrac{f'(r)}{f(r)} = -\dfrac{3}{r}$. 积分得 $f(r) = \dfrac{C}{r^3}$(C 为常数).
此即所求的解.

【4430】 求:(1)$\operatorname{div}(u\mathbf{grad}\, u)$; (2)$\operatorname{div}(u\mathbf{grad}\, v)$.

解 由 4424 题(3) 及 4425 题的结果可得

(1)$\operatorname{div}(u\mathbf{grad}\, u) = u\operatorname{div}(\mathbf{grad}\, u) + \mathbf{grad}\, u \cdot \mathbf{grad}\, u = u\Delta u + (\mathbf{grad}\, u)^2$

(2)$\operatorname{div}(u\mathbf{grad}\, v) = u\operatorname{div}(\mathbf{grad}\, v) + \mathbf{grad}\, v \cdot \mathbf{grad}\, u = u\Delta v + \mathbf{grad}\, u \cdot \mathbf{grad}\, v$.

【4431】 设流体充满空间并以恒定的角速度 w 依逆时针方向绕 Oz 轴旋转. 求速度向量 v 和加速度向量 w 在已知时刻在空间点 $M(x,y,z)$ 处的散度.

解 $\boldsymbol{v} = \boldsymbol{v}_0 + \boldsymbol{w} \times \boldsymbol{r}$,微分,并由 $\boldsymbol{a} \times (\boldsymbol{b} \times \boldsymbol{c}) = (\boldsymbol{a} \cdot \boldsymbol{c})\boldsymbol{b} - (\boldsymbol{a} \cdot \boldsymbol{b})\boldsymbol{c}$,即得

$$\begin{aligned}\boldsymbol{w} &= \boldsymbol{w}_0 + \dot{\boldsymbol{w}} \times \boldsymbol{r} + \boldsymbol{w} \times \dot{\boldsymbol{r}} = \boldsymbol{w}_0 + \dot{\boldsymbol{w}} \times \boldsymbol{r} + \boldsymbol{w} \times \boldsymbol{v} = \boldsymbol{w}_0 + \dot{\boldsymbol{w}} \times \boldsymbol{r} + \boldsymbol{w} \times (\boldsymbol{v}_0 + \boldsymbol{w} \times \boldsymbol{r}) \\ &= \boldsymbol{w}_0 + \dot{\boldsymbol{w}} \times \boldsymbol{r} + \boldsymbol{w} \times \boldsymbol{v}_0 + (\boldsymbol{w} \cdot \boldsymbol{r})\boldsymbol{w} - (\boldsymbol{w} \cdot \boldsymbol{w})\boldsymbol{r}.\end{aligned}$$

为了计算 $\operatorname{div}\boldsymbol{v}$ 和 $\operatorname{div}\boldsymbol{w}$,先计算 $\operatorname{div}(\boldsymbol{a} \times \boldsymbol{r})$,此处 $\boldsymbol{a}$ 为常向量. 由于

$$(\boldsymbol{a} \times \boldsymbol{r})_x = a_y z - a_z y, (\boldsymbol{a} \times \boldsymbol{r})_y = a_z x - a_x z, (\boldsymbol{a} \times \boldsymbol{r})_z = a_x y - a_y x,$$

故得

$$\operatorname{div}(\boldsymbol{a} \times \boldsymbol{r}) = \frac{\partial}{\partial x}(a_y z - a_z y) + \frac{\partial}{\partial y}(a_z x - a_x z) + \frac{\partial}{\partial z}(a_x y - a_y x) = 0.$$

于是,有

$$\operatorname{div}\boldsymbol{v} = \operatorname{div}\boldsymbol{v}_0 + \operatorname{div}(\boldsymbol{w} \times \boldsymbol{r}) = 0.$$

$$\operatorname{div}\boldsymbol{w} = \operatorname{div}\boldsymbol{w}_0 + \operatorname{div}(\boldsymbol{w} \times \boldsymbol{r}) + \operatorname{div}(\boldsymbol{w} \times \boldsymbol{v}_0) + \operatorname{div}[(\boldsymbol{w} \cdot \boldsymbol{r})\boldsymbol{w}] - \operatorname{div}[(\boldsymbol{w} \cdot \boldsymbol{w})\boldsymbol{r}],$$

而由 4424 题(3) 和 4411 题的结果可得

$$\operatorname{div}[(\boldsymbol{w} \cdot \boldsymbol{r})\boldsymbol{w}] = \boldsymbol{w} \cdot \boldsymbol{r}\operatorname{div}\boldsymbol{w} + \boldsymbol{w} \cdot \mathbf{grad}(\boldsymbol{w} \cdot \boldsymbol{r}) = \boldsymbol{w} \cdot \boldsymbol{w} = w^2$$

$$\operatorname{div}[(\boldsymbol{w} \cdot \boldsymbol{w})\boldsymbol{r}] = \boldsymbol{w} \cdot \boldsymbol{w}\operatorname{div}\boldsymbol{r} + \boldsymbol{r} \cdot \mathbf{grad}(\boldsymbol{w} \cdot \boldsymbol{w}) = 3w^2,$$

从而,最后得 $\operatorname{div}\boldsymbol{w} = w^2 - 3w^2 = -2w^2$.

【4432】 求包含多个引力中心的有限系统所产生的引力场的散度.

解 引力 $\boldsymbol{F} = \dfrac{k\boldsymbol{r}}{r^3}$($k$ 为常数). 于是

$$\begin{aligned}\operatorname{div}\boldsymbol{F} &= \frac{\partial}{\partial x}\left(\frac{kx}{r^3}\right) + \frac{\partial}{\partial y}\left(\frac{ky}{r^3}\right) + \frac{\partial}{\partial z}\left(\frac{kz}{r^3}\right) = k\left[\left(\frac{1}{r^3} - \frac{3x^2}{r^5}\right) + \left(\frac{1}{r^3} - \frac{3y^2}{r^5}\right) + \left(\frac{1}{r^3} - \frac{3z^2}{r^5}\right)\right] \\ &= k\left[\frac{3}{r^3} - \frac{3(x^2 + y^2 + z^2)}{r^5}\right] = k\left(\frac{3}{r^3} - \frac{3}{r^3}\right) = 0.\end{aligned}$$

【4433】 求由极坐标 r 与 θ 表示的平面向量 $\boldsymbol{a} = \boldsymbol{a}(r,\theta)$ 的散度的表示式.

解 设极坐标的 r 线与 θ 线的单位向量为 $\boldsymbol{e}_r$ 与 $\boldsymbol{e}_\theta$,且

$$\boldsymbol{a}(r,\theta) = a_r(r,\theta)\boldsymbol{e}_r + a_\theta(r,\theta)\boldsymbol{e}_\theta.$$

这里自然假定 a_r, a_θ 都具有连续的偏导数,取面积元素 $\Delta S = r\Delta\theta\Delta r$,记其围线为 ΔC. 首先,推导向量 $\boldsymbol{a}$ 经过

围线 ΔC 的通量,即矢流. 通量可分两部分:一部分是经过 r 线的;另一部分是经过 θ 线的. 它们分别是

$$\int_r^{r+\Delta r} a_\theta(r,\theta+\Delta\theta)\mathrm{d}r-\int_r^{r+\Delta r} a_\theta(r,\theta)\mathrm{d}r=\int_r^{r+\Delta r}[a_\theta(r,\theta+\Delta\theta)-a_\theta(r,\theta)]\mathrm{d}r$$

$$=\int_r^{r+\Delta r}\frac{\partial a_\theta(r,\theta)}{\partial\theta}\Delta\theta\mathrm{d}r=\frac{\partial a_\theta(r,\theta)}{\partial\theta}\Delta\theta\Delta r,$$

$$\int_\theta^{\theta+\Delta\theta} a_r(r+\Delta r,\theta)(r+\Delta r)\mathrm{d}\theta-\int_\theta^{\theta+\Delta\theta} a_r(r,\theta)r\mathrm{d}\theta=\int_\theta^{\theta+\Delta\theta}[a_r(r+\Delta r,\theta)(r+\Delta r)-a_r(r,\theta)r]\mathrm{d}\theta$$

$$\approx\int_\theta^{\theta+\Delta\theta}\frac{\partial[a_r(r,\theta)r]}{\partial r}\Delta r\mathrm{d}\theta\approx\frac{\partial[a_r(r,\theta)r]}{\partial r}\Delta r\Delta\theta,$$

且由于 a_r,a_θ 的偏导数的连续性,当 $\Delta r,\Delta\theta$ 取得愈小时,上述近似等式愈精确. 于是,$\boldsymbol{a}$ 经过 ΔC 的通量为

$$\oint_{\Delta c}\boldsymbol{a}\cdot\boldsymbol{n}\mathrm{d}s\approx\left\{\frac{\partial[a_\varphi(r,\theta)]}{\partial\theta}+\frac{\partial[a_r(r,\theta)r]}{\partial r}\right\}\Delta\theta\Delta r,$$

其中 $\boldsymbol{n}$ 为曲线 ΔC 的外法向量,而且当 $\Delta r,\Delta\theta$ 愈小时此近似等式愈精确.

于是,根据散度的定义,并注意到 ΔS 收缩为一点(r,θ) 与 $\Delta r\to0,\Delta\theta\to0$ 等价,即得

$$\operatorname{div}\boldsymbol{a}=\lim_{\Delta S\to0}\frac{\oint_{\Delta c}\boldsymbol{a}\cdot\boldsymbol{n}\mathrm{d}s}{\Delta S}=\lim_{\substack{\Delta r\to0\\\Delta\theta\to0}}\frac{\left\{\frac{\partial[a_\theta(r,\theta)]}{\partial\theta}+\frac{\partial[a_r(r,\theta)r]}{\partial r}\right\}\Delta\theta\Delta r}{r\Delta r\Delta\theta}$$

$$=\frac{1}{r}\left\{\frac{\partial[a_\theta(r,\theta)]}{\partial\theta}+\frac{\partial[a_r(r,\theta)r]}{\partial r}\right\}=\frac{1}{r}\left[\frac{\partial(ra_r)}{\partial r}+\frac{\partial a_\theta}{\partial\theta}\right].$$

【4434】 设

$$x=f(u,v,w),y=g(u,v,w),z=h(u,v,w),$$

用正交曲线坐标 u,v,w 表示 $\operatorname{div}\boldsymbol{a}(x,y,z)$. 作为特殊情形,求用柱面坐标和球面坐标表示 $\operatorname{div}\boldsymbol{a}$ 的表示式.

解 考虑向量 $\boldsymbol{a}$ 通过由曲面 $u=$ 常数,$v=$ 常数,$w=$ 常数所界的小立体(接近于长方体)V 的表面 S 的通量(图 8.72),则 $\boldsymbol{a}=a_u\boldsymbol{e}_1+a_v\boldsymbol{e}_2+a_w\boldsymbol{e}_3$. 在 u 曲线上,只有 u 变化(v 和 w 都是常数),故

$$\mathrm{d}\boldsymbol{r}=\frac{\partial x}{\partial u}\mathrm{d}u\boldsymbol{i}+\frac{\partial y}{\partial u}\mathrm{d}u\boldsymbol{j}+\frac{\partial z}{\partial u}\mathrm{d}u\boldsymbol{k},$$

从而 $\mathrm{d}s_1=|\mathrm{d}\boldsymbol{r}|=L\mathrm{d}u$,其中

$$L=\sqrt{\left(\frac{\partial x}{\partial u}\right)^2+\left(\frac{\partial y}{\partial u}\right)^2+\left(\frac{\partial z}{\partial u}\right)^2}=\sqrt{\left(\frac{\partial f}{\partial u}\right)^2+\left(\frac{\partial g}{\partial u}\right)^2+\left(\frac{\partial h}{\partial u}\right)^2},$$

$\mathrm{d}s_1$ 为 u 曲线上的弧元素. 同理可得 $\mathrm{d}s_2=M\mathrm{d}v,\mathrm{d}s_3=N\mathrm{d}w$,其中 $\mathrm{d}s_2$,$\mathrm{d}s_3$ 分别为 v,w 曲线上的弧元素,而

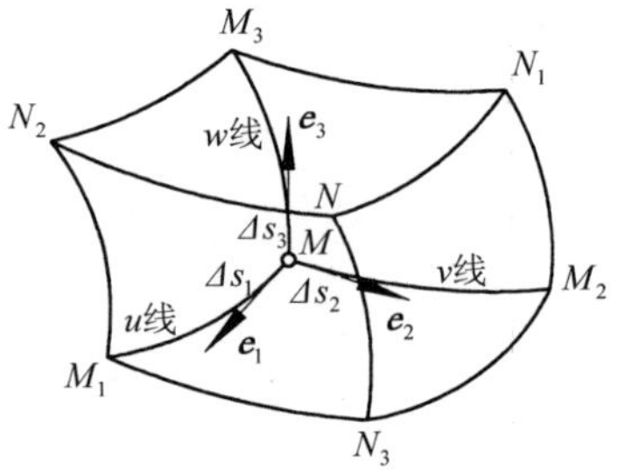

图 8.72

$$M=\sqrt{\left(\frac{\partial f}{\partial v}\right)^2+\left(\frac{\partial g}{\partial v}\right)^2+\left(\frac{\partial h}{\partial v}\right)^2},N=\sqrt{\left(\frac{\partial f}{\partial w}\right)^2+\left(\frac{\partial g}{\partial w}\right)^2+\left(\frac{\partial h}{\partial w}\right)^2},$$

由于坐标曲线互相垂直,$\Delta s_1,\Delta s_2,\Delta s_3$ 都很小,故 V 接近于长方体. 因此,其体积为

$$V\approx\Delta s_1\Delta s_2\Delta s_3\approx\mathrm{d}_1\mathrm{d}s_2\mathrm{d}s_3=LMN\mathrm{d}u\mathrm{d}v\mathrm{d}w.$$

现计算 $\boldsymbol{a}$ 通过 V 的表面 S 向外的通量 $\iint_S a_n\mathrm{d}S$,S 共包括六块小曲面(图 8.72),记垂直于 $\boldsymbol{e}_1$ 方向的两块为 S_1 与 S_2(即图中的 $MM_2N_1M_3$ 与 $M_1N_3NN_2$),垂直于 $\boldsymbol{e}_2$ 方向的两块为 S_3 与 S_4,垂直于 $\boldsymbol{e}_3$ 方向的两块为 S_5 与 S_6. 显然,由于曲面很小,有

$$\iint_{S_2}a_n\mathrm{d}S+\iint_{S_1}a_n\mathrm{d}S\approx a_u\Delta S_2\Delta S_3\big|_{(u+\Delta u,v,w)}-a_u\Delta S_2\Delta S_3\big|_{(u,v,w)}$$

$$\approx a_uMN\mathrm{d}v\mathrm{d}w\big|_{(u+\Delta u,v,w)}-a_uMN\mathrm{d}v\mathrm{d}w\big|_{(u,v,w)}\approx\frac{\partial(a_uMN\mathrm{d}v\mathrm{d}w)}{\partial u}\mathrm{d}u$$

$$= \frac{\partial(MNa_u)}{\partial u}\mathrm{d}u\mathrm{d}v\mathrm{d}w.$$

同理可得

$$\iint_{S_4} a_n \mathrm{d}S + \iint_{S_3} a_n \mathrm{d}S \approx \frac{\partial(NLa_v)}{\partial v}\mathrm{d}u\mathrm{d}v\mathrm{d}w, \iint_{S_6} a_n \mathrm{d}S + \iint_{S_5} a_n \mathrm{d}S \approx \frac{\partial(LMa_w)}{\partial w}\mathrm{d}u\mathrm{d}v\mathrm{d}w.$$

相加即得

$$\iint_S a_n \mathrm{d}S \approx \left[\frac{\partial(MNa_u)}{\partial u} + \frac{\partial(NLa_v)}{\partial v} + \frac{\partial(LMa_w)}{\partial w}\right]\mathrm{d}u\mathrm{d}v\mathrm{d}w.$$

于是

$$\frac{\iint_S a_n \mathrm{d}S}{V} \approx \frac{1}{LMN}\left[\frac{\partial}{\partial u}(MNa_u) + \frac{\partial}{\partial v}(NLa_v) + \frac{\partial}{\partial w}(LMa_w)\right].$$

显然，当小立体 V 愈缩向点 M（V 愈小）时，上述各近似等式都愈精确. 于是，令 V 缩向 M（即 S 的直径 $d(S)$ 趋于零）取极限，利用 4422 题的结果，得

$$\operatorname{div} \boldsymbol{a} = \lim_{d(S)\to 0}\frac{\iint_S a_n \mathrm{d}S}{V} = \frac{1}{LMN}\left[\frac{\partial}{\partial u}(MNa_u) + \frac{\partial}{\partial v}(NLa_v) + \frac{\partial}{\partial w}(LMa_w)\right].$$

特别是在柱坐标情形下，有 $x = r\cos\theta, y = r\sin\theta, z = z(u = r, v = \theta, w = z)$. 从而

$$L = \sqrt{\left(\frac{\partial x}{\partial r}\right)^2 + \left(\frac{\partial y}{\partial r}\right)^2 + \left(\frac{\partial z}{\partial r}\right)^2} = 1,$$

$$M = \sqrt{\left(\frac{\partial x}{\partial \theta}\right)^2 + \left(\frac{\partial y}{\partial \theta}\right)^2 + \left(\frac{\partial z}{\partial \theta}\right)^2} = r,$$

$$N = \sqrt{\left(\frac{\partial x}{\partial z}\right)^2 + \left(\frac{\partial y}{\partial z}\right)^2 + \left(\frac{\partial z}{\partial z}\right)^2} = 1.$$

于是 $\operatorname{div} \boldsymbol{a} = \frac{1}{r}\left[\frac{\partial}{\partial r}(ra_r) + \frac{\partial a_\theta}{\partial \theta} + r\frac{\partial a_z}{\partial z}\right]$.

在球坐标情形下，有 $x = r\cos\theta\sin\varphi, y = r\sin\theta\sin\varphi, z = r\cos\varphi(u = r, v = \varphi, w = \theta)$，故

$$L = \sqrt{\left(\frac{\partial x}{\partial r}\right)^2 + \left(\frac{\partial y}{\partial r}\right)^2 + \left(\frac{\partial z}{\partial r}\right)^2} = 1,$$

$$M = \sqrt{\left(\frac{\partial x}{\partial \varphi}\right)^2 + \left(\frac{\partial y}{\partial \varphi}\right)^2 + \left(\frac{\partial z}{\partial \varphi}\right)^2} = r,$$

$$N = \sqrt{\left(\frac{\partial x}{\partial \theta}\right)^2 + \left(\frac{\partial y}{\partial \theta}\right)^2 + \left(\frac{\partial z}{\partial \theta}\right)^2} = r\sin\varphi.$$

于是

$$\begin{aligned}\operatorname{div} \boldsymbol{a} &= \frac{1}{r^2\sin\varphi}\left[\frac{\partial}{\partial r}(a_r r^2\sin\varphi) + \frac{\partial}{\partial \theta}(a_\theta r) + \frac{\partial}{\partial \varphi}(a_\varphi r\sin\varphi)\right] \\ &= \frac{1}{r^2\sin\varphi}\left[\sin\varphi\frac{\partial}{\partial r}(a_r r^2) + r\frac{\partial a_\theta}{\partial \theta} + r\frac{\partial}{\partial \varphi}(a_\varphi\sin\varphi)\right].\end{aligned}$$

习题 4435—4440　向量场的旋度

【4435】　证明：

(1) $\mathbf{rot}(\boldsymbol{a} + \boldsymbol{b}) = \mathbf{rot}\,\boldsymbol{a} + \mathbf{rot}\,\boldsymbol{b}$;　　(2) $\mathbf{rot}(u\boldsymbol{a}) = u\,\mathbf{rot}\,\boldsymbol{a} + \mathbf{grad}\,u \times \boldsymbol{a}$.

解　(1) 设 $\boldsymbol{a} = a_x\boldsymbol{i} + a_y\boldsymbol{j} + a_z\boldsymbol{k}, \boldsymbol{b} = b_x\boldsymbol{i} + b_y\boldsymbol{j} + b_z\boldsymbol{k}$，则有

$$\mathbf{rot}(\boldsymbol{a}+\boldsymbol{b})=\begin{vmatrix}\boldsymbol{i}&\boldsymbol{j}&\boldsymbol{k}\\ \frac{\partial}{\partial x}&\frac{\partial}{\partial y}&\frac{\partial}{\partial z}\\ a_x+b_x&a_y+b_y&a_z+b_z\end{vmatrix}=\begin{vmatrix}\boldsymbol{i}&\boldsymbol{j}&\boldsymbol{k}\\ \frac{\partial}{\partial x}&\frac{\partial}{\partial y}&\frac{\partial}{\partial z}\\ a_x&a_y&a_z\end{vmatrix}+\begin{vmatrix}\boldsymbol{i}&\boldsymbol{j}&\boldsymbol{k}\\ \frac{\partial}{\partial x}&\frac{\partial}{\partial y}&\frac{\partial}{\partial z}\\ b_x&b_y&b_z\end{vmatrix}=\mathbf{rot}\,\boldsymbol{a}+\mathbf{rot}\,\boldsymbol{b}.$$

(2)$\mathbf{rot}_x(u\boldsymbol{a})=\frac{\partial}{\partial y}(ua_z)-\frac{\partial}{\partial z}(ua_y)=u\left(\frac{\partial a_z}{\partial y}-\frac{\partial a_y}{\partial z}\right)+\left(a_z\frac{\partial u}{\partial y}-a_y\frac{\partial u}{\partial z}\right)=u\mathbf{rot}_x\boldsymbol{a}+(\mathbf{grad}\,u\times\boldsymbol{a})_x$，同法可得 $\mathbf{rot}_y(u\boldsymbol{a})=u\mathbf{rot}_y\boldsymbol{a}+(\mathbf{grad}\,u\times\boldsymbol{a})_y$，$\mathbf{rot}_z(u\boldsymbol{a})=u\mathbf{rot}_z\boldsymbol{a}+(\mathbf{grad}\,\boldsymbol{a}\times\boldsymbol{a})_z$. 于是

$$\mathbf{rot}(u\boldsymbol{a})=u\mathbf{rot}\,\boldsymbol{a}+\mathbf{grad}\,u\times\boldsymbol{a}.$$

【4436】 求：(1)$\mathbf{rot}\,\boldsymbol{r}$； (2)$\mathbf{rot}[f(r)\boldsymbol{r}]$.

解 (1)$\mathbf{rot}\,\boldsymbol{r}=\left(\frac{\partial z}{\partial y}-\frac{\partial y}{\partial z}\right)\boldsymbol{i}+\left(\frac{\partial x}{\partial z}-\frac{\partial z}{\partial x}\right)\boldsymbol{j}+\left(\frac{\partial y}{\partial x}-\frac{\partial x}{\partial y}\right)\boldsymbol{k}=0.$

(2) 由 4435 题(2) 及 4410 题的结果可得

$$\mathbf{rot}[f(r)\boldsymbol{r}]=f(r)\mathbf{rot}\,\boldsymbol{r}+\mathbf{grad}\,f(r)\times\boldsymbol{r}=\mathbf{0}+f'(r)\frac{\boldsymbol{r}}{r}\times\boldsymbol{r}=\mathbf{0}.$$

【4437】 求：(1)$\mathbf{rot}[\boldsymbol{c}f(r)]$； (2)$\mathbf{rot}[\boldsymbol{c}\times f(\boldsymbol{r})\boldsymbol{r}]$($\boldsymbol{c}$ 为常向量).

解 (1)$\mathbf{rot}[\boldsymbol{c}f(r)]=f(r)\mathbf{rot}\,\boldsymbol{c}+\mathbf{grad}\,f(r)\times\boldsymbol{c}=\frac{f'(r)}{r}(\boldsymbol{r}\times\boldsymbol{c}).$

(2)$\mathbf{rot}[\boldsymbol{c}\times f(\boldsymbol{r})\boldsymbol{r}]=f(r)\mathbf{rot}(\boldsymbol{c}\times\boldsymbol{r})+\mathbf{grad}\,f(r)\times(\boldsymbol{c}\times\boldsymbol{r}).$

但是

$$\mathbf{rot}(c\times r)=\begin{vmatrix}\boldsymbol{i}&\boldsymbol{j}&\boldsymbol{k}\\ \frac{\partial}{\partial x}&\frac{\partial}{\partial y}&\frac{\partial}{\partial z}\\ c_yz-c_zy&c_zx-c_xz&c_xy-c_yx\end{vmatrix}=2\boldsymbol{c},$$

$$\mathbf{grad}\,f(r)\times(\boldsymbol{c}\times\boldsymbol{r})=\frac{f'(r)}{r}\boldsymbol{r}\times(\boldsymbol{c}\times\boldsymbol{r})=\frac{f'(r)}{r}[(\boldsymbol{r}\cdot\boldsymbol{r})\boldsymbol{c}-(\boldsymbol{r}\cdot\boldsymbol{c})\boldsymbol{r}],$$

故最后得

$$\mathbf{rot}[\boldsymbol{c}\times f(r)\boldsymbol{r}]=2f(r)\boldsymbol{c}+\frac{f'(r)}{r}[(\boldsymbol{r}\cdot\boldsymbol{r})\boldsymbol{c}-(\boldsymbol{r}\cdot\boldsymbol{c})\boldsymbol{r}].$$

【4438】 证明：$\mathrm{div}(\boldsymbol{a}\times\boldsymbol{b})=\boldsymbol{b}\cdot\mathbf{rot}\,\boldsymbol{a}-\boldsymbol{a}\cdot\mathbf{rot}\,\boldsymbol{b}$.

证

$$\begin{aligned}\mathrm{div}(\boldsymbol{a}\times\boldsymbol{b})&=\frac{\partial}{\partial x}(a_yb_z-a_zb_y)+\frac{\partial}{\partial y}(a_zb_x-a_xb_z)+\frac{\partial}{\partial z}(a_xb_y-a_yb_x)\\&=b_x\left(\frac{\partial a_z}{\partial y}-\frac{\partial a_y}{\partial z}\right)+b_y\left(\frac{\partial a_x}{\partial z}-\frac{\partial a_z}{\partial x}\right)+b_z\left(\frac{\partial a_y}{\partial x}-\frac{\partial a_x}{\partial y}\right)-\\&\quad a_x\left(\frac{\partial b_z}{\partial y}-\frac{\partial b_y}{\partial z}\right)-a_y\left(\frac{\partial b_x}{\partial z}-\frac{\partial b_z}{\partial x}\right)-a_z\left(\frac{\partial b_y}{\partial x}-\frac{\partial b_x}{\partial y}\right)\\&=\boldsymbol{b}\cdot\mathbf{rot}\,\boldsymbol{a}-\boldsymbol{a}\cdot\mathbf{rot}\,\boldsymbol{b}.\end{aligned}$$

【4439】 求：(1)$\mathbf{rot}(\mathbf{grad}\,u)$； (2)$\mathrm{div}(\mathbf{rot}\,\boldsymbol{a})$.

解 (1)$\mathbf{rot}(\mathbf{grad}\,u)=\begin{vmatrix}i&j&k\\ \frac{\partial}{\partial x}&\frac{\partial}{\partial y}&\frac{\partial}{\partial z}\\ \frac{\partial u}{\partial x}&\frac{\partial u}{\partial y}&\frac{\partial u}{\partial z}\end{vmatrix}=\mathbf{0}.$

(2)$\mathrm{div}(\mathbf{rot}\,\boldsymbol{a})=\frac{\partial}{\partial x}\left(\frac{\partial a_z}{\partial y}-\frac{\partial a_y}{\partial z}\right)+\frac{\partial}{\partial y}\left(\frac{\partial a_x}{\partial z}-\frac{\partial a_z}{\partial x}\right)+\frac{\partial}{\partial z}\left(\frac{\partial a_y}{\partial x}-\frac{\partial a_x}{\partial y}\right)=0.$

【4440】 设流体充满空间并以恒定的角速度 w 围绕轴 $\boldsymbol{l}=\{\cos\alpha,\cos\beta,\cos\gamma\}$ 旋转. 求速度向量 $\boldsymbol{v}$ 在已知时刻在空间点 $M(x,y,z)$ 处的旋度.

解 $\boldsymbol{v}=\boldsymbol{v}_0+\boldsymbol{w}\times\boldsymbol{r}$. 从而有

$$v_x=v_{0x}+w_yz-w_zy,v_y=v_{0y}+w_zx-w_xz,v_z=v_{0z}+w_xy-w_yx,$$

由于 $\mathbf{rot}_x\boldsymbol{v}=\frac{\partial v_x}{\partial y}-\frac{\partial v_y}{\partial z}=2w_x$，$\mathbf{rot}_y\boldsymbol{v}=2w_y$ 及 $\mathbf{rot}_z\boldsymbol{v}=2w_z$，故 $\mathbf{rot}\ \boldsymbol{v}=2\boldsymbol{w}$.

知识点3 向量通过曲面的通量

若 $\boldsymbol{a}(\boldsymbol{r})$ 给出区域 Ω 内的向量场，S 是此区域内的曲面，$\boldsymbol{n}=\{\cos\alpha,\cos\beta,\cos\gamma\}$ 是曲面 S 的单位法向量，则称积分

$$\iint_S a_n\mathrm{d}S=\iint_S(a_x\cos\alpha+a_y\cos\beta+a_z\cos\gamma)\mathrm{d}S$$

（其中 $a_n=\boldsymbol{a}\cdot\boldsymbol{n}$ 为向量的法向分量）为向量 $\boldsymbol{a}$ 在单位法向量 $\boldsymbol{n}$ 所指的方向上通过所给曲面 S 的通量. 以向量形式表述的高斯公式为

$$\iint_S a_n\mathrm{d}S=\iiint_V \mathrm{div}\ \boldsymbol{a}\mathrm{d}x\mathrm{d}y\mathrm{d}z,$$

其中曲面 S 为区域 V 的边界，$\boldsymbol{n}$ 为曲面 S 的单位外法向量.

习题 4441—4451 向量通过曲面的通量

【4441】 求径向量 $\boldsymbol{r}$ 的通量：(1) 通过圆锥体 $x^2+y^2\leqslant z^2(0\leqslant z\leqslant h)$ 的侧表面；(2) 穿过此圆锥体的底面.

解 (1) 在侧面上，点的向径的方向与圆锥的母线重合. 因此，点的向径与圆锥在该点的法线互相垂直，即 $\boldsymbol{r}$ 在法线方向上的投影 $r_n=0$. 于是，向量 $\boldsymbol{r}$ 通过侧面 D 的通量为

$$\iint_\Omega r_n\mathrm{d}S=0.$$

(2) 在圆锥体的底面上，$r_n=h$. 于是，所求的通量为

$$\iint_{x^2+y^2\leqslant h^2} r_n\mathrm{d}S=h\cdot\pi h^2=\pi h^3.$$

【4442】 求向量 $\boldsymbol{a}=yz\boldsymbol{i}+zx\boldsymbol{j}+xy\boldsymbol{k}$ 的通量：(1) 通过圆柱体 $x^2+y^2\leqslant a^2(0\leqslant z\leqslant h)$ 的侧表面；(2) 通过此圆柱的全表面.

解 先求(2)，由于

$$\iint_S a_n\mathrm{d}S=\iiint_V \mathrm{div}\ \boldsymbol{a}\mathrm{d}V=\iiint_V 0\mathrm{d}V=0,$$

故向量 $\boldsymbol{a}$ 通过圆柱的全表面的通量为零.

再求(1)，又由于 $S=S_{侧}+S_{上、下底}$ 及在上、下底有 $a_n=xy$，故

$$\iint_{S_{上、下底}} a_n\mathrm{d}S=\iint_{x^2+y^2\leqslant a^2} xy\mathrm{d}x\mathrm{d}y=2\int_0^{2\pi}\mathrm{d}\theta\int_0^a r^3\sin\theta\cos\theta\mathrm{d}r=0.$$

于是 $\iint_{S_{侧}} a_n\mathrm{d}S=0$，即向量 $\boldsymbol{a}$ 通过圆柱侧面的通量也为零.

【4443】 求径向量 $\boldsymbol{r}$ 通过曲面 $z=1-\sqrt{x^2+y^2}\,(0\leqslant z\leqslant 1)$ 的通量.

解 设 S 为所给的曲面(锥)，D 为锥的底面(即 xOy 平面上的圆域 $x^2+y^2\leqslant 1$). 由于

$$\iint_S r_n \mathrm{d}S + \iint_D r_n \mathrm{d}S = \iiint_V \mathrm{div}\, \boldsymbol{r} \mathrm{d}V = 3\int_0^{2\pi} \mathrm{d}\theta \int_0^1 r \mathrm{d}r \int_0^{1-r} \mathrm{d}z = \pi,$$

及在 D 上，有 $\boldsymbol{r} \perp \boldsymbol{n}$，故 $r_n = 0$，$\iint_D r_n \mathrm{d}S = 0$，从而 $\iint_S r_n \mathrm{d}S = \pi$.

【4444】 求向量 $\boldsymbol{a} = x^2\boldsymbol{i} + y^2\boldsymbol{j} + z^2\boldsymbol{k}$ 通过正八分之一球面 $x^2 + y^2 + z^2 = 1, x \geqslant 0, y \geqslant 0, z \geqslant 0$ 的通量.

解 设 S 为所给的曲面，S_1，S_2 及 S_3 为球内三个坐标平面上的部分，则有

$$\iint_S a_n \mathrm{d}S + \iint_{S_1} a_n \mathrm{d}S + \iint_{S_2} a_n \mathrm{d}S + \iint_{S_3} a_n \mathrm{d}S = \iiint_{\substack{x^2+y^2+z^2\leqslant 1\\ x\geqslant 0, y\geqslant 0, z\geqslant 0}} \mathrm{div}\, \boldsymbol{a} \mathrm{d}V = 2\iiint_{\substack{x^2+y^2+z^2\leqslant 1\\ x\geqslant 0, y\geqslant 0, z\geqslant 0}} (x+y+z)\mathrm{d}x\mathrm{d}y\mathrm{d}z$$

$$= 2\int_0^{\frac{\pi}{2}} \mathrm{d}\theta \int_0^{\frac{\pi}{2}} \mathrm{d}\varphi \int_0^1 r^2 \sin\varphi \cdot r(\cos\theta\sin\varphi + \sin\theta\sin\varphi + \cos\varphi)\mathrm{d}r$$

$$= 2 \cdot \frac{1}{4}\int_0^{\frac{\pi}{2}} \mathrm{d}\theta \int_0^{\frac{\pi}{2}} [\cos\varphi\sin\varphi + \sin^2\varphi(\cos\theta + \sin\theta)]\mathrm{d}\varphi$$

$$= \frac{1}{2}\int_0^{\frac{\pi}{2}} \left[\frac{1}{2} + \frac{\pi}{4}(\cos\theta + \sin\theta)\right]\mathrm{d}\theta = \frac{3}{8}\pi.$$

但在 $S_i (i = 1,2,3)$ 上，显然有 $\boldsymbol{a} \perp \boldsymbol{n}$，故 $a_n = 0$. 从而

$$\iint_{S_i} a_n \mathrm{d}S = 0 (i = 1,2,3).$$

于是，所求的通量为 $\iint_S a_n \mathrm{d}S = \frac{3}{8}\pi$.

【4445】 求向量 $\boldsymbol{a} = y\boldsymbol{i} + z\boldsymbol{j} + x\boldsymbol{k}$ 通过以平面

$$x = 0, y = 0, z = 0, x + y + z = a (a > 0)$$

为界的角锥的全表面的通量. 利用高斯公式验证结果.

解 **方法一** 由于 $\mathrm{div}\, \boldsymbol{a} = 0$，故所求的通量为 $\iint_S a_n \mathrm{d}S = \iiint_V \mathrm{div}\, \boldsymbol{a} \mathrm{d}V = 0$.

方法二 如图 8.73 所示. 在平面 $z = 0 (S_1)$ 上，$\boldsymbol{n} = (0,0,-1)$；在平面 $y = 0 (S_3)$ 上，$\boldsymbol{n} = (0,-1,0)$，在平面 $x = 0 (S_2)$ 上，$\boldsymbol{n} = (-1,0,0)$. 于是，向量 $\boldsymbol{a}$ 通过曲面 S_1 的通量为

$$\iint_{S_1} a_n \mathrm{d}S = \iint_{S_1} \boldsymbol{a} \cdot \boldsymbol{n} \mathrm{d}S = \iint_{\substack{x+y\leqslant a\\ x\geqslant 0, y\geqslant 0}} (-x)\mathrm{d}x\mathrm{d}y = -\frac{a^3}{6}.$$

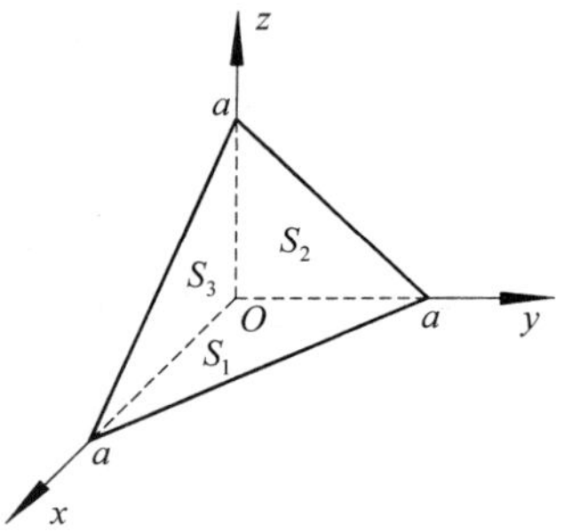

图 8.73

同法可求得向量 $\boldsymbol{a}$ 通过 S_2 及 S_3 面的通量也为 $-\frac{a^3}{6}$.

对于平面 $x + y + z = a (S_4)$，其法向量为 $\boldsymbol{n} = \left(\frac{1}{\sqrt{3}}, \frac{1}{\sqrt{3}}, \frac{1}{\sqrt{3}}\right)$，故通量为

$$\iint_{S_4} a_n \mathrm{d}S = \frac{1}{\sqrt{3}}\iint_{S_4} (y + z + x)\mathrm{d}S = \frac{1}{\sqrt{3}}\iint_{\substack{x+y\leqslant a\\ x\geqslant 0, y\geqslant 0}} a\sqrt{1^2 + 1^2 + 1^2}\mathrm{d}x\mathrm{d}y = \frac{a^3}{2}.$$

因此，向量 $\boldsymbol{a}$ 通过角锥全表面的通量为

$$\sum_{i=1}^{4}\iint_{S_i} a_n \mathrm{d}S = \frac{a^3}{2} + 3\left(-\frac{a^3}{6}\right) = 0.$$

【4446】 证明：向量 $\boldsymbol{a}$ 通过由方程 $\boldsymbol{r} = r(u,v)((u,v) \in \Omega)$ 给出的曲面 S 的通量等于

$$\iint_S a_n \mathrm{d}S = \iint_\Omega \left(a \frac{\partial \boldsymbol{r}}{\partial u} \frac{\partial \boldsymbol{r}}{\partial v}\right)\mathrm{d}u\mathrm{d}v,$$

式中 $a_n = \boldsymbol{a} \cdot \boldsymbol{n}$，$\boldsymbol{n}$ 为曲面 S 的单位法向量.

证 设曲面 S 的方程为 $\boldsymbol{r}=x(u,v)\boldsymbol{i}+y(u,v)\boldsymbol{j}+z(u,v)\boldsymbol{k}$，则有

$$\frac{\partial r}{\partial u}=\frac{\partial x}{\partial u}\boldsymbol{i}+\frac{\partial y}{\partial u}\boldsymbol{j}+\frac{\partial z}{\partial u}\boldsymbol{k},\frac{\partial r}{\partial v}=\frac{\partial x}{\partial v}\boldsymbol{i}+\frac{\partial y}{\partial v}\boldsymbol{j}+\frac{\partial z}{\partial v}\boldsymbol{k}.$$

从而

$$\frac{\partial \boldsymbol{r}}{\partial u}\times\frac{\partial \boldsymbol{r}}{\partial v}=\begin{vmatrix}\boldsymbol{i} & \boldsymbol{j} & \boldsymbol{k}\\ \frac{\partial x}{\partial u} & \frac{\partial y}{\partial u} & \frac{\partial z}{\partial u}\\ \frac{\partial x}{\partial v} & \frac{\partial y}{\partial v} & \frac{\partial z}{\partial v}\end{vmatrix}$$

$$=(\frac{\partial y}{\partial u}\frac{\partial z}{\partial v}-\frac{\partial y}{\partial v}\frac{\partial z}{\partial u})\boldsymbol{i}+(\frac{\partial z}{\partial u}\frac{\partial x}{\partial v}-\frac{\partial z}{\partial v}\frac{\partial x}{\partial u})\boldsymbol{j}+(\frac{\partial x}{\partial u}\frac{\partial y}{\partial v}-\frac{\partial x}{\partial v}\frac{\partial y}{\partial u})\boldsymbol{k}.$$

因此，易得

$$\left|\frac{\partial \boldsymbol{r}}{\partial u}\times\frac{\partial \boldsymbol{r}}{\partial v}\right|=\sqrt{EG-F^2},$$

又 $\frac{\partial \boldsymbol{r}}{\partial u}\times\frac{\partial \boldsymbol{r}}{\partial v}$ 的方向显然是法向量 $\boldsymbol{n}$ 的方向. 于是，有

$$\iint_S a_n\mathrm{d}S=\iint_\Omega \boldsymbol{a}\cdot\sqrt{EG-F^2}\,\boldsymbol{n}\mathrm{d}u\mathrm{d}v=\iint_\Omega \boldsymbol{a}\cdot\left(\frac{\partial \boldsymbol{r}}{\partial u}\times\frac{\partial \boldsymbol{r}}{\partial v}\right)\mathrm{d}u\mathrm{d}v=\iint_\Omega\left(\boldsymbol{a}\,\frac{\partial \boldsymbol{r}}{\partial u}\,\frac{\partial \boldsymbol{r}}{\partial v}\right)\mathrm{d}u\mathrm{d}v.$$

【4447】 求向量 $\boldsymbol{a}=m\dfrac{\boldsymbol{r}}{r^3}$（$m$ 为常数）通过围绕坐标原点的封闭曲面 S 的通量.

解 由 4392 题(2) 的结果可得，所求的通量为

$$\iint_S a_n\mathrm{d}S=m\iint_S\frac{1}{r^3}\boldsymbol{r}\cdot\boldsymbol{n}\mathrm{d}S=m\iint_S\frac{\cos(\boldsymbol{r},\boldsymbol{n})}{r^2}\mathrm{d}S=m\cdot 4\pi=4\pi m.$$

【4448】 已知向量

$$a(\boldsymbol{r})=\sum_{i=1}^n\mathbf{grad}\left(-\frac{\mathrm{e}_i}{4\pi r_i}\right),$$

其中 e_i 为常数，r_i 为点 M_i（点源）距动点 $M(\boldsymbol{r})$ 的距离. 求此向量通过围绕点 M_i（$i=1,2,\cdots,n$）的封闭曲面 S 的通量.

解 首先，有

$$\boldsymbol{a}=\sum_{i=1}^n\mathbf{grad}\left(-\frac{\mathrm{e}_i}{4\pi r_i}\right)=\sum_{i=1}^n\frac{\mathrm{e}_i\boldsymbol{r}_i}{4\pi r_i^3}.$$

其次，考虑空间区域 V，它由曲面 S 及包围点 M_i（$i=1,2,\cdots,n$）的 n 个小球所围成（这些小球的球心在点 M_i，半径为 ρ_i）. 由于 $\mathrm{div}\,\boldsymbol{a}$ 在 V 内为零，故

$$\iint_S a_n\mathrm{d}S=\sum_{j=1}^n\iint_{S_j}a_n\mathrm{d}S,$$

其中 S_j 为第 j 个小球面. 但是 $\iint_{S_j}a_n\mathrm{d}S=\iint_{S_j}\left(\sum_{i=1}^n\frac{\mathrm{e}_i\boldsymbol{r}_i}{4\pi r_i^3}\right)\cdot\boldsymbol{n}\mathrm{d}S$，由 4392 题的结果可得

$$\iint_{S_i}\frac{1}{r_i^3}(\boldsymbol{r}_i\cdot\boldsymbol{n})\mathrm{d}S=\iint_{S_j}\frac{\cos(\boldsymbol{r}_i,\boldsymbol{n})}{r_i^3}\mathrm{d}S=\begin{cases}0, & j\neq i,\\ 4\pi, & j=i,\end{cases}$$

故 $\iint_{S_j}a_n\mathrm{d}S=\mathrm{e}_j$，从而 $\iint_S a_n\mathrm{d}S=\sum_{j=1}^n\mathrm{e}_j$.

【4449】 证明：$\iint_S\dfrac{\partial u}{\partial \boldsymbol{n}}\mathrm{d}S=\iiint_V\nabla^2u\mathrm{d}x\mathrm{d}y\mathrm{d}z$，其中曲面 S 是区域 V 的边界.

证 参看 4393 题(1).

【4450】 在温度场 u 内，单位时间内通过面微元 $\mathrm{d}S$ 的热量为

$$\mathrm{d}Q=-k\boldsymbol{n}\cdot\mathbf{grad}\,u\mathrm{d}S,$$

其中 k 为热导率，$\boldsymbol{n}$ 为曲面 S 的单位法向量. 求在单位时间内物体 V 所吸收的热量. 研究温度上升的速度，从而推出物体温度所满足的方程(热传导方程).

解 由于 $\mathrm{d}Q=-k\boldsymbol{n}\cdot\mathbf{grad}\,u\mathrm{d}S=-k\mathbf{grad}_n u\mathrm{d}S$，故由高斯公式，即得

$$Q=-\iint_S k\,\mathbf{grad}_n u\,\mathrm{d}S=\iiint_V k\,\mathrm{div}(\mathbf{grad}\,u)\mathrm{d}V.$$

因此，单位时间内向物体内部流入的热量为

$$\iiint_V \mathrm{div}(k\mathbf{grad}\,u)\mathrm{d}V. \qquad ①$$

这一热量引起物体内部温度的增加，再从另一方面来计算此热量. 在时间 $\mathrm{d}t$ 内温度 u 增加

$$\mathrm{d}u=\frac{\partial u}{\partial t}\mathrm{d}t,$$

需要对体积元素 $\mathrm{d}V$ 输入热量 $c\,\mathrm{d}u\rho\mathrm{d}V=c\,\dfrac{\partial u}{\partial t}\rho\mathrm{d}t\mathrm{d}V$，其中 c 为物体在所考察的点处的热容量.

于是，在时间 $\mathrm{d}t$ 内整个物体就要吸收热量 $\mathrm{d}t\iiint_V c\rho\,\dfrac{\partial u}{\partial t}\mathrm{d}V$，而在单位时间内所吸收的热量即为

$$\iiint_V c\rho\,\frac{\partial u}{\partial t}\mathrm{d}V. \qquad ②$$

比较 ① 式及 ② 式，即得等式 $\displaystyle\iiint_V\left\{c\rho\,\frac{\partial u}{\partial t}-\mathrm{div}(k\mathbf{grad}\,u)\right\}\mathrm{d}V=0.$

由于上式对取在所考察区域内的任何物体 V 都适合，且被积函数显然连续，故根据 4097 题的结果，当点属于所考察的区域时，恒有

$$c\rho\,\frac{\partial u}{\partial t}=\mathrm{div}(k\mathbf{grad}\,u),$$

此即所求的热传导方程.

【4451】 处于运动状态的不可压缩流体充满区域 V. 假定在此区域内没有源泉和漏孔，试推出连续性方程：$\dfrac{\partial\rho}{\partial t}+\mathrm{div}(\rho\boldsymbol{v})=0$，其中 $\rho=\rho(x,y,z,t)$ 为流体密度，$\boldsymbol{v}$ 为速度向量，t 为时间.

解 首先，在单位时间内自 V 中的任一区域 V' 的表面 S' 向外流出的流量 Q 为

$$Q=\iint_{S'}\rho v_n\,\mathrm{d}S=\iiint_{V'}\mathrm{div}(\rho\boldsymbol{v})\mathrm{d}V. \qquad ①$$

下面用另一种方法来计算 Q，若考虑到在时间 $\mathrm{d}t$ 内密度 ρ 增加 $\dfrac{\partial\rho}{\partial t}\mathrm{d}t$，则立体元素 $\mathrm{d}V$ 的质量就增加 $\dfrac{\partial\rho}{\partial t}\mathrm{d}t\mathrm{d}V$，而整个所考察的区域 V' 的质量就增加 $\mathrm{d}t\iiint_{V'}\dfrac{\partial\rho}{\partial t}\mathrm{d}V$. 因此，单位时间内 V' 中质量减少 $-\iiint_{V'}\dfrac{\partial\rho}{\partial t}\mathrm{d}V$.

由于 V 内无源泉和漏孔，故减少的质量正好就是从 V' 的表面 S' 流出的流量 Q，即

$$Q=-\iiint_{V'}\frac{\partial\rho}{\partial t}\mathrm{d}V. \qquad ②$$

比较 ① 式和 ② 式，即得等式 $\displaystyle\iiint_{V'}\left(\frac{\partial\rho}{\partial t}+\mathrm{div}(\rho\boldsymbol{v})\right)\mathrm{d}V=0.$

由于上式对 V 中任一区域 V' 均成立，且被积函数连续，故根据 4097 题的结果，当 $(x,y,z)\in V$ 时，恒有

$$\frac{\partial\rho}{\partial t}+\mathrm{div}(\rho\boldsymbol{v})=0.$$

知识点4 向量的环量

1. 场和功

$$\int_C a \cdot \mathrm{d}r = \int_C a_x \mathrm{d}x + a_y \mathrm{d}y + a_z \mathrm{d}z,$$

称为向量 $\boldsymbol{a}(\boldsymbol{r})$ 沿某曲线 C 的曲线积分(场的功).

2. 环量 若 C 是封闭围线,则称此曲线积分为向量 $\boldsymbol{a}$ 沿围线 C 的环量.

3. 斯托克斯公式 以向量形式表述的斯托克斯公式为

$$\oint_C \boldsymbol{a} \cdot \mathrm{d}\boldsymbol{r} = \iint_S (\mathbf{rot}\ \boldsymbol{a})_n \mathrm{d}S,$$

其中封闭围线 C 为曲面 S 的边界,且曲面 S 的单位法向量 $\boldsymbol{n}$ 的方向为:使得立于曲面 S 上的观察者从法线所指方向来看,围线 C 的环绕是逆时针的(符合右手坐标系).

习题 4452—4456 向量的环量

【4452】 求向量 $\boldsymbol{a} = \boldsymbol{r}$ 沿着一段螺旋线

$$\boldsymbol{r} = a\cos t\boldsymbol{i} + a\sin t\boldsymbol{j} + bt\boldsymbol{k}(0 \leqslant t \leqslant 2\pi)$$

的环量.

解 由于 $\mathrm{d}\boldsymbol{r} = (-a\sin t\boldsymbol{i} + a\cos t\boldsymbol{j} + b\boldsymbol{k})\mathrm{d}t, \boldsymbol{a} \cdot \mathrm{d}\boldsymbol{r} = b^2 t\mathrm{d}t$,故所求的环量为

$$W = \int_0^{2\pi} b^2 t\mathrm{d}t = 2\pi^2 b^2.$$

【4453】 求向量 $\boldsymbol{a} = f(r)\boldsymbol{r}$(其中 f 是连续函数)沿着弧 AB 的环量.

解 所求的环量为 $W = \int_{r_A}^{r_B} f(r)\boldsymbol{r} \cdot \mathrm{d}\boldsymbol{r} = \int_{r_A}^{r_B} f(r)\boldsymbol{r} \cdot \boldsymbol{t}^0 \mathrm{d}s = \int_{r_A}^{r_B} f(r) r\mathrm{d}r$,其中 $\boldsymbol{t}_0$ 是单位切向量.

【4454】 求向量 $\boldsymbol{a} = -y\boldsymbol{i} + x\boldsymbol{j} + c\boldsymbol{k}$($c$ 为常数)的环量:

(1) 沿着圆周 $x^2 + y^2 = 1, z = 0$;　　(2) 沿着圆周 $(x-2)^2 + y^2 = 1, z = 0$.

解 (1) 圆 $x^2 + y^2 = 1, z = 0$ 的径向量 $\boldsymbol{r}$ 适合方程

$$\boldsymbol{r} = \cos t\boldsymbol{i} + \sin t\boldsymbol{j} + 0\boldsymbol{k}(0 \leqslant t \leqslant 2\pi).$$

由于

$$\boldsymbol{a} \cdot \mathrm{d}\boldsymbol{r} = (-\sin t\boldsymbol{i} + \cos t\boldsymbol{j} + c\boldsymbol{k}) \cdot (-\sin t\boldsymbol{i} + \cos t\boldsymbol{j} + 0\boldsymbol{k})\mathrm{d}t = \mathrm{d}t,$$

故所求的环量为 $\int_0^{2\pi} \mathrm{d}t = 2\pi$.

(2) 对于圆 $(x-2)^2 + y^2 = 1, z = 0$,有

$$\boldsymbol{r} = (2 + \cos t)\boldsymbol{i} + \sin t\boldsymbol{j} + 0\boldsymbol{k}(0 \leqslant t \leqslant 2\pi).$$

由于 $\boldsymbol{a} \cdot \mathrm{d}\boldsymbol{r} = (2\cos t + 1)\mathrm{d}t$,故所求的环量为 $\int_0^{2\pi} (2\cos t + 1)\mathrm{d}t = 2\pi$.

【4455】 求向量 $\boldsymbol{a} = \mathbf{grad}\left(\arctan \dfrac{y}{x}\right)$ 沿着围线 C 的环量 Γ:

(1) C 不围绕 Oz 轴;　(2) C 围绕 Oz 轴.

解 由题设可得 $\boldsymbol{a} = -\dfrac{y}{x^2+y^2}\boldsymbol{i} + \dfrac{x}{x^2+y^2}\boldsymbol{j}$. 于是, $\mathbf{rot}\ \boldsymbol{a} = 0$(除 $x = y = 0$,即 Oz 轴上的点).

(1) C 不围绕 Oz 轴,以 C 为边界张成一曲面 S,使 S 与 Oz 轴不相交,于是,根据斯托克斯公式,得

$$\Gamma = \oint_C \boldsymbol{a} \cdot \mathrm{d}\boldsymbol{r} = \iint_S \boldsymbol{n} \cdot \mathbf{rot}\ \boldsymbol{a}\mathrm{d}S = 0.$$

(2) 若 C 围绕 Oz 轴. 先设 C 正好围绕 Oz 轴旋转一周,取常数 $\tau>0$ 充分小,使 C 位于平面 $z=\tau$ 的上方. 在平面 $z=\tau$ 上围绕 Oz 轴取一圆周 $C_r(x^2+y^2=r^2,z=\tau)$ 充分小,使半径 r 小于 C 到 Oz 轴的距离. 以 C 与 C_r 为边界张成一曲面 S,使 S 与 Oz 轴不相交. 由斯托克斯公式,得

$$\oint_C \boldsymbol{a}\cdot \mathrm{d}\boldsymbol{r}+\oint_{-C_r}\boldsymbol{a}\cdot \mathrm{d}\boldsymbol{r}=\iint_S \boldsymbol{n}\cdot \mathbf{rot}\,\boldsymbol{a}\mathrm{d}S=0,$$

其中 $-C_r$ 表示沿顺时针方向取向. 于是

$$\Gamma=\oint_C \boldsymbol{a}\cdot \mathrm{d}\boldsymbol{r}=\oint_{C_r}\boldsymbol{a}\cdot \mathrm{d}\boldsymbol{r}.$$

但取 C_r 的参数方程 $x=r\cos\theta,y=r\sin\theta,z=\tau$ 后,得

$$\oint_{C_r}\boldsymbol{a}\cdot \mathrm{d}\boldsymbol{r}=\int_0^{2\pi}\left[\left(-\frac{r\sin\theta}{r^2}\right)(-r\sin\theta)+\left(\frac{r\cos\theta}{r^2}\right)(r\cos\theta)\right]\mathrm{d}\theta=\int_0^{2\pi}\mathrm{d}\theta=2\pi.$$

从而 $\Gamma=\oint_C \boldsymbol{a}\cdot \mathrm{d}\boldsymbol{r}=2\pi$.

现设 C 围绕 Oz 轴旋转了 n 圈. 为叙述简单起见,假定 $n=2$. 在平面 zOx 上引辅助线(直线段) AB,将 C 分解成两个只绕 Oz 轴转一周的闭曲线

$$C_1=ABMA \text{ 与 } C_2=ANBA,$$

如图 8.74 所示,根据前面已证的结果可知

$$\oint_{C_1}\boldsymbol{a}\cdot \mathrm{d}\boldsymbol{r}=2\pi,\quad \oint_{C_2}\boldsymbol{a}\cdot \mathrm{d}\boldsymbol{r}=2\pi.$$

于是,注意到 $\overline{AB}$ 的曲线积分(第二型)与 $\overline{BA}$ 上的曲线积分相消,即得

$$\Gamma=\oint_C \boldsymbol{a}\cdot \mathrm{d}\boldsymbol{r}=\oint_{C_1}\boldsymbol{a}\cdot \mathrm{d}\boldsymbol{r}+\oint_{C_2}\boldsymbol{a}\cdot \mathrm{d}\boldsymbol{r}=4\pi.$$

完全类似地,可得一般情况(C 围绕 Oz 轴旋转 n 圈)时,有

$$\Gamma=\oint_C \boldsymbol{a}\cdot \mathrm{d}\boldsymbol{r}=2n\pi.$$

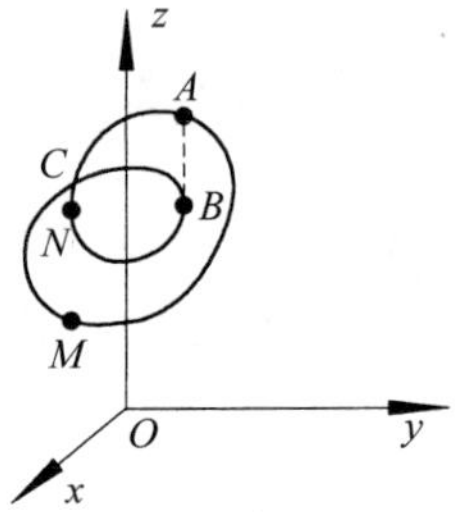

图 8.74

【4456】 平面的不可压缩定常流由速度向量

$$w=u(x,y)\boldsymbol{i}+v(x,y)\boldsymbol{j}$$

描述,试确定:(1) 经过区域 S 的边界(封闭围线) C 流出的流体的量 Q(流量);(2) 速度向量沿着围线 C 的环量 Γ. 若流场无源泉、无漏孔且无旋度,则函数 u 和 v 满足怎样的方程?

解 (1) **方法一** 考虑包含着点 $D(x,y)$ 的两边长分别为 Δx 与 Δy 的小矩形元 $ABCD$(图 8.75)

在单位时间内沿 Ox 轴方向从 AD 边流入的量为 $u(x,y)\Delta y$(为简单起见,设密度 $\rho=1$),而同时从 BC 边流出的量为 $u(x+\Delta x,y)\Delta y$. 于是,在单位时间内,沿 Ox 轴方向从单位面积的小正方形内流出的量为

$$\frac{u(x+\Delta x,y)-u(x,y)}{\Delta x\Delta y}\Delta y,$$

当 $\Delta x\to 0$ 时,此比值的极限 $\frac{\partial u}{\partial x}$ 就是在点 (x,y) 沿 Ox 轴方向的发散强度.

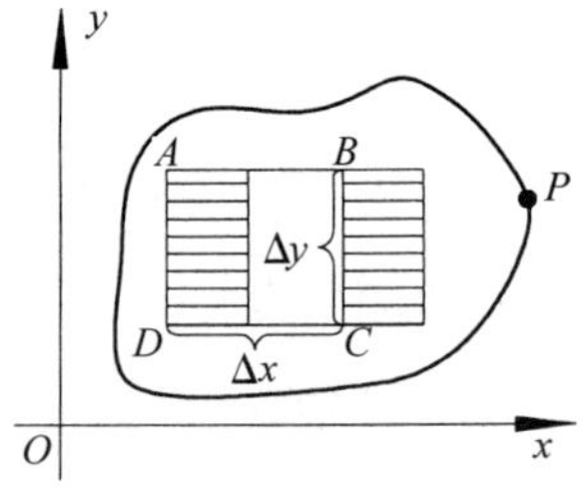

图 8.75

类似地,$\frac{\partial v}{\partial y}$ 就是在点 (x,y) 沿 Oy 轴方向的发散强度. 于是,在点 (x,y) 处流体的发散强度为 $\frac{\partial u}{\partial x}+\frac{\partial v}{\partial y}$,而对于面积元素 $\mathrm{d}x\mathrm{d}y$ 的流量即为 $\left(\frac{\partial u}{\partial x}+\frac{\partial v}{\partial y}\right)\mathrm{d}x\mathrm{d}y$. 因此,总的流量为

$$Q=\iint_S\left(\frac{\partial u}{\partial x}+\frac{\partial v}{\partial y}\right)\mathrm{d}x\mathrm{d}y.$$

方法二 令点 P 为围线 C 上的任一点,$\boldsymbol{n}$ 为外法线方向向量,考虑曲线元素 $\mathrm{d}s$. 单位时间内通过 $\mathrm{d}s$ 弧段的流量为

$$dQ = w_n ds,$$

其中 w_n 为点 P 处的流速 $\boldsymbol{w}$ 在法向量 $\boldsymbol{n}$ 上的投影即 $w_n = \boldsymbol{w}\cdot\boldsymbol{n}$. 于是，所求的通过曲线 C 的流量为

$$Q = \int_C w_n ds.$$

但是，由 4323 题的推导有

$$w_n = \boldsymbol{w}\cdot\boldsymbol{n} = u\cos(\boldsymbol{n},x) + v\cos(\boldsymbol{n},y) = u\frac{dy}{ds} - v\frac{dx}{ds},$$

故得 $Q = \int_C u dy - v dx$. 应用格林公式，即得

$$Q = \iint_S \left(\frac{\partial u}{\partial x} + \frac{\partial v}{\partial y}\right) dx dy.$$

(2) $d\Gamma = \boldsymbol{w}\cdot d\boldsymbol{r} = u dx + v dy$，故

$$\Gamma = \int_C u dx + v dy = \iint_S \left(\frac{\partial u}{\partial x} - \frac{\partial v}{\partial y}\right) dx dy.$$

若流场无源泉、无漏孔及无旋度，则对于流场中任何围线 C 及其所包围的区域 S，均有

$$Q = 0 \text{ 及 } \Gamma = 0.$$

于是，在流场中的每一点，均有

$$\frac{\partial u}{\partial x} + \frac{\partial v}{\partial y} = 0 \text{ 及 } \frac{\partial v}{\partial x} - \frac{\partial u}{\partial y} = 0 \text{ 或} \frac{\partial u}{\partial x} = -\frac{\partial v}{\partial y} \text{ 及 } \frac{\partial v}{\partial x} = \frac{\partial u}{\partial y},$$

这就是所应满足的方程.

注 对照原版图书，本题原题叙述有误. 最后的问题中“流体是不可压缩的”应改为“流体无源泉、无漏孔”，且在题目中应假定流体不可压缩.

知识点 5 有势场

若向量场 $\boldsymbol{a}(\boldsymbol{r})$ 是某标量 u 的梯度，即 $\mathbf{grad}\ u = \boldsymbol{a}$，则 $\boldsymbol{a}$ 称为有势场，而标量 u 称为场的势.

若势 u 为单值函数，则 $\int_{AB} a \cdot dr = u(B) - u(A)$，特别地，这时向量 $\boldsymbol{a}$ 的环量为零.

在单连通区域内给定的场 $\boldsymbol{a}$ 为有势场的充要条件是 $\mathbf{rot}\ \boldsymbol{a} = \mathbf{0}$，即无旋场.

习题 4457—4462 有势场

【4457】 证明：场 $\boldsymbol{a} = yz(2x+y+z)\boldsymbol{i} + xz(x+2y+z)\boldsymbol{j} + xy(x+y+2z)\boldsymbol{k}$ 是有势场，并求这个场的势.

证 由于对空间任一点 (x,y,z) 均有

$$\begin{aligned}\mathbf{rot}\ \boldsymbol{a} = &\left\{\frac{\partial}{\partial y}[xy(x+y+2z)] - \frac{\partial}{\partial z}[xz(x+2y+z)]\right\}\boldsymbol{i} + \\ &\left\{\frac{\partial}{\partial z}[yz(2x+y+z)] - \frac{\partial}{\partial x}[xy(x+y+2z)]\right\}\boldsymbol{j} + \\ &\left\{\frac{\partial}{\partial x}[xz(x+2y+z)] - \frac{\partial}{\partial y}[yz(2x+y+z)]\right\}\boldsymbol{k} = \mathbf{0},\end{aligned}$$

故 $\boldsymbol{a}$ 为有势场.

又由于势 u 满足

$$\begin{aligned}du=\boldsymbol{a}\cdot d\boldsymbol{r}&=yz(2x+y+z)dx+xz(x+2y+z)dy+xy(x+y+2z)dz\\&=xyz(dx+dy+dz)+(x+y+z)(yzdx+zxdy+xydz)\\&=xyzd(x+y+z)+(x+y+z)d(xyz)=d[xyz(x+y+z)],\end{aligned}$$

故势 $u=xyz(x+y+z)+C$，其中 C 为任意常数.

【4458】 求由位于坐标原点的质量 m 所产生的引力场 $\boldsymbol{a}=-\dfrac{m}{r^3}\boldsymbol{r}$ 的势.

解 由于 $du=\boldsymbol{a}\cdot d\boldsymbol{r}=-\dfrac{m}{r^3}(xdx+ydy+zdz)=-\dfrac{m}{2r^3}d(r^2)=-\dfrac{m}{r^2}dr=d\left(\dfrac{m}{r}\right)$，故势 $u=\dfrac{m}{r}+C$（C 为任意常数）. 通常取 $u=\dfrac{m}{r}(r\neq 0)$.

【4459】 若质量 $m_i(i=1,2,\cdots,n)$ 的质点位于点 $M_i(i=1,2,\cdots,n)$，求此质点系所产生的引力场的势.

解 引力场 $\boldsymbol{a}=-\sum\limits_{i=1}^{n}\dfrac{m_i}{r_i^3}\boldsymbol{r}_i$，其中 r_i 为动点 M 与 M_i 之间的距离. 由于

$$du=\boldsymbol{a}\cdot d\boldsymbol{r}=d\left(\sum_{i=1}^{n}\frac{m_i}{r_i}\right),$$

故势 $u=\sum\limits_{i=1}^{n}\dfrac{m_i}{r_i}+C$（$C$ 为任意常数），通常取 $u=\sum\limits_{i=1}^{n}\dfrac{m_i}{r_i}$.

【4460】 证明：场 $\boldsymbol{a}=f(r)\boldsymbol{r}$（其中 $f(r)$ 是单值连续函数）是有势场. 求这个场的势.

证 利用 4436 题(2) 的结果，即知 $\mathbf{rot}(f(r)\boldsymbol{r})=\mathbf{0}$，故 $\boldsymbol{a}$ 为有势场. 又由于

$$du=\boldsymbol{a}\cdot d\boldsymbol{r}=xf(r)dx+yf(r)dy+zf(r)dz=\frac{1}{2}f(r)d(r^2)=rf(r)dr,$$

故势 $u=\int_{r_0}^{r}tf(t)dt$，其中 $r=\sqrt{x^2+y^2+z^2}$.

【4461】 证明公式：$\mathbf{grad}_P\left(\iiint\limits_V\rho(Q)\dfrac{dV}{r}\right)=-\iint\limits_S\rho(Q)\boldsymbol{n}\dfrac{dS}{r}+\iiint\limits_V\mathbf{grad}_Q\rho(Q)\dfrac{dV}{r}$，

其中 S 为区域 V 的边界曲面，$\boldsymbol{n}$ 为曲面 S 的外法向量，r 为点 $P(x,y,z)$ 与点 $Q(\xi,\eta,\zeta)$ 之间的距离.

证 首先指出，题中需假定 $\rho(Q)$ 在 V 上具有连续的导数.

(ⅰ) 先设点 $P(x,y,z)$ 在 V 之外. 令

$$f(x,y,z)=\iiint\limits_V\rho(Q)\frac{dV}{r}. \quad ①$$

显然，右端积分的被积函数对参变量 x,y,z 都具有连续的偏导数，故可在积分号下求导数，得

$$\mathbf{grad}_Pf=\iiint\limits_V\rho(Q)\mathbf{grad}_P\frac{1}{r}dV. \quad ②$$

又由于

$$\mathbf{grad}_P\frac{1}{r}=-\frac{\boldsymbol{r}}{r^3}=-\mathbf{grad}_Q\frac{1}{r},\boldsymbol{r}=\overrightarrow{QP},$$

代入 ② 式，得

$$\mathbf{grad}_Pf=-\iiint\limits_V\rho(Q)\mathbf{grad}_Q\frac{1}{r}dV. \quad ③$$

在公式(4408 题(4)) $\mathbf{grad}_Q(\varphi\psi)=\varphi\mathbf{grad}_Q\psi+\psi\mathbf{grad}_Q\varphi$ 中，令 $\varphi=\rho(Q)$，$\psi=\dfrac{1}{r}$，再代入 ③ 式，得

$$\mathbf{grad}_Pf=-\iiint\limits_V\mathbf{grad}_Q\left(\frac{\rho(Q)}{r}\right)dV+\iiint\limits_V\mathbf{grad}_Q\rho(Q)\frac{dV}{r}. \quad ④$$

根据高斯公式有

$$\iiint_V \mathbf{grad}_Q\left(\frac{\rho(Q)}{r}\right)\mathrm{d}V=\iint_S \rho(Q)\boldsymbol{n}\frac{\mathrm{d}S}{r}. \quad ⑤$$

将上式代入 ④ 式，即得 $\mathbf{grad}_P f=-\iint_S \rho(Q)\boldsymbol{n}\frac{\mathrm{d}S}{r}+\iiint_V \mathbf{grad}_Q\rho(Q)\frac{\mathrm{d}V}{r}$.

（ⅱ）现设点 $P(x,y,z)$ 在 V 的内部. 仍按 ① 式记 $f(x,y,z)$. 注意，这时 ① 式右端的积分为广义重积分（点 P 为瑕点）；但易知它收敛，因为在以 P 点为中心，ε 为半径的球域 V_ε 上的积分满足

$$\left|\iiint_{V_\varepsilon}\frac{\rho(Q)}{r}\mathrm{d}V\right|\leqslant\iiint_{V_\varepsilon}\frac{|\rho(Q)|}{r}\mathrm{d}V\leqslant M\iiint_{V_\varepsilon}\frac{\mathrm{d}V}{r}$$

$$=M\int_0^{2\pi}\mathrm{d}\theta\int_0^{\pi}\sin\varphi\mathrm{d}\varphi\int_0^{\varepsilon}\frac{r^2}{r}\mathrm{d}r=2M\pi\varepsilon^3\to 0(\varepsilon\to 0^+),$$

其中

$$M=\max_{Q\in V}|\rho(Q)|$$

这时仍可将 ① 式的积分在积分号下求导数而得 ② 式. 事实上，由于

$$\left|\iiint_{V_\varepsilon}\rho(Q)\frac{\partial\left(\frac{1}{r}\right)}{\partial x}\mathrm{d}V\right|\leqslant\iiint_{V_\varepsilon}\left|\rho(Q)\frac{\partial\left(\frac{1}{r}\right)}{\partial x}\right|\mathrm{d}V=\iiint_{V_\varepsilon}\left|-\rho(Q)\frac{x-\xi}{r^3}\right|\mathrm{d}V\leqslant M\iiint_{V_\varepsilon}\frac{\mathrm{d}V}{r^2}$$

$$=M\int_0^{2\pi}\mathrm{d}\theta\int_0^{\pi}\sin\varphi\mathrm{d}\varphi\int_0^{\varepsilon}\frac{r^2}{r^2}\mathrm{d}r=4M\pi\varepsilon,$$

故积分 $\iiint_V \rho(Q)\frac{\partial\left(\frac{1}{r}\right)}{\partial x}\mathrm{d}V$ 关于 x 一致收敛. 于是，① 式右端的积分可在积分号下关于 x 求偏导数，得

$$\frac{\partial f}{\partial x}=\iiint_V \rho(Q)\frac{\partial\left(\frac{1}{r}\right)}{\partial x}\mathrm{d}V. \quad ⑥$$

同理可得

$$\frac{\partial f}{\partial y}=\iiint_V \rho(Q)\frac{\partial\left(\frac{1}{r}\right)}{\partial y}\mathrm{d}V, \quad ⑦$$

$$\frac{\partial f}{\partial z}=\iiint_V \rho(Q)\frac{\partial\left(\frac{1}{r}\right)}{\partial z}\mathrm{d}V. \quad ⑧$$

由 ⑥，⑦，⑧ 三式，即得 ② 式，仿(i) 段办法，可得 ③ 式与 ④ 式（注意，仿前，可知 ④ 式右端两个积分都收敛），但不能直接对 V 应用高斯公式而得 ⑤ 式，因为有瑕点 P，但显然可对 $V\backslash V_\varepsilon$，应用高斯公式，得

$$\iiint_{V\backslash V_\varepsilon}\mathbf{grad}_Q\left(\frac{\rho(Q)}{r}\right)\mathrm{d}V=\iint_{S\cup S_\varepsilon}\rho(Q)\boldsymbol{n}\frac{\mathrm{d}S}{r}, \quad ⑨$$

其中 S_ε 为球域 V_ε 的边界（球面），在 S_ε 上的 $\boldsymbol{n}$ 是指向点 P 的. 由于

$$\left|\iint_{S_\varepsilon}\rho(\theta)\boldsymbol{n}\frac{\mathrm{d}S}{r}\right|\leqslant\sqrt{3}\iint_{S_\varepsilon}|\rho(\theta)|\frac{\mathrm{d}S}{r}\leqslant\sqrt{3}M\iint_{S_\varepsilon}\frac{\mathrm{d}S}{r}=\frac{\sqrt{3}M}{\varepsilon}\iint_{S_\varepsilon}\mathrm{d}S=\frac{\sqrt{3}M}{\varepsilon}4\pi\varepsilon^2=4\sqrt{3}\pi M\varepsilon,$$

故 $\lim\limits_{\varepsilon\to 0^+}\iint_{S_\varepsilon}\rho(\theta)\boldsymbol{n}\frac{\mathrm{d}S}{r}=0$. 于是，在 ⑨ 式两端令 $\varepsilon\to 0^+$ 取极限，即得 ⑤ 式. 以 ⑤ 式代入 ④ 式，最后得所要证的公式

$$\mathbf{grad}_P\left(\iiint_V \rho(Q)\frac{\mathrm{d}V}{r}\right)=-\iint_S \rho(Q)\boldsymbol{n}\frac{\mathrm{d}S}{r}+\iiint_V \mathbf{grad}_Q\rho(Q)\frac{\mathrm{d}V}{r}.$$

【4462】 证明：若 $\boldsymbol{a}=\mathbf{grad}\,u$，其中

$$u(x,y,z)=-\frac{1}{4\pi}\iiint\limits_{-\infty}^{+\infty}\frac{\rho(\xi,\eta,\zeta)}{r}\mathrm{d}\xi\mathrm{d}\eta\mathrm{d}\zeta, r=\sqrt{(\xi-x)^2+(\eta-y)^2+(\zeta-z)^2},$$

则 $\mathrm{div}\,\boldsymbol{a}=\rho(x,y,z)$(假定相应的积分有意义).

证 首先指出,为保证题述的广义重积分(既是无穷积分,又是瑕积分)的存在性以及下面要用到的积分号下求导数的合理性,一般需假定:$\rho(\xi,\eta,\zeta)$ 在全空间具有连续的偏导数,并且当 $R=\sqrt{\xi^2+\eta^2+\zeta^2}$ 充分大时($R\geqslant R_0$),有

$$|\rho(\xi,\eta,\zeta)|\leqslant\frac{M}{R^{2+\alpha}}, \tag{①}$$

其中 $M>0,\alpha>0$ 是两个常数.

考虑空间任一点 $P_0(x_0,y_0,z_0)$. 用 V_0 表示以 P_0 为中心、1为半径的单位球域. 先限制点 $P(x,y,z)$ 只在 V_0 中变动. 又用 V_1 表示以 P_0 为中心、2为半径的球域,V_2 表示整个空间去掉 V_1 所剩下的部分(无界域). 令

$$u_1(x,y,z)=\iiint\limits_{V_1}\frac{\rho(\xi,\eta,\zeta)}{r}\mathrm{d}\xi\mathrm{d}\eta\mathrm{d}\zeta, \tag{②}$$

$$u_2(x,y,z)=\iiint\limits_{V_2}\frac{\rho(\xi,\eta,\zeta)}{r}\mathrm{d}\xi\mathrm{d}\eta\mathrm{d}\zeta, \tag{③}$$

于是

$$u(x,y,z)=-\frac{1}{4\pi}[u_1(x,y,z)+u_2(x,y,z)]. \tag{④}$$

② 式右端为瑕积分,在4461题证明的第(ii)段中已证它是收敛的;③ 式右端为无穷积分,下面证明它收敛. 令

$$r_0=\sqrt{x_0^2+y_0^2+z_0^2}, R_1=\max\{R_0,2(r_0+1)\},$$

则当 $R\geqslant R_1$ 时,有 $R\geqslant R_0$(从而 ① 式满足),且 $R\geqslant 2(r_0+1)$. 以 Q 表示点(ξ,η,ζ),O 表示原点$(0,0,0)$. 由于三角形两边之和大于第三边,故(注意 $P\in V$)

$$R=\overline{OQ}\leqslant\overline{OP}+\overline{PQ}\leqslant r_0+1+r\leqslant\frac{R}{2}+r.$$

从而

$$\begin{aligned}\iiint\limits_{\xi^2+\eta^2+\zeta^2\geqslant R_1^2}\left|\frac{\rho(\xi,\eta,\zeta)}{r}\right|\mathrm{d}\xi\mathrm{d}\eta\mathrm{d}\zeta&\leqslant M\iiint\limits_{\xi^2+\eta^2+\zeta^2\geqslant R_1^2}\frac{\mathrm{d}\xi\mathrm{d}\eta\mathrm{d}\zeta}{rR^{2+\alpha}}\leqslant 2M\iiint\limits_{\xi^2+\eta^2+\zeta^2\geqslant R_1^2}\frac{\mathrm{d}\xi\mathrm{d}\eta\mathrm{d}\zeta}{R^{3+\alpha}}\\&=2M\int_0^{2\pi}\mathrm{d}\theta\int_0^{\pi}\sin\varphi\mathrm{d}\varphi\int_{R_1}^{+\infty}\frac{R^2}{R^{3+\alpha}}\mathrm{d}R=2M\int_0^{2\pi}\mathrm{d}\theta\int_0^{\pi}\sin\varphi\mathrm{d}\varphi\int_{R_1}^{+\infty}\frac{\mathrm{d}R}{R^{1+\alpha}}\\&=\frac{8M\pi}{\alpha R_1^{\alpha}}<+\infty,\end{aligned} \tag{⑤}$$

故 ③ 式右端的无穷积分收敛.

由 ④ 式知 $u(x,y,z)$ 有定义. 由于 $\mathrm{div}(\mathbf{grad}\,u)=\Delta u$,故只要证明

$$\Delta u=\rho(x,y,z). \tag{⑥}$$

下证明 ③ 式右端的无穷积分可在积分号下求导数两次:

$$\frac{\partial u_2}{\partial x}=\iiint\limits_{V_2}\rho(\xi,\eta,\zeta)\frac{\partial}{\partial x}\left(\frac{1}{r}\right)\mathrm{d}\xi\mathrm{d}\eta\mathrm{d}\zeta, \tag{⑦}$$

$$\frac{\partial^2 u_2}{\partial x^2}=\iiint\limits_{V_2}\rho(\xi,\eta,\zeta)\frac{\partial^2}{\partial x^2}\left(\frac{1}{r}\right)\mathrm{d}\xi\mathrm{d}\eta\mathrm{d}\zeta. \tag{⑧}$$

为此,只要证明 ⑦ 式右端的积分和 ⑧ 式右端的积分都关于$(x,y,z)\in V_0$ 一致收敛. 由于

$$\frac{\partial}{\partial x}\left(\frac{1}{r}\right)=\frac{\xi-x}{r^3},\frac{\partial^2}{\partial x^2}\left(\frac{1}{r}\right)=-\frac{1}{r^3}+\frac{3(\xi-x)^2}{r^5}.$$

故仿 ⑤ 式的推导,可知:当 $R_2>R_1=\max\{R_0,2(r_0+1)\}$ 时,对 $\forall(x,y,z)\in V_0$,有

$$\iiint\limits_{\xi^2+\eta^2+\zeta^2\geqslant R_2^2}\left|\rho(\xi,\eta,\zeta)\frac{\partial}{\partial x}\left(\frac{1}{r}\right)\right|\mathrm{d}\xi\mathrm{d}\eta\mathrm{d}\zeta\leqslant M\iiint\limits_{\xi^2+\eta^2+\zeta^2\geqslant R_2^2}\frac{\mathrm{d}\xi\mathrm{d}\eta\mathrm{d}\zeta}{r^2R^{2+\alpha}}\leqslant 4M\iiint\limits_{\xi^2+\eta^2+\zeta^2\geqslant R_2^2}\frac{\mathrm{d}\xi\mathrm{d}\eta\mathrm{d}\zeta}{R^{4+\alpha}}=\frac{16M\pi}{(1+\alpha)R_2^{1+\alpha}},$$

$$\iiint\limits_{\xi^2+\eta^2+\zeta^2\geqslant R_2^2}\left|\rho(\xi,\eta,\zeta)\frac{\partial^2}{\partial x^2}\left(\frac{1}{r}\right)\right|\mathrm{d}\xi\mathrm{d}\eta\mathrm{d}\zeta\leqslant 4M\iiint\limits_{\xi^2+\eta^2+\zeta^2\geqslant R_2^2}\frac{\mathrm{d}\xi\mathrm{d}\eta\mathrm{d}\zeta}{r^3R^{2+\alpha}}\leqslant 32M\iiint\limits_{\xi^2+\eta^2+\zeta^2\geqslant R_2^2}\frac{\mathrm{d}\xi\mathrm{d}\eta\mathrm{d}\zeta}{R^{5+\alpha}}=\frac{128M\pi}{(1+\alpha)R_2^{2+\alpha}}.$$

由此可知，⑦ 式右端的积分和 ⑧ 式右端的积分都关于 $(x,y,z)\in V_0$ 一致收敛. 故 ⑦ 式与 ⑧ 式当 $(x,y,z)\in V_0$ 时成立. 同理可证，当 $(x,y,z)\in V_0$ 时，有

$$\frac{\partial^2 u_2}{\partial y^2}=\iiint\limits_{V_2}\rho(\xi,\eta,\zeta)\frac{\partial^2}{\partial y^2}\left(\frac{1}{r}\right)\mathrm{d}\xi\mathrm{d}\eta\mathrm{d}\zeta, \qquad ⑨$$

$$\frac{\partial^2 u_2}{\partial z^2}=\iiint\limits_{V_2}\rho(\xi,\eta,\zeta)\frac{\partial^2}{\partial z^2}\left(\frac{1}{r}\right)\mathrm{d}\xi\mathrm{d}\eta\mathrm{d}\zeta. \qquad ⑩$$

将 ⑧，⑨，⑩ 三式相加，即得

$$\Delta u_2=\iiint\limits_{V_2}\rho(\xi,\eta,\zeta)\Delta\left(\frac{1}{r}\right)\mathrm{d}\xi\mathrm{d}\eta\mathrm{d}\zeta=0. \qquad ⑪$$

下面再求 $\Delta u_1=\mathrm{div}(\mathbf{grad}\ u_1)$，由 4461 题的结果知

$$\mathbf{grad}\ u_1=-\iint\limits_{S_1}\rho(Q)n\frac{\mathrm{d}S}{r}+\iiint\limits_{V_1}\mathbf{grad}_Q\rho(Q)\frac{\mathrm{d}V}{r}, \qquad ⑫$$

其中 S_1 表示 V_1 的边界（球面）. 显然，当 $P(x,y,z)\in V_0$ 时，⑫ 式右端的第一个积分（曲面积分）的被积函数具有对于 x,y 及 z 的连续偏导数，故可在积分号下求对于 x,y 及 z 的偏导数. 另外，仿照 4461 题(ii) 段的证明可知 ⑫ 式右端的第二个积分（三重积分）也可在积分号下求对于 x,y 及 z 的偏导数. 于是，得

$$\mathrm{div}(\mathbf{grad}\ u_1)=-\iint\limits_{S_1}\mathrm{div}_P\left[\frac{\rho(Q)\boldsymbol{n}}{r}\right]\mathrm{d}S+\iiint\limits_{V_1}\mathrm{div}_P\left[\frac{1}{r}\mathbf{grad}_Q\rho(Q)\right]\mathrm{d}V. \qquad ⑬$$

利用公式 $\mathrm{div}(v\boldsymbol{a})=v\mathrm{div}\ \boldsymbol{a}+\boldsymbol{a}\cdot\mathbf{grad}\ v$（4424 题(3)），可知（注意到 $\rho(Q)\boldsymbol{n}$ 及 $\mathbf{grad}_Q\rho(Q)$ 均与 P 无关）

$$\mathrm{div}_P\left[\frac{\rho(Q)\boldsymbol{n}}{r}\right]=\rho(Q)\boldsymbol{n}\cdot\mathbf{grad}_P\left(\frac{1}{r}\right)=-\rho(Q)\boldsymbol{n}\cdot\mathbf{grad}_Q\left(\frac{1}{r}\right)=-\rho(Q)\frac{\partial}{\partial\boldsymbol{n}}\left(\frac{1}{r}\right),$$

$$\mathrm{div}_P\left[\frac{1}{r}\mathbf{grad}_Q\rho(Q)\right]=\mathbf{grad}_Q\rho(Q)\cdot\mathbf{grad}_P\left(\frac{1}{r}\right)=-\mathbf{grad}_Q\rho(Q)\cdot\mathbf{grad}_Q\left(\frac{1}{r}\right).$$

代入 ⑬ 式，得

$$\Delta u_1=\iint\limits_{S_1}\rho(Q)\frac{\partial}{\partial\boldsymbol{n}}\left(\frac{1}{r}\right)\mathrm{d}S-\iiint\limits_{V_1}\mathbf{grad}_Q\rho(Q)\cdot\mathbf{grad}_Q\left(\frac{1}{r}\right)\mathrm{d}V, \qquad ⑭$$

由于 $\mathrm{div}_Q\left[\rho(Q)\mathbf{grad}_Q\left(\frac{1}{r}\right)\right]=\rho(Q)\Delta_Q\left(\frac{1}{r}\right)+\mathbf{grad}_Q\rho(Q)\cdot\mathbf{grad}_Q\left(\frac{1}{r}\right)$，而 $\Delta_Q\left(\frac{1}{r}\right)=0(Q\neq P)$，故 ⑭ 式可写为

$$\Delta u_1=\iint\limits_{S_1}\rho(Q)\frac{\partial}{\partial\boldsymbol{n}}\left(\frac{1}{r}\right)\mathrm{d}S-\iiint\limits_{V_1}\mathrm{div}_Q\left[\rho(Q)\mathbf{grad}_Q\left(\frac{1}{r}\right)\right]\mathrm{d}V. \qquad ⑮$$

下面计算 ⑮ 式中的三重积分，用 Ω_ε 表示以点 $P(x,y,z)$ 为中心，ε 为半径的球域，其边界（球面）记为 S_ε. 对 $V_1\setminus\Omega_\varepsilon$ 应用高斯公式，得

$$\begin{aligned}\iiint\limits_{V_1\setminus\Omega_\varepsilon}\mathrm{div}_Q\left[\rho(Q)\mathbf{grad}_Q\left(\frac{1}{r}\right)\right]\mathrm{d}V&=\iint\limits_{S_1\cup S_\varepsilon}\rho(Q)\mathbf{grad}_Q\left(\frac{1}{r}\right)\cdot\boldsymbol{n}\mathrm{d}S\\&=\iint\limits_{S_1}\rho(Q)\frac{\partial}{\partial\boldsymbol{n}}\left(\frac{1}{r}\right)\mathrm{d}S+\iint\limits_{S_\varepsilon}\rho(Q)\frac{\partial}{\partial\boldsymbol{n}}\left(\frac{1}{r}\right)\mathrm{d}S,\end{aligned} \qquad ⑯$$

其中 $\boldsymbol{n}$ 是外法线向量，从而在 S_ε 上是指向点 $P(x,y,z)$ 的. 由中值定理知

$$\iint\limits_{S_\varepsilon}\rho(Q)\frac{\partial}{\partial\boldsymbol{n}}\left(\frac{1}{r}\right)\mathrm{d}S=-\iint\limits_{S_\varepsilon}\rho(Q)\frac{\partial}{\partial r}\left(\frac{1}{r}\right)\mathrm{d}S=\iint\limits_{S_\varepsilon}\rho(Q)\frac{\mathrm{d}S}{r^2}=\frac{1}{\varepsilon^2}\iint\limits_{S_\varepsilon}\rho(Q)\mathrm{d}S$$

$$= \frac{1}{\varepsilon^2} \cdot \rho(Q_\varepsilon) \cdot 4\pi\varepsilon^2 = 4\pi\rho(Q_\varepsilon),$$

其中 Q_ε 是球面 S_ε 上的某点. 代入 ⑯ 式,得

$$\iiint\limits_{V_1 \setminus \Omega_\varepsilon} \operatorname{div}_Q \left[\rho(Q) \mathbf{grad}_Q \left(\frac{1}{r} \right) \right] \mathrm{d}V = \iint\limits_{S_1} \rho(Q) \frac{\partial}{\partial \boldsymbol{n}} \left(\frac{1}{r} \right) \mathrm{d}S + 4\pi\rho(Q_\varepsilon),$$

两端令 $\varepsilon \to 0^+$ 取极限,得

$$\iiint\limits_{V_1} \operatorname{div}_Q \left[\rho(Q) \mathbf{grad}_Q \left(\frac{1}{r} \right) \right] \mathrm{d}V = \iint\limits_{S_1} \rho(Q) \frac{\partial}{\partial \boldsymbol{n}} \left(\frac{1}{r} \right) \mathrm{d}S + 4\pi\rho(P),$$

再将此式代入 ⑮ 式,得

$$\Delta u_1 = -4\pi\rho(x, y, z). \tag{17}$$

由 ⑰ 式,⑪ 式以及 ④ 式,即得 ⑥ 式. 于是,⑥ 式对 $\forall P(x,y,z) \in V_0$ 成立. 由于 V_0 的中心 $P_0(x_0, y_0, z_0)$ 是任意的(可为空间任一点),故知 ⑥ 式对空间任一点都成立.

过关检测

过关检测题

1.(2024 浙江大学)求二重积分 $\iint\limits_{x^2+y^2\leqslant 1} |3x+4y|\,\mathrm{d}x\mathrm{d}y$.

2.(2024 武汉大学)以 $x=ty$ 参数化曲线 $x^2+y^3=xy$,求曲线所围区域的面积.

3.(2024 华东师范大学)计算曲面 $z=\mathrm{e}^{x^2-y^2}+x^2$ 与 $z=\mathrm{e}^{x^2-y^2}-y^2+1$ 所围成封闭区域的体积.

4.(2024 电子科技大学)计算二重积分 $\iint\limits_D(\sqrt{x^2+y^2}+y)\mathrm{d}x\mathrm{d}y$,其中 D:$x^2+y^2=4$ 与 $(x+1)^2+y^2=1$ 所围成的区域.

5.(2024 东南大学)计算二重积分$\iint\limits_{D}\frac{\sin y\cos y}{y}\mathrm{d}x\mathrm{d}y$,其中$D$为直线$y=x$与抛物线$x=y^2$所围成的封闭区域.

6.(2024 中国科学院大学)设$f(x,y)$是$\{(x,y)\mid x^2+y^2\leqslant 1\}$上二次连续可微函数,且$\frac{\partial^2 f}{\partial x^2}+\frac{\partial^2 f}{\partial y^2}=x^2y^2$,求重积分$\iint\limits_{x^2+y^2\leqslant 1}\left(\frac{x}{\sqrt{x^2+y^2}}\frac{\partial f}{\partial x}+\frac{y}{\sqrt{x^2+y^2}}\frac{\partial f}{\partial y}\right)\mathrm{d}x\mathrm{d}y$.

7.(2024 中国人民大学)设V是曲面$y=x^2(x\geqslant 0)$和平面$y=x,x+y+z=2,z=0$围成的区域,求三重积分$\iiint\limits_{V}x\mathrm{e}^{y+z}\mathrm{d}x\mathrm{d}y\mathrm{d}z$.

8.(2024 武汉大学)计算$I=\iiint\limits_{\Omega}(x+y+z)^2\mathrm{d}x\mathrm{d}y\mathrm{d}z$,其中$\Omega$是$x^2+y^2+z^2=3$与$2z=x^2+y^2$围成的区域.

9.(2024 厦门大学) 设 $f(x)$ 有连续导数,且 $f(0)=0, f'(0)=k$. 求极限

$$\lim_{t \to 0} \frac{1}{\pi t^4} \iiint\limits_{x^2+y^2+z^2 \leqslant t^2} f(\sqrt{x^2+y^2+z^2})\,\mathrm{d}x\mathrm{d}y\mathrm{d}z.$$

10.(2024 中国科学院大学) 设 $I=\iiint\limits_{V}(x+y-z+10)\mathrm{d}V$,其中 $V: x^2+y^2+z^2 \leqslant 3$,证明:

$$28\sqrt{3}\pi \leqslant I \leqslant 52\sqrt{3}\pi.$$

11.(2024 吉林大学) 求曲面 $2z=x^2+y^2$ 与 $z=\sqrt{x^2+y^2}$ 围成区域的体积.

12.(2024 电子科技大学) 曲线积分 $\oint_L (2x^2+y^2+z)\mathrm{d}S=$ ________,其中 $L: x^2+y^2+z^2=1$ 与 $x+y+z=0$ 相交所围成的曲线.

13.(2024 吉林大学)求第二型曲线积分$\int_L \frac{x\mathrm{d}y - y\mathrm{d}x}{2x^2+y^2}$,其中 L 是圆周 $x^2+y^2=1$,方向为逆时针.

14.(2024 复旦大学)设 C 是从$(1,0)$沿着 $x^2+y^2=x$ 到$(0,0)$的曲线,则曲线积分 $\int_C(-\mathrm{e}^x\cos y - y^2)\mathrm{d}x + \mathrm{e}^x\sin y\mathrm{d}y =$ __________.

15.(2024 中国科学院大学)计算曲线积分

$$I=\oint_L (y^2-z^2)\mathrm{d}x+(z^2-x^2)\mathrm{d}y+(x^2-y^2)\mathrm{d}z,$$

其中 L 是$[0,a]\times[0,a]\times[0,a]$的表面与平面 $x+y+z=\frac{3}{2}a$ 的交线,从上往下看取逆时针方向.

16.(2024 华中科技大学)已知 f 在 $\mathbf{R}$ 上具有连续导数,L 是从 $A\left(3,\frac{2}{3}\right)$到 $B(1,2)$的曲线段 $y=-\frac{5}{9}x^2+\frac{14}{9}x+1$,求 $I=\int_L \frac{1+y^2f(xy)}{y}\mathrm{d}x+\frac{x}{y^2}[y^2f(xy)-1]\mathrm{d}y$.

17.（2024 南开大学）计算曲线积分 $I=\int_L (x^3y+e^y)dx+(xy^3+5x^3y^2+xe^y)dy$，其中 L 为逆时针方向的椭圆 $4x^2+9y^2=36$.

18.（2024 电子科技大学）计算曲线积分 $\oint_L \frac{(x-y)dx+(x+4y)dy}{x^2+4y^2}$，其中 $L: x^2+y^2=1$，方向为逆时针.

19.（2024 东南大学）计算曲线积分：$I=\oint_L y^2dx+z^2dy+x^2dz$，其中 L 为球面 $x^2+y^2+z^2=a^2$ 与柱面 $x^2+y^2=ax$ 的交线，从 z 轴正向看为逆时针方向，其中 $z\geqslant 0, a>0$.

20.（2024 中国人民大学）设 $f(x,y)$ 连续可偏导，对任意光滑曲线 L，曲线积分 $\int_L 2xydx+f(x,y)dy$ 和路径无关，求 $f(x,y)$，使得对 $\forall t\in \mathbf{R}$，有

$$\int_{(0,0)}^{(t,1)} 2xydx+f(x,y)dy=\int_{(0,0)}^{(1,t)} 2xydx+f(x,y)dy.$$

21.（2024 厦门大学）计算曲线积分$\int_L x\ln(x^2+y^2-1)\mathrm{d}x+y\ln(x^2+y^2-1)\mathrm{d}y$，其中$L$为从$(2,0)$到$(0,2)$的光滑线段.

22.（2024 北京师范大学）计算$I=\oint_L(y^2+z^2)\mathrm{d}x+(x^2+z^2)\mathrm{d}y+(x^2+y^2)\mathrm{d}z$，其中$L$是曲面$x^2+y^2+z^2=4x$与$x^2+y^2=2x$的交线在$z\geqslant 0$的部分，方向为从原点进入第一卦限.

23.（2024 山东大学）计算第一类曲面积分$\iint_\Sigma(x+y+z)\mathrm{d}S$，其中曲面$\Sigma$是左半球面$x^2+y^2+z^2=1,y\leqslant 0$.

24.(2024 中国科学技术大学)计算曲面积分

$$I=\iint_S (x^2+y)\mathrm{d}y\mathrm{d}z-y\mathrm{d}z\mathrm{d}x+(x^2+y^2)\mathrm{d}x\mathrm{d}y,$$

其中 $S=\{(x,y,z)\mid z=x^2+y^2,0\leqslant z\leqslant 1\}$,方向向外.

25.(2024 湘潭大学)求曲面积分$\iint_\Sigma (xy+yz+zx)\mathrm{d}S$,其中曲面$\Sigma$是$z=\sqrt{x^2+y^2}$被$x^2+y^2=2ay$截掉的部分.

26.(2024 北京师范大学)设Ω是$z=x^2+y^2$介于$z=0$和$z=2$之间的曲面,求曲面积分$\iint_\Sigma (x^2\cos\alpha+y^2\cos\beta+z^2\cos\gamma)\mathrm{d}S$,其中$(\cos\alpha,\cos\beta,\cos\gamma)$为$\Sigma$的单位外法向量.

27.（2024 合肥工业大学）求曲面积分

$$I=\iint_S x\,\mathrm{d}y\mathrm{d}z+y\mathrm{d}z\mathrm{d}x+[(z+1)^2+\mathrm{e}^{-(x^2+y^2)}]\mathrm{d}x\mathrm{d}y,$$

其中 S 为 $z=1-x^2-y^2(0\leqslant z\leqslant 1)$，方向取下侧.

28.（2024 湖南大学）计算曲面积分 $I=\iint_S xyz(x^2y^2+y^2z^2+z^2x^2)\mathrm{d}S$，其中曲面 S 是球面 $x^2+y^2+z^2=a^2(a>0)$ 在第一卦限的部分.

29.（2024 华中科技大学）用下列两种方法求 $I=\iint_S h(x,y,z)\mathrm{d}S$，其中 $S:x^2+y^2+z^2=1$，$h(x,y,z)=x^4+y^2z^2$.

(1) 用球坐标变换. (2) 用 Gauss 公式和齐次函数 Euler 公式 $xf'_x+yf'_y+zf'_z=nf$，其中 f 满足 $f(tx,ty,tz)=t^nf(x,y,z)$，n 为正整数.

答案解析

1. **解** **方法一** 由 Poisson 公式可得

$$\iint\limits_{x^2+y^2\leqslant 1} |3x+4y|\,dxdy = 5\iint\limits_{x^2+y^2\leqslant 1} |x|\,dxdy = 20\iint\limits_{\substack{x^2+y^2\leqslant 1\\ x,y\geqslant 0}} xdxdy$$

$$= 20\int_0^{\frac{\pi}{2}} d\theta\int_0^1 \rho^2\cos\theta d\rho = \frac{20}{3}.$$

方法二 $$\iint\limits_{x^2+y^2\leqslant 1} |3x+4y|\,dxdy = \int_0^{2\pi} d\theta\int_0^1 r^2\,|3\cos\theta+4\sin\theta|\,dr = \frac{5}{3}\int_0^{2\pi}|\sin(\theta+\varphi_0)|\,d\theta$$

$$= \frac{5}{3}\int_{\varphi_0}^{2\pi+\varphi_0}|\sin t|\,dt = \frac{10}{3}\int_0^{\pi}\sin tdt = \frac{20}{3}.$$

2. **解** 令 $x=ty$,则原曲线化为 $t^3y^3+y^3=ty^2$,从而$\begin{cases} x=\dfrac{t^2}{1+t^3}, \\ y=\dfrac{t}{1+t^3}, \end{cases}$故曲线所围区域的面积

$$S=\iint\limits_D dxdy = \frac{1}{2}\int_L xdy - ydx = \frac{1}{2}\int_0^1 \frac{t^2}{(1+t^3)^2}dt = \frac{1}{6}.$$

3. **解** 联立方程组$\begin{cases} z=e^{x^2-y^2}+x^2, \\ z=e^{x^2-y^2}-y^2+1, \end{cases}$可知 $x^2+y^2=1$. 由于围成的区域是封闭区域,所以被积区域为 $D=\{(x,y)\mid x^2+y^2\leqslant 1\}$. 所求体积肯定为正,那么被积函数应为正的部分$(e^{x^2-y^2}-y^2+1)-(e^{x^2-y^2}+x^2)=1-x^2-y^2$.

下面利用二重积分来计算所围成区域的体积,可知:

$$\iint\limits_D(1-x^2-y^2)dxdy = \iint\limits_D dxdy - \iint\limits_D(x^2+y^2)dxdy = \pi - \iint\limits_D(x^2+y^2)dxdy.$$

利用极坐标变换$\begin{cases} x=r\cos\theta, \\ y=r\sin\theta, \end{cases}$ $dxdy=rdrd\theta$,所以

$$V=\iint\limits_D(1-x^2-y^2)dxdy = \pi-\iint\limits_D(x^2+y^2)dxdy = \pi-\int_0^{2\pi}d\theta\int_0^1 r^3dr = \pi-\frac{\pi}{2}=\frac{\pi}{2}.$$

4. **解** 令 $x=r\cos\theta, y=r\sin\theta$,则 $dxdy=rdrd\theta$,所以

$$I=\iint\limits_{x^2+y^2\leqslant 4}(\sqrt{x^2+y^2}+y)dxdy - \iint\limits_{(x+1)^2+y^2\leqslant 4}(\sqrt{x^2+y^2}+y)dxdy$$

$$=\int_0^{2\pi}d\theta\int_0^2(r+r\sin\theta)rdr - \int_{\frac{\pi}{2}}^{\frac{3\pi}{2}}d\theta\int_0^{-2\cos\theta}(r+r\sin\theta)rdr$$

$$=\int_0^{2\pi}\left[\frac{8}{3}(\sin\theta+1)\right]d\theta - \int_{\frac{\pi}{2}}^{\frac{3\pi}{2}}\left[-\frac{8}{3}(\sin\theta+1)\cos^3\theta\right]d\theta = \frac{16\pi}{3}-\frac{32}{9}.$$

5. **解** 记 $A(0,0)$,$O(0,0)$,积分区域 $D=\{(x,y)\mid 0<y<1, y^2<x<y\}$. 令 $u=2y$,则

$$I=\iint\limits_D\frac{\sin y\cos y}{y}dxdy = \int_0^1 dy\int_{y^2}^{y}\frac{\sin y\cos y}{y}dx = \int_0^1\frac{\sin y\cos y}{y}dy\int_{y^2}^{y}dx$$

$$=\int_0^1\frac{\sin y\cos y}{y}\cdot(y-y^2)dy = \int_0^1\sin y\cos ydy - \int_0^1 y\sin y\cos ydy$$

$$=\frac{1}{4}\int_0^1\sin(2y)\mathrm{d}(2y)-\frac{1}{8}\int_0^1 2y\sin(2y)\mathrm{d}(2y)=\frac{1}{4}\int_0^2\sin u\mathrm{d}u-\frac{1}{8}\int_0^2 u\sin u\mathrm{d}u$$

$$=-\frac{1}{4}(\cos 2-1)+\frac{1}{8}\left[u\cos u\Big|_0^2-\int_0^2\cos u\mathrm{d}u\right]=\frac{1}{4}-\frac{1}{8}\int_0^2\cos u\mathrm{d}u$$

$$=\frac{1}{4}-\frac{1}{8}\int_0^2\mathrm{d}(\sin u)=\frac{1}{4}-\frac{\sin 2}{8}.$$

6. **解** **方法一** 由于函数 f 在点 (x,y) 处沿着原点到此点的方向导数为

$$\frac{\partial f}{\partial \boldsymbol{l}}=\frac{\partial f}{\partial x}\frac{x}{\sqrt{x^2+y^2}}+\frac{\partial f}{\partial y}\frac{y}{\sqrt{x^2+y^2}}=\frac{\partial f}{\partial x}\cos\theta+\frac{\partial f}{\partial y}\sin\theta.$$

记 $L:x^2+y^2=1$,逆时针方向,故

$$\oint_L\frac{\partial f}{\partial \boldsymbol{l}}\mathrm{d}s=\oint_L\left(\frac{\partial f}{\partial x}\cos\theta+\frac{\partial f}{\partial y}\sin\theta\right)\mathrm{d}s=\oint_L\frac{\partial f}{\partial x}\mathrm{d}y-\frac{\partial f}{\partial y}\mathrm{d}x=\iint\limits_{x^2+y^2\leqslant 1}\left(\frac{\partial^2 f}{\partial x^2}+\frac{\partial^2 f}{\partial y^2}\right)\mathrm{d}x\mathrm{d}y.$$

同理可得

$$\oint_L\sqrt{x^2+y^2}\frac{\partial f}{\partial \boldsymbol{l}}\mathrm{d}s=\oint_L\sqrt{x^2+y^2}\left(\frac{\partial f}{\partial x}\cos\theta+\frac{\partial f}{\partial y}\sin\theta\right)\mathrm{d}s$$

$$=\oint_L\sqrt{x^2+y^2}\left(\frac{\partial f}{\partial x}\mathrm{d}y-\frac{\partial f}{\partial y}\mathrm{d}x\right)=\oint_L\left(\sqrt{x^2+y^2}\frac{\partial f}{\partial x}\mathrm{d}y-\sqrt{x^2+y^2}\frac{\partial f}{\partial y}\mathrm{d}x\right)$$

$$=\iint\limits_{x^2+y^2\leqslant 1}\left(\frac{x}{\sqrt{x^2+y^2}}\frac{\partial f}{\partial x}+\sqrt{x^2+y^2}\frac{\partial^2 f}{\partial x^2}+\frac{y}{\sqrt{x^2+y^2}}\frac{\partial f}{\partial y}+\sqrt{x^2+y^2}\frac{\partial^2 f}{\partial y^2}\right)\mathrm{d}x\mathrm{d}y.$$

故

$$\iint\limits_{x^2+y^2\leqslant 1}\left(\frac{\partial^2 f}{\partial x^2}+\frac{\partial^2 f}{\partial y^2}\right)\mathrm{d}x\mathrm{d}y$$

$$=\iint\limits_{x^2+y^2\leqslant 1}\left[\frac{x}{\sqrt{x^2+y^2}}\frac{\partial f}{\partial x}+\frac{y}{\sqrt{x^2+y^2}}\frac{\partial f}{\partial y}+\sqrt{x^2+y^2}\left(\frac{\partial^2 f}{\partial x^2}+\frac{\partial^2 f}{\partial y^2}\right)\right]\mathrm{d}x\mathrm{d}y.$$

所以

$$I=\iint\limits_{x^2+y^2\leqslant 1}(1-\sqrt{x^2+y^2})\left(\frac{\partial^2 f}{\partial x^2}+\frac{\partial^2 f}{\partial y^2}\right)\mathrm{d}x\mathrm{d}y=\iint\limits_{x^2+y^2\leqslant 1}(1-\sqrt{x^2+y^2})x^2y^2\mathrm{d}x\mathrm{d}y$$

$$=\int_0^{2\pi}\mathrm{d}\theta\int_0^1(1-r)(r\cos\theta)^2(r\sin\theta)^2r\mathrm{d}r=\int_0^{2\pi}\cos^2\theta\sin^2\theta\mathrm{d}\theta\int_0^1(1-r)r^5\mathrm{d}r$$

$$=4\int_0^{\frac{\pi}{2}}\cos^2\theta\sin^2\theta\mathrm{d}\theta\int_0^1(r^5-r^6)\mathrm{d}r=\frac{\pi}{4}\left(\frac{1}{6}-\frac{1}{7}\right)=\frac{\pi}{4}\cdot\frac{1}{42}=\frac{\pi}{168}.$$

方法二 显然

$$I=\int_0^{2\pi}\mathrm{d}\theta\int_0^1\left(\cos\theta\frac{\partial f}{\partial x}+\sin\theta\frac{\partial f}{\partial y}\right)r\mathrm{d}r=\int_0^1\mathrm{d}r\int_0^{2\pi}\left(\cos\theta\frac{\partial f}{\partial x}+\sin\theta\frac{\partial f}{\partial y}\right)r\mathrm{d}\theta$$

$$=\int_0^1\mathrm{d}r\int_{x^2+y^2=r^2}\left(\frac{\partial f}{\partial x}\mathrm{d}y-\frac{\partial f}{\partial y}\mathrm{d}x\right)=\int_0^1\mathrm{d}r\iint\limits_{x^2+y^2\leqslant r^2}\left(\frac{\partial^2 f}{\partial x^2}+\frac{\partial^2 f}{\partial y^2}\right)\mathrm{d}x\mathrm{d}y=\int_0^1\mathrm{d}r\iint\limits_{x^2+y^2\leqslant r^2}x^2y^2\mathrm{d}x\mathrm{d}y$$

$$=\int_0^1\mathrm{d}r\int_0^{2\pi}\mathrm{d}\theta\int_0^r(\rho^2\cos^2\theta\rho^2\sin^2\theta)\rho\mathrm{d}\rho=\int_0^1\mathrm{d}r\int_0^{2\pi}\cos^2\theta\sin^2\theta\mathrm{d}\theta\int_0^r\rho^5\mathrm{d}\rho$$

$$=4\int_0^1\frac{r^6}{6}\mathrm{d}r\int_0^{\frac{\pi}{2}}\cos^2\theta\sin^2\theta\mathrm{d}\theta=\int_0^1\frac{\pi r^6}{24}\mathrm{d}r=\frac{\pi}{168}.$$

7. **解** V 在平面 $z=0$ 的投影区域是 $D=\{(x,y)\mid 0\leqslant x\leqslant 1,x^2\leqslant y\leqslant x\}$,从而

$$\iiint\limits_V x\mathrm{e}^{y+z}\mathrm{d}x\mathrm{d}y\mathrm{d}z$$

$$=\iint\limits_D \mathrm{d}x\mathrm{d}y\int_0^{2-x-y}x\mathrm{e}^{y+z}\mathrm{d}z=\iint\limits_D x(\mathrm{e}^{2-x}-\mathrm{e}^y)\mathrm{d}x\mathrm{d}y=\int_0^1\mathrm{d}x\int_{x^2}^{x}x(\mathrm{e}^{2-x}-\mathrm{e}^y)\mathrm{d}y$$

$$=\int_0^1[\mathrm{e}^2(x^2-x^3)\mathrm{e}^{-x}-x\mathrm{e}^x+x\mathrm{e}^{x^2}]\mathrm{d}x.$$

$$I_1=\int_0^1(x^2-x^3)\mathrm{e}^{-x}\mathrm{d}x=\int_0^1(x^3-x^2)\mathrm{d}\mathrm{e}^{-x}$$

$$=(x^3-x^2)\mathrm{e}^{-x}\Big|_0^1-\int_0^1(3x^2-2x)\mathrm{e}^{-x}\mathrm{d}x=\int_0^1(3x^2-2x)\mathrm{d}(\mathrm{e}^{-x})$$

$$=(3x^2-2x)\mathrm{e}^{-x}\Big|_0^1-\int_0^1(6x-2)\mathrm{e}^{-x}\mathrm{d}x=\mathrm{e}^{-1}+\int_0^1(6x-2)\mathrm{d}(\mathrm{e}^{-x})$$

$$=\mathrm{e}^{-1}+(6x-2)\mathrm{e}^{-x}\Big|_0^1-\int_0^1 6\mathrm{e}^{-x}\mathrm{d}x=5\mathrm{e}^{-1}+2+6\mathrm{e}^{-x}\Big|_0^1=11\mathrm{e}^{-1}-4,$$

$$I_2=\int_0^1 x\mathrm{e}^x\mathrm{d}x=(x-1)\mathrm{e}^x\Big|_0^1=1,$$

$$I_3=\int_0^1 x\mathrm{e}^{x^2}\mathrm{d}x=\frac{\mathrm{e}^{x^2}}{2}\Big|_0^1=\frac{\mathrm{e}-1}{2},$$

从而

$$\iiint\limits_V x\mathrm{e}^{y+z}\mathrm{d}x\mathrm{d}y\mathrm{d}z=\mathrm{e}^2I_1-I_2+I_3=\frac{23}{2}\mathrm{e}-4\mathrm{e}^2-\frac{3}{2}.$$

8. **解** 根据对称性,

$$I=\iiint\limits_\Omega(x^2+y^2+z^2+2xy+2xz+2yz)\mathrm{d}x\mathrm{d}y\mathrm{d}z=\iiint\limits_\Omega(x^2+y^2+z^2)\mathrm{d}x\mathrm{d}y\mathrm{d}z$$

$$=\int_0^{2\pi}\mathrm{d}\theta\int_0^{\sqrt{2}}\mathrm{d}r\int_{\frac{r^2}{2}}^{\sqrt{3-r^2}}(r^2+z^2)r\mathrm{d}z=\frac{\pi}{5}\left(18\sqrt{3}-\frac{97}{6}\right).$$

9. **解** 利用球坐标变换可知

$$\lim_{t\to0}\frac{1}{\pi t^4}\iiint\limits_V f(\sqrt{x^2+y^2+z^2})\mathrm{d}x\mathrm{d}y\mathrm{d}z=\lim_{t\to0}\frac{1}{\pi t^4}\int_0^{2\pi}\mathrm{d}\theta\int_0^{\pi}\mathrm{d}\varphi\int_0^t f(r)r^2\sin\varphi\mathrm{d}r$$

$$=\lim_{t\to0}\frac{1}{\pi t^4}\cdot2\pi\cdot2\cdot\int_0^t f(r)r^2\mathrm{d}r=4\lim_{t\to0}\frac{\int_0^t f(r)r^2\mathrm{d}r}{t^4}=4\lim_{t\to0}\frac{f(t)t^2}{4t^3}$$

$$=\lim_{t\to0}\frac{f(t)}{t}=f'(0)=k.$$

10. **解** 首先由 Cauchy 不等式得$(x^2+y^2+z^2)(1^2+1^2+1^2)\geqslant(x+y-z)^2$,从而有$-3\leqslant x+y-z\leqslant3$.故

$$\iiint\limits_V(x+y-z+10)\mathrm{d}V\geqslant\iiint\limits_\Omega(-3+10)\mathrm{d}x\mathrm{d}y\mathrm{d}z=28\sqrt{3}\pi.$$

对右边应用 Cauchy 积分不等式有

$$\left[\iiint\limits_V(x+y-z+10)\mathrm{d}V\right]^2\leqslant\left(\iiint\limits_V1^2\mathrm{d}x\mathrm{d}y\mathrm{d}z\right)\iiint\limits_V(x+y-z+10)^2\mathrm{d}x\mathrm{d}y\mathrm{d}z<52\sqrt{3}\pi.$$

11. **解** 令$x=r\cos\theta,y=r\sin\theta,\theta\in[0,2\pi)$,则边界满足$\begin{cases}2z=r^2,\\z=r,\end{cases}$解得$r=2,z=2$.设

所围区域为 Ω，其体积为 V，则有

$$V=\iiint\limits_{\Omega}\mathrm{d}x\mathrm{d}y\mathrm{d}z=\int_0^{2\pi}\mathrm{d}\theta\int_0^2\mathrm{d}z\int_z^{\sqrt{2z}}r\,\mathrm{d}r=\pi\int_0^1(2z-z^2)\mathrm{d}z=\pi\left(z^2-\frac{z^3}{3}\right)\Big|_0^2=\frac{4}{3}\pi.$$

12. **解**　利用轮换对称性，

$$I=\oint_L x^2\mathrm{d}s=\oint_L y^2\mathrm{d}s=\oint_L z^2\mathrm{d}s=\frac{1}{3}\oint_L(x^2+y^2+z^2)\mathrm{d}s.$$

所以

$$I=\oint_L(2x^2+y^2)\mathrm{d}s=\oint_L(x^2+y^2+z^2)\mathrm{d}s=\oint_L\mathrm{d}s=2\pi.$$

再次利用轮换对称性

$$I=\oint_L x\mathrm{d}s=\oint_L y\mathrm{d}s=\oint_L z\mathrm{d}s=\frac{1}{3}\oint_L(x+y+z)\mathrm{d}s=0.$$

所以 $I=\oint_L(2x^2+y^2+z)\mathrm{d}s=2\pi.$

13. **解**　将曲线的参数方程 $\begin{cases}x=\cos\theta,\\ y=\sin\theta\end{cases}$ 代入积分中，则

$$\int_L\frac{x\mathrm{d}y-y\mathrm{d}x}{2x^2+y^2}=\int_0^{2\pi}\frac{\cos^2\theta+\sin^2\theta}{1+\cos^2\theta}\mathrm{d}\theta=\int_0^{2\pi}\frac{1}{1+\cos^2\theta}\mathrm{d}\theta=\sqrt{2}\pi.$$

14. **解**　记 C_1 是从 $(0,0)$ 到 $(1,0)$ 的线段. D 为 C 与 C_1 围成的封闭区域，由 Green 公式，

$$\begin{aligned}&\int_{C+C_1}(-\mathrm{e}^x\cos y-y^2)\mathrm{d}x+\mathrm{e}^x\sin y\mathrm{d}y\\&=\iint\limits_D[\mathrm{e}^x\sin y-(\mathrm{e}^x\sin y-2y)]\mathrm{d}x\mathrm{d}y\\&=2\iint\limits_D y\mathrm{d}x\mathrm{d}y=2\int_0^{\frac{\pi}{2}}\mathrm{d}\theta\int_0^{\cos\theta}(r\sin\theta)r\mathrm{d}r\\&=\frac{2}{3}\int_0^{\frac{\pi}{2}}\cos^3\theta\sin\theta\mathrm{d}\theta=\frac{2}{3}\cdot\frac{2\cdot1}{4\cdot2}=\frac{1}{6}.\end{aligned}$$

另外

$$\int_{C_1}(-\mathrm{e}^x\cos y-y^2)\mathrm{d}x+\mathrm{e}^x\sin y\mathrm{d}y=\int_0^1(-\mathrm{e}^x)\mathrm{d}x=-\mathrm{e}^x\Big|_0^1=1-\mathrm{e},$$

故

$$\int_C(-\mathrm{e}^x\cos y-y^2)\mathrm{d}x+\mathrm{e}^x\sin y\mathrm{d}y=\mathrm{e}-\frac{5}{6}.$$

15. **解**　取 Σ 为平面 $x+y+z=\frac{3}{2}a$ 被 Γ 所围成的上侧部分. 令 $\boldsymbol{n}=\frac{1}{\sqrt{3}}(1,1,1)$ 为 Σ 的单位法向量，即 $\cos\alpha=\cos\beta=\cos\gamma=\frac{1}{\sqrt{3}}$，由斯托克斯公式有

$$I=\iint\limits_{\Sigma}\begin{vmatrix}\frac{1}{\sqrt{3}}&\frac{1}{\sqrt{3}}&\frac{1}{\sqrt{3}}\\\frac{\partial}{\partial x}&\frac{\partial}{\partial y}&\frac{\partial}{\partial z}\\y^2-z^2&z^2-x^2&x^2-y^2\end{vmatrix}\mathrm{d}S=-\frac{4}{\sqrt{3}}\iint\limits_{\Sigma}(x+y+z)\mathrm{d}S.$$

由于在 Σ 上 $x+y+z=\dfrac{3}{2}a$，$\mathrm{d}S=\sqrt{3}\,\mathrm{d}x\mathrm{d}y$，故

$$I=-\frac{4}{\sqrt{3}}\iint_{\Sigma}\frac{3}{2}a\mathrm{d}S=-2\sqrt{3}a\iint_{\Sigma}\mathrm{d}S=-2\sqrt{3}a\iint_{D_{xy}}\sqrt{3}\,\mathrm{d}x\mathrm{d}y,$$

其中 D_{xy} 为 Σ 在 Oxy 面上的投影，面积是 $\dfrac{3}{4}a^2$，于是

$$I=-2\cdot 3a\cdot\frac{3}{4}a^2=-\frac{9}{2}a^3.$$

16. **解** 首先二元函数 $\dfrac{1+y^2f(xy)}{y}$ 及 $\dfrac{x}{y^2}[y^2f(xy)-1]$ 在曲线段 $y=-\dfrac{5}{9}x^2+\dfrac{14}{9}x+1$ 上连续，且

$$\frac{\partial}{\partial y}\left(\frac{1+y^2f(xy)}{y}\right)=-\frac{1}{y^2}+f(xy)+xyf'(xy)=\frac{\partial}{\partial x}\frac{x}{y^2}[y^2f(xy)-1].$$

所以曲线积分与路径无关，从而可以沿水平线段和竖直线段进行积分，从而

$$I=\int_L\frac{1+y^2f(xy)}{y}\mathrm{d}x+\frac{x}{y^2}[y^2f(xy)-1]\mathrm{d}y$$

$$=\int_3^1\frac{1+\frac{4}{9}f\left(\frac{2}{3}x\right)}{\frac{2}{3}}\mathrm{d}x+\int_{\frac{2}{3}}^2\left[f(y)-\frac{1}{y^2}\right]\mathrm{d}y=-4,$$

其中前后两个积分表达式中含 f 的积分恰好抵消.

17. **解** 由格林公式

$$I=\iint_D(y^3+15x^2y^2+\mathrm{e}^y-x^3-\mathrm{e}^y)\mathrm{d}x\mathrm{d}y=15\iint_D x^2y^2\mathrm{d}x\mathrm{d}y,$$

令 $\begin{cases}x=3r\cos\theta,\\ y=2r\sin\theta,\end{cases}$ $J=6r$. 所以

$$I=15\cdot 9\cdot 6\cdot 4\int_0^{2\pi}\sin^2\theta\cos^2\theta\mathrm{d}\theta\int_0^1 r^5\mathrm{d}r=15\cdot 9\cdot 4\cdot 4\int_0^{\frac{\pi}{2}}(\sin^2\theta-\sin^4\theta)\mathrm{d}\theta$$

$$=15\times 9\times 16\left(\frac{1}{2}\cdot\frac{\pi}{2}-\frac{3}{4}\cdot\frac{1}{2}\cdot\frac{\pi}{2}\right)=135\pi.$$

18. **解** 令 $P=\dfrac{x-y}{x^2+4y^2}$，$Q=\dfrac{x+4y}{x^2+4y^2}$，则

$$\frac{\partial P}{\partial y}=\frac{\partial\left(\frac{x-y}{x^2+4y^2}\right)}{\partial y}=\frac{-1\cdot(x^2+4y^2)-(x-y)\cdot 8y}{(x^2+4y^2)^2}=\frac{-x^2-8xy+4y^2}{(x^2+4y^2)^2}.$$

$$\frac{\partial Q}{\partial x}=\frac{\partial\left(\frac{x+4y}{x^2+4y^2}\right)}{\partial x}=\frac{1\cdot(x^2+4y^2)-(x+4y)\cdot 2x}{(x^2+4y^2)^2}=\frac{4y^2-x^2-8xy}{(x^2+4y^2)^2}.$$

所以 $\dfrac{\partial P}{\partial y}=\dfrac{\partial Q}{\partial x}=\dfrac{4y^2-x^2-8xy}{(x^2+4y^2)^2}$.

补线 L_ε：$x^2+4y^2=\varepsilon^2$，$\varepsilon>0$ 充分小，取顺时针. 由格林公式，

$$\oint_L\frac{(x-y)\mathrm{d}x+(x+4y)\mathrm{d}y}{x^2+4y^2}=\oint_{L+L_\varepsilon-L_\varepsilon}\frac{(x-y)\mathrm{d}x+(x+4y)\mathrm{d}y}{x^2+4y^2}$$

$$=0-\oint_{L_\varepsilon}\frac{(x-y)\mathrm{d}x+(x+4y)\mathrm{d}y}{x^2+4y^2}=-\frac{1}{\varepsilon^2}\oint_{L_\varepsilon}(x-y)\mathrm{d}x+(x+4y)\mathrm{d}y$$

$$=\frac{1}{\varepsilon^2}\iint_{D_\varepsilon}\left[\frac{\partial(x+4y)}{\partial x}-\frac{\partial(x-y)}{\partial y}\right]\mathrm{d}x\mathrm{d}y=\frac{1}{\varepsilon^2}\iint_{D_\varepsilon}[1-(-1)]\mathrm{d}x\mathrm{d}y$$

$$=\frac{2}{\varepsilon^2}\iint_{D_\varepsilon}\mathrm{d}x\mathrm{d}y=\frac{2}{\varepsilon^2}\cdot\pi\cdot\varepsilon\cdot\frac{\varepsilon}{2}=\pi.$$

19. **解** 利用参数方程法. 由题意可知 $L:\begin{cases}z=\sqrt{a^2-x^2-y^2},\\ \left(x-\frac{a}{2}\right)^2+y^2=\left(\frac{a}{2}\right)^2,\end{cases}$ 从而

$L:\begin{cases}x=\frac{a}{2}+\frac{a}{2}\cos t,\\ y=\frac{a}{2}\sin t,\\ z=a\sin\left(\frac{t}{2}\right),\end{cases}$ $t\in[0,2\pi]$. 所以 $\begin{cases}\mathrm{d}x=-\frac{a}{2}\sin t\mathrm{d}t,\\ \mathrm{d}y=\frac{a}{2}\cos t\mathrm{d}t,\\ \mathrm{d}z=\frac{a}{2}\cos\left(\frac{t}{2}\right)\mathrm{d}t,\end{cases}$ 那么

$$I=\oint_L y^2\mathrm{d}x+z^2\mathrm{d}y+x^2\mathrm{d}z$$

$$=\int_0^{2\pi}\left[-\left(\frac{a}{2}\sin t\right)^2\frac{a}{2}\sin t+\left(a\cos\left(\frac{t}{2}\right)\right)^2\frac{a}{2}\cos t+\left(\frac{a}{2}+\frac{a}{2}\cos t\right)^2\frac{a}{2}\cos\left(\frac{t}{2}\right)\right]\mathrm{d}t$$

$$=\frac{a^3}{2}\int_0^{2\pi}\left(-\frac{\sin^3 t}{4}+\cos^5\left(\frac{t}{2}\right)+\cos t\cdot\cos^2\left(\frac{t}{2}\right)\right)\mathrm{d}t=\frac{a^3}{2}\cdot\frac{\pi}{2}=\frac{\pi}{4}a^3.$$

20. **解** 对任意光滑曲线 L，$\int_L 2xy\mathrm{d}x+f(x,y)\mathrm{d}y$ 和路径无关，故 $f_x(x,y)=2x$，从而 $f(x,y)=x^2+C(y)$，这里 $C(y)$ 连续可导.

$$I_1=\int_{(0,0)}^{(t,1)}2xy\mathrm{d}x+f(x,y)\mathrm{d}y=\int_0^t 2x\cdot 0\mathrm{d}x+\int_0^1 f(t,y)\mathrm{d}y=\int_0^1[t^2+C(y)]\mathrm{d}y$$

$$=t^2+\int_0^1 C(y)\mathrm{d}y.$$

$$I_2=\int_{(0,0)}^{(1,t)}2xy\mathrm{d}x+f(x,y)\mathrm{d}y=\int_0^1 2x\cdot 0\mathrm{d}x+\int_0^t f(1,y)\mathrm{d}y$$

$$=\int_0^t[1+C(y)]\mathrm{d}y=t+\int_0^t C(y)\mathrm{d}y.$$

令 $I_1=I_2$，即 $t^2+\int_0^1 C(y)\mathrm{d}y=t+\int_0^t C(y)\mathrm{d}y$，等式两边对 t 求导，则有 $2t=1+C(t)$，从而 $C(y)=2y-1$，故 $f(x,y)=x^2+2y-1$.

21. **解** 令 $P=x\ln(x^2+y^2-1)$，$Q=y\ln(x^2+y^2-1)$，则

$$\frac{\partial P}{\partial y}=\frac{2xy}{x^2+y^2-1}=\frac{\partial Q}{\partial x}=\frac{2xy}{x^2+y^2-1}.$$

记 $O(0,0)$，$A(2,0)$，$B(0,2)$，$D(2,2)$. 补充线段 $\overrightarrow{BD}$ 和 $\overrightarrow{DA}$，由格林公式

$$\oint_{C+\overrightarrow{BD}+\overrightarrow{DA}}P\mathrm{d}x+Q\mathrm{d}y=0,\int_{\overline{BD}}P\mathrm{d}x+Q\mathrm{d}y=\int_0^2 x\ln(x^2+3)\mathrm{d}x,$$

$$\int_{\overline{DA}}P\mathrm{d}x+Q\mathrm{d}y=-\int_0^2\ln(y^2+3)\mathrm{d}y.$$

所以

$$I=\oint_C x\ln(x^2+y^2-1)\mathrm{d}x+y\ln(x^2+y^2-1)\mathrm{d}y$$
$$=\left(\oint_{C+\overline{BD}+\overline{DA}}-\oint_{\overline{DA}}-\oint_{\overline{BD}}\right)P\mathrm{d}x+Q\mathrm{d}y$$
$$=0-\int_0^2 x\ln(x^2+3)\mathrm{d}x-\left(-\int_0^2\ln(y^2+3)\mathrm{d}y\right)$$
$$=-\int_0^2 x\ln(x^2+3)\mathrm{d}x+\int_0^2\ln(y^2+3)\mathrm{d}y=0.$$

22. **解** 选取 L 围成的曲面 S 为球面 $(x-2)^2+y^2+z^2=4$ 的一部分，则曲面方向为内侧（下侧），而根据梯度可知曲面 S 的单位法向量为 $\boldsymbol{n}=-\frac{1}{2}(x-2,y,z)$，由斯托克斯公式知

$$I=\oint_L(y^2+z^2)\mathrm{d}x+(x^2+z^2)\mathrm{d}y+(x^2+y^2)\mathrm{d}z=-\iint_S\begin{vmatrix}\frac{1}{2}(x-2) & \frac{1}{2}y & \frac{1}{2}z\\ \frac{\partial}{\partial x} & \frac{\partial}{\partial y} & \frac{\partial}{\partial z}\\ y^2+z^2 & x^2+z^2 & x^2+y^2\end{vmatrix}\mathrm{d}S$$
$$=-\iint_S[(x-2)(y-z)+y(z-x)+z(x-y)]\mathrm{d}S=2\iint_S(y-z)\mathrm{d}S.$$

注意到 S 关于 xOz 平面对称，所以由对称性可知 $\iint_S y\mathrm{d}S=0$，于是

$$I=-2\iint_S z\mathrm{d}S,$$

而 S 方程可以写为 $z=\sqrt{4-(x-2)^2-y^2}$，其在 xOy 面投影为 $D=\{(x,y)\mid(x-1)^2+y^2\leqslant 1\}$，且 $\sqrt{1+z_x^2+z_y^2}=\frac{2}{z}$. 于是

$$I=-2\iint_S z\mathrm{d}S=-2\iint_D z\cdot\frac{2}{z}\mathrm{d}x\mathrm{d}y=-4\cdot\pi\cdot 1^2=-4\pi.$$

23. **解** 积分区域关于 yOz，xOy 面对称，从而 $\iint_\Sigma x\mathrm{d}S=0$，$\iint_\Sigma z\mathrm{d}S=0$，故

$$\iint_\Sigma(x+y+z)\mathrm{d}S=\iint_\Sigma y\mathrm{d}S=\iint_{D_{xz}}(-\sqrt{1-x^2-z^2})\sqrt{1+\frac{x^2}{1-x^2-z^2}+\frac{y^2}{1-x^2-z^2}}\mathrm{d}x\mathrm{d}z$$
$$=\iint_{D_{xz}}(-1)\mathrm{d}x\mathrm{d}z=-\pi.\text{（其中 }D_{xz}:x^2+z^2\leqslant 1\text{）}$$

24. **解** 采用合一投影法，且根据对称性可得

$$I=-\iint_{x^2+y^2\leqslant 1}[x^2+y^2-2x(x^2+y^2)+2y^2]\mathrm{d}x\mathrm{d}y$$
$$=-\iint_{x^2+y^2\leqslant 1}(x^2+3y^2)\mathrm{d}x\mathrm{d}y$$
$$=-\int_0^{2\pi}\mathrm{d}\theta\int_0^1(r^2+2r^2\sin^2\theta)r\mathrm{d}r=-\pi.$$

25. **解** 由题意易知 $\Sigma:z=\sqrt{x^2+y^2}$，$D_{xy}:x^2+y^2\leqslant 2ax$，即

$$\mathrm{d}S=\sqrt{1+z_x^2+z_y^2}\mathrm{d}x\mathrm{d}y=\sqrt{1+\frac{x}{x^2+y^2}+\frac{y}{x^2+y^2}}=\sqrt{2}\mathrm{d}x\mathrm{d}y.$$

由于曲面 Σ 关于 zOx 面对称，所以 $\iint\limits_{\Sigma}(xy+yz)\mathrm{d}S=0$，即

$$\text{原式}=\iint\limits_{\Sigma}xz\mathrm{d}S=\sqrt{2}\iint\limits_{D_{xy}}x\sqrt{x^2+y^2}\mathrm{d}x\mathrm{d}y=\sqrt{2}\int_{-\frac{\pi}{2}}^{\frac{\pi}{2}}\mathrm{d}\theta\int_0^{2a\cos\theta}r^3\cos\theta\mathrm{d}r=\frac{64\sqrt{2}a^4}{15}.$$

26. **解**　补面 $S: x^2+y^2\leqslant 2, z=2$，方向向上，由 Guass 公式，

$$\begin{aligned}\text{原式}&=2\iiint\limits_{V}(x+y+z)\mathrm{d}x\mathrm{d}y\mathrm{d}z-\iint\limits_{S}2\mathrm{d}x\mathrm{d}y\\&=2\iiint\limits_{V}z\mathrm{d}x\mathrm{d}y\mathrm{d}z-4\pi\\&=2\iint\limits_{x^2+y^2\leqslant 2}\mathrm{d}x\mathrm{d}y\int_{x^2+y^2}^{2}z\mathrm{d}z-4\pi\\&=\iint\limits_{x^2+y^2\leqslant 2}[4-(x^2+y^2)^2]\mathrm{d}x\mathrm{d}y-4\pi\\&=4\pi-\int_0^{2\pi}\mathrm{d}\theta\int_0^{\sqrt{2}}r^5\mathrm{d}r=\frac{4\pi}{3}.\end{aligned}$$

27. **解**　记平面 $\Sigma: z=0(x^2+y^2\leqslant 1)$，并取上侧，与 S 所围的有界闭区域为 Ω，利用 Gauss 公式可得

$$\begin{aligned}I&=\Big(\iint\limits_{S\cup\Sigma}-\iint\limits_{\Sigma}\Big)x\mathrm{d}y\mathrm{d}z+y\mathrm{d}z\mathrm{d}x+[(z+1)^2+\mathrm{e}^{-(x^2+y^2)}]\mathrm{d}x\mathrm{d}y\\&=-\iiint\limits_{\Omega}(4+2z)\mathrm{d}x\mathrm{d}y\mathrm{d}z-\iint\limits_{x^2+y^2\leqslant 1}[1+\mathrm{e}^{-(x^2+y^2)}]\mathrm{d}x\mathrm{d}y\\&=-2\int_0^1(2+z)\mathrm{d}z\iint\limits_{x^2+y^2\leqslant 1-z}\mathrm{d}x\mathrm{d}y-\int_0^{2\pi}\mathrm{d}\theta\int_0^1(1+\mathrm{e}^{-r^2})r\mathrm{d}r\\&=-2\pi\int_0^1(2+z)(1-z)\mathrm{d}z-\pi(r^2-\mathrm{e}^{-r^2})\Big|_0^1=-\frac{13\pi}{6}+\mathrm{e}^{-1}\pi.\end{aligned}$$

28. **解**　球面的单位外法向量为 $\boldsymbol{n}=\dfrac{1}{a}(x,y,z)$，则利用两种类型的曲面积分计算公式，

$$\begin{aligned}I&=\iint\limits_{S}xyz(x^2y^2+y^2z^2+z^2x^2)\mathrm{d}S\\&=a\iint\limits_{S}y^3z^3\mathrm{d}y\mathrm{d}z+a\iint\limits_{S}z^3x^3\mathrm{d}y\mathrm{d}z+a\iint\limits_{S}x^3y^3\mathrm{d}y\mathrm{d}z\\&=3a\iint\limits_{S}x^3y^3\mathrm{d}y\mathrm{d}z\\&=3a\int_0^a x^3\mathrm{d}x\int_0^{\sqrt{a^2-x^2}}y^3\mathrm{d}y=\frac{3a}{4}\int_0^a x^3\cdot(a^2-x^2)^2\mathrm{d}x=\frac{1}{32}a^9.\end{aligned}$$

29. **解**　(1) 令 $\begin{cases}x=\sin\varphi\cos\theta,\\ y=\sin\varphi\sin\theta, 0\leqslant\varphi\leqslant\pi, 0\leqslant\theta\leqslant 2\pi.\\ z=\cos\varphi,\end{cases}$ 则有

$$x_\varphi=\cos\varphi\cos\theta, y_\varphi=\cos\varphi\sin\theta, z_\varphi=-\sin\varphi,$$

$$x_\theta=-\sin\varphi\sin\theta, y_\theta=\sin\varphi\cos\theta, z_\theta=0.$$

从而有

$$E = x_\varphi^2 + y_\varphi^2 + z_\varphi^2 = \cos^2\varphi\cos^2\theta + \cos^2\varphi\sin^2\theta + \sin^2\varphi = 1,$$
$$G = x_\theta^2 + y_\theta^2 + z_\theta^2 = \sin^2\varphi\sin^2\theta + \sin^2\varphi\cos^2\theta + 0^2 = \sin^2\varphi,$$
$$F = x_\varphi x_\theta + y_\varphi y_\theta + z_\varphi z_\theta = 0.$$

故有

$$\begin{aligned} I &= \iint_S (x^4 + y^2z^2)\mathrm{d}S = \int_0^{2\pi}\mathrm{d}\theta\int_0^{\pi}(\sin^4\varphi\cos^4\theta + \sin^2\varphi\sin^2\theta\cos^2\varphi)\cdot\sqrt{EG-F^2}\,\mathrm{d}\varphi\mathrm{d}\theta \\ &= \int_0^{2\pi}\cos^4\theta\mathrm{d}\theta\cdot\int_0^{\pi}\sin^5\varphi\mathrm{d}\varphi + \int_0^{2\pi}\sin^2\theta\mathrm{d}\theta\cdot\int_0^{\pi}\sin^3\varphi\cos^2\varphi\mathrm{d}\varphi \\ &= -\int_0^{2\pi}\left(\frac{1+\cos 2\theta}{2}\right)^2\mathrm{d}\theta\cdot\int_0^{\pi}(1-\cos^2\varphi)^2\mathrm{d}(\cos\varphi) - \pi\cdot\int_0^{\pi}(1-\cos^2\varphi)\cos^2\varphi\mathrm{d}(\cos\varphi) \\ &= \int_0^{2\pi}\left(\frac{1}{4}+\frac{1}{4}\cos^2 2\theta\right)\mathrm{d}\theta\cdot\frac{16}{15} + \frac{4}{15}\pi = \int_0^{2\pi}\left(\frac{1}{4}+\frac{1}{8}+\frac{\cos 4\theta}{8}\right)\mathrm{d}\theta\cdot\frac{16}{15} + \frac{4}{15}\pi \\ &= \frac{3\pi}{4}\cdot\frac{16}{15} + \frac{4}{15}\pi = \frac{4\pi}{5} + \frac{4}{15}\pi = \frac{16\pi}{15}. \end{aligned}$$

(2) 用 S^+ 表示取外侧，Ω 为 S 所围成的区域，则有

$$I = \iint_S h(x,y,z)\mathrm{d}S = \iint_{S^+} h(x,y,z)\cdot(x\mathrm{d}y\mathrm{d}z + y\mathrm{d}z\mathrm{d}x + z\mathrm{d}x\mathrm{d}y).$$

由 Gauss 公式得

$$I = \iiint_\Omega [3h(x,y,z) + xh_x(x,y,z) + yh_x(x,y,z) + zh_z(x,y,z)]\mathrm{d}x\mathrm{d}y\mathrm{d}z.$$

又 $h(tx,ty,tz) = t^4h(x,y,z)$. 故由齐次函数 Euler 公式有

$$xh_x(x,y,z) + yh_y(x,y,z) + zh_z(x,y,z) = 4h(x,y,z).$$

因此

$$\begin{aligned} I &= \iiint_\Omega [3h(x,y,z) + 4h(x,y,z)]\mathrm{d}x\mathrm{d}y\mathrm{d}z = 7\iiint_\Omega (x^4 + y^2z^2)\mathrm{d}x\mathrm{d}y\mathrm{d}z \\ &= 7\int_0^{2\pi}\mathrm{d}\theta\int_0^{\pi}\mathrm{d}\varphi\int_0^1 (r^4\sin^4\varphi\cos^4\theta + r\sin^2\varphi\sin^2\theta\cos^2\varphi)\cdot r^2\sin\varphi\mathrm{d}r \\ &= 7\int_0^{2\pi}\mathrm{d}\theta\cdot\int_0^{\pi}\mathrm{d}\varphi\cdot\int_0^1 r^6(\sin^5\varphi\cos^4\theta + \sin^3\varphi\cos^2\varphi\sin^2\theta)\mathrm{d}r \\ &= \int_0^{2\pi}\mathrm{d}\theta\cdot\int_0^{\pi}(\sin^5\varphi\cos^4\theta + \sin^3\varphi\cos^2\varphi\sin^2\theta)\mathrm{d}\varphi = \frac{16\pi}{15}. \end{aligned}$$

图书在版编目（CIP）数据

吉米多维奇数学分析习题集题解 ：全 6 卷 / 郭柏灵，张天德总主编. -- 5 版. -- 济南 ：山东科学技术出版社，2024. 7. -- ISBN 978-7-5723-2087-3

Ⅰ. 017-44

中国国家版本馆 CIP 数据核字第 2024WT8870 号

吉米多维奇数学分析习题集题解（全6卷）

JIMIDUOWEIQI SHUXUE FENXI XITIJI TI JIE（QUAN 6 JUAN）

责任编辑：段 琰 王炳花

装帧设计：孙 佳

主管单位：山东出版传媒股份有限公司

出 版 者：山东科学技术出版社

地址：济南市市中区舜耕路517号

邮编：250003 电话：（0531）82098088

网址：www.lkj.com.cn

电子邮件：sdkj@sdcbcm.com

发 行 者：山东科学技术出版社

地址：济南市市中区舜耕路517号

邮编：250003 电话：（0531）82098067

印 刷 者：山东华立印务有限公司

地址：山东省济南市莱芜高新区钱塘江街019号

邮编：271100 电话：（0531）76216033

规格： 16 开（184 mm × 260 mm）

印张： 106.5 **字数：** 2630千

版次： 2024年7月第5版 **印次：** 2024年7月第10次印刷

定价： 168.00元